柔道整復学・理論編
改訂第7版

公益社団法人 **全国柔道整復学校協会**
監修

公益社団法人 **全国柔道整復学校協会・**
教育支援委員会教科書部会
編

南江堂

●監　　修
公益社団法人　全国柔道整復学校協会

●会　　長
谷口　和彦　　明治東洋医学院専門学校　理事長

●教育支援委員会担当理事
齊藤　秀樹　　東京医療専門学校　校長

●教育支援委員会教科書部会
三澤　圭吾　　明治東洋医学院専門学校
西巻　英男　　北海道柔道整復専門学校
齊藤　慎吾　　福島医療専門学校
福田ひとえ　　中央スポーツ医療専門学校
田中　秀和　　呉竹鍼灸柔整専門学校
錦織　輝礼　　専門学校浜松医療学院
生駒　慎二　　米田柔整専門学校
鈴　　武利　　河原医療福祉専門学校
塚本　直太　　九州医療専門学校

［令和 3 年 12 月 15 日現在］

改訂第7版の序文

　柔道整復師学校養成施設指定規則が大幅に改正され，新カリキュラムのスタートに合わせた本書改訂第6版の発刊から4年が経ちました．このカリキュラム改正の背景には社会保障制度への理解や健康長寿社会へのニーズ，また国民から求められる倫理観などこれら環境の変化に対応できる質の高い柔道整復師を養成することにあります．当然のことながらカリキュラムは教育の根幹を成すものですが，現状は各学校が国家試験出題基準に沿って進めるに留まり，生徒の柔道整復師としての基本的な資質や能力を考えた時，学校間による差異が生じる懸念は拭えません．そこで我々(公社)全国柔道整復学校協会では，コアカリキュラム策定に向けた検討を始めるとともに，この一環として本書がコアカリキュラムの標準に位置づけられるよう精査し，加えて令和2年に実施した当会教科書に対するアンケートに寄せられた意見を基に，以下のとおり第7版として改訂いたしました．

1. 症状に対する治療法のうち「実技編参照」としていた箇所に治療法を加筆した．
2. 症状に対する治療法のうち，医師に委ねるべきものは「参考」とした．
3. これまで使用していた「亜急性」という表記を「蓄積性」に変更した．
4. 第Ⅲ章各論の掲載順について，従来通り各部位における骨折・脱臼・軟部組織損傷の並びに戻すとともに，解剖と機能，注意すべき疾患を巻末に記載した．

　遡れば1964年に初の柔道整復術の教科書として発行された「柔道整復理論」から本書に至るまで実に半世紀以上もの間，柔道整復学を学ぶ者の必携書として活用されており，米田一平先生の「随時内容の改訂を行って，柔道整復学の教育に最良であり，しかも信頼される教科書に仕上げていくことを心から念じている」というお言葉どおり，今後も時代に応じた使いやすさを追求しながら，後進育成に貢献できるよう諸先輩方の情熱を引き継いでいきたいと思います．

　最後になりましたが齊藤秀樹教育支援担当理事はじめ，三澤圭吾教科書部会長，西巻英男教科書副部会長，教科書部員の皆様におかれましては業務多忙の中スピード感を持って改訂作業に取組んでいただきましたこと，また会員校の皆様には貴重なご意見を多数賜りましたこと心よりお礼申し上げます．そして，株式会社南江堂をはじめとする関係各位に感謝し改訂の序文といたします．

令和4年1月

公益社団法人全国柔道整復学校協会

会長　谷口和彦

初版の序文

昭和39年9月に，はじめて柔道整復術の教科書として，柔道整復理論が発行された．以来，医学や科学の進歩とともに柔道整復学も格段の発展を遂げた．なかでも，筋・腱等の軟部組織の損傷については画期的な柔道整復理論が完成し，それに伴い実技も大きく進歩した．

柔道整復師の将来を考えると，柔道整復理論の進歩に即応して，法律による業務範囲の拡大がより望ましいが，これには多くの問題点があり，一朝一夕では解決しないであろう．これはともかくとして，柔道整復師が広く国民から信頼され，施術の効果を高めていくには，柔道整復学校の学生はもちろん，既に免許を得ている者も，急速な医学の進歩に対応できるだけの豊かな学識と，これを基礎にした実技の一段の向上が絶対要件である．事実，柔道整復術の発展充実と，柔道整復師の資質の向上充実が，業務範囲の拡大を含めて柔道整復師の将来を方向づけていくことになると信じている．

こうした観点から，昭和59年より全国柔整学校協会加盟14校で教科書編集委員会を組織したうえで現行の厚生省の「柔道整復師養成施設指導要領」を骨子にして，各学校より選出した委員が分担執筆をした結果，ここに新しい柔道整復理論の教本を完成した．また，この内容について，厚生省健康政策局医事課の監修を頂き，公的にも柔道整復師の業務範囲を明らかにすることができた．

また，全国の柔道整復学校が協力して，分担執筆の教科書ができ上がったことは，柔整教育に対する各学校の絶大なる熱意の賜物であり，同時に将来にかける意気込みのあらわれと感謝している．

柔道整復学は今後も日を追って進歩発展を続けることから，随時内容の改訂を行って，柔道整復学の教育に最良であり，しかも信頼される教科書に仕上げていくことを心から念じている．

1988年4月

全国柔整学校協会

会長　米田一平

（執筆者）

岩田　千男	藤田　敏男	岡崎　広悟
洞口　直	須藤　安通	池添　誠祐
松山陽太郎	牧内　與吉	樽本　修和
池添　祐彬	木嶋　光仁	浅江　信也
米田　一平	永田　満雄	橋爪　務
中村　利文	船戸　嘉忠	

目　次

第Ⅰ章　概　説

1. 柔道整復術および柔道整復師の沿革 ━━━━━━━━━━━━━ **2**
　A．沿　革……………………………… 2
　B．柔道整復師と柔道………………… 5
　C．柔道整復術の現代的意義………………………… 6

2. 業務範囲とその心得および柔道整復師倫理綱領 ━━━━━━ **7**
　A．業務範囲と心得…………………… 7
　B．柔道整復師倫理綱領……………………………… 10

第Ⅱ章　総　論

1. 人体に加わる力 ━━━━━━━━━━━━━━━━━━━━━━━ **12**

2. 損傷時に加わる力 ━━━━━━━━━━━━━━━━━━━━━ **14**
　A．損傷時の力………………………… 14
　B．損傷時の力の種類………………… 15
　C．損傷時の力に影響を与える要素……………… 15

3. 痛みの基礎 ━━━━━━━━━━━━━━━━━━━━━━━━ **16**
　A．痛みの種類………………………… 16
　B．痛みのメカニズム（運動器）……… 16
　C．急性疼痛と慢性疼痛……………… 16
　D．痛みの評価……………………………………… 18
　E．痛みへのアプローチ…………………………… 18

4. 各組織の損傷 ━━━━━━━━━━━━━━━━━━━━━━ **20**
4-1. 骨の損傷……………………………… 20
　A．骨の形態と機能…………………… 20
　B．骨損傷の概説……………………… 22
　C．骨折の分類………………………… 23
　D．骨折の症状………………………… 31
　E．骨折の合併症……………………… 34
　F．小児骨折，高齢者骨折…………… 39
　G．骨折の癒合日数…………………… 42
　H．骨折の治癒経過…………………… 43
　Ｉ．骨折の予後………………………… 45
　J．骨折の治癒に影響を与える因子… 45
4-2. 関節の損傷（捻挫，脱臼）………… 46
　A．関節の構造と機能……………………………… 46
　B．関節部損傷の概説……………………………… 50
　C．関節部損傷の分類……………………………… 51
　D．鑑別診断を要する類症………………………… 52
　E．脱臼（腱脱臼を除く）…………………………… 52
　F．関節構成組織損傷……………………………… 59
4-3. 筋の損傷………………………………………… 64
　A．筋の構造と機能………………………………… 64
　B．筋損傷の概説…………………………………… 66
　C．筋損傷の分類…………………………………… 67
　D．筋損傷の症状…………………………………… 70
　E．筋損傷の治癒機序……………………………… 70

viii 目　　次

　F．筋損傷の予後……………………………… 70
4-4．腱の損傷……………………………………… 71
　A．腱の構造と機能………………………… 71
　B．腱損傷の概説…………………………… 72
　C．腱損傷の分類…………………………… 74
　D．腱損傷の症状…………………………… 76
　E．腱損傷の治癒機序……………………… 76

4-5．末梢神経の損傷……………………………… 76
　A．神経の構造と機能……………………… 76
　B．神経損傷の概説………………………… 78
　C．神経損傷の分類………………………… 78
　D．末梢神経損傷の症状…………………… 80
　E．末梢神経損傷の治癒過程……………… 81

5. 診　　察　　83

　A．診察時の注意点………………………… 83
　B．診察手順の概説………………………… 83
　C．診察の時期による分類………………… 85

　D．治療計画の作成………………………… 86
　E．施術録の扱いと記載…………………… 86

6. 治　療　法　　88

6-1．整復法………………………………………… 88
　A．徒手整復施行時の配慮………………… 88
　B．骨折の整復法…………………………… 90
　C．脱臼の整復法…………………………… 92
　D．徒手整復後の確認と配慮……………… 93
　E．軟部組織損傷の初期処置……………… 93
6-2．固定法………………………………………… 95
　A．固定施行時の配慮……………………… 95
　B．固定後の配慮…………………………… 98
6-3．後療法………………………………………… 101

　A．用　　量………………………………… 102
　B．患者の準備……………………………… 102
　C．手技療法………………………………… 102
　D．運動療法………………………………… 104
　E．物理療法………………………………… 109
6-4．指導管理……………………………………… 131
　A．患者とその環境の把握………………… 132
　B．患者の環境に対する指導管理………… 132
　C．自己管理に対する指導
　　　（予防の認識と指導管理）……………… 136

7. 外　傷　予　防　　137

7-1．第一段階……………………………………… 137
　A．運動機能向上と教育活動……………… 138
　B．特異的予防……………………………… 144

7-2．第二段階：早期発見，早期治療………… 145
7-3．第三段階……………………………………… 145

第Ⅲ章　各　　論

1. 骨　　折　　148

1-1．頭部，体幹の骨折…………………………… 148
　A．頭部，顔面部の骨折…………………… 148
　　① 頭蓋骨骨折…………………………… 148
　　② 顔面頭蓋骨折………………………… 151
　B．頚椎の骨折……………………………… 153
　　① 上位頚椎骨折………………………… 154
　　② 中・下位頚椎骨折（第3～7頚椎）……… 156
　C．胸椎の骨折……………………………… 159
　　① 上部胸椎棘突起骨折………………… 159

　　② 胸椎の椎体骨折……………………… 159
　D．腰椎の骨折……………………………… 164
　　① 下位腰椎体圧迫骨折………………… 164
　　② チャンス骨折………………………… 164
　　③ 腰椎椎体破裂骨折…………………… 165
　　④ 腰椎肋骨突起（横突起）骨折………… 166
　E．胸部の骨折……………………………… 167
　　① 肋骨骨折，肋軟骨骨折……………… 167
　　② 胸骨骨折……………………………… 172

目　次　ix

1-2. 上肢の骨折……………………………… 174
　A．鎖骨骨折…………………………………… 174
　B．肩甲骨の骨折……………………………… 179
　　① 肩甲骨骨体部骨折および上・下角骨折… 179
　　② 関節窩骨折……………………………… 180
　　③ 頸部骨折………………………………… 180
　　④ 肩峰骨折………………………………… 180
　　⑤ 烏口突起骨折…………………………… 181
　C．上腕骨近位部の骨折……………………… 181
　　① 骨頭骨折………………………………… 181
　　② 解剖頸骨折……………………………… 182
　　③ 外科頸骨折……………………………… 183
　　④ 大結節単独骨折………………………… 186
　　⑤ 小結節単独骨折………………………… 187
　　⑥ 近位骨端線離開………………………… 187
　D．上腕骨骨幹部骨折………………………… 188
　E．上腕骨遠位部の骨折……………………… 193
　　① 上腕骨顆上骨折………………………… 194
　　② 上腕骨外顆骨折………………………… 200
　　③ 上腕骨内側上顆骨折…………………… 201
　F．前腕骨近位部の骨折……………………… 203
　　① 橈骨近位端部骨折……………………… 203
　　② 肘頭骨折………………………………… 206
　G．前腕骨骨幹部骨折………………………… 208
　　① 橈骨骨幹部骨折………………………… 208
　　② ガレアジ骨折(逆モンテギア骨折)……… 210
　　③ 尺骨骨幹部骨折………………………… 210
　　④ モンテギア骨折………………………… 212
　　⑤ 橈・尺両骨骨幹部骨折………………… 214
　H．前腕骨遠位端部骨折……………………… 217
　　① 橈骨遠位端部骨折……………………… 217
　I．手根骨部の骨折…………………………… 224
　　① 舟状骨骨折……………………………… 225
　　② 三角骨骨折……………………………… 227

2. 脱　　臼 ────────────────────────── **293**

2-1. 頭部, 顔面の脱臼……………………… 293
　A．顎関節脱臼………………………………… 293
　　① 前方脱臼………………………………… 293
　　② 後方脱臼………………………………… 296
　　③ 側方脱臼………………………………… 296
　B．頸椎脱臼…………………………………… 296
　　① 環軸関節の脱臼および脱臼骨折………… 296

　　③ 有鈎骨骨折……………………………… 228
　　④ 豆状骨骨折……………………………… 229
　　⑤ その他の手根骨骨折…………………… 230
　J．中手骨部の骨折…………………………… 230
　　① 中手骨骨頭部骨折……………………… 230
　　② 中手骨頸部骨折
　　　（ボクサー骨折，またはパンチ骨折)…… 230
　　③ 中手骨骨幹部骨折……………………… 232
　　④ 第1中手骨基部骨折…………………… 234
　　⑤ 第5中手骨基部骨折…………………… 235
　K．指骨の骨折………………………………… 237
　　① 基節骨骨折……………………………… 237
　　② 中節骨骨折……………………………… 239
　　③ 末節骨骨折……………………………… 241
　　④ マレットフィンガー…………………… 242
1-3. 下肢の骨折……………………………… 245
　A．骨盤骨骨折………………………………… 245
　　① 骨盤骨単独骨折………………………… 245
　　② 骨盤輪骨折……………………………… 247
　B．大腿骨骨折………………………………… 249
　　① 大腿骨近位端部骨折…………………… 249
　　② 大腿骨骨幹部骨折……………………… 256
　　③ 大腿骨遠位端部骨折…………………… 258
　C．膝蓋骨骨折………………………………… 264
　　① 膝蓋骨骨折……………………………… 264
　D．下腿骨骨折………………………………… 265
　　① 下腿骨近位端部骨折…………………… 265
　　② 下腿骨骨幹部骨折……………………… 271
　　③ 下腿骨遠位端部骨折および足関節の
　　　脱臼骨折………………………………… 278
　E．足・足指(趾)骨折………………………… 283
　　① 足根骨骨折……………………………… 283
　　② 中足骨骨折……………………………… 290
　　③ 趾骨骨折………………………………… 292

　　② 下位頸椎の脱臼および脱臼骨折………… 297
　C．胸椎の脱臼………………………………… 298
　　① 胸椎部脱臼骨折………………………… 298
　　② 胸腰椎移行部脱臼骨折………………… 298
　D．腰椎の脱臼………………………………… 299
2-2. 上肢の脱臼……………………………… 300
　A．鎖骨の脱臼………………………………… 300

x 目　　次

　　① 胸鎖関節前方脱臼‥‥‥‥‥‥‥‥ 300
　　② 肩鎖関節上方脱臼‥‥‥‥‥‥‥‥ 301
　B．肩関節脱臼‥‥‥‥‥‥‥‥‥‥‥‥ 303
　　① 肩関節前方脱臼‥‥‥‥‥‥‥‥‥ 303
　　② 反復性肩関節脱臼‥‥‥‥‥‥‥‥ 307
　　③ 肩関節後方脱臼‥‥‥‥‥‥‥‥‥ 307
　　④ 肩関節下方脱臼‥‥‥‥‥‥‥‥‥ 309
　　⑤ 肩関節上方脱臼‥‥‥‥‥‥‥‥‥ 310
　C．肘関節の脱臼‥‥‥‥‥‥‥‥‥‥‥ 310
　　① 前腕両骨脱臼‥‥‥‥‥‥‥‥‥‥ 310
　　② 橈骨頭単独脱臼‥‥‥‥‥‥‥‥‥ 313
　　③ 肘内障‥‥‥‥‥‥‥‥‥‥‥‥‥ 314
　D．手関節部の脱臼‥‥‥‥‥‥‥‥‥‥ 315
　　① 遠位橈尺関節脱臼‥‥‥‥‥‥‥‥ 315
　　② 橈骨手根関節脱臼‥‥‥‥‥‥‥‥ 316
　　③ 月状骨脱臼および月状骨周囲脱臼‥‥‥ 316
　E．手根中手関節の脱臼‥‥‥‥‥‥‥‥ 318
　　① 手根中手(CM)関節脱臼‥‥‥‥‥‥ 318

　F．中手指節関節，指節間関節の脱臼‥‥‥ 319
　　① 第1指中手指節(MP)関節脱臼‥‥‥‥ 319
　　② 第1指以外の中手指節(MP)関節脱臼‥‥ 320
　　③ 近位指節間(PIP)関節脱臼‥‥‥‥‥ 322
　　④ 遠位指節間(DIP)関節脱臼‥‥‥‥‥ 324
2-3．下肢の脱臼‥‥‥‥‥‥‥‥‥‥‥‥ 325
　A．股関節脱臼‥‥‥‥‥‥‥‥‥‥‥‥ 325
　　① 後方脱臼‥‥‥‥‥‥‥‥‥‥‥‥ 325
　　② 前方脱臼‥‥‥‥‥‥‥‥‥‥‥‥ 328
　　③ 中心性脱臼‥‥‥‥‥‥‥‥‥‥‥ 330
　B．膝蓋骨脱臼‥‥‥‥‥‥‥‥‥‥‥‥ 330
　　① 側方脱臼(外側脱臼)‥‥‥‥‥‥‥ 331
　C．膝関節脱臼(それに伴う複合靱帯損傷)‥‥‥ 332
　D．足部の脱臼‥‥‥‥‥‥‥‥‥‥‥‥ 333
　　① 横足根関節(ショパール関節)損傷‥‥‥ 334
　　② 足根中足関節(リスフラン関節)損傷‥‥ 334
　　③ 中足趾節関節，趾節間関節の脱臼‥‥‥ 335

3．軟部組織損傷 337

3-1．頭部，体幹の軟部組織損傷‥‥‥‥‥ 337
　A．頭部，顔面部の軟部組織損傷‥‥‥‥ 337
　　① 頭部，顔面部打撲‥‥‥‥‥‥‥‥ 337
　　② 顎関節症‥‥‥‥‥‥‥‥‥‥‥‥ 338
　　③ 外傷性顎関節損傷(顎関節捻挫)‥‥‥ 339
　B．頸部の軟部組織損傷‥‥‥‥‥‥‥‥ 339
　　① 外傷性頸部症候群(むちうち損傷)‥‥‥ 339
　　② 胸郭出口症候群(TOS)‥‥‥‥‥‥ 341
　　③ 寝違え‥‥‥‥‥‥‥‥‥‥‥‥‥ 342
　C．胸・背部の軟部組織損傷‥‥‥‥‥‥ 342
　　① 胸肋関節損傷‥‥‥‥‥‥‥‥‥‥ 342
　　② 肋間筋損傷‥‥‥‥‥‥‥‥‥‥‥ 343
　　③ 胸・背部打撲傷‥‥‥‥‥‥‥‥‥ 343
　　④ 背部の軟部組織損傷‥‥‥‥‥‥‥ 344
　D．腰部の軟部組織損傷‥‥‥‥‥‥‥‥ 345
　　① 関節性‥‥‥‥‥‥‥‥‥‥‥‥‥ 345
　　② 靱帯性‥‥‥‥‥‥‥‥‥‥‥‥‥ 347
　　③ 筋・筋膜性‥‥‥‥‥‥‥‥‥‥‥ 347
3-2．上肢の軟部組織損傷‥‥‥‥‥‥‥‥ 350
　A．肩関節部の軟部組織損傷‥‥‥‥‥‥ 350
　　① 筋，腱の損傷‥‥‥‥‥‥‥‥‥‥ 350
　　② スポーツ損傷‥‥‥‥‥‥‥‥‥‥ 354
　　③ 不安定症‥‥‥‥‥‥‥‥‥‥‥‥ 358

　　④ 末梢神経障害‥‥‥‥‥‥‥‥‥‥ 359
　　⑤ その他の疾患‥‥‥‥‥‥‥‥‥‥ 359
　B．上腕部の軟部組織損傷‥‥‥‥‥‥‥ 360
　　① 橈骨神経損傷‥‥‥‥‥‥‥‥‥‥ 360
　　② 尺骨神経損傷‥‥‥‥‥‥‥‥‥‥ 361
　C．肘関節部の軟部組織損傷‥‥‥‥‥‥ 361
　　① 靱帯の損傷‥‥‥‥‥‥‥‥‥‥‥ 361
　　② 野球肘‥‥‥‥‥‥‥‥‥‥‥‥‥ 362
　　③ テニス肘‥‥‥‥‥‥‥‥‥‥‥‥ 363
　　④ その他の疾患‥‥‥‥‥‥‥‥‥‥ 364
　D．前腕部の軟部組織損傷‥‥‥‥‥‥‥ 365
　　① 前腕コンパートメント症候群‥‥‥‥ 365
　　② 腱交叉症候群‥‥‥‥‥‥‥‥‥‥ 366
　　③ 末梢神経障害‥‥‥‥‥‥‥‥‥‥ 366
　E．手関節部の軟部組織損傷‥‥‥‥‥‥ 370
　　① 三角線維軟骨複合体損傷(TFCC損傷)‥‥‥ 370
　　② ド・ケルバン病‥‥‥‥‥‥‥‥‥ 370
　　③ 末梢神経障害‥‥‥‥‥‥‥‥‥‥ 371
　　④ キーンベック病‥‥‥‥‥‥‥‥‥ 372
　　⑤ マーデルング変形‥‥‥‥‥‥‥‥ 372
　F．手部，指部の軟部組織損傷‥‥‥‥‥ 373
　　① 腱，靱帯の損傷‥‥‥‥‥‥‥‥‥ 373
　　② その他の手指部の変性疾患および変形‥‥ 377

- 3-3. 下肢の軟部組織損傷 …………………… 380
  - A. 股関節の軟部組織損傷 ……………… 380
    - ① 鼠径部痛症候群 ……………………… 380
    - ② 股関節唇損傷 ………………………… 380
    - ③ 弾発股（ばね股）……………………… 381
    - ④ 梨状筋症候群 ………………………… 382
    - ⑤ その他 ………………………………… 382
  - B. 大腿部の軟部組織損傷 ……………… 383
    - ① 大腿部打撲 …………………………… 383
    - ② 大腿部の肉ばなれ …………………… 384
  - C. 膝関節部の軟部組織損傷 …………… 386
    - ① 半月（板）損傷 ……………………… 386
    - ② 靱帯損傷 ……………………………… 387
    - ③ 発育期の膝関節障害 ………………… 388
    - ④ 腸脛靱帯炎 …………………………… 391
    - ⑤ 鵞足炎 ………………………………… 392
  - ⑥ 膝蓋大腿関節障害 …………………… 392
  - ⑦ 膝周囲の関節包，滑液包の異常 …… 393
  - ⑧ 神経の障害 …………………………… 393
  - D. 下腿部の軟部組織損傷 ……………… 394
    - ① アキレス腱炎，アキレス腱周囲炎 …… 394
    - ② アキレス腱断裂 ……………………… 394
    - ③ 下腿三頭筋の肉ばなれ ……………… 395
    - ④ 下腿部のスポーツ障害 ……………… 395
  - E. 足関節部の軟部組織損傷 …………… 396
    - ① 足関節捻挫 …………………………… 396
    - ② 足関節捻挫の類症鑑別 ……………… 398
  - F. 足・趾部の軟部組織損傷 …………… 402
    - ① 中足部から後足部の有痛性疾患 …… 402
    - ② 前足部の有痛性疾患 ………………… 404
    - ③ 扁平足障害 …………………………… 405

参考文献 …………………………………………………………………………………………… 407

付　録 ……………………………………………………………………………………………… 409
- 解剖と機能 …………………………………………………………………………………… 410
- 注意すべき疾患 ……………………………………………………………………………… 452
- 関節可動域表示ならびに測定法 …………………………………………………………… 454
- 臨床徒手検査法 ……………………………………………………………………………… 464
- 骨端核の発生と閉鎖 ………………………………………………………………………… 476

索　引 ……………………………………………………………………………………………… 479

■動画閲覧について

南江堂ホームページ内 https://www.nankodo.co.jp/video/9784524233182/9784524233182_index.html に関連動画を掲載しています．
ご使用のインターネットブラウザに上記 URL を入力いただくか，QR コードを読み込むことによりメニュー画面が表示されます．ご希望の動画を選択すると動画が再生されます．なお，本 web サービスについては，以下の事項をご了承のうえ，ご利用ください．

- 本動画の配信期間は，本書第 1 刷発行日より 5 年間を目途といたします．ただし，予期しない事情によりその期間内でも配信を停止する可能性があります．
- パソコンや端末の OS バージョン，再生環境，通信回線の状況によっては，動画が再生されないことがあります．
- 本動画の閲覧に伴う通信費などはご自身でご負担ください．
- 本動画に関する著作権はすべて公益社団法人 全国柔道整復学校協会にあります．情報の一部または全部を，無断で複製，改変，領布（無料での配布および有料での販売）することを禁止します．

第 I 章

概　説

柔道整復術および柔道整復師の沿革
業務範囲とその心得および柔道整復師倫理綱領

1 柔道整復術および柔道整復師の沿革

A・沿　革

1 柔道整復術の体系化

　　柔道整復術の体系化に寄与した代表的な人物としては，以下の人物があげられる．

　　三浦流柔術の祖 三浦楊心は，接骨術を研究し，武人 吉原元棟は拳法と按摩術により『正骨要訣』を著し，外科の一派として接骨科をおこし，小児科医 秋山四郎兵衛義時は楊心流柔術の祖となり，接骨術を編み出した．二宮彦可（『正骨範』），各務文献（『整骨新書』）は東洋医学を取り入れ，接骨学発展に貢献し，華岡青洲は伝統の接骨法に蘭法の長所を加え，接骨術をより特徴あるものとした．このほか高志鳳翼，名倉直賢らにより，江戸時代末期には，わが国の外科，接骨術は体系化されてきた．

2 柔道整復術試験の施行

　　明治維新後，西洋を万能とする考え方に立った医療制度改革が行われ，明治7(1874)年の文部省による「医制」の制定，明治14(1881)年の漢方医学の廃止に伴って接骨術はほとんど顧みられなくなった．法的には，明治18(1885)年の内務省達「入歯，歯抜，口中療治，接骨営業者取締方」によって既得権者も医術開業試験を受けることになったため，接骨業者は激減し，接骨業はほとんど壊滅状態になった．

　　明治45(1912)年，柔道家による接骨業公認運動が開始された．大正2(1913)年には，各流派の柔術家が「柔道接骨術公認期成会」を結成し，復活運動を展開した．これらの運動が実り，大正9(1920)年，内務省令により「按摩術営業取締規則」を準用するという形ではあるが，「柔道整復術」という名称で公認され，同年，第1回の柔道整復術試験が警視庁において施行された．

3 柔道整復術の公認（大正9［1920］年）

　　公認された当時の資格は，「医師または柔道整復師のもとで，柔道の教授をなすものであって，4年以上臨床実習をしたもの」に受験資格が与えられ，道府県知事の開業試験を受けて鑑札を受領した．法的には，「按摩術営業取締規則」の一部が改正され，第5条の2を「営業者（按摩）は脱臼又は骨折患部に施術を為すことを得ず，但し医師の同意を得たる病者に就いてはこの限りにあらず」とし，付則に「柔道の教授を為す者に於て打撲，捻挫，脱臼及び骨折に対して行う柔道整復術にこれを準用す」となった．法的基盤ができたとはいえ，「按摩術営業取締規則」の附則としてであり，基盤は非常に弱いものであった．

法的整備の面では不十分であったが，柔道整復術が公認されたことにより，近代柔道整復術が誕生したといえよう．基本は柔道と接骨であるが，接骨は東洋医学よりも近代西洋医学を取り入れた医学の一部として発展することになった．

4 学校教育の開始

第二次大戦後，昭和21(1946)年に厚生省令第47号によって「柔道整復術営業取締規則」となったが，法内容に変更はほとんどなかった．この規則は新憲法で失効し，新たに昭和22(1947)年12月に「あん摩，はり，きゅう，柔道整復等営業法」となった．この法律で免許資格における柔道の必要性はやや後退した．現在の柔道整復師法はこの法律が原点となっている．

昭和26(1951)年9月の文部厚生共同省令により，柔道整復師，はり師，きゅう師は，養成学校を卒業して資格試験を受けることになった．学校養成施設による柔道整復師の養成が始められ，学校教育による免許制度が制定された．しかし業務範囲は，大正9(1920)年当時のままであった．

5 柔道整復師法の成立(昭和45［1970］年)

昭和45(1970)年，法律第19号によって，従来の「あん摩マツサージ指圧師，はり師，きゆう師，柔道整復師等に関する法律」(法律第217号)から「柔道整復師法」として単独法となった．しかし，内容的には，一部罰則などに変更はあったものの，法律第217号から単純に柔道整復師を分離したのみであった．

業務内容の法的規制は，大正9(1920)年当時のままだが，柔道家のための柔道整復術という面はだいぶ後退し，従来，学校に入学しようとするものに求められていた「柔道の相当の実力」は，「柔道の素養」となった．

6 指導要領の制定

昭和51(1976)年に，あん摩マッサージ指圧師およびはり師，きゅう師ならびに柔道整復師について養成施設の指導要領が定められ(昭和56［1981］年に柔道整復師単独に分離)，教育内容が整備され，柔道整復師の業務内容の解釈も飛躍的に向上した．指導要領では，①教科時間の合理的な整理が行われ，②柔道整復師の扱う内容は，骨折，脱臼，捻挫および，筋腱などの軟部組織損傷などとし，③柔道整復術は整復，固定，後療法とし，後療法は手技療法，運動療法，物理療法としている．

この指導要領によって，これまで教育科目の時間のみ示されていたものが，教育内容を十分に整備することができるようになり，これを拠り所として，将来に向かって進むことができ，また柔道整復師になった者も，業務内容に指針を与えられることになった．

7 柔道整復師法の大改正

昭和63(1988)年，柔道整復師の資質の向上と教育内容の充実を図る目的で，「柔道整復師法」が原点の「あん摩，はり，きゅう，柔道整復等営業法」の成立から数えると40有余年ぶりに大

4　第 I 章　概　説

改正された.

改正の要点は下記のとおりである.

a. 国家試験への移行

柔道整復師法の改正により, 試験や免許の管轄が都道府県知事から厚生大臣に移行したことを受け, 柔道整復師は国家資格となった.

b. 他の医療関係職種との均衡化

対象はカリキュラム, 教室の面積, 専任教員の数, 時間数の増加, 標本などに及び, 多岐にわたるものである.

c. 基礎科目の必修化

人文科学, 社会科学, 自然科学について社会人としての情操の高揚, 見識を深めること, および他の教科を学ぶうえで必要な基礎知識の熟知を目標に必修化が図られ, また外国語(1ヵ国語以上)についても同様の趣旨で改正が図られた.

d. 専門基礎科目

運動学の新設をはじめ, 従来からの科目を整理分類し, 一般臨床医学, 外科学概論, 整形外科学, リハビリテーション医学などに細分化された.

e. 改正に伴う課せられた課題

旧カリキュラムに比べ, 時間数の増加および基礎科目の必修化や新科目の登場で履修内容が多岐にわたることとなった.

国家資格となったことで, 資格, 身分のうえで確固たる保証がされたことになるが, 社会の負託に応えるために今まで以上に責任と義務が課せられることとなった. 柔道整復師になろうとする学生諸君は法改正の趣旨を十分認識し人格の陶冶に努め, 医学知識の吸収に最大限の努力を傾注し, 先達の残された大いなる財産をさらに発展させるように自己研鑽に励み, 卒後の研修に努める必要がある.

8　柔道整復師養成施設授業時間等の変遷

平成元(1989)年「柔道整復師学校養成施設指定規則(以下, 指定規則という)」の改正(文部省厚生省令第5号)および「柔道整復師学校養成施設指導要領(以下, 指導要領という)」の改正で授業時間数について, 専門基礎科目1,005時間, 専門科目975時間, 基礎科目300時間, 選択必修科目200時間の計2,480時間と定められた. これに対して平成12(2000)年の指定規則の改正(文部省厚生省令第4号)および指導要領の改正では単位制を導入し専門基礎分野32単位以上, 専門分野39単位以上, 基礎分野14単位以上として, 合計85単位以上の教育内容について教授することに変更された. 単位の計算方法について1単位の授業科目を45時間の学修を必要とする内容をもって構成することを標準とし, 授業の方法に応じ1単位を講義および演習は15～30時間, 実験, 実習および実技は30～45時間の範囲で定め, 臨床実習は45時間と定めるとされた. この改正では, 柔道に関する講義および実習ならびに柔道整復師法を含む関係法規が専門基礎分野に編入され, この教授担当者は柔道整復師専任教員(専科教員)とされた. また, 専門分野の柔道整復実技では「柔道整復実技(臨床実習を含む)」との変更がなされ養成施設内での臨床実

習が義務化された.

平成29(2017)年の指定規則の改正(文部科学省・厚生労働省令第2号)および「柔道整復師学校養成施設指導ガイドライン(平成27[2015]年指導要領の廃止に伴い定められた)」の改正では, 最低授業単位数を大幅に増加させたうえで最低授業時間数が定められた. 同時に患者安全の確保, 外傷予防の対象の明確化ならびに社会保障制度の適正な運用の立場から教育内容の刷新も行われた. 主な改正点は授業単位数を99単位以上, 授業時間数2,750時間以上としたことである. 教育内容では, 専門基礎分野に「柔道整復術の適応」および「社会保障制度」が新設され, さらに同分野の「人体の構造と機能」の中で「高齢者, 競技者の生理学的特徴・変化」についての項目, 「保健, 医療, 福祉と柔道整復の理念」では「職業倫理」についての項目が追加された. 一方, 専門分野では「臨床実習」が独立して設定され4単位以上実施することとされたほか, 「柔道整復術適応の臨床的判定(医用画像の理解を含む)」「高齢者の外傷予防技術」「競技者の外傷予防技術」「外傷保存療法の経過および治癒の判定」「物理療法機器等の取り扱い」についての項目が追加された. また, 臨床実習に関して養成施設外の施術所, 医療機関, スキー場等の救護所, 介護施設での実習が授業単位として認められ, 見学以外の実習に際しては「臨床実習前施術試験」を実施することが義務付けられた.

B・柔道整復師と柔道

現在の柔道整復術は, 明治の医制改革による近代医学の発展の成果とともに, わが国古来の武道, とくに柔術のうえに構築された江戸時代の接骨の輝かしい伝統が基礎となっていることが特徴である. このことは, 「武道」の伝統と精神とともに, 柔道整復術の大きなバックボーンであると認識されている.

現在の柔道整復師教育では, 柔道整復師学校養成施設指定規則(別添)における『専門基礎分野(保健医療福祉と柔道整復の理念)』の中に柔道が含まれている. また, 柔道整復師養成施設指導ガイドラインでは, 柔道を学ぶ目標として「柔道により, 柔道整復の源を学ぶとともに, 健全な身体の育成及び礼節をわきまえた人格を形成する.」としている.

(1) 伝統の柔術, 東洋医学の技法を多く取り入れた接骨術は, 大正9(1920)年の柔道整復術が公認された際の資格では, 「柔道の教授を為す者」が打撲, 捻挫, 脱臼, 骨折に対して柔道整復術を行えるとなっていた.

(2) 柔道整復師の手技は, 柔道の技, 構え方などの体技に影響されることが多い. このように, 古来からの伝統が柔道, 柔術の持ち味を十分に生かして発展してきた.

(3) 武道としての柔道, 柔術は, 日本人の伝統的精神要素の一つとして存在し, 武道精神の「道」「禅」「行」は今後も社会において必要な要素であると考えられる.

(4) 柔道整復術の手技および精神的要素は, 柔術の基本である武道の「活法」を起源とし, これに東洋, 西洋の医学技術が加わったものである. 当身技, 投技, 関節技などの技を練習する中で身体の取り扱い, 武道的心構えに習熟し, 併せて, 負傷した人体の治療を行い, 傷ついた者の早期社会復帰を図ることに, 柔道整復術の特異性をみることができる.

6 第Ⅰ章 概 説

　柔道整復師は現代医学の知識を十分に取り入れ，理解したうえで，歴史的，手技的，精神的意義において適切な施術を行うことが必要である．

C・柔道整復術の現代的意義

　柔道整復術とは，運動器の皮下損傷に対する「施術」である．すなわち，骨，筋，関節を主体とする運動器に各種の外力が加わり，それによって生じる骨折，脱臼，打撲，捻挫や軟部組織損傷の「患部」あるいは「受傷部」に対し施術するものである（施術とは，柔道整復術を行うことをさす）．施術内容は，昭和51(1976)年の「柔道整復師養成施設指導要領」に示されたとおりである．

　施術目的は，患者の肉体的な苦痛を一刻も早く取り去り，患部の回復を図ることによって，早期に社会復帰させることにある．このためには適切な施術，治療に努力するのは当然であるが，医師と同様に，患者からの信頼と尊敬を得るような人間性の向上と高度の医学的知識の修得が必須である．今後も現代医学の成果を十分に取り入れ，時代に遅れないように常に研究し，施術面でも医学的，科学的解明を十分に図りながら進めていくことが必要である．

2 業務範囲とその心得および柔道整復師倫理綱領

A・業務範囲と心得

1 業務範囲と条文

　　柔道整復師の業務範囲は，大正9(1920)年4月21日，「按摩術営業取締規則」の一部が改正された際に，その第5条の2を「営業者(按摩)は脱臼又は骨折患部に施術を為すことを得ず，但し医師の同意を得たる病者に就いてはこの限りにあらず」とし，付則に「本令の規定は柔道の教授を為す者に於て打撲，捻挫，脱臼及び骨折に対して行う柔道整復術にこれを準用す」と規定されたことで示された．この付則文が業務範囲を示したはじめてのものである．

　　昭和45(1970)年4月，法律第19号により「柔道整復師法」が制定され，その後，幾度か法改正が行われたが，現行法(平成元[1989]年)を含め柔道整復師の業務を示した条文は見当たらない．しかし，法施行にあたり「逐条解説柔道整復師法(厚生省健康政策局医事課編著，(株)ぎょうせい，1990)」が発行され，第2条定義の条文解説には，「柔道整復師の業務は，脱臼，骨折，打撲，捻挫等に対してその回復を図る施術を業として行うものである」と行政の見解が示されている．

2 業務範囲と指導要領

　　柔道整復師法の法改正に伴い「柔道整復師学校養成施設指定規則」も改定された．次いで柔道整復師養成施設の指導の適正を図るため「柔道整復師養成施設指導要領」が示され，その指導要領の専門科目「柔道整復理論」「柔道整復実技」では表2·1に示したカリキュラムで教育することとなっている．このことは学校教育教科の中で柔道整復師の業務範囲を明らかにしたものと解される．

3 業務範囲と柔道整復術

　　本書の第Ⅱ章総論で述べているように，柔道整復術とは「運動器に加わる瞬間的(急性)，または繰り返しや継続(亜急性)して作用する力を原因として発生する各種の損傷に対する施術」であり，骨，筋，関節を主体とする運動器に各種の外力または自家筋力により生じた骨折，脱臼，捻挫，打撲や軟部組織損傷の「患部」あるいは「受傷部」に「施術」するものである．この場合の損傷とは外力または自家筋力による機械的損傷であり，施術とは柔道整復術を施すことである．

4 業務禁止と施術制限

　　法第15条業務の禁止では「医師である場合を除き，柔道整復師でなければ，業として柔道整

第I章 概　説

表2·1　「柔道整復理論」と「柔道整復実技」の教育内容

柔道整復理論
1.　概説
2.　骨折，脱臼，捻挫，筋腱等軟部組織の損傷
3.　治療法（1)整復法，(2)固定法，(3)後療法［ア．手技療法，イ．運動療法，ウ．物理療法］
4.　身体各部の柔道整復術
5.　業務範囲とその心得
柔道整復実技
1.　基礎および実習（1)測定法，検査法，(2)骨折，(3)脱臼，(4)捻挫，(5)筋腱等軟部組織の損傷，(6)固定法，(7)包帯法，(8)牽引療法，(9)運動療法，(10)物理療法
2.　見学実習：施術所，病院，研究所
3.　臨床実習

復を行ってはならない」と業務の独占が規定されている.

　しかし，皮下損傷を柔道整復師がすべて施術しうるものではなく，療養費の支給対象となる施術は各健康保険法に基づいた協定によって制限が加えられている．また，施術方法も規定され，法第16条「外科手術，薬品投与等の禁止」は，外科手術，薬品投与にとどまらず，医師が行うのでなければ衛生上危害を生じる行為一般をさす注意的規定でもある.

　法第17条は「柔道整復師は，医師の同意を得た場合のほか，脱臼又は骨折の患部に施術をしてはならない．ただし，応急手当をする場合は，この限りでない」と施術についての制限も規定されている.

5　権能と施術目的

　柔道整復師は，柔道整復業務をその権能として行いうるが，業務範囲は厳格に柔道整復業務のみに規定されている．柔道整復術の目的は筋腱骨格の皮下損傷に対し，原因，現症などを観察，症状を的確に把握し評価したうえで，損傷患部に適応した処置を施し，さらに生体の自然治癒力を促して損傷組織の修復力を高め，経過を再評価し，必要に応じ処置を再処方して，早期に社会復帰させることである.

6　業務範囲と施術限界

　柔道整復師の施術はすべての外傷に万能ではない．業務の範囲を認識し，限界を厳密に見極めなければならない．心すべきことは，施術適応の限界を軽視したがゆえに患者に重大な障害を残し健康を損ね，生涯に不幸を招くようなことは絶対にあってはならないことである.

7　X線と附帯決議

　昭和45(1970)年，柔道整復師法単独制定に際し，参議院社会労働委員会でX線などにかかわる附帯決議が，以下のようになされている.

1.　将来柔道整復師は，その施術にあたり脱臼及び骨折の患部にX線照射をするには，診療X線

技師の資格を取得し，診療放射線技師及び診療X線技師法に基づいて行わなければならない．

2. 柔道整復師の技術研修の充実に関しては，一層の強化を図ること．

診療放射線技師法には，「医師，歯科医師，診療放射線技師でなければ，放射線を人体に照射してはならない」さらに「診療放射線技師は，医師または歯科医師の具体的な指示を受けなければ放射線を人体に照射してはならない」と規定されている．

柔道整復師は法的にX線を取り扱うことはできない．しかし医療の一端を担う者として重要なことは，いかにX線などを用いずに的確な判断を下せるかである．

8 的確な判断と医接連携

日常来院する患者は業務範囲内の患者のみとは限らず，業務範囲外の患者もおり，これらの患者も正しく指導(転医勧奨)し，ときには応急手当などの処置を施さなくてはならないこともある．そのためには幅広い医学的知識が要求される．皮下損傷に対する知識と技術はいうまでもなく，医学医療の全般について知識を広めることは当然のことである．

柔道整復師法第17条の規定によれば，柔道整復師が脱臼又は骨折の患部に対して継続して施術をするには医師の同意が必要である．患者の利益を優先すれば，同意の必要がないとされる捻挫や打撲，筋・腱等軟部組織損傷でも，治療経過のそれぞれの場面で起こる障害や異常経過を確実に発見し，必要に応じて遅滞なく医師の診療に委ねる必要がある．同意をえて施術を行う場合でも漫然と施術を継続するのではなく，経過の観察や治療法変更の要否を判定してもらう目的で，定期的に診療を仰ぐことが大切である．

医師が柔道整復師に同意を与えるときには患者を診察していることが条件になっていて，医師の心情を考えれば，人格，識見，技量において十分信頼できる柔道整復師でなければ，患者の施術を託す気持ちになれないことは想像に難くない．この負託に耐えうる柔道整復師になるためには，普段から連絡を密にして自分の技量を正しく評価してもらえるよう努力し，意思疎通が図れる関係を構築することが重要である．

9 療養費と受領委任払い制度

現在の社会保険医療は厳正な現物給付方式を建前としていて，健康保険法や国民健康保険法に定める保険医療機関又は保険薬局において，一連の医療サービスの給付で行うこととしている．したがって，現金給付である療養費はあくまで療養の給付で果たすことのできない役割を補完するものであり，その趣旨は現物給付方式の補完的，特例的なものである．法はその支給要件について①療養の給付，入院時食事療養費，入院時生活療養費の支給又は保険外併用療養費の支給をなすことが困難であると認めたとき，②保険医療機関及び医療機関や保険薬局以外の医療機関，薬局及びその他の者について診療や薬剤の支給及び手当を受けたことを保険者がやむをえないと認めたときの二つとしている．この二つの場合に「柔道整復師による施術」「あん摩・マッサージ・指圧師，はり師，きゅう師による施術」が含まれている．いずれの場合も療養費の支給の可否を決定するのは保険者であり，療養に要した費用を事後において現金をもって被保険者に支払う(償還払い)ことが原則となっている．

患者が療養費の支給を受ける手続は，健康保険法施行規則に規定する所要の記載事項について記載した療養費支給申請書に，療養に要した費用に関する領収書を添付して保険者に申請することになっているが，柔道整復師の場合は保険者との協定により「受領委任払い制度」が認められていて，例外的な取り扱いとして患者が一部負担分を柔道整復師に支払い，柔道整復師が患者に代わり費用の残額を保険者に請求し支払いを受けることができる．このため，多くの整骨院，接骨院では病院，診療所への受診と同様に窓口で自己負担分のみを支払うことで施術を受けることができる．受領委任払い制度の適用を受けるには，患者が療養費の支給申請書の内容を確認したうえで，受取代理人欄に委任者(患者)が署名することが必要である．

10 柔道整復師としての心得

絶えず勉学に親しみ，数多くの臨床を経験するように努め，業務を全うするためにも，柔道整復の範囲にとらわれることのない知識を身につけなければならない．また学術，技術の研鑽の面のみでなく，豊かな感性を養い，人格の陶冶に努め，患者には慈愛を持って接し，対話を大切にしなければならない．

私利私欲にとらわれることなく，患者の利益となるよう最善を尽くすことが肝要であり，人類社会の一員として，社会に奉仕するものとして，信頼される柔道整復師に成長しなければならない．

B・柔道整復師倫理綱領

(社)全国柔道整復学校協会と(社)日本柔道整復師会は柔道整復師の学術の研鑽と共に高い倫理性を具えることが柔道整復の進歩発展につながるものと考え，倫理綱領の制定を協同ですすめ，昭和62(1987)年6月，これを制定した．

柔 道 整 復 師 倫 理 綱 領

社団法人　全国柔道整復学校協会

社団法人　日本柔道整復師会　協同制定

国民医療の一端として柔道整復術は，国民大衆に広く受け入れられ，民族医学として伝承してきたところであるが，限りない未来へ連綿として更に継承発展すべく，倫理綱領を定めるものとする．ここに柔道整復師は，その名誉を重んじ，倫理綱領の崇高な理念と，目的達成に全力を傾注することを誓うものである．

1. 柔道整復師の職務に誇りと責任を持ち，仁慈の心を以って人類への奉仕に生涯を貫く．
2. 日本古来の柔道精神を涵養し，国民の規範となるべく人格の陶冶に努める．
3. 相互に尊敬と協力に努め，分をわきまえ法を守り，業務を遂行する．
4. 学問を尊重し技術の向上に努めると共に，患者に対して常に真摯な態度と誠意をもって接する．
5. 業務上知りえた秘密を厳守すると共に，人種，信条，性別，社会的地位などに関わらず患者の回復に全力を尽くす．

第II章

総　論

人体に加わる力
損傷時に加わる力
痛みの基礎
各組織の損傷
診　察
治　療　法
外傷予防

1 人体に加わる力

　人が地球上で生活を営むとき，身体には必然的に重力が働いている．

　日常生活で骨，関節，筋，腱，靱帯などの運動器は，重力に逆らって活動しなければならない．就業中やスポーツ活動では，運動器に対してさらに負荷が加わることになる．

　衣服を着て日常生活を送る人間にとっては，自身の体重や衣服などの荷重に耐えなければならない．重力も含め身体に加わる荷重を「静力学的荷重」といい，これに耐えうる身体の力を「静力学的能動力」という．

　正常な状態では「静力学的荷重」と「静力学的能動力」とは平衡を保つが，この平衡は二つの面から破られる．一つは「静力学的能動力」が低下する場合，たとえば廃用性萎縮に陥ると「静力学的荷重」は正常であってもこれに耐えられない．もう一つは「静力学的能動力」は正常であっても「静力学的荷重」が異常に増加した場合である（図1・1）．

　この二つの力のバランスが崩れた状態を「荷重不均衡状態」といい，さらに病的状態に陥るも

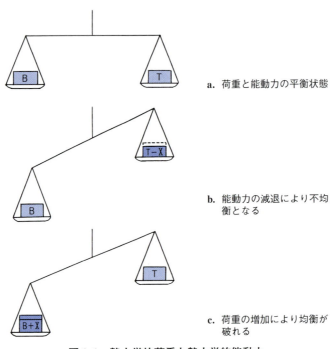

a. 荷重と能動力の平衡状態

b. 能動力の減退により不均衡となる

c. 荷重の増加により均衡が破れる

図1・1　静力学的荷重と静力学的能動力
B：荷重，T：能動力

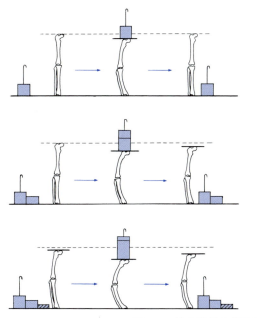

a. 骨は荷重によって屈曲するが，除去すると再び元の状態にかえる

b. ある程度以上の荷重が加えられたり，あるいはあまり無理な荷重でなくても長時間にわたると，元の状態にかえりにくくなる

c. 荷重による屈曲が回復しないうちに第2の荷重が加わると，変形が集積して著明となる

図1・2　静力学的負荷変形

のを「静力学的機能不全」と定義している(片山)．

　「静力学的機能不全」は身体のいずれの部分にも起こりうるが，荷重のかかりやすい脊柱や下肢など荷重支持に重要な働きをする骨，関節に好発し，筋や腱などにも現れる．また片山は「骨は一定度の屈撓性と弾力性があるため荷重が加わると屈曲するが，一定限度を越えない限り，荷重を取り除くと元の状態に戻る．しかし，その荷重が程度を越え，あるいは荷重自体はあまり無理なものでなくても，長時間に亘るとそこに生じた屈曲の回復が困難になる．また，回復できる程度のものでも回復しないうちに第2の荷重が加わると屈曲や変形が集積して，著明な変形をきたす」と述べていて，これを「静力学的負荷変形」と呼んでいる(図1・2)．従来，組織が損傷される時の力とは，ある程度の負荷があって，損傷を受けた側に対し明確に損傷原因として認識できるものとしてとらえられてきた．しかし，異常が認識できない程度の力によっても組織の損傷は発生するものである．

　一方，単に患部のみに治療を施しても治癒しないこともあることから，損傷にいたるまでの様々な背景を確実に把握し，全身観察と損傷要因を取り除く環境整備などを患部の施術と同時に進めていく必要がある．そのために人体に加わる力を理解し，各損傷の正確な分析がなされなければならない(「力」については『運動学』を参照)．

2 損傷時に加わる力

　身体運動器の骨，関節，軟部組織などの損傷は，何らかの「力」が加わり発生する．「力」は瞬間的な作用，または，繰り返しや継続して作用するなど種々の要素があり，質や量によって発生，程度，部位が変化する．

　解剖学，生理学，運動学などの基礎医学知識は，これらを分析し，考察していくための基礎となる．以下，損傷時に加わる力について説明する．

A・損傷時の力

　瞬間的に作用するもの(急性)と繰り返しや継続して作用するもの(反復性あるいは蓄積性)がある．

1 瞬間的に作用するもの(急性)

　原因と結果の間にはっきりとした直接的関係が存在するもので，高所からの落下，打撃など運動器に加わった瞬発的な「力」によって損傷が発生する．

2 繰り返しや継続して作用するもの(反復性あるいは蓄積性)

　原因と結果の間には直接的もしくは間接的な関係が認められるが，必ずしも「力」を自覚できるとは限らない．加わる力は通常の日常生活活動では働かない程度の大きさではあるが，1回では明確な組織損傷にはいたらない程度のものである．この力によって運動器の微細な損傷(ミクロ損傷 micro injury)が発生し，繰り返しや継続して力が作用することによって蓄積(損傷組織の修復過程中に新たな損傷が加わることが繰り返される)され，器質的な変化にいたる．

　運動器の器質的な変化にいたる損傷を起こすのに必要な力の大きさは，受傷者個々の身体的特性や受傷時の身体状況によって異なるため，同様の力が加わったとしても損傷を起こす人と起こさない人があり，同じ人でも損傷を起こす場合と起こさない場合がある．臨床症状は，突然出現するものや，違和感や軽い疼痛を継続して感じていて徐々に日常生活に支障をきたして損傷と自覚するものなどがある．

　具体例としては，野球における投球動作，長距離走，労作業などの継続(使いすぎ overuse)，負荷のかかった状態で一定の姿勢を保つ(使い方の間違い misuse)などの場合があげられ，運動器の一部に継続して一定以上の力が加わるものである．また，オフシーズン明けのスポーツ活動の再開(不使用後の急な負荷 disuse)などでは，通常では起こりえない程度の負荷で損傷が起こ

る．これらの場合では損傷部の組織学的変化，出現する症状や所見，治癒経過，予後などは急性に準ずるもので，急性と同様な治療で治癒が見込めるものである．

B・損傷時の力の種類

損傷される運動器に「力」が直接的に加わる場合と，間接的に加わる場合に大別できる．

1 直達的に作用するもの

運動器に直接的に作用する直達性の力を直達外力といい，大きく鋭性と鈍性に分類される．さらに両者は瞬間的に作用するものと，繰り返しや継続して作用するものに分類される．鋭性では外皮の損傷を伴うことが多く，一般には機械的開放性損傷，いわゆる創傷と呼ばれ，力の大きさによって深部の骨，関節，筋，腱，神経，血管などの組織に損傷が及ぶ．鈍性では一般に閉鎖性損傷が多く，深部の損傷を見落とすと重篤な経過をたどることもあり，注意が必要である．受傷機序を詳細に聴取し，患者の訴える自覚症状を軽視してはならない．

2 介達的に作用するもの

運動器に間接的に作用する介達性の力は介達外力といい，この力も瞬間的に作用するもの繰り返しや継続して作用するものに分類できる．また，自家筋力によるものも介達性に含める．

C・損傷時の力に影響を与える要素

損傷時の力に様々な要素が影響する．具体的な要素には，力の加わり方(方向)，作用時間，作用回数，連続性，強さ(大きさ)，速度などがある．

3 痛みの基礎

　国際疼痛学会による痛み pain の定義は，「実質的または潜在的な組織損傷に結びつく，あるいはこのような損傷を表す言葉を使って述べられる不快な感覚，情動体験」となっている．痛みは不快な感覚ではあるが，生物の生存に欠かせない生体防御機構である．柔道整復の施術対象は運動器の傷害であるが，患者の主訴の多くは痛みであるため，これを理解することは施術を行ううえで非常に重要である．

A・痛みの種類

1 侵害受容性疼痛 nociceptive pain
　侵害受容性疼痛は組織に対する侵害刺激（機械刺激，熱・冷刺激，化学刺激）により末梢の自由神経終末にある侵害受容器が刺激されて発生した疼痛である．

2 神経因性疼痛 neurogenic pain
　末梢組織の侵害受容器の興奮によらず，痛みの伝導路のいずれかの部位に起こる障害を原因とする病的な痛みである．

3 心因性疼痛 psychogenic pain
　従来，明らかな身体的原因がなく，その発生に心理的，社会的因子が関与している痛みに「心因性疼痛」という病名が用いられてきた．しかし，いわゆる「心因性疼痛」の多くは心のみに原因があるとはいえず，生物学的，心理的，社会的，行動要因など多くの要因が複雑に関与する可能性がある．

B・痛みのメカニズム（運動器）

　運動器における痛みを感じるメカニズムの概要を図3・1に示した（詳細は『生理学』を参照）．

C・急性疼痛と慢性疼痛

1 急性疼痛 acute pain
　一般に，急性疼痛は外傷痛，術後痛，熱傷痛，分娩痛，帯状疱疹痛などに代表される侵害受容

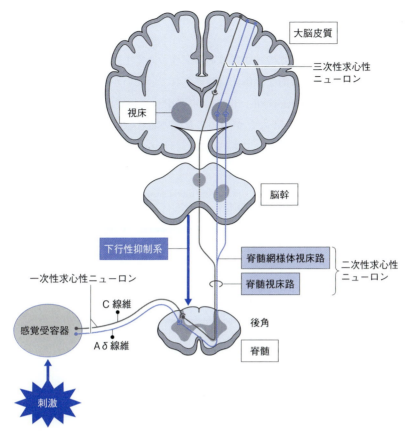

図3·1 痛みのメカニズム

性疼痛をいい，組織の侵害刺激による生理学的な痛みと炎症性の痛みがある．痛みは，病状の一つに含まれ「生体の警告系」という重要な役割があり，刺激の解除や損傷の治療とともに軽快して早期に消失するが，組織の可塑的変化が起こり，慢性疼痛に移行するものもある．

2 慢性疼痛 chronic pain

　ボニカ Bonica(1990)は慢性疼痛を「急性疾患の通常の経過あるいは創傷の治療に要する妥当な時間を超えて長期にわたって持続する痛み」としていて，一般には3〜6ヵ月続く痛みと考えられている．慢性疼痛には疾患の治癒後にも持続する痛みや，進行性のリウマチ性関節炎，末期がんの痛みなどにみられる侵害刺激が長期間加わり続ける侵害受容性疼痛がある．

　生理・解剖学的変化とそれに伴う行動変容の結果として起こるのが慢性の痛みであり，元の疾患は治癒しても痛みは遷延する．慢性疼痛は単なる痛みの持続ではなく，中枢神経系に生じた可塑的変化や心理学的機序によって歪みが生じる神経系の異常ととらえることができる．

　慢性疼痛は急性疼痛とは異なり，睡眠障害，神経過敏，食欲不振，便秘，いら立ちなどの症状がみられ，痛みへの耐性は低下する．また，身体運動機能は衰退し，すくみ反応や社会生活から逸脱しようとする傾向がみられる．

D・痛みの評価 evaluation

痛みは誰しもが共有する感覚の一つではあるがきわめて主観的な感覚であり，客観的な評価が困難である．依然として客観的な評価法は確立されていないが，一般的に痛みの強さの評価としては数値的評価スケール numerical rating scale (NRS)，視覚的アナログスケール visual analog scale (VAS)，フェイススケールなどが用いられている（図3・2）．こうした評価法を用いて施術録に記録することは施術の一部として継続的に行われるべき大切な評価の一つである．

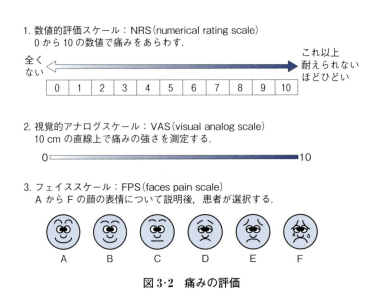

図3・2　痛みの評価

E・痛みへのアプローチ

1　運動療法

慢性疼痛の症例では廃用性障害による身体機能不全を伴っていることが多い．これらの症例に対する運動機能回復訓練は QOL を確保する意味でも重要なアプローチであり，関節可動域の回復や姿勢の改善には運動器の疼痛を軽減させる効果が期待できる．また，運動には局所の血行改善効果があり，炎症性痛の局所で産生されている内因性発痛物質の排除，局所の浮腫や虚血を改善できる．

2　物理療法

物理療法は炎症原因物質の放出や抑制，脊髄レベルでの痛み刺激の伝達調整，神経伝導性を変化させて，エンドルフィン値の上昇など直接的に痛みを緩和させる．また，筋紡錘系の感受性低下，筋スパズムの減弱，血管拡張と血流速度の変化による浮腫，虚血の軽減など間接的にも疼痛を寛解させる．寒冷療法，電気刺激，温熱療法などは痛みの原因の解決を補助し，生体に熱刺激，機械的刺激，非侵害受容感覚刺激を与えることで，脊髄での痛覚信号の伝達を抑制して疼痛

を緩和すると考えられている.

3 手技療法

手技療法による刺激には鎮痛効果があるが，機械的刺激（間質液の移動や静脈，リンパ系の還流の促進，局所血流の増加，筋攣縮の軽減）により局所の循環が改善され，炎症原因物質が除去されることや，心理的な効果によっても痛みが軽減すると考えられている.

4 薬物療法

非ステロイド抗炎症薬の投与やその無効例にはオピオイドが使用される．非ステロイド抗炎症薬の投与では消化管潰瘍などの副作用がみられ，オピオイドでは乱用や中毒に対して注意が必要である.

5 神経ブロック療法

神経根性疼痛には硬膜外ブロックや選択的神経根ブロックが行われる．侵害受容性疼痛には椎間関節ブロック，肩甲上神経ブロック，トリガーポイントブロックなどが行われる.

6 手術療法

侵害受容性疼痛に対して発痛組織を除去する人工関節置換術や病巣掻爬術などが行われる．神経因性疼痛に対しては椎弓切除術，椎間板切除術，神経剝離術，神経移植術などそれぞれの症例に対して適切に選択され実施される.

7 集学的治療

慢性疼痛の症例に対しては複数の診療科や職種が連携して，疼痛コントロール，身体機能回復訓練，心理療法の三本柱を適切に組み合わせて実施する.

4 各組織の損傷

　損傷要因(受傷機序)と主訴を聴取し，常に健側と比較し，体表解剖学，運動機能学的裏付けによって視診，触診を行う．損傷状態の把握に，周径，関節可動域，筋力，肢長などを健側と比較することは客観的判断材料となる．また徒手検査などで関節の動揺性や損傷部の疼痛などを誘発させることも，損傷を知るうえで必要である．

　注意しなければならないのは，患部のみにとらわれないことで，個々の患者の「身体的状態」に加えて「身体的状態に影響を与える因子」の注意深い検索を怠らないことである．

　以下，各組織の損傷について述べる．

● 4-1．骨の損傷

A・骨の形態と機能

　骨は高度に分化した結合組織の一つの形態であり，比較的少ない細胞成分と，細胞から産生された豊富なコラーゲンとプロテオグリカンを主体とした細胞外基質と，それに沈着している骨塩類(Na，Ca のリン酸塩など)から構成されている．

　骨は身体を支持する組織として骨格を形成し，骨格筋の作用により関節運動を営み，内臓諸器官を保護する．また，電解質の貯蔵(Ca，P など)，造血機能(髄腔および海綿質の小腔で)などの働きも持っている．

1 骨の構造(☞参考 1)

　骨は通常，外層から外骨膜，緻密質(皮質骨)，海綿質(海綿骨)，内骨膜(成人には明確に確認できない)からなり，骨幹部では髄腔が中央に存在する．

　骨は一生を通じて骨形成，骨吸収，再形成が繰り返される骨リモデリング remodeling が行われている．例えるなら，骨芽細胞が建設を，骨細胞が保守を，破骨細胞が解体をそれぞれ受け持って骨の新陳代謝が起こっている．一方，成長過程にある骨や成長完了後の形態修正が必要な骨では，新しい骨組織を形成しサイズや強度の増大，形態の修正が起こる．これを骨モデリングmodeling といい，主に重力や運動などによる力学的負荷によって規定され，身体的需要に合わせて骨格に変化が生じる．また，自家矯正は骨折後や骨の病変後に残ったある種の変形が，ある程度，骨モデリングによって矯正されるもので，骨の成長と同時に骨端軟骨(骨端成長軟骨板)の

参考1　骨の構造

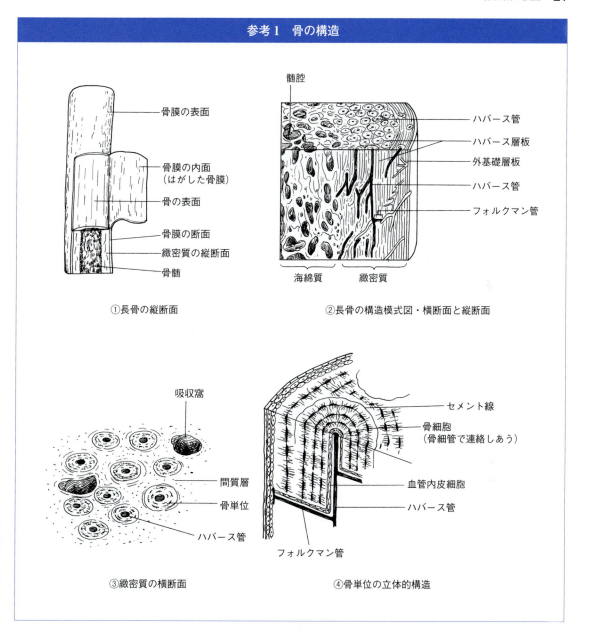

働きが期待できる小児は自家矯正能が高い.

[　●本書は骨リモデリングの記述を『標準整形外科学 改訂第13版』(医学書院)に従った.
　　ウォルフ Wolff はリモデリングを自家矯正に近い概念で説明していた.　]

　骨の基本構造は，外殻はハバース Havers 管系で構成される緻密質で形成され，内部には海綿質が存在する．長骨の骨端および骨幹端には海綿質が多く，骨幹に行くに従い髄腔が形成され，緻密質の占める割合が高くなる．

　緻密質の厚さは骨に働く応力に従い，長骨では厚く，短骨では薄い．海綿質の骨梁の走行は骨に働く力の方向に応じ一定の形をとる．

a. 緻密質 cortical bone

長骨外殻の横断面は，肉眼的にはまったく間隙がみえない厚みのある管状の硬い骨で，緻密質と呼ばれる．拡大すると最外側は骨膜と平行に形成された外基礎層板があり，内側はハバース管を中心に同心円状に骨細胞が規則正しく配列した層状骨が円柱を作っている（ハバース層板）．ハバース層板の最外周はセメント線で区切られていて，この内側が一つの骨単位（オステオン osteon）である．

緻密質はハバース管を中心とする骨単位と骨単位の間を埋める介在層板で構成される．骨単位は5～20層からの層板構造になっている．ハバース管には外骨膜側と内骨膜側から骨を貫く血管が，フォルクマン Volkmann 管によって誘導されている．

b. 海綿質 spongy bone

海綿状を呈し，間隙を脂肪組織や骨髄が満たしている．小児の一次骨核，二次骨核，成人の骨端，扁平骨，短骨などに存在し，骨折部に形成された新しい仮骨，病的新生骨などにもみられる．

c. 骨　膜 periosteum

骨の表面を包む結合組織の膜で，関節面には存在しない．骨膜は血管，神経に富み，骨の発生，成長，再生，感覚に関与する．骨膜の結合組織線維は密に骨質に進入していて，骨膜と骨質は強固に結合されている．骨に進入する線維をシャーピー Sharpey 線維と呼ぶ．

d. 骨　髄 bone marrow

骨幹の髄腔と骨端の海綿質の小腔は骨髄で満たされている．成人の骨髄は赤色骨髄と黄色骨髄に分けられる．赤色骨髄には造血機能があり，赤血球に富み赤くみえる．黄色骨髄は造血機能が失われ脂肪組織に変化したもので黄色を呈している．

e. 骨の血管 blood vessel of bone

骨の血管は筋などの付着部から骨膜を貫き骨内に進入する．長骨では栄養血管，骨端-骨幹端血管，骨膜血管の三つの血管系に支配され，栄養血管は主として骨髄，内骨膜，ハバース管系に分布している．

動脈は骨内で毛細血管に分かれ静脈洞を経て静脈に移行し骨外へ進む．静脈洞では血流速度が低下するため細菌の定着，繁殖に好都合であり，静脈洞が存在する長骨の骨端成長軟骨板下層（骨幹端や椎体中央部）は骨髄炎の好発部位になっている．

骨端-骨幹端血管は骨端に限局し，血液を供給する．

B・骨損傷の概説

骨の損傷で「骨折とは骨組織の連続性が完全あるいは部分的に離断された状態をいう」と定義されている．骨損傷は損傷した骨自体が正常であるか病的であるかによって分類し，骨折であれば外傷性骨折と病的骨折に分ける．

柔道整復師の扱う骨損傷は主に外傷性のものであるが，近年様々な要因により，骨損傷を取り巻く環境が変化している．とくに加齢による骨粗鬆症との関係は今後も柔道整復師が扱う対象と

して流動的な要素である.

1 骨損傷にかかわる力

外力の加わり方により, 瞬間的(急性)と繰り返しや継続(反復性あるいは蓄積性)に分類できる. 従来, 柔道整復の施術所に来院する患者のほとんどが急性であったが, 人口の高齢化やスポーツの普及といった社会的環境の変化から蓄積性の割合も高くなってきた.

a. 瞬間的に作用するもの(急性)

転倒, 転落といった日常生活上での突発的原因に加え, 交通, 労働, スポーツなどの現場でよく発生する. 一度に加わった直達あるいは介達外力で発生し, 損傷の程度は加わった力の大きさ, 速度, 方向, 身体の状態といった因子により様々である. 一般に蓄積性に比べ損傷程度が高度で, 原因が明らかなので損傷を見落とすことは少ない.

b. 繰り返しや継続して作用するもの(反復性あるいは蓄積性)

労働やスポーツなどの生活環境に加え, 加齢を基盤とする荷重不均衡状態, 静力学的機能不全が損傷発生に大きく関与している. 反復, 継続される直達あるいは介達外力が原因となることが多く, 年齢以外の身体状態も大きな影響を与える.

C・骨折の分類

骨折は骨の性状, 損傷の程度, 骨折線の方向, 骨折部と創(外界)との交通の有無, 外力の働いた部位, 外力の働き方, 骨折の部位, 骨折の経過などにより分類する.

1 骨の性状による分類

損傷骨の性質や状態によって分類する.

a. 外傷性骨折 traumatic fracture

正常な骨に外力が作用して, 骨組織の連続性が完全にあるいは部分的に離断されたもの.

b. 疲労骨折 fatigue or stress fracture

一度だけでは骨折を起こさない程度の外力が継続して繰り返し加わるか, 衝撃性の外力が一方向に繰り返して加わり, 集積されて発生するもの. 金属疲労に似ていて, スポーツ選手が長時間の疾走や跳躍などを繰り返すことで起こる. 骨に対する筋の反復作用や, 地面から加わる律動的な衝撃の蓄積で正常な骨に損傷が生じて, やがて骨膜反応が起こり, はっきりとした骨折が認められるようになる. 中足骨, 脛骨, 腓骨, 肋骨, 脊椎椎弓根などに発生する.

c. 病的骨折 pathologic fracture

基礎的な疾患で骨が脆弱なとき, 正常な骨では骨折が起こりえない程度のわずかな外力で発生するもの.

- ●病的骨折の誘因となる基礎的疾患
 （1）局所的誘因：転移性骨がん，骨肉腫，骨嚢腫，骨巨細胞腫，化膿性骨髄炎など
 （2）全身的誘因：くる病，骨形成不全症，大理石病，骨粗鬆症，パジェット Paget 病（変形性骨炎），上皮小体（副甲状腺）機能亢進症などが代表的であるが，これら基礎的疾患を持つ患者に骨折が必発するものではない．

- ●脆弱性骨折 insufficiency fracture
 強度が低下した骨では日常生活程度の負荷で骨折が生じることがある．骨粗鬆症による脊椎椎体圧迫骨折，高齢者における大腿骨頸部骨折，橈骨遠位端骨折，上腕骨外科頸骨折などがこれにあたる．

2 骨損傷の程度による分類

a. 完全骨折 complete fracture

骨損傷によって骨の連続性が完全に離断されたもの．

b. 不全骨折 incomplete fracture（図 4・1）

一般にヒビともいわれ，骨の一部が損傷されるが連絡を保っているもの．骨の形態や年齢によって特有な骨折型を呈する．

1. 亀裂骨折（氷裂骨折）fissured fracture

氷やガラスに生じたヒビと同じような状態になったもの．頭蓋骨，肩甲骨，腸骨などの扁平骨にみられる．

2. 若木骨折（緑樹骨折，生木骨折）greenstick fracture

長骨に発生し骨が屈曲したもので，若木を折り曲げた状態に似ている．幼小児の鎖骨，前腕骨などでみられる．

- ●急性塑性変形 acute plastic bowing
 長骨の全長にわたって彎曲するもので，受傷直後の単純 X 線像では骨折線を認めないが，経時的に仮骨が出現する．小児骨折で転位のある脛骨骨折の腓骨，橈骨骨折の尺骨などにみられる．

3. 陥凹骨折 depression fracture

若木骨折の一種でピンポン玉を潰したような状態になったもの．頭蓋骨などの扁平骨にみられ，完全骨折になると陥没骨折になる．

4. 竹節状骨折（隆起骨折）bamboo fracture

長軸方向の圧迫によって骨の一部が押し潰され，骨折部が輪状に隆起して竹節状になったも

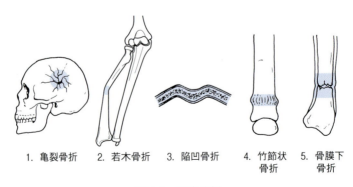

1. 亀裂骨折　2. 若木骨折　3. 陥凹骨折　4. 竹節状骨折　5. 骨膜下骨折

図 4・1　不全骨折

の．幼小児の橈骨遠位端部などにみられる．
 5. **骨膜下骨折 subperiosteal fracture**
　　骨質は完全に離断しているが骨膜は離断されておらず，骨の形状は保たれているが，骨折線を確認できるもの．多くが幼小児に発生するのは，骨膜が厚く弾力性に富み，容易に骨質から剥離するためである．幼小児の脛骨骨幹部にみられる．
 6. **骨挫傷 bone bruise**
　　海綿質の出血，浮腫，局所の血流増加がみられ，海綿質などの微細な骨折と考えられている．単純 X 線像や CT 像では検出が不可能であり，MRI によって検出が可能になる（図 4・2）．

> ● 不顕性骨折 occult fracture
> 　単純 X 線像では骨折線を認めないが，MRI などで骨折の存在が証明されるもの．明確に骨挫傷と区別することはむずかしい．

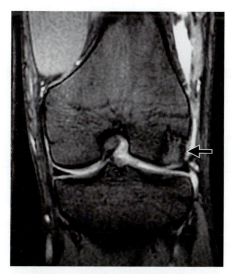

図 4・2　骨挫傷（膝関節 MRI 像）

3　骨折線の方向による分類（図 4・3）

　　骨に基準となる線を定め，基準線に対して単純 X 線像上でみられる骨折線の走る方向によって分類する．

a. **横骨折 transverse fracture**
　　骨折線が骨長軸に対して直角（垂直）に走るもの．
b. **縦骨折 longitudinal fracture**
　　骨折線が骨長軸に対して平行に走るもの．
c. **斜骨折 oblique fracture**
　　骨折線が骨長軸に対して斜めに走るもの．
d. **螺旋状骨折 spiral fracture**
　　骨折線が骨長軸に対し螺旋状に走るもの．

26　第Ⅱ章　総　論

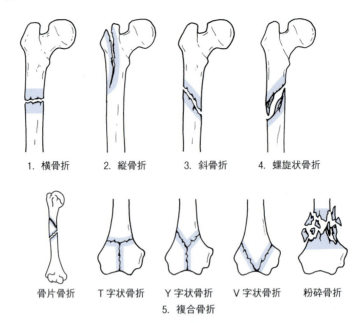

図 4·3　骨折の分類（骨折線の方向による分類）

e. 複合骨折 complex fracture
　様々な方向に走る骨折線をまとめて一つのものとして考えるもので，さらに二つの形に分類する．
　1. 骨片骨折 splintered fracture（T 字状骨折，V 字状骨折，Y 字状骨折を含む）
　　高齢者の上腕骨遠位端部，大腿骨遠位端部などでみられる．
　2. 粉砕骨折 comminuted fracture
　　骨片骨折より多数の小骨片を有する．射創，轢過など強大な外力によって発生する．

4 骨折部と創部との交通の有無による分類
　被覆軟部組織の損傷部と骨折部との交通の有無によって分類する．

a. 閉鎖性骨折（皮下骨折）closed fracture
　創部と骨折部との交通がないもの．

b. 開放性骨折 open fracture
　創部と骨折部との交通があるもの．軟部組織が損傷され外界と骨折部が交通し，高度なものは骨片が皮膚外に露出する．細菌感染の危険性が高いので専門医に託す．受傷後 6〜8 時間以内の golden hour に適切な創処置を行えば一次的な創閉鎖が可能である．骨折と無関係な骨折部周囲の軟部組織損傷があった場合も閉鎖性骨折と判断するが，細菌感染の危険があるため取り扱いは開放性骨折に近いものと考える必要がある．

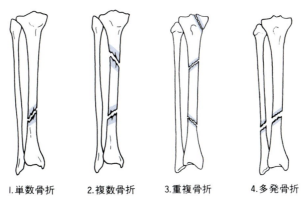

1. 単数骨折　2. 複数骨折　3. 重複骨折　4. 多発骨折

図4・4　骨折の分類(骨折の数による分類)

5　骨折の数(図4・4)

同一の骨に複数ヵ所の骨折があるものを数により複数骨折，あるいは重複骨折といい，複数の異なる骨が同時に骨折したものを多発骨折という．

6　外力の働いた部位による分類

a. 直達性骨折 direct fracture

外力が直接働いた部位で骨折したもの．

b. 介達性骨折 indirect fracture

外力が他の部位に誘導されて離れた部位で骨折したもの．

ゴルフの肋骨骨折や野球の投球骨折，腕相撲骨折などは介達性骨折に分類される．

7　外力の働き方による分類(図4・5)

外力の働き方によって分類する．

a. 裂離骨折 avulsion fracture

裂離骨折とは筋，腱，靱帯などの牽引力によって，付着部の骨が引き裂かれて発生する骨折をいう．裂離骨折の例には，足関節を強く内がえしした場合に腓骨果部に付着する前距腓靱帯や踵腓靱帯の牽引によって靱帯付着部が引き裂かれて起こる骨折などがあり，脛骨粗面骨折(膝蓋靱帯)，上腕骨内側上顆骨折(肘関節内側側副靱帯)，上前腸骨棘骨折(縫工筋)，第5中足骨基部(短腓骨筋)などでみられる．

b. 剝離骨折 flake fracture

剝離骨折とは骨の衝突，摩擦により骨の一部が剝がされて発生する骨折をいう．剝離骨折の例には，足関節に内がえしや外がえしが強制されたときに生じる距骨滑車の骨軟骨骨折などでみられる．

[　●剝離骨折を裂離骨折と同義とする解釈もみられる．　]

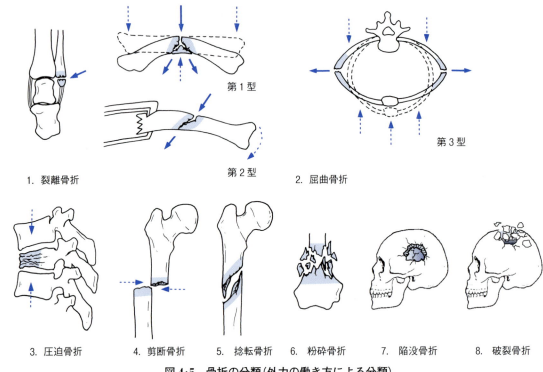

図4・5 骨折の分類(外力の働き方による分類)

c. 屈曲骨折 bending fracture

骨が屈曲されて骨折したもので,外力の働き方により3型に分類する.

1. 第1型

膝に棒をあてて両手で折るようなメカニズムで起こる骨折.骨折線は凸側から骨長軸に対してほぼ直角に進み,中央部で二つに分かれ凹側に底辺を持つ三角形の骨片を生じる「骨片骨折」となる.

2. 第2型

生木の枝を折るようなメカニズムで起こる骨折で,骨の一側が固定され他側に屈曲力が働き発生する.骨折線は凸側に始まり固定された方向へ斜めに走る「斜骨折」となる(例:上腕骨顆上骨折,橈骨遠位端部骨折).

3. 第3型

プラスチック製の丸いかごを両手で押しながら左右を接近させると,その上下が屈曲され,弾力性の限界を超えると上下の1ヵ所,もしくは上下2ヵ所で折れるように,骨盤や胸郭など骨輪を形成している部位に2方向から外力が働いて骨折する.

d. 圧迫骨折 compression fracture

骨が圧迫力によって押し潰されるもので,骨の形状,力の方向によって骨折は様々な形態を呈する.骨の長軸に軸圧が加わると縦または横の裂隙が生じ「軸圧骨折」,海綿質に富んだ椎体や踵骨などの短骨が完全に圧平されると「圧潰骨折」,骨折端が相互に噛み合えば「噛合骨折・咬

合骨折・楔合骨折」となる(例：椎体の圧迫骨折，踵骨骨折，小児の橈骨遠位端部の竹節状骨折).

e. 剪断骨折(引き違い骨折)cleavage fracture

ハサミで物を切るように，二つの力が平行で反対方向に密接して働いたときに発生する．非常にまれな骨折で「横骨折」になる.

f. 捻転骨折 torsion fracture

長骨の一方が固定され他方に捻転する力が働いたとき，または両端に反対方向の捻転力が働いたときに発生し「螺旋状骨折」になる(例：上腕骨骨幹部の投球骨折，腕相撲骨折，スキーによる下腿骨骨折など).

g. 粉砕骨折

強大な外力が働き，骨が多数の小骨片に砕かれたもの．機械に巻き込まれる，爆発，銃撃，轢過など大きな外力で起こり「開放性骨折」になることが多い.

h. 陥没骨折 depression fracture

扁平骨に発生する．外力を受けた部分に円形に骨折線が生じて陥没する(例：頭蓋骨骨折，腸骨骨折など).

i. 破裂骨折 rupture fracture

頭蓋骨や椎骨にみられる．骨が強い圧迫を受けて破裂粉砕する.

8 骨折の部位による分類

四肢でとくに長骨の場合，骨折が起こった部位によって分類する.

a. 骨端部骨折

骨の上下で近位端部と遠位端部に分類する.

1. 近位端部骨折(上端部骨折)

（1）頭部骨折

（2）頸部骨折

（3）骨端線部骨折

（4）結節(転子)部骨折

（5）顆部骨折

2. 遠位端部骨折(下端部骨折)

（1）顆上部骨折

（2）顆(果)部骨折

（3）骨端線部骨折

（4）辺縁部骨折(複合骨折を含む)

b. 骨幹部骨折

便宜上，近位，中央，遠位の3区画に分類，または筋付着部の近位，遠位で分類する.

（1）近位(上)1/3部骨折

（2）中央(中)1/3部骨折

（3）遠位(下)1/3部骨折

参考2　長骨(長管骨)各部の名称

1. 骨端核 apophysis

乳幼児の骨端は大部分が軟骨によって占められている．成長による軟骨内骨化 enchondral ossification の進展に伴ってこの部には骨端骨化核 epiphyseal ossification nuclei or center が出現し，漸次増大していき，ついには骨幹端との間に癒合をみる．

2. 骨端(骨端線) epiphysis (epiphyseal-line)

長骨の両端にはもっとも横径の広い部があり，一般には関節軟骨 articular cartilage でおおわれ，下層は軟骨下骨梁から海綿質となる．成長期では，骨端軟骨 epiphyseal growth plate で骨幹端と明確な境界があり骨端と呼ばれる．

3. 骨幹端 metaphysis

骨端と骨幹の境界である骨端軟骨の最下層の石灰化基質に血管が侵入し，一次・二次骨梁が形成される部で海綿質からなる．骨端軟骨が閉鎖した後でも，不明瞭ではあるが横走する線として単純X線像で認められる．骨端と骨幹端の境界は比較的明瞭だが，骨幹端と骨幹との境界はいつの時期でも明らかに指し示すことはできない．

4. 骨　幹 diaphysis

長骨の緻密質(皮質骨)で囲まれた管状の部分で，中心には髄腔 medullary cavity がある．屈曲，圧迫に対してもっとも強靱である．

成長期の骨は，端から中央にかけて，骨端核，骨端軟骨(骨端線)，骨幹端部，骨幹部に分けられる．

成長期の骨端部には関節軟骨と同種の硝子軟骨である厚い骨端軟骨があり，主に骨の長径の成長を司っている．

> ●長骨の骨端には二つの型がある．一つは絶えず長軸方向の圧迫力を受けている部で，圧迫性骨端と呼ばれている．
> 　もう一つの型の骨端部は，筋の付着部となっている骨の隆起部であり，絶えず筋の牽引力が働いているので，牽引性骨端と呼ばれている．
> 　圧迫性骨端部は，外傷によって骨端線骨折，骨端線離開などが起こる．
> 　牽引性骨端部では，筋の牽引力による裂離骨折，血行障害による骨端症が生じる．

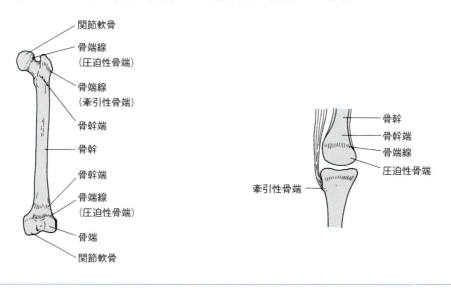

4. 各組織の損傷　31

9 受傷後の経過

　受傷時には骨折が発見されず，新たな外傷，または症状の継続などで陳旧性骨折となって発見されるものがある．変形や機能障害など後遺症を呈する骨折も含み，手舟状骨腰部骨折，有鈎骨鈎骨折などでみられる．

D・骨折の症状

　骨折では骨以外の組織損傷(関節構成組織，筋，腱，神経，血管，皮膚など)を伴い，骨折自体の症状に加え，その他の組織損傷による症状も出現する．症状は大きく局所症状と全身症状に分類し，局所症状は一般外傷症状と骨折の固有症状に分けられる．

1 骨折の局所症状

　一般外傷症状と骨折の固有症状があるが，この項では骨折時に出現する症状を中心に解説する．

a. 一般外傷症状

　骨損傷に特有なものでなく打撲傷などの他の組織損傷にもみられる症状であり，これだけでは骨折と断定できない．

1. 疼　痛 pain

ⓐ **自発痛**

　損傷による急性炎症時の局所充血などにより発生する．圧痛，運動痛および介達痛もみられるが骨損傷時ほど痛みは強くはない．骨折での疼痛は骨自体から起こるよりも，主として感覚神経の豊富な骨膜から発生する．

ⓑ **直達性局所圧痛(限局性圧痛)**

　直達性局所圧痛は打撲傷などでもみられるが，骨折では骨折部に限局した強い圧痛があり，この限局性圧痛をマルゲーニュ Malgaigne の圧痛点または，マルゲーニュ骨折痛ともいう．

ⓒ **介達痛**

　患部への直接的な刺激ではなく，離れた部位を刺激したとき患部に生じる痛みであり，以下のものがある(とくに骨損傷時の代表的例として)．

1)　軸圧痛

　例)下腿骨骨幹部骨折で足底から下肢の長軸に向かって加えた圧で骨折部に現れる疼痛である．

2)　叩打痛

　例)大腿骨頸部骨折で足底を下肢の長軸に向かって叩打すると股関節部に現れる疼痛である．

3)　圧迫痛

　例)肋骨骨折が側胸部にある場合に胸郭を前後から圧迫すると側胸部に現れる疼痛である．

4)　牽引痛

　例)指骨骨折で遠位部を握って，指を長軸遠位方向に牽引して現れる疼痛である．

5）　動揺痛

例）肋骨骨折などでみられる．呼吸や自発体動時などで患者自身が訴える痛みのほか，検者が近接関節などを他動的に動かし，骨折患部の動揺が起こると現れる疼痛である．

2.　腫　脹 swelling

腫脹は骨折部を中心として現れるが，軟部組織の損傷によっても起こる．骨折の腫脹は骨髄，骨質，骨膜および周辺軟部組織の出血によって起こるため，急激かつ高度に出現する．血液は骨折部に溜まり血腫を形成し，骨折血腫といわれる．出血が皮下に及ぶと皮下出血斑を生じ，骨折線が関節内に及ぶと関節血腫を形成する．

3.　機能障害 functional disturbance

受傷直後は患部付近の筋が一時的に鈍麻状態になったり，疼痛に耐えることができれば関節や筋運動は可能である．骨損傷時には骨折部の動揺による激痛を回避するために患者自身が動きを制限したり，体重の負荷が不能になったりするなど骨は支持機能を失う．とくに長骨の完全骨折では機能障害は高度に現れる．

b.　骨折の固有症状

骨折部に現れる特有の症状である．

1.　異常可動性（異常運動）abnormal mobility

骨折部における可動性で，とくに長骨の完全骨折などに著明に現れる．骨折したと思われる部位で骨が動くものをいう．

- ●異常可動性を証明しにくい骨折
  - （1）不全骨折：亀裂骨折，若木骨折，陥凹骨折，竹節状骨折，骨膜下骨折
  - （2）圧迫骨折
  - （3）嵌合骨折
  - （4）関節付近での骨折：関節運動と異常可動性との判別がしにくい．

2.　軋轢音 crepitation

異常可動性に伴い骨折端部が触れ合って発生する音をいう．ただし，耳で聴こえるものではなく，骨折部に指をあて，かろうじて触知できる程度のものが多い．骨端線離開では，軟骨の触れ合う軟骨性軋轢音が触知できる．軋轢音は異常可動性が認められる骨折部に必ず証明されるものではない．

- ●軋轢音を証明しにくい骨折
  - （1）異常可動性の存在しない骨折の場合：不全骨折，嵌合骨折，圧迫骨折など
  - （2）骨折端が離開している骨折の場合：裂離骨折や延長転位のある骨折では骨折端部が触れ合わないので軋轢音が生じない．
  - （3）骨折端間に軟部組織が介在する場合：異常可動性が存在して，軋轢音を証明できない場合は，軟部組織の介在を考える．骨折端間への軟部組織の介入は骨癒合の障害となるので臨床上きわめて重要である．

3.　転位と変形 displacement and deformity

骨折により骨折端は互いにずれたり曲がったりする．骨の位置が変わることを転位といい，転位によって外見上の変形が現れる．転位は完全骨折の際に単独で起こるのはまれで，多くの場合，何種類かの転位が重なる．転位は原因と形状によって分類する．

ⓐ 原因による分類
1) 一次性転位
骨折を起こした力がそのまま骨折端を移動させたもの．
2) 二次性転位
一次性転位の後に加わった力でさらに骨折端が移動したもので，原因には以下のものがあげられる．
① 外力：患者搬送時の乱暴な取り扱い，包帯交換時の不注意な外力によって生じる．
② 筋の牽引力：肘頭骨折の上腕三頭筋の牽引によって生じる延長転位など．
③ 患肢の重量：大腿骨骨折でみられる遠位骨片の外旋転位，鎖骨骨折でみられる遠位骨片の下方転位など．

ⓑ 形状による分類（図4・6 転位）
1) 側方転位
骨折して一方の骨片が骨長軸上から側方に移動したもの．
2) 屈曲転位
一方の骨片が骨長軸に対して一定の角度をもって移動したもの．
3) 捻転転位
一方の骨片が骨長軸上で一定の回旋を生じたもの．
4) 延長転位
骨折端が骨長軸で離開して骨の長さが増加したもの．
5) 短縮転位
骨折端が骨長軸上で短縮して，骨の長さが減少したもので，多くは側方転位や屈曲転位に伴い，短縮騎乗転位となる．理論的には一方の骨折端が他方の骨折端に噛み合う噛合骨折が正しい短縮転位といえる．

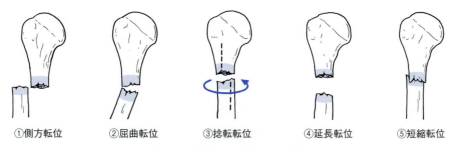

図4・6　形状による転位の分類

■**回転転位**
骨片が回転するもので，小児の上腕骨外顆骨折(☞図1-2・27c 参照)や大腿骨頸部骨折でみられる．

34 第Ⅱ章 総 論

2 骨折の全身症状

a. ショック shock

ショックとは急性循環不全による末梢循環不全(低灌流あるいは灌流分布異常)により,酸素運搬量低下と組織酸素代謝失調が起こり,組織,細胞が恒常性を維持できなくなった状態をいう(『外科学概論』を参照).骨折時のショックには血液分布異常性ショックや循環血液量減少性ショックなどがみられ,骨折発生時に起こるものと,その後の多量の出血や粗暴な取り扱いなどで発生するものがある.全身状態がさらに悪化して著明な虚脱症状があるときには合併症(脳振盪,肺の脂肪塞栓,腹腔・骨盤腔内の内臓損傷,大血管の損傷など)を疑う.

1. ショックの種類

詳細は『外科学概論』を参照.

2. ショックの症状

顔面蒼白で口唇はチアノーゼを呈し,手足は冷たく,全身に冷汗がみられ,脈拍は小さく速くなり,ときには触れなくなる.血圧は低下し,目はうつろで輝きがなくなり,生あくびが出て,気分が悪くなり,意識がもうろうとなり,最後に昏睡に陥る.

```
●ショックの5P
① pallor:顔面蒼白,② prostration:虚脱,③ perspiration:冷汗,
④ pulselessness:脈拍触知不可,⑤ pulmonary deficiency:呼吸不全
```

3. ショックの救急処置

頭を低くし,足を高くして背臥位にさせる(ショック体位).衣服は胸腹部を開いてゆったりさせる.安静にすることが大切で,乱暴な取り扱いや動揺は厳禁である.寒冷にさらすと悪化するため,全身を毛布で包み,とくに手足の保温に努め救急搬送する.

b. 発熱(吸収熱)absorption fever

骨折の数時間後に37〜38℃の発熱がみられる.これを吸収熱といい,骨折血腫やその他の組織の分解物の吸収のために発生するもので,数日で平熱に戻る.とくに高齢者や幼小児の骨折では若干の発熱があることを,本人や保護者に丁寧に説明する必要があるが,他の疾患に伴う発熱と鑑別が困難な場合など,必要に応じて小児科などを受診させ確認する必要がある.

E・骨折の合併症

骨折と同時あるいは治療経過中に発生するもので予後に影響を与えるものをいう.合併症には骨折を起こした外力や骨片転位などで発生する併発症(狭義の合併症),骨折治療の経過中に骨折の影響や治療法の不備などで発生する続発症,治療終了後も永続的に障害を残す後遺症がある.ここでは便宜上,上記の三つに大別して記述するが,発生時期により三者を明確に区別することはできない.

1 併発症（狭義の合併症）

a. 関節損傷

　　関節構成組織である靱帯，関節軟骨，関節包，関節唇，滑液包などの損傷を合併することをいい，骨折が関節面を含む場合はもとより，関節部から離れた部位の骨折によっても発生する．

　　骨折の発生によって関節構成組織を損傷した場合に，脱臼を伴えば脱臼骨折，関節面に骨の損傷があれば関節内骨折という．関節部の骨折は，小児では成長障害，成人では変形性関節症など，予後への影響が大きく，経過を長期にわたり慎重に観察する必要がある．いずれも解剖学的に正確な整復が必要で，適切な固定を行わなければならない．

b. 筋，腱など軟部組織の損傷

　　骨折と同時に外力や骨折端により，筋，腱，皮膚など軟部組織の損傷を合併していることが多く，骨折の治癒過程に大きな影響を及ぼす．損傷部周辺の筋，腱など軟部組織の損傷は，固定や安静など損傷骨の治療により，後の障害を残すことは少ないが，皮膚が骨折端により損傷されると開放性骨折になり，細菌感染（破傷風，ガス壊疽，化膿性骨髄炎など）のおそれがあり，遷延癒合や偽関節など大きな障害を残す可能性が高くなる．

c. 内臓損傷

　　受傷機序によっても大きく左右される．鎖骨骨折では肺損傷，肋骨骨折では肺・肝臓・脾臓・腎臓損傷，骨盤骨骨折には尿道・膀胱・直腸損傷を合併する可能性がある．

d. 脳，脊髄損傷

　　受傷時の外力や骨折端の転位により発生する．脳頭蓋，顔面頭蓋の損傷には脳損傷，脊椎の損傷には脊髄損傷を合併する可能性がある．

e. 血管損傷

　　受傷時の外力や骨折端の転位による血管の圧迫，挫滅，断裂などを合併する可能性がある．四肢末梢部の循環障害や，骨片の阻血性壊死の原因になる．持続的な動脈性血行障害による阻血性拘縮（フォルクマン拘縮）をみることがある．

f. 末梢神経損傷

　　受傷時の外力や骨折端の転位によって，末梢神経の圧迫，挫滅，断裂などが発生する可能性がある．上肢の損傷では橈骨・尺骨・正中神経損傷，下肢の損傷では腓骨神経損傷の合併の割合が高い．

2 続発症

a. 外傷性皮下気腫

　　多くは空気が肺から皮下組織内に侵入したもので，肋骨骨折で肺が損傷されると，損傷側の胸壁の皮下に気腫が生じて膨れる．皮下気腫は，びまん性，扁平で柔らかく弾力性があり，触診によって特有な握雪音（捻髪音）を認める．

b. 脂肪塞栓症候群

　　骨折時の脂質代謝の変化で血中脂肪が脂肪滴になる，あるいは骨折部から流出した骨髄脂肪の小滴が損傷された血管内に入り込むために起こると考えられている．大腿骨や骨盤骨骨折，多発

36　第Ⅱ章　総　　論

骨折の場合などでみられ，骨折部の過剰な可動性が発症を助長するともいわれている．受傷後1〜3日の間に起こり，初期には発熱，頻脈がみられる．皮膚では点状出血斑がみられ，肺塞栓では頻呼吸，呼吸困難やチアノーゼ，脳塞栓では頭痛，不安感，意識障害，嘔吐，痙攣，心塞栓では心悸亢進，血圧の下降などが起こり，時として死の転帰をとる．

c. 仮骨の軟化および再骨折

感染症・壊血病などの全身的疾患や，蜂窩織炎(蜂巣炎)，丹毒などの局所的疾患で，仮骨が突発的に軟化吸収され，骨折部に再び異常可動性が出現する．

d. 遷延癒合

予測される骨癒合期間を過ぎても骨癒合が完了しないものをいう．しかし，緩慢ではあるが骨折部の癒合は進行しているので，骨癒合を阻害している因子の排除と日数の経過により，癒合が期待できるものである．

e. コンパートメント症候群(区画症候群)compartment syndrome

四肢の筋，血管，神経組織は筋膜，骨間膜，骨組織で囲まれており，この空間を区画compartmentという．骨，筋，血管の損傷などで区画内の組織内圧上昇による循環不全が生じ，筋，神経組織の阻血症状よる機能障害や壊死をもたらすものをコンパートメント症候群という．前腕の屈側部，下腿部に多くみられ，手の骨間筋部や母指球部にも発症する．前腕や下腿では運動の反復による慢性型もある．上腕骨顆上骨折などに合併するフォルクマン拘縮もコンパートメント症候群の一種であり，これについては後遺症の項で述べる．

> ● 阻血症状の5P
> （1）pain(疼痛)
> （2）paleness(蒼白)
> （3）pulselessness(脈拍消失)
> （4）paresthesia(感覚異常)
> （5）paralysis(麻痺)
> その他，puffiness(腫脹)，passive stretch test(他動的伸長テスト)などを加え，6Pや7Pと表現することもある．

f. クラッシュシンドローム(挫滅・圧挫症候群)crush syndrome

骨折に限らず，重篤な筋挫滅を伴う外傷の場合，心臓や腎臓の臓器不全が発生し，死にいたることもある(☞ p.94参照)．

g. 臥床による続発症

年齢，既往症との関係も強い．代表的なものに加齢に伴い発症しやすくなる深部静脈血栓症，沈下性肺炎，認知症，尿路感染症，褥瘡(じょくそう)，筋萎縮などがあげられる．

> ● 下肢の深部静脈血栓症
> 下肢の深部にある静脈に血栓ができるもので，血栓が肺の血管につまって肺塞栓をきたす危険がある．脳卒中などによる運動麻痺や足を長時間動かさない場合などにみられ，かつては「エコノミークラス症候群」として知られた．予防法として下肢の関節運動や弾性ストッキング装着などがある．

3　後遺症

a. 過剰仮骨形成

仮骨が過剰に形成され，吸収が少ないかまったく吸収されない場合をいう．関節付近の骨折に

は，過剰仮骨形成の傾向が強く，関節運動障害，神経の圧迫や伸長による神経損傷，血管の圧迫による循環障害を起こすことがある．橈・尺骨両骨骨折などで2骨間に過剰に仮骨が形成されて，互いに癒着すると回旋運動制限を残すことになる．

- ● 過剰仮骨の発生要因
  - (1) 粉砕骨折
  - (2) 大血腫の存在
  - (3) 骨膜の広範な剥離
  - (4) 早期かつ過剰に行われた後療法

b. 偽関節

　骨折部の骨癒合機序が完全に停止したものである．骨折端の髄腔は閉鎖され，両骨折端が隔離して硬化する．多くは骨癒合遷延から偽関節に移行し，骨折端の間隙は線維組織または軟骨組織で占められる．一般的に6ヵ月以上経過して異常可動性がある場合は偽関節とみなされる．偽関節の多くが観血療法の適応となっていたが，近年，低出力超音波パルス low-intensity pulsed ultrasound(LIPUS)療法なども行われるようになってきた．偽関節を予防するためには，発生原因を十分理解し注意を怠らないことが重要である．発生要因は，局所的，全身的，治療的な要因に分類できる．

- ● 偽関節の発生要因
  - (1) 局所的要因
    - ・局所に働く骨癒合を阻害する力(剪断力，屈曲力，牽引力，回旋力)
    - ・血行状況が不良な部位
    - ・骨片の欠損
    - ・血腫分散および流出
    - ・骨折端間に軟部組織の介在
  - (2) 全身的要因
    - ・内分泌異常
    - ・代謝異常(糖尿病など)
    - ・栄養障害
  - (3) 治療的要因
    - ・整復状態の不良
    - ・固定状態の不良
    - ・短すぎる固定期間
    - ・骨直達牽引療法による過度の牽引力
    - ・不適切な後療法

c. 変形癒合

　骨折端が自家矯正能を超えた転位を残したまま癒合した状態で解剖学的に正常な形に修復されず，機能障害や外観上の変形を残すものである．要因の多くは不正確な整復や不適切な固定で，正しい整復位が保持されなかったことにより起こる．変形癒合は初期の適切な治療によって避けるべきだが，厳重に注意をしても避けられない場合がある．関節内骨折や小児の骨端部損傷では，後日に変形が増強して関節症や機能障害を起こすことがあり，全身状態によっては正しい固定肢位を保持できない場合もある．

d. 骨萎縮

　すでに形成された骨組織の量が次第に減少して，同時にその機能が低下していく状態を骨萎縮という．正常な骨では骨形成と骨吸収が常に平衡して進行しているが，骨萎縮は骨形成が骨吸収を下まわる場合に発生する．長期固定の結果，ほとんどの症例で単純X線像での骨萎縮像がみ

38 第Ⅱ章 総　論

られるが，一般的には，治療経過とともに改善していく.

e. 複合性局所疼痛症候群によるズデック Sudeck 骨萎縮

　　急性に発症する疼痛を伴う骨の萎縮で，骨損傷や四肢外傷後に四肢末梢部に起こりやすく橈骨遠位端(コーレス Colles)骨折，踵骨骨折後などにみられる．ズデック骨萎縮は，以前から反射性交感神経性ジストロフィー reflex sympathetic dystrophy(RSD)の一病態とされていたが，国際疼痛学会では現在，複合性局所疼痛症候群タイプⅠ complex regional pain syndrometypeⅠ(CRPS typeⅠ)，カウザルギーを(CRPS typeⅡ)に分類している.

　　症状では疼痛が特徴的で，痛覚過敏や激しい疼痛がみられる．腫脹があり関節拘縮が出現し，爪の萎縮などもみられる．単純 X 線像では骨皮質の菲薄化が著しく，しばしば斑点状の脱灰像が現れる．外傷後すべての症例に発生するわけではなく，個人的な素因や異常な交感神経の活性化や心因的要素などが発生の基盤になっている.

f. 骨壊死(阻血性または無腐性骨壊死)

　　骨折に伴う骨片の壊死は，血管の損傷で血液供給が遮断され起こる．血管分布の状態により骨壊死を起こしやすい骨折がある(大腿骨頸部骨折，手の舟状骨骨折，距骨骨折など).

g. 関節運動障害(強直，拘縮)

　　関節の可動域制限は長期の固定，関節内骨折，関節近隣の骨損傷，過剰仮骨形成および変形癒合など種々の原因で起こる．ほとんどの場合，骨折後には多少の関節機能障害はみられるが，軽度のものは後療法で完全に回復する．しかし，強直では不可逆性の機能障害を残すことがある.

1. 関節強直

　　関節の構成体である骨，軟骨に原因があって，構成骨や関節面が癒着して可動域が制限されたもの.

> ●完全強直，不完全強直
> 完全強直は関節可動域が完全に失われたもので骨性強直にみられ，不完全強直はわずかな可動性を残すもので線維性強直にみられる.

2. 関節拘縮

　　関節包，靱帯，筋，皮膚などの軟部組織が萎縮，収縮して，関節面の癒着はないが可動域が制限されたもの.

h. 骨化性筋炎

　　筋組織の骨化現象であり，外傷性骨化性筋炎は筋組織内，骨膜外などに貯留した血液で血腫が形成され，吸収されずに骨化することで起こる．初期には局所の腫脹，疼痛，熱感および運動制限がみられる．上腕，大腿の各筋などに発生する.

i. フォルクマン Volkmann 拘縮

　　阻血性拘縮ともいい，外傷のために生じた前腕筋の阻血性循環障害である．小児の上腕骨顆上骨折にもっとも多く，骨片転位の未整復，過度の腫脹，固定包帯の過度緊縛などによる血行障害で発生し，前腕屈筋群の急速な退行性変性を起こす．筋が線維化し短縮(蠟様変性)して不可逆性の変化に陥ると，種々な処置を行っても再び正常な機能を得ることは困難で，重度の後遺症を残す．一夜にして現れ，一生治らないため，徴候出現の際には固定を緩めてただちに専門医に託

す．受傷後24時間以内に始まり，前腕部の強い浮腫，自発痛，蒼白，脈拍消失，運動麻痺，感覚麻痺などの阻血症状が現れる．手関節は軽度屈曲，第2〜5中手指節関節は過度伸展，近位指節間関節および遠位指節間関節はともに屈曲する．

F・小児骨折，高齢者骨折

1 小児骨折

骨の成長はおおむね女子15〜16歳，男子17〜18歳までに完了する．小児骨折は新生児期，乳児期，幼児期，学童期(12歳前後まで)の骨折をさす．成人の骨折と異なる多くの特徴を持っていて，診断，治療に関して特殊な注意が必要である．また，橈・尺両骨骨幹部骨折などのように歩行開始以降に発生する骨折が，それ以前の年齢でみられた場合には，被虐待児症候群などを考慮すべきである．

a. 小児骨折の特徴

1. 骨膜は厚く強靱で，血行が豊富である

骨膜が温存され連続性を保つことが多く，整復や整復位の保持に有利である．また骨膜性仮骨形成能が旺盛であり，骨癒合も良好で，癒合期間は成人の2/3程度と短く，偽関節を生じることは少ない．骨癒合期間は若年者ほど短い．

2. 骨は柔軟性に富んでいる

小児の類骨はコラーゲン線維(膠原線維)を多く含み石灰化能は成人とほとんど同じである一方で，石灰化密度はかなり低い．緻密質ではハバース管のスペースが大きく，より大きな変形に耐えることができる．粉砕骨折は少なく，若木骨折や竹節状骨折を生じる．

3. 骨端軟骨(骨端成長軟骨板)が存在する

骨端軟骨の存在は解剖学上，小児の骨の大きな特徴で，骨折が生じると特徴的な問題が発生する．ソルター・ハリスSalter-Harrisは骨端軟骨損傷を5型に分類している(図4·7)．Ⅰ〜Ⅲ型の損傷部は骨端軟骨のうちで組織学的に抵抗性がもっとも弱いが，成長能も低い肥大軟骨層の離開であり，正しく整復されれば骨の成長障害や変形がほとんど発生せず，予後は比較的良好だといわれている．一方，Ⅳ型のように骨幹端から関節軟骨にわたって縦断されたものや，Ⅴ型のように骨端軟骨が圧挫され，大きく破壊されたものは予後不良である．

4. 自家矯正が旺盛である

骨モデリングは成長過程における生理的な反応でもある．小児では骨モデリングが成人より盛んであり骨端軟骨の働きも加わり，骨折で転位が残存しても自家矯正される可能性が高い．自家矯正能は若年者ほど高く，骨端に近い骨折や関節運動の方向に一致した転位(たとえば上腕骨顆上骨折の後方転位など)は自家矯正が起こりやすい．しかし，自家矯正能には限界があり，側方転位，屈曲転位，短縮転位は矯正可能であるが，捻転転位や関節内骨折の骨片転位などでは期待できない．

b. 骨折の治癒過程で骨に過成長が起こる

主に長骨骨幹部の骨折治癒機序に伴う充血により，骨端軟骨が刺激されて長径成長が促進され

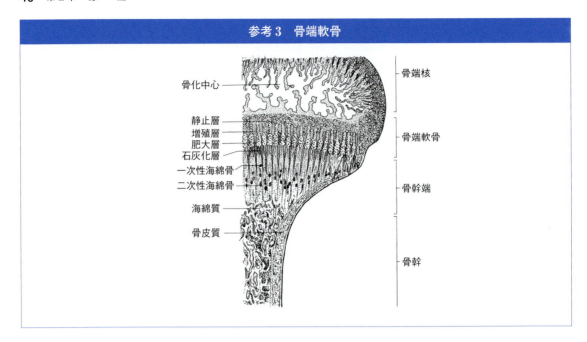

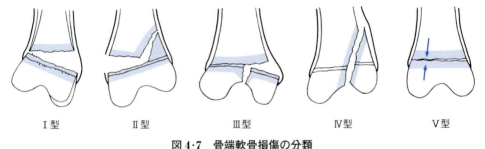

図4・7　骨端軟骨損傷の分類
[Salter RB, Harris WR : J Bone Joint Surg. 45A : 587-622, 1963]

る．年齢にもよるが大腿骨骨幹部骨折に著明である．

c. **診断上の特徴**

低年齢児は正確な受傷機序，経過を把握することが困難なことがある．一般に受傷機序は保護者または目撃者によって説明されるが，現症と一致せず，混乱や虚偽の訴えをしているかと思える場合もある．たとえば，ペルテス病などの小児股関節疾患では膝痛を訴えることが多い．また，肘内障では患肢を動かさないため，保護者も肩が外れたと訴えることもある．骨端部の骨折で骨端核の未出現のもの，出現していても小さいものでは単純 X 線像上，骨折自体の診断も骨折線の正確な判断も困難な場合がある．

d. **治療上の特徴**

治療は保存療法が原則となるが，予後に偽関節，変形性関節症が予測される場合は観血療法の適応となる．自家矯正が十分期待されるものであれば，観血療法はもちろん保存療法でも不必要な処置を行わないようにすることが必要である．固定による関節拘縮は成人に比べ短期間で回復

し，永続的な障害を残すことはまれである．後療法は自動運動を主体に行う．

2 高齢者骨折

高齢者では骨粗鬆症や骨量の減少があり，わずかな外力でも骨折を起こしやすい状態になっている．また，歩行のバランスが悪くなり転倒しやすくなるといった特徴もある．

a. 高齢者骨折の特徴

1. 好発部位

骨の粗鬆化が早期に進行する海綿質の割合が高い部位での骨折が多い．

（1）橈骨遠位端部骨折（コーレス骨折など）

（2）大腿骨頸部骨折

（3）脊椎椎体圧迫骨折

（4）上腕骨外科頸骨折など．

2. 発生頻度

転倒に伴う骨折発生の頻度が年齢に比例して高くなる．

[● 90 歳代では転倒に伴いほぼ 100％ が骨折するといわれている．]

3. 局所の症状が軽い

青壮年期までの骨折は高度な外力で骨折するため，骨片転位が大きくなり筋などの損傷を伴い骨折症状は高度になる．しかし，高齢者はわずかな外力でも骨折を生じ，骨に付着する筋の筋力も弱いため，骨折端の転位が少ない．結果として運動痛が軽度であり，骨折症状も軽いのが特徴である．

4. 骨癒合経過が長い

高齢者は骨の代謝機能が低下していて自家矯正能が乏しいため骨癒合に時間を要することが多い．これに加え血行状態が不良な部位での骨折（大腿骨頸部・上腕骨解剖頸骨折など）ではさらに時間がかかり，偽関節形成の要因にもなる．

b. 治療上の注意

1. 合併症

（1）骨癒合経過に悪影響をあたえる全身的疾患を合併している場合が多い．

（2）認知症の発症や進行により治療に協力がえられない場合がある．

（3）長期臥床に伴い肺炎，尿路感染症，褥瘡などを発症しやすい．

2. 関節拘縮

解剖学的治癒を求めて強固な固定や長期間の固定を行うと関節拘縮を残しやすい．

（1）観血療法のリスクが少ない場合は内固定を行い，早期に関節運動を開始すべきである．

（2）日常生活上の障害が少ない場合は簡易な固定にとどめ，ある程度の変形の残存は容認すべきである．

3. 皮膚の脆弱化

高齢者では皮膚が脆弱化している場合があり，徒手整復の際に剝離することある．とくに水疱を形成している場合など粗暴な扱いをすると皮膚剝離を起こす．

42 第Ⅱ章 総　論

[●市販の湿布薬を使う場合などは，水疱形成に注意を要する．]

c. 治療の目標

高齢者が健康を維持するには日常生活で「生き甲斐」を発見し，実現して行くことが必要で，とくに歩行能力は活動性の維持に重要である．したがって，高齢者の骨折治療にあたっては活動性を低下させないこと，あるいは維持させることが最大の目標となる．

1. 活動性の高い患者

受傷以前の全身状態が良好で，活動性の高い患者では，生活を受傷以前の状態に戻すことを目標に，良好な整復位を得たうえで強固な固定を実施し，解剖学的な治癒を目指して治療を行うべきである．

2. 活動性の低い患者

受傷以前から全身状態不良で活動性の低い患者や高度な認知症が認められる患者では，解剖学的な治癒を求めてのいたずらな整復操作の繰り返しや，必要以上に強固な固定の実施，安静の強要などで，さらなる活動性の低下や認知症の進行につながる．これらの患者では，患者や家族に十分説明し理解を得たうえで，全身状態の悪化や活動性の低下を起こさないことを治療の目標とし，変形の残存や患肢機能の低下を容認しなければならないことがあり，可能な限り早期の離床を目指す．また，全身の状態にもよるが早期離床を目指す観点から，観血療法を選択する場合もある．

G・骨折の癒合日数

骨癒合に要する日数は，年齢，全身状態あるいは治療法など多数の因子に影響され必ずしも一定していないが，グルト Gurlt の骨癒合日数を基に目安として下記の期間を標準と考える．骨折した骨がどの時点で癒合したかは確定できるものではなく，ここでいう骨癒合日数は単に骨が硬化する日数である仮骨硬化期までのことであり，機能の回復にはさらに多くの日数を必要とする．一般的には，骨折部が癒合し硬化しても，四肢の関節運動機能が質的にも量的にも回復するには，骨硬化に要した日数の 2～3 倍が必要である．骨折治療の目標は硬化に要する日数をいかに短縮するかである．最近の骨折治療では，固定期間の短縮と運動療法の早期開始に主眼をおく傾向があるのも治療期間の短縮が目的である．

①中　手　骨		2 週間
②肋　　　　骨		3 週間
③鎖　　　　骨		4 週間
④前　腕　骨（橈骨・尺骨）		5 週間
⑤腓　　　　骨		5 週間
⑥上腕骨骨幹部		6 週間
⑦脛　　　　骨		7 週間
⑧下　腿　両　骨		8 週間
⑨大腿骨骨幹部		8 週間
⑩大腿骨頸部		12 週間

H・骨折の治癒経過(☞参考4)

骨折の骨癒合は炎症期，仮骨形成期，仮骨硬化期，リモデリング期の四つの修復過程を経て骨組織となる(図4・8).

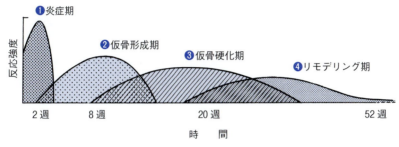

図4・8　骨折の修復過程

[Connolly JF : Fractures and Dislocation, Vol 1, Saunders, p 16, 1993]

1　炎症期 stage of inflammation

骨や血管が離断され，出血やリンパ液の遊出により血腫を形成する．周囲軟部組織に浮腫を形成し，血液中の線維素によって線維素網が作られ肉芽組織の土台となる．骨折部の出血後の浮腫および血腫内では，好中球やリンパ球の働きが活性し，血液は凝固，凝塊を形成して両骨折端を満たす(図4・9)．骨が損傷を受けて24～48時間を過ぎると，好中球，リンパ液，マクロファージはさらに増えて，患部の腫脹は増大し，血管内皮細胞によって新生血管が形成される．また，血腫が形成された部位に線維素網が作られて凝集し，仮骨の基となる肉芽組織を形成し，器質化する．

> ●この時期は，仮骨形成ならびに軟部組織形成にとって重要であり，24～48時間までの間が骨折の治癒を運命づける．

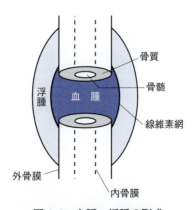

図4・9　血腫・浮腫の形成

参考4　骨折の治癒経過

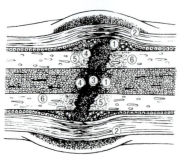

①骨膜，骨組織，骨髄の連続性が絶たれる．
②筋肉および周辺の軟部組織も損傷される．
③骨折端間に血腫の形成が起こる．
④血液供給の中断により骨組織，骨髄の骨片に壊死が起こる．
⑤骨細胞の壊死によりハバース管は空となる．
⑥損傷を受けないハバース管から血管の増殖と骨形成が起こる．

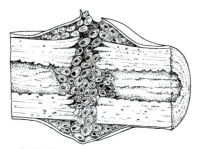

❶炎症期

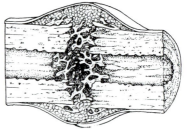

❷仮骨形成期

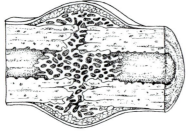

❸仮骨硬化期

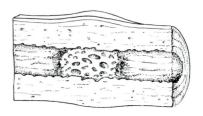

❹リモデリング(再造形)期

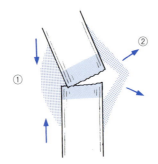

①圧迫側は圧力により機械的炎症が起こるため，仮骨が多量に発生する．
②伸長側は，骨膜が剥離されて，仮骨は外側へ増殖しようとする．

仮骨の出現と増殖

4. 各組織の損傷　45

2 仮骨形成期 stage of formation callus

　　骨折後1週を過ぎると，肉芽組織内では骨芽細胞によって未熟な類骨を形成し，軟骨組織が形成される．この時期はまだ真の骨組織とは異なり，構造が不規則で，骨梁も粗く，石灰塩も少ない．単純X線像でも周囲の軟部組織とほとんど区別ができない．

3 仮骨硬化期 stage of consolidation callus

　　仮骨内に形成された類骨では骨芽細胞がコラーゲン線維を産生し，そこにヒドロキシアパタイトが沈着することで石灰化が進展する(結合組織性骨化)．さらに形成された軟骨組織も骨へと置換され(軟骨性骨化)，仮骨は成熟した骨へと変化する．

4 リモデリング(再造形)期 stage of remodeling

　　骨折部を紡錘形に取り巻く硬化仮骨は，吸収または添加作用が進行し，自家形態修復能に順応して力学的強度も回復する．
　　[　●ここでのリモデリングはウォルフの概念に従った．　]

I・骨折の予後

1 生命に関する予後

　　生命維持に必要な器官の損傷を合併していないか，全身状態に著しい変化はないか，種々の合併症によって身体機能が脅かされていないかを判定する．

2 患肢の保存に関する予後

　　ほとんどの場合，患肢を保存しうるかどうかは，損傷の程度に関係する．開放した粉砕骨折や大血管の損傷がある骨折の予後判定は慎重でなければならない．

3 患肢の形態および機能に関する予後

　　骨折の程度，軟部組織や神経損傷などを考慮して慎重に判断しなければならない．治療に伴う操作による医原的な二次的原因によって異常経過をたどることのないよう，予後の判定には個々の患者の日常生活を考慮することが必要であり，治療前に十分に確認しなければならない．

4 治療経過期間の判定

　　骨癒合に対する種々の影響，条件，平均癒合日数などを参照し，異常経過をたどる可能性のある二次的な原因に配慮して慎重に判断しなければならない．

J・骨折の治癒に影響を与える因子

　　骨折の癒合速度に影響する条件としては次のようなものがある．

46 第Ⅱ章 総　論

好適な条件
　①軟部組織の損傷が少なく，両骨折端が血腫内にある場合
　②両骨片への血行が良好な場合
　③骨折部にかかる力がすべて圧迫力となり，剪断力が働いていない場合
　④細菌感染のない場合
　⑤海綿質の骨折の場合
　⑥嚙合した骨折の場合
　⑦骨折面の密着した骨折線の長い螺旋状，または斜骨折の場合
　⑧年齢が若い場合
　⑨栄養状態が良好な場合
　⑩骨疾患や全身疾患のない場合

不適な条件
　①骨折部に高度な軟部組織の損傷や欠損がある場合
　②骨折部の血腫が消失している場合
　③骨片の一方，または両端の血流が悪い場合
　④骨折端が広く離開している場合
　⑤骨折部に絶えず屈曲力，牽引力，回旋力，あるいは剪断力が作用している場合
　⑥高度の粉砕骨折の場合
　⑦関節内骨折（骨膜性仮骨が期待できない）の場合
　⑧開放性骨折や細菌感染のある場合
　⑨高齢者および栄養状態が不良な場合
　⑩骨疾患や全身疾患などのある場合

● 4-2. 関節の損傷（捻挫，脱臼）

A・関節の構造と機能

1 関節の構造

　　骨の連結様式から分類すると骨と骨が線維性の結合組織によって結合される線維性の連結，骨と骨が軟骨組織によって結合される軟骨性の連結，両骨間に間隙(関節腔)があり，滑膜性関節包を有する滑膜性の連結の3種がある．

a. 線維性の連結

1. 縫　合

　　頭蓋骨間の結合をいう．

2. 釘　植

　　歯根と歯槽との結合をいう．

3. 靱帯結合

　　脛腓靱帯結合や黄色靱帯による椎弓間の連結などにみられる．

b. 軟骨性の連結

1. 軟骨結合

　　骨端軟骨結合，幼児の頭蓋底の蝶後頭軟骨結合，肋軟骨結合など，両骨が硝子軟骨によって結合されるものをいう．

2. 線維軟骨結合

恥骨結合，椎間板など，両骨が線維軟骨によって結合されるものをいう．

c. 滑膜性の連結（一般に関節と呼ばれるもの）(☞参考5)

関節頭と関節窩が関節を構成し，両骨の連結部には関節包に包まれた関節腔が形成されている．必要に応じて特殊装置（靱帯，関節円板，関節唇および滑液包）が存在する．関節頭は関節を構成する骨のうち凸面をなす側で，関節軟骨でおおわれ，相対する他骨の関節窩である陥凹部に入る．関節窩は凹面で関節頭と同様に表面が関節軟骨におおわれている．関節窩の深さを補うための線維軟骨性の関節唇を周縁に認めたり，両関節面の適合を高めるために線維軟骨性の小板を挟んだりすることがある．小板が完全な板をなすときは関節円板といい，小板の中心部が欠けていて，環状あるいは半月状をなすときは関節半月という．小板は周辺部が厚く，中心部が薄い構造になっている．

2 関節構成組織

a. 軟骨組織

軟骨は，線維軟骨，弾性軟骨，硝子軟骨に分類される．ここでは関節部軟骨の多くを占める硝子軟骨について述べる．関節軟骨は骨端をおおっている軟骨で軟骨膜を持たない．通常は硝子軟骨である．関節軟骨の平均の厚さは2〜4mmで，大関節では厚く小関節では薄く形成され，凹状の関節面の辺縁，凸状の関節面の中心付近が厚い構造になっている．若年者では透きとおった白色だが，加齢に伴い黄色に変化する．成人では血管，リンパ管，神経の分布はない．弾力性に富んだ組織で含有される多量の水分は滑液とともに滑らかな関節の運動性を支えている．

1. 軟骨の細胞(☞参考6)

詳細は『解剖学』『生理学』を参照．

2. 軟骨の栄養，代謝

成人の軟骨組織には血管の分布はなく，軟骨細胞の栄養は滑液からの拡散，還流または循環によって行われる．軟骨には力が加わると細胞間基質から水が絞り出され，力が除かれると元に戻るという性質があり，軟骨面に対する荷重や関節運動は，滑液から軟骨内への物質の拡散に重要な働きをしている．このため関節が固定されると滑液の循環が妨げられ，軟骨の障害が促進される．小児の関節軟骨は成人と異なり，滑液と骨髄の両者から栄養が供給されている．

b. 関節包

関節包は内層と外層からなる．外層は骨膜の表層部に続く線維膜で，強い結合組織からなる丈夫な層である．線維膜の線維は部位もしくは層によって特定の走行をとり，一部の関節では密な集団や束をつくって関節包の特定の部位を強めている．内層の滑膜は疎な，軟らかい結合組織からなり，しばしば滑膜ヒダとなって関節腔内に突出する．大きなものは脂肪組織を含み，対向する関節面の適合しない部を補い，関節内の死腔を埋めている．滑膜ヒダの表面から小さな多数の滑膜絨毛の突出がみられる．関節包内面や関節軟骨の表面は滑膜から分泌される少量の滑液によって潤されている．

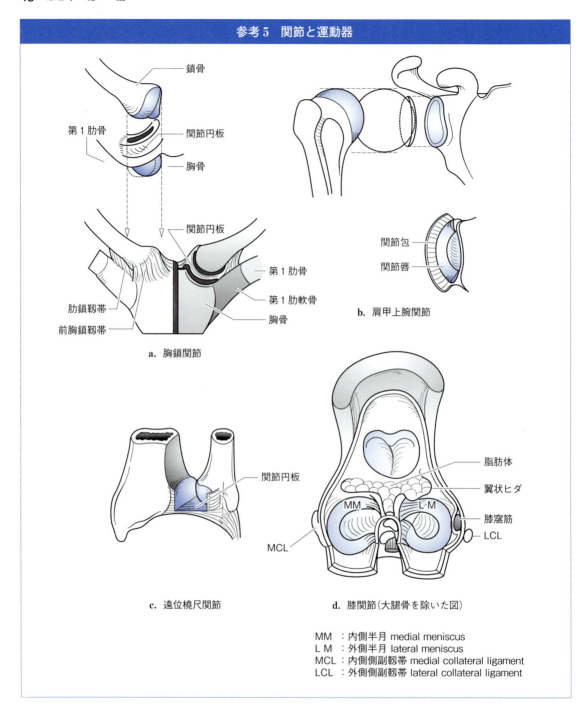

参考5　関節と運動器

a. 胸鎖関節
b. 肩甲上腕関節
c. 遠位橈尺関節
d. 膝関節（大腿骨を除いた図）

MM　：内側半月 medial meniscus
L M　：外側半月 lateral meniscus
MCL　：内側側副靱帯 medial collateral ligament
LCL　：外側側副靱帯 lateral collateral ligament

c. 滑　液

　　滑液（関節液）は淡黄色，透明で粘性の高い濃い液体である．正常な滑液量は 0.1〜3.5 ml で関節の潤滑および関節軟骨を栄養している．

参考6　関節軟骨の構造

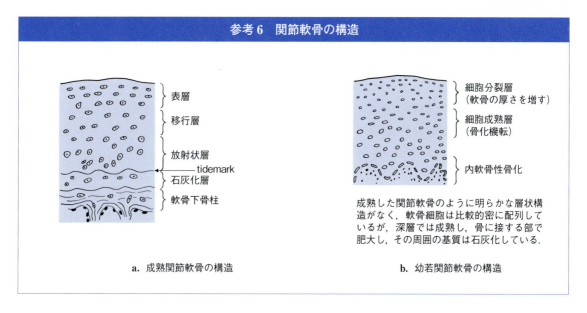

a. 成熟関節軟骨の構造

b. 幼若関節軟骨の構造

成熟した関節軟骨のように明らかな層状構造がなく，軟骨細胞は比較的密に配列しているが，深層では成熟し，骨に接する部で肥大し，その周囲の基質は石灰化している．

参考7　関節周囲の構造

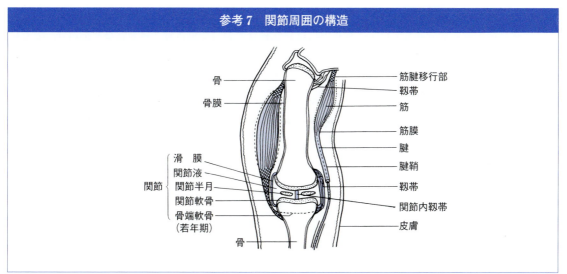

d. 靱　帯

　関節には骨を互いに結ぶ多数の靱帯があって，骨の結合を強めるとともに，運動の支点となり，運動を一定の方向に導き，それ以外の方向への骨の動揺や過度の運動を抑制している．関節腔外に存在する関節(包)外靱帯と，関節腔内に存在する関節(包)内靱帯がある．靱帯が関節包の線維膜と癒着し，関節包から分離できないものも多い(関節包靱帯)．靱帯は，骨膜に連絡する部分でシャーピー線維となって骨膜を貫通して骨に進入し付着している．

e. 関節円板または関節半月

　コラーゲン線維の多い線維軟骨性の結合組織からできている．円板は関節腔を完全に，半月はそれを不完全に分けている．関節運動の際に骨頭の誘導機能を持ち，関節面の適合性を高めてい

ると考えられている．顎関節または胸鎖関節などのように，完全に分かれた二つの関節腔を作る
ものもある．半月は線維軟骨で，実質内に血管，神経の分布はみられないが，滑膜に付着する部
分では血管網がよく発達し，神経終末もみられる．膝関節の半月は荷重を大腿骨から脛骨へと伝
達する役目があり，コラーゲン線維構造が強靭である．コラーゲン線維が半月の軸に平行に走
り，関節面に平行な弓状に彎曲し線維束を形成する．この線維束には放射状に走る線維や，少し
ずつ走行の違う線維がからみあって，半月の三次元線維構造が作られる．

f. 滑液包

筋または腱と骨の間にある結合組織性の嚢包で，内面は滑膜におおわれ，粘液様の滑液を入れ
る．しばしば関節腔との交通が認められ，多数の腔に分かれていることがある．運動の際に組織
間の摩擦を減らす働きがある．存在する部位によって皮下滑液包，筋下滑液包などと呼ばれる．

g. 関節唇

軟骨細胞の散在するコラーゲン線維性結合組織からできていて，関節窩の縁にあって関節窩の
大きさと深さを補い関節の安定性を高めている．

h. 関節の血管，神経

関節への血行は関節包外側から，周囲血管によって供給されている．関節包には感覚神経と自
律神経の両者が分布していて，線維膜には感覚神経が豊富で位置覚，運動覚などを司り，とくに
ねじれや伸展に敏感である．滑膜には自律神経のみが分布し，豊富な血流をコントロールしてい
るが，滑膜自体は痛み刺激に対して鈍感である．関節の位置覚，運動覚は周囲の筋のバランスを
図るうえからも重要で，関節の安定性や衝撃の吸収は関節の固有感覚を通して，筋の収縮をコン
トロールすることでえられる．固有感覚が失われると不可逆性の関節破壊が起こる．

3 関節の潤滑

関節軟骨の潤滑作用は非常に摩擦を少なくし，摩擦係数は 0.001〜0.01 と低く，正常な状態で
は摩擦がほとんど起こらないと考えられている．

B・関節部損傷の概説

従来から関節部の損傷は，脱臼 dislocation あるいは捻挫 sprain という用語が用いられること
が多かったが，関節部で損傷される組織には，靭帯，関節包，関節軟骨，関節半月，関節円板，
関節唇，滑液包，関節周辺を通過あるいは起始停止する筋・腱などが含まれ，外力の大小や，加
わり方により脱臼発生時や捻挫受傷時に各組織の破綻がみられる．

脱臼とは「関節を構成している正常な関節面相互の解剖学的位置異常を呈し，関節面の生理的
相対関係が失われている状態で完全または不完全に転位しているもの」をいい，一方，捻挫とは
「原因が明らかなもので骨と骨の間に起こる急激なねじれ，あるいは激しい外力により発生した
関節周辺の関節包や靭帯組織の損傷」と定義されている．

1　関節部損傷に加わる力

a. 瞬間的に作用するもの（急性）

瞬発的な力によって発生するもので，正常の可動域を越えた関節運動を強制されたときに発生することが多い．

b. 繰り返しや継続して作用するもの（反復性あるいは蓄積性）

損傷と認知できないような力が繰り返し加わって損傷が発生するものをいう．徐々に臨床症状が現れてくる場合と突然に現れる場合がある．就業やスポーツ活動といった生活環境の中で，反復あるいは持続される力により関節構成組織に損傷が発生することが多い．

C・関節部損傷の分類

1　関節の性状による分類

a. 外傷性関節損傷

正常な関節に外力が作用して発生するものをいい，急性と蓄積性の損傷に大別できる．蓄積性に発生する関節損傷には疲労状態など身体の状態が関与するものがあり，正常な関節に比較的軽度の外力が繰り返し集積され，持続的に外力が作用すると関節軟骨，靱帯，関節周辺を通過する筋・腱を中心に損傷が発生する．

b. その他の関節損傷

何らかの要因により関節が脆弱になっている時に，軽微な外力，あるいは，ほとんど外力として認識できない程度の力で損傷が発生するものである．

2　損傷関節部と創部との交通の有無による分類

被覆軟部組織の損傷部と損傷関節部との交通の有無によって分類する．

a. 閉鎖性関節損傷

創部と損傷関節部との交通がないもの．

b. 開放性関節損傷

創部と損傷関節部との交通があるもの．外力が加わった際に関節が脱臼状態となり，被覆軟部組織が関節を構成する骨によって損傷され，脱臼状態のまま骨が皮膚外に露出するものと，周囲筋など軟部組織の作用で関節を構成する関節面相互の骨の位置関係が正常に戻っているものがある．

3　外力の働いた部位による分類

a. 直達外力による損傷

強打，衝撃，墜落など鈍性の直接的外力によって関節に損傷を生じたものをいう．靱帯，関節包，関節端などの損傷による出血で関節血腫を形成することがあり関節の腫脹につながる．

b. 介達外力による損傷

大部分の関節損傷が該当する．主に関節を構成する一方の骨に外力（牽引力，圧迫力，屈曲力，

捻転力など)が加わる場合と，損傷を受ける反対側に外力が加わる場合(例：膝関節に外転を強制する外力が加わって内側側副靱帯が損傷されるなど)に大別できる．

4 外力の働き方による分類

（1）正常の関節運動範囲を越える外力が作用した場合(例：過伸展外力，過屈曲外力)

（2）異常運動を強制する外力が作用した場合(例：膝関節への内転・外転外力)

（3）生理的範囲内でも繰り返し外力が作用した場合

（4）当該組織に直接外力が作用した場合

D・鑑別診断を要する類症

（1）関節リウマチ，関節リウマチ類似疾患

（2）代謝性疾患

（3）細菌感染

（4）腫　瘍

（5）その他

E・脱臼 dislocation（腱脱臼を除く）

　　基本的には関節構成組織損傷の項で述べた組織に損傷の可能性がある．関節が脱臼状態にある場合には，骨と骨の位置的異常のみにとらわれるのではなく，損傷されている組織の把握に重きをおくことが重要である．また，損傷の重症度を表す判断として扱われることがあり，「捻挫」は軽症で「脱臼」は重症と安易に理解されていることが多い．

　　この項では，解剖学的位置関係を失っている「脱臼」状態について述べる．

1 定義と概説

　　脱臼には，外傷性脱臼，先天性脱臼，病的脱臼などの区分があるが，本書に説くものは基本的に外傷性脱臼である．外傷性脱臼は「外力により関節がその生理的範囲以上の運動を強制された場合，関節の一方が関節包を損傷して，その裂孔から関節外に出た状態をいう」と定義されている．これを関節包外脱臼という．（例外として股関節中心性脱臼や顎関節脱臼は関節包内脱臼がある）．脱臼の発生は，外力の大小に左右されることはもちろんであるが，厳密に身体状態を分析すると損傷を受けやすい構造を有している可能性があり(肩関節や膝蓋大腿関節にみられる関節形態に問題がある場合など)，明らかな外傷が加わっていないにもかかわらず脱臼状態を呈するものもあり，関節の構造にも影響される．

2 発生頻度

　　脱臼発生の頻度は部位により異なるが，一般的には肩関節に多発し，肘関節，顎関節，肩鎖関

節などがこれに次ぐとされていて年齢, 性別によっても差異がある. 外傷を受ける機会の多い青壮年男性, とくにスポーツ選手や肉体労働者に多発し, また顎関節脱臼を除いて男性に多い. 小児と高齢者に比較的少ないのは, 同じ外力が加わっても, この年齢層では骨折を起こすためである.

3 脱臼の分類(図 4·10)

脱臼は関節の性状, 脱臼の程度, 関節面相互の位置, 脱臼部と創部との交通の有無, 外力の働いた部位, 脱臼の時期, 脱臼の経過, 脱臼の頻度と機序などにより分類する.

a. 関節の性状による分類

関節の性質や状態によって分類する.

1. 外傷性脱臼 traumatic dislocation

外傷性脱臼は, 前述の定義にあるように発生する. 発生外力では, 直接脱臼部に働く力が直達外力, 間接的に働く力が介達外力である. 急性に発生するものがほとんどである. 一方で, 使いすぎ overuse など蓄積性に発生するものもあるが, これは比較的軽度の外力が繰り返し作用し, 関節を固定する筋, 腱, 靱帯, 関節包が弛緩, 伸長して脱臼するもので, 野球の投手にみられるものが代表的である.

2. 病的脱臼 pathologic dislocation

関節に疾患があって, 関節を構成する組織の病的変化によって, 外力なし, あるいは正常な関節なら脱臼が起こりえないようなわずかな外力によって発生するものである.

① 麻痺性脱臼

関節を制御する筋の麻痺により, 関節を固定する筋, 靱帯, 関節包が伸長して脱臼する. 片麻痺患者(発症初期)の肩関節不全脱臼など.

② 拡張性脱臼

関節の炎症により関節内に炎症滲出物が多量に貯留したため関節包が拡張して脱臼する. 急性化膿性股関節炎, 股関節結核など.

③ 破壊性脱臼

関節の破壊によって脱臼する. 関節リウマチによる手指の脱臼など.

b. 脱臼の程度による分類

関節面の相対的な位置関係によって完全脱臼と不全脱臼に分類する.

1. 完全脱臼 complete dislocation

一方の関節面が, 他方の関節面に対し完全に転位して両者間にまったく接触のないもの.

2. 不全脱臼(亜脱臼)incomplete dislocation

関節面が部分的な接触を残して不完全に転位したもの.

c. 関節面相互の位置による分類

近位関節面に対する遠位関節面の位置によって分類する. ただし肩鎖関節は鎖骨外端の位置で, 脊柱は上位にある椎骨の位置で脱臼の状態を表現する.

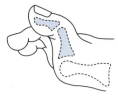
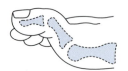

1. 完全脱臼　　2. 不全脱臼

a. 脱臼の程度による分類

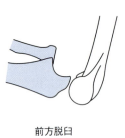
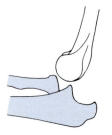
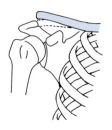

前方脱臼　　後方脱臼　　上方脱臼　　下方脱臼
　　　　1.　　　　　　　　　　2.

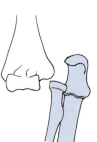
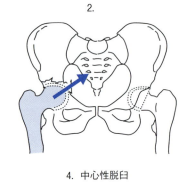

3. 側方脱臼　　　　　　4. 中心性脱臼

b. 関節面相互の位置による分類

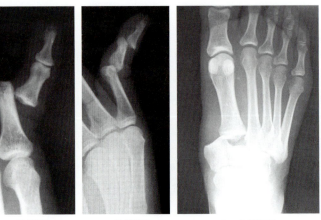

1. 単数脱臼　　2. 複数脱臼　　3. 多発脱臼
c. 脱臼の数

図 4・10　脱臼の分類

1. 前方脱臼，後方脱臼 anterior dislocation, posterior dislocation

近位関節面に対して遠位関節面が前方へ転位したものを前方脱臼，後方へ転位したものを後方脱臼という．

2. 上方脱臼，下方脱臼 superior dislocation, inferior dislocation

近位関節面に対して遠位関節面が上方へ転位したものを上方脱臼，下方へ転位したものを下方脱臼という．

3. 側方脱臼（内側脱臼，外側脱臼）lateral dislocation

近位関節面に対して遠位関節面が正中面方向に転位したものを内側脱臼，正中面から遠ざかる方向に転位したものを外側脱臼という．

4. 中心性脱臼（内方脱臼）central dislocation

大腿骨骨頭が寛骨臼窩を破壊して骨盤腔に嵌入する脱臼骨折である．

d. 脱臼の数

脱臼箇所の数により単数脱臼，複数脱臼，多発脱臼に分類する．1ヵ所の関節が脱臼したものを単数（単発）脱臼 single dislocation といい，2ヵ所以上の関節が同時に脱臼したもののうち1本の骨の両端が脱臼したものを複数（二重）脱臼 double dislocation，複数の骨にかかわるものを多発脱臼 multiple dislocation という．

e. 脱臼部と創部との交通の有無による分類

被覆軟部組織の損傷と脱臼部との交通の有無によって閉鎖性脱臼と開放性脱臼に分類する．

1. 閉鎖性脱臼 closed dislocation

脱臼部の被覆軟部組織に開放創を伴わないもの．

2. 開放性脱臼 open dislocation

被覆軟部組織の損傷によって関節腔が創部と交通しているもの．

f. 外力の働いた部位による分類

外力の働いた部位によって直達性脱臼と介達性脱臼に分類する．

1. 直達性脱臼 direct dislocation

外力が直接関節に働きその部位で脱臼したもの．比較的少ないが，膝関節，足関節，リスフラン Lisfranc 関節，手関節などに発生することがある．外力の加わった反対側の関節包が破れて，さらに外力の持続することで骨頭がそこから逸脱する．したがって関節窩などの骨折を伴うことが多い．

2. 介達性脱臼 indirect dislocation

外力が他の部位に誘導されて離れた関節で脱臼したもの．大部分の外傷性脱臼は介達外力によって発生する．正常範囲を越える運動が強制されたり，突然に異常運動が強制された場合に，関節窩縁，骨突起，関節包および靱帯が支点となって，骨頭が槓杆作用（テコの原理）によって一定の方向に脱出する．

また，筋作用の不調和によっても発生する．これはあくび，抜歯などの開口による顎関節脱臼，あるいはスポーツ活動で物を投げる場合の肩関節脱臼などがある．

56　第Ⅱ章　総　　論

g.　脱臼の発生時期による分類

　　　脱臼の発生時期によって先天性脱臼と後天性脱臼に分類する.

1.　先天性脱臼 congenital dislocation

　　　関節形成時期の形成不全, 内因では胚芽形成不全, 外因では胎内負荷変形で先天性に発生する
もの. 股関節に多く, 従来, 先天性股関節脱臼 congenital dislocation of the hip(CDH)と称され
ていたが, 奇形性脱臼以外は周産期および出生後の発育過程で脱臼が生じることがわかってきた
ため, 現在では発育性股関節形成不全 developmental dysplasia of the hip(DDH)と称される.

2.　後天性脱臼 acquired dislocation

　　　出生後, 外傷や疾病などの原因によって発生するもの.

h.　受傷後の経過

　　　受傷後, 間もない脱臼を新鮮脱臼といい, 整復されずに放置され数週間経過したものを陳旧性
脱臼というが, そのほとんどが徒手整復不可能である.

> ● 脱臼の多くは新鮮脱臼の段階で整復され治療開始となる. しかし, 脱臼しているにもかかわらず見落と
> されている例がある. その代表例として, モンテギア Monteggia 骨折時の橈骨頭脱臼, 月状骨掌側脱臼,
> 肩関節後方脱臼などがある. また, 膝蓋骨のように一度脱臼し支持組織の損傷があっても, 自然に整復
> される例もあるので注意深い診察が必要になる.

i.　脱臼の頻度と機序による分類

　　　脱臼の頻度と機序によって反復性脱臼, 習慣性脱臼, 随意性脱臼に分類する.

1.　反復性脱臼 recurrent dislocation

　　　外傷性脱臼に続発するもの. 多くは初回治療の中止など固定期間の不足, 脱臼を阻止する骨突
起の骨折, 筋・腱付着部の裂離骨折などのため, 軽微な外力や筋力などによって繰り返すもので
ある(例:肩関節).

2.　習慣性脱臼 habitual dislocation

　　　明らかな外傷の既往がなく骨, 軟骨の発育障害, 関節の弛緩などの素因のある患者に, 軽微な
外力や, 不随意的な筋力作用などが加わり発生するもの(例:顎関節や膝蓋骨).

3.　随意性脱臼(亜脱臼を含む)voluntary dislocation

　　　本人の自由意志で自家筋力によって脱臼あるいは亜脱臼を起こすことができ, 原位置に復すこ
とができるもの(例:肩関節).

> ● 膝蓋骨脱臼では, 膝を一定の肢位におくと常に脱臼するものを習慣性脱臼, 膝の肢位に関係なく常に脱
> 臼しているものを恒久性脱臼と呼ぶ.

4　脱臼の症状

　　　一般外傷症状と脱臼の固有症状に分ける.

a.　一般外傷症状

1.　疼　痛 pain

　　　自発痛で圧迫感のある持続性疼痛を覚える. その他, 圧痛, 運動痛および介達痛がある.

> ● 通常，脱臼時の疼痛は，脱臼している間は持続し，適切な整復により軽快することから，連続的脱臼痛と呼ばれることがある．

2. 腫脹および関節血腫 swelling and hemarthrosis

腫脹は軟部組織の損傷程度，出血によって空虚になった関節腔内に関節血腫を生じ，出血が皮下に達すれば皮下出血斑を生じる．腫脹は骨折の際にみられるように早急に現れず，また骨折ほど著明ではない．

3. 機能障害 disturbance of function

疼痛に耐えればわずかに運動が許される程度である．

b. 脱臼の固有症状

1. 弾発性固定（弾発性抵抗）springy fixation

患肢に他動的に運動を試みると弾力性の抵抗を覚える．また患肢は一定の肢位に固定され，ある程度の可動性はあるが，力を緩めると再び戻ってしまう．このような状態を弾発性固定または弾発性抵抗という．

2. 関節部の変形 deformity

（1）関節軸の変化：骨頭の方向に転位する．

（2）脱臼関節自体の変形：それぞれの関節に応じた特有の変形が出現する．

（3）脱臼肢の長さの変化：脱臼した骨頭の位置により脱臼肢が延長，または短縮しているようにみえる．

（4）関節腔の空虚および骨頭の位置異常：骨頭が逸脱したために関節腔は空虚となり，陥凹を触知できる．そのため転位部位に脱臼した骨頭を触れる．

5 脱臼の合併症

a. 骨 折

骨折を伴う脱臼を脱臼骨折という．脱臼骨折は徒手整復が困難であり，治療日数も長くかかる．脱臼と骨折が近接部位で同時に発生した場合，脱臼から先に整復する．その理由は，整復した脱臼患部の再脱臼は，骨折整復による外力では起こることが少ない一方で，完全に整復した骨折でも脱臼整復時の外力によって容易に再転位するからである．ただし，骨折と脱臼部位がとくに近接せず，また各々の整復に際してなんら関係のない場合はこの限りではないが，モンテギア骨折やガレアジ骨折のように前腕部で発生した脱臼骨折は，骨折を先に整復しなければならない．

b. 血管および神経の損傷

脊椎脱臼では重篤な脊髄損傷を起こすことがある．その他，肩関節，肘関節，月状骨，股関節，膝関節などの脱臼では，神経あるいは血管を圧迫して患肢の神経麻痺，あるいは血流を阻害することがある．

c. 軟部組織の損傷

（1）皮膚の損傷：細菌感染により化膿する危険性を伴う．

58 第Ⅱ章 総 論

（2）関節包の損傷：顎関節脱臼，股関節中心性脱臼などを除き必発する.

（3）靱帯の損傷：損傷の部位や程度は年齢や外力に影響される.

（4）その他：筋，筋膜，腱，関節軟骨，関節唇などの損傷が起こりうる.

d. 内臓器の損傷

脱臼に内臓器損傷の合併は少ないが，股関節中心性脱臼に伴う骨盤腔内臓器の損傷や胸鎖関節後方脱臼に伴う気管損傷の可能性がある.

6 脱臼の整復障害

脱臼の非観血的整復時に，まれに種々の整復障害に遭遇することがあり，次のような原因があげられる.

a. 関節包による整復路の閉鎖（ボタン穴機構）

脱臼した骨頭が関節包の閉鎖により元の位置に戻すことができない状態. 逸脱した骨頭と頸部の径の差が大きい股関節脱臼に多くみられる.

b. 掌側板または種子骨の嵌入

第1中手指節関節（MP 関節：metacarpophalangeal joint）の脱臼時に時々みられ，掌側板や種子骨が関節面に嵌入して徒手整復不能となる. 他の関節ではまれである.

c. 筋，腱，骨片による整復路の閉鎖

第2指 MP 関節の背側脱臼時に筋や腱などが作る井桁状構造内へ中手骨頭が嵌入する場合や，肘関節脱臼に合併した上腕骨内側上顆骨折の骨片が関節内に嵌入する場合は徒手整復不能となる.

d. 整復に際して支点となるべき骨部の骨折による欠損

肩関節脱臼時の上腕骨近位端部骨折などは徒手整復を不能にする.

e. 筋ならびに補強靱帯および関節包の緊張

脱臼に伴う強い筋緊張が整復障害の要因になりうる.

f. 陳旧性脱臼

モンテギア骨折時の橈骨頭脱臼の見落としなどがある.

7 脱臼の経過と予後

脱臼の予後は，合併症の程度や経過などにもよるが，新鮮な閉鎖性脱臼で，的確な整復，固定，および後療法を行えば比較的短期間で治癒し，予後は良好である. ただし，様々な要因により異常経過や後遺症を残す例がある.

a. 関節拘縮，強直

見落とし例を中心とした陳旧性脱臼，骨折の合併例，長期に及ぶ固定，不適切な固定（肢位や範囲など），不適切な後療法（不十分な患肢の指導管理，乱暴な手技療法など）で発生しうる. 肘関節脱臼では骨化性筋炎もその要因となる.

b. 再脱臼や不安定性

肩関節では頻繁に脱臼を繰り返す反復性脱臼に移行することがある. また，前方や下方への不

安定性や，患者の自覚症状として，力が入り難い，外れそうな感じがするといった不安定感を訴えることもある．これらは初回脱臼時の年齢，固定期間や固定肢位，関節構成組織(骨，関節軟骨，関節包，関節唇など)損傷の部位や程度といった要因があげられる．他の関節においても，同様に再脱臼や不安定性が起こりうる．

膝蓋骨脱臼の自然整復例，手指関節脱臼の患者整復例など，適切な固定が行われずに支持組織損傷が放置されるのも要因の一つである．

c. 変形の残存

解剖学的整復が原則であるが，例外として肩鎖関節，胸鎖関節の完全脱臼は，多くの場合，整復位の保持は困難で，変形が残存する．いわゆる脱臼したままの状態になるが，肩の機能障害は少ない．

d. 変形性関節症

股関節や足関節など荷重関節における骨折合併例では，二次性の変形性関節症がみられ，上肢では肘関節や指関節にみられる．

F・関節構成組織損傷

近年の画像機器を用いた確定診断能力の向上により，関節軟骨の損傷，関節部を通過する筋，腱の損傷などが明らかになっていて，「捻挫」という包括的な用語でのとらえ方ではなく，関節構成組織あるいは関節周辺を通過する組織のうち，どの組織がどの程度損傷されているのかの「組織損傷」としてとらえて対処するようになった．

骨損傷の項でも述べた小児，高齢者などは，年齢による身体的状態の関与も大きく影響する．柔道整復師が取り扱う関節損傷で損傷される関節構成組織について，靱帯と関節包損傷，関節周辺を通過あるいは起始停止する筋・腱損傷，関節軟骨損傷，その他関節構成組織損傷の四つに大別して解説する．

F-1. 靱帯，関節包の損傷

靱帯に限局した損傷として扱われることが多い．実際には関節包と分離して考えるのは困難なことが多く，関節包の損傷を含めて解説する．関節部の損傷としてはもっとも発生頻度が高い．各関節で特徴が異なり，詳細については各論に譲る．

1 分類と症状

a. 損傷の程度による分類

1. 第Ⅰ度

靱帯線維の微小な損傷で疼痛，腫脹(出血)も少なく，圧痛や機能障害も軽度で不安定性は認められない．

2. 第Ⅱ度

靱帯の部分断裂であり，不安定性が軽度から中等度にみられ，機能障害も認められる．

3. 第Ⅲ度

靱帯の完全断裂であり，関節の不安定性が著明にみられ，機能障害も高度である．関節形態や外力の種類にもよるが，靱帯の完全断裂が発生すれば脱臼にいたることもある（肩鎖関節における肩鎖靱帯ならびに烏口鎖骨靱帯断裂）．たとえ，所見として関節が脱臼状態になくても，損傷要因が存在し関節周辺に損傷の症状がみられる場合には，靱帯損傷を中心に関節構成組織損傷として慎重に病態を把握しなければならない．とくに指の関節などでは実際に脱臼にいたるような大きな関節構成組織の損傷があっても，本人あるいは第三者に整復され来所することも多い．

b. 症　状

新鮮な靱帯損傷では，疼痛，腫脹，皮下出血斑，限局性圧痛，関節血腫などがみられ，疼痛が著しい場合には関節の機能障害を伴う．受傷直後など筋の弛緩が十分に得られない場合には，徒手検査での関節不安定性の正しい把握が困難なこともある．急性期の症状が軽快すると関節の運動制限も回復し，筋弛緩が十分にえられるようになり，靱帯の損傷に応じた不安定性が明らかになる．急性期に不安定性を把握するには，疼痛を軽減させ筋の弛緩が得られる体位，肢位の選択や熟練した技術が必要になる．

2 合併症

関節周囲の筋，腱損傷や，神経，脈管系の損傷の有無についてチェックする必要がある．また，二次的に関節周辺の滑液包に炎症が起こることもある．

3 靱帯損傷の治癒機序

家兎 MCL（内側側副靱帯）モデルの研究によると，治癒過程は緩やかであるが創傷治癒と基本的には同じである．靱帯断裂により生じた間隙に，血腫から肉芽組織が形成され，肉芽組織が靱帯様組織に変化し，この組織が経時的に成熟した靱帯組織に近づいていく．経過中，細胞外基質は張力方向に線維が配列してくるが，この変化は損傷後おおよそ6週で著明になるため，リハビリテーションプログラムの設定にあたって修復組織に負荷をかけ始める時期として広く用いられている．しかし，修復された靱帯組織はあくまでも瘢痕組織であり，力学的特性のみならず組織学的にも生化学的にも正常組織とは異なっているとされている．この治癒過程は，損傷した靱帯の種類，解剖学的条件により相違があると考えられる．関節包などの関節周囲の支持組織に連続した，たとえば側副靱帯などの場合は，完全に断裂しても断裂端の間隙が過大になることはまれであり，修復，再生のための血行が豊富であり，治癒過程は順調に進行すると考えられる．一方，関節周囲組織との連続性が疎な膝十字靱帯や踵腓靱帯などの場合は，完全に断裂すると断裂端の連続性がほとんど失われ，間隙に形成される肉芽組織も不十分で，さらに血行不良により自然治癒は起こりにくい．

4 経過と予後

第Ⅰ度の損傷であれば的確な施術を行うことで治癒するものがほとんどである．しかし第Ⅱ度以上の損傷に対し的確な施術を行った場合でも，関節の動揺性，非生理的肢位，関節変形などの

4. 各組織の損傷　61

関節機能障害を残すことがある．第Ⅲ度の損傷であれば観血療法が行われることが多いため，新鮮時に正しい判断と適切な治療が必要となる．とくに荷重関節である下肢関節の損傷は注意を要する．

F-2. 関節周辺を通過あるいは起始停止する筋・腱の損傷

関節部の損傷では急性に発生するものより，蓄積性に発生するもののほうが多くみられる．就労，スポーツ活動による反復外力が主で，腱の骨への付着部や腱が骨との摩擦を強いられる部位で高率に発生する．放置されると骨・軟骨損傷にいたるものもある．また，O脚による腸脛靱帯損傷など身体の状態に起因する場合も多い．

四肢では，六大関節を中心に上肢の肩・肘・手関節部，下肢の膝・足関節部の発生頻度が高い．脊柱部での発生頻度も高く，腰部や頸部に多い（ただし厳密に関節を限定してとらえることが困難な場合が多い）（p.64 の 4-3. 筋の損傷，p.71 の 4-4. 腱の損傷の項を参照）．

F-3. 関節軟骨損傷

関節軟骨の損傷は，関節軟骨部に限局した骨軟骨損傷に加え，関節部の骨損傷も考慮する．明らかな骨損傷を合併している場合には損傷を見落とすことは少ないが，関節軟骨部のみが損傷されている場合，見落とし，あるいは靱帯などの損傷の陰にかくれ，確定できないものがある．

1 発生頻度

瞬間的（急性），繰り返しや継続（反復性あるいは蓄積性）のいずれの原因でも発生するが，身体の状態が要因となることが多く，とくに年齢，性別，その他就業・スポーツ活動など生活環境が大きく関与する．スポーツ活動ではとくに投球による外側型野球肘で上腕骨小頭の軟骨損傷を発生することが多く，ときに観血療法が必要となるため注意を要する．

2 発生機序

直接，関節軟骨に力が働くことは少なく，介達外力による発生が多い．

a. 介達外力

関節相互面の衝突と，関節相互面の離開による靱帯，筋，腱の牽引力に分類できる．前者では骨損傷を含まない関節軟骨の損傷が多く，後者では骨損傷を合併するものが多い．

b. 直達外力

関節が特定の肢位におかれ，直接，関節軟骨の一部が力を受けやすい状態の場合に発生する．

3 分　類

a. 骨損傷を合併していない軟骨損傷

関節軟骨には血管分布はなく，神経も乏しいため，損傷を受けた際の臨床症状を患者自身も施術者側も認識しにくい．多くは徐々に損傷範囲が広がっていくものである．急性の場合にも靱帯損傷をはじめとする関節構成組織損傷を合併することがあり，この損傷にかくされてしまうこと

も多い．後日，関節内で関節面の軟骨下骨組織に限局性の骨壊死が生じ，健常部から分画され，ついには骨軟骨片が関節面から分離するものも出てくる．これは一般に非遊離体と遊離体に分けられている．

b. 骨損傷を合併している軟骨損傷

骨損傷を合併するものは，骨損傷による臨床症状を呈し，合併していないものに比べ初期段階での病態の判断がしやすい．

1. 圧迫骨折（陥凹骨折や陥没骨折）

対向する骨端部の衝撃により関節面に生じる陥凹骨折や陥没骨折は，脛骨近位端関節面の骨折が代表的なものであり，肩甲骨関節窩，上腕骨骨頭，上腕骨小頭，橈骨頭，大腿骨骨頭，大腿骨顆部，距骨，踵骨などにも生じる．

2. 骨軟骨骨折

関節軟骨の一部が薄い軟骨下骨組織を伴って剥離したものをいい，純粋な関節内骨折である．対向する関節面からの剪断力，関節面の捻転圧迫力，関節面への直達外力などにより発生し，膝関節，足関節に好発する．見落とされやすい骨損傷であり，陳旧例となって医療機関に受診することが多い．膝・足関節に多くみられ，損傷を受けやすい部位であること，受傷時の症状が不明瞭な場合が多いこと，初期には機能障害が軽度であること，骨軟骨骨折の軟骨下骨組織が小さく単純X線像で証明しにくいなどの理由があげられる．

3. 裂離骨折

靱帯や腱の牽引力によって付着部の骨が裂離したものであり，かなり大きな骨片を有するものから，手術時にはじめて確認されるような小骨片のものまで様々である．小児の裂離骨片はほとんどが軟骨成分であり，実際には単純X線像の陰影より大きな軟骨片を有している．

4 症　状

骨損傷を合併していない損傷は，それぞれの関節の関節軟骨の厚さや年齢により違いはあるが，一般に初期の臨床症状は乏しい．損傷範囲が骨組織に拡大したものや軟骨片として遊離しているものは，疼痛や関節可動域制限，嵌頓症状 locking を起こすことがある．遊離体となったものでは，大きさや部位にもよるが，関節の鈍痛，異物感とともに関節水腫，嵌頓症状を呈する．骨損傷を合併している損傷では，関節の著しい疼痛，腫脹が認められる．腫脹は軟骨下骨の損傷部からの骨髄性出血による関節血腫で，関節穿刺で採取した血性の関節液には脂肪滴が浮遊し，ギラギラした外観がみられる．これは骨髄性出血であることを裏づけるもので，関節骨折の有力な証拠となる．

5 合併症

骨・靱帯損傷を伴って，それらの損傷の陰に隠されることも多く，注意を要する．

6 軟骨損傷の治癒機序（図4・11）

関節軟骨は，血管や神経を欠くことや，軟骨細胞が豊富な基質におおわれていて移動が妨げら

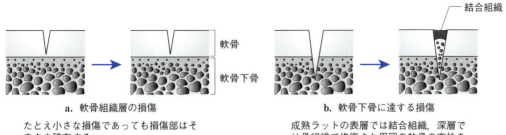

図 4・11　関節軟骨損傷の修復様態

れていることなどの理由で，いったん損傷が生じると通常の創傷治癒機転が働かず，自己修復能力は著しく乏しい．損傷の深さによって二つの治癒機序に分けられる．軟骨組織層に損傷がとどまり軟骨下骨組織まで達していない場合には，ほとんど修復反応が起こらず治癒しない．一方，軟骨下骨組織まで達する損傷では，骨髄からの細胞が流入し，修復反応が観察される．ただし，形成される軟骨組織は本来の硝子軟骨ではなくコラーゲン線維の豊富な線維軟骨であり，関節軟骨としての十分な機能を果たしえないと考えられている．

近年，関節非荷重部から採取した自家軟骨細胞を培養し，移植する方法が臨床にも応用されるようになっているが，長期成績は明らかではない．

7 後遺症と予後

関節拘縮や強直に加え，持続性関節痛や外傷性関節炎，変形性関節症発生の素地となる．骨損傷を合併しているものでは骨片転位に伴う変形癒合がみられる（若年者は骨端軟骨損傷の項を参照）．

F-4. その他関節構成組織の損傷

1 関節唇

関節唇が重要な役割を果たす肩関節，股関節に，瞬間的（急性），繰り返しや継続（反復性あるいは蓄積性）のいずれの外力によっても発生するが，明確になっていない部分も多い．関節唇が深部に存在していることが多いことから，ほとんどが介達外力による発生と考えられる（肩関節脱臼時の上腕骨頭による損傷など）．

予後は，関節の形態，役割など種々の要因に左右されるが，関節内の組織であり，直接，軟骨や骨に損傷を発生させ，関節変性の原因になることもある．

2 関節半月，関節円板

関節内に線維性軟骨の構造物を持つ関節は限定されている．膝関節の内・外側半月，胸鎖関節，顎関節，遠位橈尺関節の関節円板，解剖学的な関節ではないが脊椎椎体間の椎間板などがあげられる．損傷は膝の半月や腰椎椎間板に多くみられ，膝の場合，介達外力による急性の損傷が

64　第Ⅱ章　総　　論

多く，単独損傷あるいは靱帯損傷に合併して損傷する．

　　介達外力による蓄積性の損傷では靱帯損傷に伴う不安定性による関節の異常な動きが繰り返しの外力として働き，二次的に損傷を発生させることがある．腰部の場合には介達外力での蓄積性損傷が多い．関節の変性を呈し予後不良となることが多い．

③　滑液包

　　瞬間的(急性)，繰り返しや継続(反復性あるいは蓄積性)のいずれの外力によっても発生し，肩・膝関節での発生頻度が高い．他の組織損傷に伴って二次的に臨床症状を呈することもある．

　　直達的な繰り返し外力(例：踵部に加わる靴による外力)，介達的な繰り返し外力(鵞足部)による発生が代表的なものである．予後に問題を残すことは少ない．

④　関節部に分布あるいは通過する神経，血管

　　捻挫のように瞬間的に骨の位置関係が異常な状態になったとしても，脱臼のように骨頭などによる継続的な外力(主に牽引性外力)が加わらなければ，大きな損傷にいたることは少ない(骨折による合併症は除く)．

　　関節部に正常運動範囲を越える運動，あるいは異常運動(主に牽引力)が加わり発生する場合，直達的な外力により骨などとの間で圧迫されて発生する場合(器具，機械，用具などが原因となる就労，スポーツ活動時の環境によることが多い)，関節の反復性運動によって主に牽引力が働き発生する場合(関節の基本的形態に問題がある場合に発生しやすい)，関節形態の変化(骨棘，裂隙狭小，関節鼠など)によって発生する場合がある．末梢部の機能・感覚障害を生じ，予後は，損傷程度に大きく左右される(p.76 の 4-5. 末梢神経の損傷の項を参照)．

● 4-3.　筋の損傷

A・筋の構造と機能

　　ここで述べる筋は横紋筋をさす．横紋筋は平滑筋および心筋と異なり随意筋で，また主として骨格に関係することから骨格筋とも呼ばれる．体重の 40～45％ を占め，主要成分は水(約 75％)，蛋白質(約 20％)で，その他に少量のグリコーゲンおよび有機リン酸塩を含んでいる．

①　筋の構造(☞参考 8)

　　詳細は『解剖学』『生理学』を参照．

a. 筋　頭

　　身体の正中部に近く，または四肢の場合は近位に位置し，直接にまたは腱を介して起始する部，すなわち起始に一致する．起始は固定しているので，固点とも呼ばれる．起始は通常単頭であるが，二頭，あるいは三頭のこともある．

参考8　筋の構造

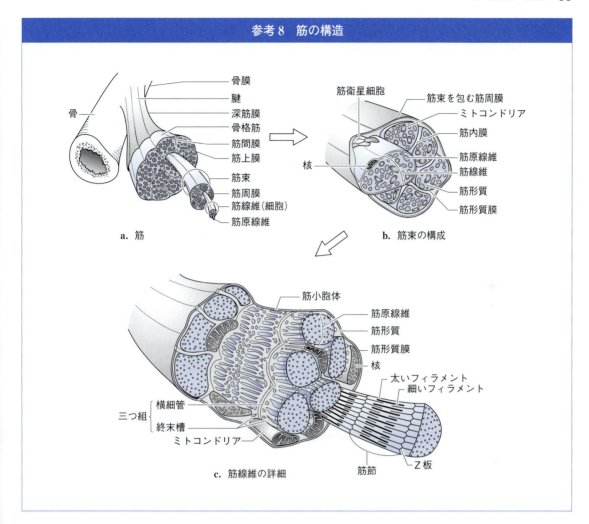

a. 筋
b. 筋束の構成
c. 筋線維の詳細

b. 筋　尾

　　筋頭の反対側，すなわち体の正中面から外側方向または遠位方向に位置して，直接または間接的に停止し，一ないし数尾からなる．停止または筋の収縮作用によって移動するので動点とも呼ばれる．なお，筋端に連続する腱を付着腱という．

② 筋の補助装置

　　筋の収縮を円滑に行うために以下の補助装置がある．

a. 筋　膜

　　個々の筋または筋群を包んで，他の筋または筋群および周囲組織を隔離する一種の線維性膜である．そのうち皮膚の下にあって筋群を共同に包むものを浅筋膜，深部に入って個々の筋または筋群を包むものを深筋膜という．

　　筋膜は筋の保護膜であると同時に，他筋の起始または付着点となるばかりでなく，リンパまたは血液の吸収作用を間接的に助ける．

66　第Ⅱ章　総　論

b. 筋支帯

四肢の遠位部には多くの腱が走行しているが，これらが浮き上がるのを防いでいる．屈筋支帯，伸筋支帯と呼ばれる．

c. 滑液包

p.50 の f. 滑液包の項を参照.

d. 筋滑車

p.72 の c. 筋滑車の項を参照.

e. 腱　弓

p.72 の f. 腱弓の項を参照.

f. 種子骨

p.72 の d. 種子骨の項を参照.

３　筋の脈管および神経

筋の血管および神経は筋の深面(深層の筋では浅面)でやや近位から進入し，筋周膜に沿って次第に分枝する．血管はよく発達し，筋線維を取り巻いて豊富な毛細血管網を作る．通常 1 mm² の断面に約 3,000 の毛細血管を含み，筋が活動していないときは毛細血管の 95% はその管腔を閉鎖している．運動を開始すると毛細血管は徐々に開通し，活動中の筋に十分な血液が流れるようになる．休息時の筋血流量は 0.8 L/分(心拍出量の約 15%)であるが，筋が十分に活動しているときは 18 L/分(心拍出量の約 72%)にまで増加する．

神経には運動神経線維，感覚神経線維および自律神経の節後線維が含まれる．大径の運動神経線維は脳，脊髄のいわゆる運動細胞から起こるもので，個々の筋線維に達してその表面に運動終板を作り，筋収縮の興奮を伝える．感覚神経線維には筋紡錘に分布する線維がある．筋紡錘は伸展受容器であり，その神経とともに働いて筋の収縮と緊張の程度を自動的に調節する装置である．自律神経線維は一般に筋の栄養と緊張を司るといわれているが確実な知見は少ない．

４　筋線維の種類

骨格筋は目でみたその色彩から赤筋，中間筋，白筋のおおむね 3 種類に分類される．筋細胞に含まれ酸素を結合するミオグロビンという色素蛋白質の量的差異および毛細血管分布の密度によって決定され，また支配している神経や筋収縮の様相に強く影響される(詳細は『生理学』『運動学』を参照).

B・筋損傷の概説

筋の損傷は，介達外力によるいわゆる肉ばなれ strain と，直達外力による筋打撲 contusion と定義されることが多い．しかし"肉ばなれ""打撲"といった用語としてのとらえ方だけでは，当該損傷を見誤る危険性が高くなる．あくまでも，きっかけとなった運動とその時の状況，痛みの発生時期などに関する情報を聴取し，視診，触診，その他理学所見を加え，どの程度の損傷を

起こしているのかという組織損傷としてとらえなければならない．一般には，筋の収縮力や応力が筋の強度を上回った場合に損傷することが多い．具体的にはスポーツ活動，就労現場で加速期や減速期に生じやすい．加速期は求心性収縮，減速期はターン動作やストップ動作のような遠心性収縮で，いずれの場合も発生するが，とくに強烈な遠心性収縮時に生じやすい．

1 筋損傷を起こす力

大きく，瞬間的(急性)と繰り返しや継続(反復性あるいは蓄積性)に分類できる．

a. 瞬間的に作用するもの(急性)

過度の筋緊張，不意に加わった荷重，直接的な外力，運動時の急激な抵抗などが一度の外力として損傷を引き起こす．

b. 繰り返しや継続して作用するもの(反復性あるいは蓄積性)

損傷と認識できないような力が繰り返しあるいは継続して加わることで，突然症状が現れる場合と，徐々に症状が現れる場合がある．

筋の場合には何らかの要因により，疲労性あるいは筋力低下という身体状態が関与することが多い．

C・筋損傷の分類

1 筋の性状による分類

a. 外傷性筋損傷

正常な筋に外力が作用して発生するもので，前述した急性と蓄積性の損傷に大別できる．筋の柔軟性や個体差や，筋そのもののコンディション(疲労度)の変化など筋の基礎的状態が損傷の背景として大きく関与するものと考えられる．急性では，外力による荷重が組織の破断強度を超えたときに発生するものがもっとも多く，準備状態にないときに外力が加わった場合などにも発生する．蓄積性に発生するものは疲労性筋損傷であり，正常な筋に比較的軽度な外力が繰り返しあるいは継続的に作用し，その結果，疲労状態におかれ発生するもので，たとえば以下のような場合があげられる．

（1）就労，スポーツ活動における機械器具や活動の特性などにより持続的，継続的な(直達あるいは介達)外力が加わり微細な損傷を繰り返し起こす．

（2）不自然な姿勢で就寝するなど片側の筋のみ高度に伸長した状態が長時間続いたりすると，起床時，筋はやや腫脹して，うっ血(局所循環障害)状態となり，熱感，疼痛，筋の運動制限あるいは不能となることがあり，いわゆる「寝違え」といわれる状態を呈する．

（3）筋に過大あるいは長時間加わる荷重，または同一・不良姿勢などの継続による筋緊張などが加わる際に起こる．過労性筋炎と呼ばれる筋の炎症状態で，うっ血し硬化する．

（4）一過性で時間的にも短時間であるが，筋が強く収縮するため運動が突然障害されると同時に患部に疼痛が生じたり，安静時や睡眠時にも発生するものを筋痙攣という．腓腹筋(こむら返り)，大腿後面の屈筋群，背筋に発生することが多い．脳を含む中枢神経系や末梢

神経系に障害があっても起こるため鑑別には留意する.

b. 病的状態

進行性筋ジストロフィー，多発性筋炎，多発性神経炎，シャルコー・マリー・トゥース Charcot-Marie-Tooth 病，脊髄性小児麻痺，進行性骨化性筋炎，細菌感染，注射による医原性など，外傷との鑑別は比較的容易なものが多い.

2 筋損傷の程度による分類

臨床所見に基づいた分類，MRI 像所見とアスリートにおける予後の観点から分類されたものなどをまとめた．近年，Ⅰ～Ⅲ度の損傷程度を厳密に判定するには MRI などの画像診断が不可欠であると考えられている.

a. 第Ⅰ度

顕微鏡的損傷で筋間損傷が主なもの．筋力や可動域に障害をきたすことは少ない．自動あるいは他動運動時に不快感や違和感などがある．また，遅発性筋痛の原因の一つととらえているものもある．MRI では出血所見のみが認められる出血型である．1～2 週でスポーツが可能になる.

b. 第Ⅱ度

部分断裂損傷であり，一般に肉ばなれと呼ばれる．即時に痛みが出現し，圧痛と腫脹，軽度の筋力低下がみられる．MRI では筋腱移行部（とくに腱膜）損傷型である．競技復帰には 1～3ヵ月（平均 6 週）を要する.

c. 第Ⅲ度

完全に断裂しているもの．陥凹があり，強い圧痛が出現し，筋の収縮はみられない．断裂端は縮み，腫瘤を形成する．MRI では筋腱付着部損傷型（裂離を含む）で，手術による修復が検討される.

3 筋損傷の部位による分類

どこで損傷が発生するのかは筋の収縮力や断面積などの形態と変形速度による.

a. 長軸での分類

筋の起始部，筋腹部，筋腱移行部の損傷に分類できる．実際には腱部，骨付着部などにも発生するが，それらについては p.71 の 4-4. 腱の損傷の項に譲る.

b. 浅深での分類

筋膜，筋の浅層，筋の深層，他筋との付着部の損傷に分類できる．筋膜の損傷として筋ヘルニアがあげられるが，ほとんどが激しい動作や外傷後に生じ，血管や神経が貫通する部位を損傷して発生する．臨床上，障害をもたらすことは少なく，真のヘルニアは非常にまれである．文献上での好発部位は上腕（屈側）や下腿（後面）であり，大腿では内転筋に多い.

c. 筋間損傷と筋内損傷（バス Bass の分類）

1. 筋間損傷

筋線維束の間の結合組織の損傷で，筋線維そのものに損傷をみないが内出血を生じるもので，軽症のものである.

2. 筋内損傷

部分断裂損傷で，筋線維間に出血し，その部位に瘢痕を形成するものである．

4 外力の働いた部位による分類

a. 直達外力による損傷

打撲，衝撃，墜落などの鈍性の直達外力によって筋に損傷を生じるものをいう．損傷程度は加わった外力により様々で，筋がその下にある骨との間に押しつけられて損傷する筋挫傷が多い．

いわゆる肉ばなれとの違いは，疼痛や腫脹などの症状が強く，深層の損傷が多いことである．筋のどの部位にも損傷は発生するが，広範囲にわたる重篤なものでは生命に危険が及ぶこともある（クラッシュシンドロームは p.94 を参照）．

b. 介達外力による損傷

過剰な負荷が加わったり，過度に伸長されたり，同一の緊張状態を長時間強いられるような場合に損傷が生じるものをいう．損傷程度は様々であるが，好発部位は大腿部や下腿部などで，筋の表層部，筋腹あるいは筋腱移行部に発生することが多く，いわゆる肉ばなれと呼ばれる．

5 外力の働き方による分類

a. 筋線維の正常な伸長範囲を越えた場合

単に筋が伸ばされる場合だけではなく，回旋力なども加わっているものと考えられる．完全に断裂するものもある．

b. 圧迫力が働いた場合（筋挫傷）

打撃などにより損傷されるもの．コンタクトスポーツに多く，部分損傷により血腫を形成し，治癒まで長期となることや骨化性筋炎を起こすこともあるため注意を要する．

c. 大きな負荷に対する急激な収縮が起こった場合

重量物を持ち上げたり，運搬した際に損傷されるもの．

d. 反復荷重が加わった場合

繰り返しの作業などにより損傷されるもの．

e. 持続的な緊張状態におかれた場合

一定の筋緊張が同一肢位で継続され損傷されるもの．

f. 持続的な伸長状態におかれた場合

筋の起始と停止が遠ざかったため筋の伸長状態が継続され損傷されるもの．

g. 激しい運動による場合

激しい運動後の電子顕微鏡像から，筋形質膜断裂，筋原線維損傷，Z板破断などが確認できる．遠心性収縮で損傷が大きいといわれる．運動直後の筋痛や，12〜48 時間後に遅発性筋痛を訴えることがある．ミオグロビンやクレアチンキナーゼなどの血中濃度上昇がみられる．

70 第Ⅱ章 総 論

6 筋損傷部と創部との交通の有無による分類

a. 閉鎖性（皮下）筋損傷

創部と筋損傷部との交通のないもの.

b. 開放性筋損傷

鋭利な刃物などの切創により損傷されることが多い. 開放性骨・関節損傷にも合併することがある.

D・筋損傷の症状

陳旧例では硬結, 腫瘤, 陥凹の触知, 伸長度の低下, 筋力低下などがみられる（p.68 の筋損傷の程度による分類の項を参照）.

E・筋損傷の治癒機序

筋線維の再生能力は高く, 再生は周囲に存在する筋衛星細胞の働きにより行われる. 筋衛星細胞は, 通常は不活性化状態にあり増殖も分化もしないが, 筋線維の壊死が引き金となって活動を始め, 筋芽細胞に分化し, 増殖を繰り返す. 筋芽細胞の増殖がある程度進行すると, 筋芽細胞どうしの融合が始まる. この融合した細胞を筋管細胞という. そして, 筋管細胞は壊死した筋線維の両端をつなぎあわせるように融合し, 筋線維の再生は終了する（図4・12）. ラットの前脛骨筋に経皮的電気刺激と徒手による他動的伸長を同時に負荷して作成した実験的筋損傷の修復過程は, 損傷1日後に組織の浮腫が認められ, マクロファージをはじめとする炎症細胞の集積と浸潤, 貪食作用が確認できる. 損傷2日後に壊死の過程は完了し, 組織を埋め尽くしているのは, 炎症細胞と, 増殖した筋衛星細胞または筋芽細胞と推測される. 3日後には筋管細胞または細い筋線維の出現が認められ, 修復過程の進行が確認できる. 組織の浮腫はまだ残存している. 7日後までに再生線維は成長し, 浮腫もほとんど消失する. 筋損傷の程度により回復に要する期間に差があることは推測できるが, 修復過程は約7日で完了すると考えられている. ヒトを対象とした研究では, 筋損傷の指標として等尺性最大筋力, 痛み, CK 値, 四肢周径, 自動 ROM などが用いられ, その推移に差はあるものの, 7〜10日でほぼ回復する.

F・筋損傷の予後

1 瘢痕組織を残した治癒

瘢痕組織を残して治癒すると, 弾力性の異なった部分が筋の中にでき, 早期に筋が力を出しすぎると, 再度筋損傷が起こる危険性がある.

2 骨化性筋炎

骨折の二次的合併症でも述べたが, 筋の単独損傷でも損傷時の血腫が原因となって発生する.

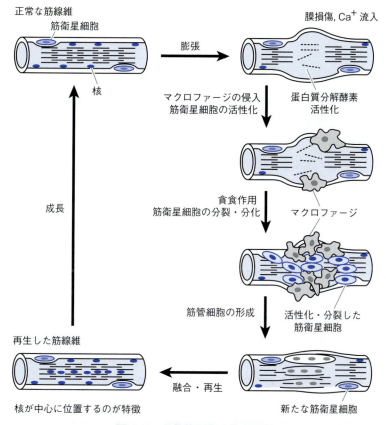

図4・12　骨格筋損傷の治癒過程

骨化により筋の中に弾力性の異なる部分ができ，負荷が加わると損傷しやすい状況になる．筋の機能と局所の運動性が相当に障害されるものもある．

● 4-4. 腱の損傷

A・腱の構造と機能

　通常，筋は腱へと移行して骨に付着し，腱は筋収縮による力を骨に伝える．筋は収縮によって力を生み出し，それにより腱の緊張が高まる．腱は強靱な結合組織である．豊富なコラーゲン線維からなり，光沢のある白色を呈している．

　腱は牽引によってその長さを大きく変えるものではなく，筋や骨や軟骨との間に介在し筋収縮運動の伝達の役目を果たしている．靱帯が関節の静的な支持機構であるのに対し，動的な支持機構であるといえる．

72　第Ⅱ章　総　論

1　腱の構造（☞参考9）

詳細は『解剖学』『生理学』を参照.

2　腱の補助装置

腱が力を伝達するとき，腱自体が周囲組織との間で動くので，周囲組織すなわち他の筋，腱，骨に接する部分に摩擦を生じる．摩擦による組織損傷や力の損失を防ぐ作用をするために次のような補助装置がある.

筋の項で述べたが，本来分けて記述することに無理がある．ここでは腱に関連深いものを抽出して述べる.

a. 滑液包

p.50 の f. 滑液包の項を参照.

b. 腱　鞘

滑液包と同じ性質の器官で，管状滑液包とも呼ばれる．腱傍組織に包まれた腱が鞘の中に入り，腱傍組織と鞘が結合している．鞘の縦列する切れ目を通って，骨から起こる結合組織の板（腱間膜）または腱のヒモが腱傍組織へ移行する．なお，アキレス腱には腱鞘がなく，その周囲はパラテノンで囲まれている．手指屈筋腱のように腱間膜からの血行ではなく，後脛骨動脈や腓骨動脈から血行を受けている腹側パラテノン内にある毛細血管を通して栄養が行われる．その他，近位は筋腹，遠位は踵骨から入る血管も小部分の栄養を行っている.

c. 筋滑車

腱が急に曲がって方向を変えるとき，その位置に固定すると同時に，この部での運動を容易にする線維性の輪である．腱との接触面は軟骨でおおわれることが多い.

d. 種子骨

腱の付着部の近くで腱の中に入っている小骨である．腱が骨の突起などの上を通り，かつ盛んに移動する場所で摩擦抵抗を減らしたり，またテコの腕を長くしてトルクを増大させたりする.

e. 支　帯（筋支帯）

p.66 の b. 筋支帯の項を参照.

f. 腱　弓

筋の起始あるいは付着部が弓状の腱索となり，その凹下側を血管，神経などが通るもの.

B・腱損傷の概説

一般に腱の損傷は，「断裂」と「炎症」に分けてとらえられている．いわゆる断裂はアキレス腱断裂や棘上筋腱断裂に代表される損傷で，炎症にはアキレス腱炎やド・ケルバン de Quervain 病といった腱実質炎と腱鞘炎がある．臨床的には使いすぎや加齢により弾力性の低下した腱に外力が加わり損傷することが多く，当該筋の柔軟性やコンディション（疲労度）にも大きな影響を受ける.

参考9　腱の構造

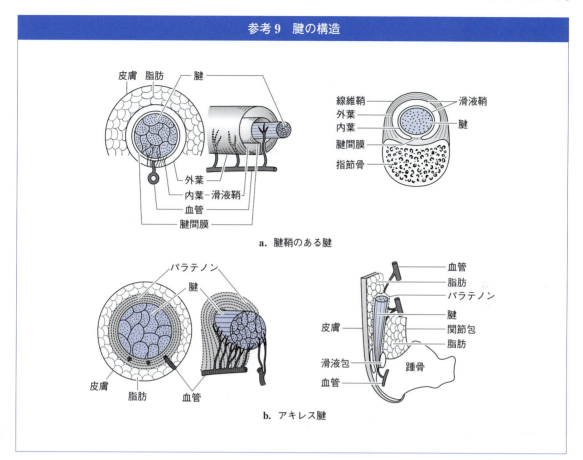

a. 腱鞘のある腱

b. アキレス腱

1 腱損傷を起こす力

瞬間的（急性）と繰り返しや継続（反復性あるいは蓄積性）に分類できる．身体状態の関与が大きいが，実際に損傷された腱が弱化していたのかどうかは当該組織を病理的に確認しなければ言及できない．

a. 瞬間的に作用するもの（急性）

腱に加わる過度の張力，不意に加わった荷重，運動時の急激な抵抗，直接的な外力などが一度の外力として加わり損傷を引き起こす．損傷の発生動機の存在と突然の疼痛，機能障害が生じる．

b. 繰り返しや継続して作用するもの（反復性あるいは蓄積性）

損傷と認識できないような力が繰り返しあるいは継続して加わることで，突然症状が現れる場合と徐々に現れる場合がある．

C・腱損傷の分類

1 腱の性状による分類

a. 外傷性腱損傷

正常な腱に，外力が作用して発生するものであり，急性と蓄積性に大別できる．急性のものは，突然生じる疼痛が特徴である．蓄積性に発生するものは疲労性腱損傷と考えられる．これは，正常な腱に比較的軽度な外力が繰り返しあるいは継続的に作用し損傷を引き起こすもので，初期には損傷として認識されないことが多く，少しずつ損傷範囲が広がり，症状が現れてくる．例として以下のような場合があげられる．

（1）就労，スポーツ活動における機械器具や活動の特性などにより持続的，継続的な（直達あるいは介達）外力が加わり，微細な損傷を繰り返して症状が現れる場合．

（2）関節・骨損傷などによる形態の変化により腱走行が異常になり，症状が現れる場合．

b. その他の腱損傷

（1）腱がなんらかの要因により脆弱になっているときに，軽微な外力，あるいはほとんど外力として認識できない程度の外力で損傷が発生するもの．

（2）局所的には，ばね指にみられる手指屈筋腱の肥厚がある．

（3）病的な状態では関節リウマチ，結核性または化膿性腱鞘炎などで，腱内に病変が及んでいると腱断裂が発生することがある．

2 腱損傷の程度による分類

臨床的には断裂損傷と使いすぎに分けて対処されることが多い．断裂損傷は第Ⅰ度から第Ⅲ度の損傷に分けられ，使いすぎは症候群としてとらえ，腱炎，腱周囲炎，腱付着部炎と呼ばれることが多い．しかし，実際に部分損傷のなかにも使いすぎとして扱われているものも多く含まれ，組織損傷として両者を含み第Ⅰ〜Ⅲ度に分類する．

a. 第Ⅰ度

腱線維の断裂は認められないが，腱実質，腱鞘，屈筋支帯，伸筋支帯，滑液包などに生じた機械的炎症あるいは直達外力による損傷をいう．初期には一定の動作，負荷で疼痛を訴え，びまん性の腫脹，圧痛などが出現し，ほとんどが原因を除去することで軽快する．一部のものは靱帯性腱鞘の肥厚や腱の浮腫といった病態を示し，関節運動障害を呈するものがある（ばね指など）．

b. 第Ⅱ度

腱線維の部分的断裂損傷をいう．腱実質の損傷が主体となるが，第Ⅰ度にあげた組織炎症や損傷を合併することが多い．臨床的には第Ⅰ度と判断しているものの中に部分断裂損傷も含まれている．関節運動および負荷により疼痛を訴え，腫脹，圧痛，血腫形成などがみられる．

c. 第Ⅲ度

当該腱が完全に断裂しているもの．損傷部に陥凹や強い圧痛があり，その腱によって行われる運動が不能あるいは筋力低下を認める．早期から腫脹と皮下出血斑が出現する．

3 腱損傷部位による分類

a. 腱実質部での損傷

アキレス腱の断裂に代表される腱損傷では，形態的に細くなっている部位での損傷であり，完全断裂するものも多い.

b. 骨との摩擦が頻繁な部での損傷

棘上筋腱と肩峰，長母指外転筋腱・短母指伸筋腱と橈骨茎状突起，上腕二頭筋長頭腱と結節間溝，長母指伸筋腱とリスター Lister 結節，有鈎骨鈎と小指の屈筋腱などでみられる.

c. 関節の動きによる腱移動の大きな部での損傷（靱帯性腱鞘との摩擦）

指屈筋腱が MP 関節掌側部で損傷されるばね指などがある.

d. 腱付着部での損傷

手指における終止腱付着部，足底腱膜の踵骨付着部，アキレス腱の踵骨付着部，膝蓋靱帯の膝蓋骨あるいは脛骨の付着部，前腕伸筋浅層群の上腕骨起始部などで起こる.

e. 腱の走行位置に異常を起こす損傷

一般には腱脱臼と呼ばれているもので，関節周辺で腱が急激に方向を変えている部位や，移動範囲の大きな場所で発生する. 筋支帯や骨膜の損傷が起こり，腱が正常な走行位置から逸脱するもの. 腓骨筋腱脱臼，手指伸筋腱などがある.

4 外力の働いた部位による分類

a. 直達外力による損傷

打撲，衝突，墜落などの鈍性の直達外力によって腱に損傷が生じるものをいう. 外力によって腱がその下にある骨に押しつけられて損傷され，腱実質はもとより腱周囲の結合組織，滑液包の損傷を合併することが多い.

b. 介達外力による損傷

主に二つに分類する.

（1）関節が非生理的な可動域，とくに腱が伸長される力が働いて腱の実質の損傷あるいは腱付着部に裂離損傷が発生するもの.

（2）関節の生理的な可動域内で反復する運動によって，骨あるいは支帯などの組織との間で機械的損傷が発生するもの.

5 外力の働き方による分類

a. 牽引力による損傷

筋の強力な収縮によって腱線維の正常な伸長範囲を越えて，腱実質の損傷，腱付着部の裂離骨折などが発生する.

b. 圧迫力による損傷

打撲などの直達外力により発生する.

c. 反復荷重による損傷

繰り返しの作業，同一姿勢の作業により，当該腱に機械的な刺激による炎症や損傷が発生する.

76 第Ⅱ章 総　論

D・腱損傷の症状

前述の p.74 の腱損傷の程度による分類の項を参照（詳細は各論を参照）.

E・腱損傷の治癒機序

腱組織自体には血行や細胞成分が比較的少なく，細胞の代謝活動性も低いため，治癒能力は低い．したがって，腱修復に関与する細胞は周囲組織から動員，供給される．

イヌなどの屈筋腱縫合後の研究では，腱修復初期から 3 週までの間に，腱上膜に由来する細胞と腱内部に由来する細胞の両者が増殖し，血行の再開とともに腱縫合部は線維組織で連結する．3 週までは肉芽組織が線維組織に変化する時期であり，3〜6 週にかけて腱縫合部を連結する瘢痕組織に明らかな変化が認められてくる．3 週でコラーゲン線維や線維芽細胞の配向性が出現しはじめ，6 週では腱の長軸方向に配列する明瞭なコラーゲン線維が確認され，線維芽細胞が減少する．その後は破断張力の研究から，術後 6 週から張力は急速に増加しはじめ，術後 12 週では正常屈筋腱の破断張力のおよそ 50% に回復すると推計されている．

ラットのアキレス腱縫合後，1 週を経過すると断裂部はパラテノンから移動した線維芽細胞で充満し，2 週で線維芽細胞が腱の長軸に沿って配列し，3 週でコラーゲン線維が整然と配列する所見がえられる．4 週では配列した線維芽細胞とコラーゲン線維が腱の断裂端に進入し，腱の連続性が明らかとなる．4 週以降のアキレス腱断裂部では，腱を連結する瘢痕の肥大とリモデリングが並行して進行すると考えられる．アキレス腱縫合部は少なくとも術後 12 週から 1 年は肥大しており，術後 3 年で横断面積が減少すると推測されている．血行が少ないため，腱周囲が腱鞘滑膜でおおわれている手屈筋腱は，他の腱に比べ修復の進行が遅く，周囲との癒着を回避して癒合しなければならない．反対に血行が多く周囲が疎な結合組織でおおわれているアキレス腱では，断端との癒合と血行の再開により速やかに進行する．

● 4-5. 末梢神経の損傷

A・神経の構造と機能

末梢神経は大別して脳脊髄神経および自律神経の 2 種で，脳脊髄神経は脳神経と脊髄神経に，自律神経は交感神経と副交感神経に分けられる．

1 末梢神経の構造

詳細は『解剖学』『生理学』を参照．

4. 各組織の損傷　77

参考 10　神経の構造

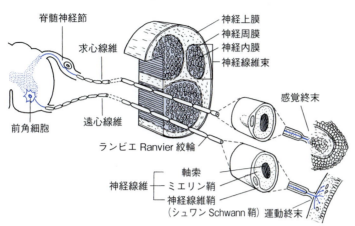

[Ham AW：Histology, 5th ed, Lippincott, 1965]

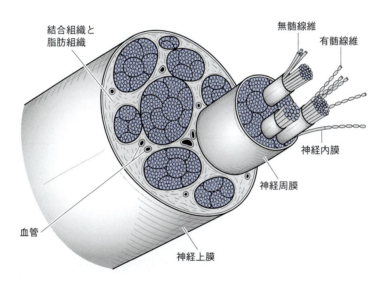

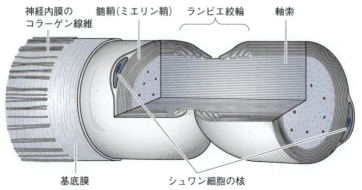

78 第Ⅱ章 総 論

B・神経損傷の概説

　　末梢神経の損傷を考えるときに明確な外傷があるかどうかは重要なポイントである．加えて絞扼(圧迫)されやすい解剖学的構造をすでに持っていることも理解する必要がある．

1 末梢神経損傷を起こす力

　　瞬間的(急性)と繰り返しや継続(反復性あるいは蓄積性)に分類できる．

a. 瞬間的に作用するもの(急性)

　　切創による開放性損傷，直接的な外力，骨・関節損傷に合併する損傷や圧迫，牽引力(腕神経叢麻痺)などが損傷を引き起こす．

b. 繰り返しや継続して作用するもの(反復性あるいは蓄積性)

　　損傷と認識できないような力が繰り返しあるいは継続して加わることで，症状が現れる場合である．また末梢神経は元来，種々の箇所で圧迫，絞扼されやすい構造になっていることもあり，繰り返しの反復外力により発生しうる．

　　骨・関節損傷などによる形態変化により徐々に症状が出現してくるものもある．

C・神経損傷の分類

1 原因による分類

a. 外傷性神経損傷

　　正常な神経に外力が作用して発生するもので，急性と蓄積性の神経損傷に大別できる．急性のものには骨損傷や関節損傷に合併が多く，組織の耐性強度を超えたときに発生する．蓄積性に発生するものは疲労性の神経損傷と考えられる．これは，正常な神経に比較的軽度な外力が繰り返しあるいは継続的に作用し，その結果，症状を呈するものをいう．

b. その他の神経疾患

　　中枢神経の障害によるもの(脳性麻痺，ポリオ)や筋萎縮性側索硬化症，脊髄性進行性筋萎縮症などによる．

2 程度による分類

　　セドン Seddon は末梢神経損傷を 3 型に分類し，サンダーランド Sunderland は神経幹の構成要素の損傷についてより詳しく分類している．セドンの neurapraxia(一過性不動化)がサンダーランドの 1 度に相当し，axonotmesis(軸索断裂)がサンダーランドの 2 度に相当，サンダーランドの 3 度から 5 度をセドンの neurotmesis(神経断裂)に相当するとの考え方と，サンダーランドの 2 度から 4 度をセドンの axonotmesis として分類し，5 度をセドンの neurotmesis に相当するとの考え方がある(図4・13)．

4. 各組織の損傷　79

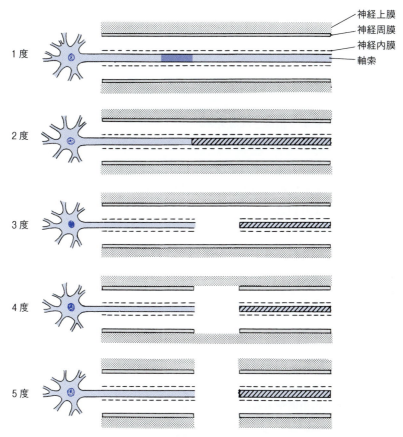

図4・13　サンダーランド分類

① 1度　限局性の脱髄*による伝導障害．ワーラー Waller 変性*は起こらない(neurapraxia)．
② 2度　軸索のみ損傷．損傷部より末梢に変性が起こる(以下同じ)(axonotmesis)．
③ 3度　軸索と神経内膜の損傷．
④ 4度　神経周膜も損傷．
⑤ 5度　神経上膜まで完全に損傷(neurotmesis)．

分類の対比で意見が分かれている．

*脱髄：髄鞘が破壊され，興奮の伝導が阻害されること．
*ワーラー変性：損傷部より末梢の軸索や髄鞘が変性に陥ること．
[Sunderland S : Nerve Injuries and Their Repair, Churchill Livingstone, p. 222, 1991]

3　外力の働いた部位による分類

a. 直達外力による損傷

　　切創による開放性損傷や，打撲，衝突，墜落など鈍性の直達外力によって損傷を生じるもの．

b. 介達外力による損傷

　　損傷部から離れた部位に外力が加わるもので，関節が正常な可動域を越える外力が強制される急性の関節損傷時に牽引力が加わる場合や，反復する関節運動時に元来の絞扼，圧迫されやすい部位で損傷が生じるものなどがある．

80 第Ⅱ章 総 論

4 外力の働き方による分類

a. 牽引力による神経損傷
神経線維が牽引力により損傷するもので，オートバイ事故(引き抜き損傷)や分娩による腕神経叢損傷などがある.

b. 圧迫力による神経損傷
打撲などの急性外力により損傷されるもの.

c. 持続的な牽引，圧迫，絞扼による神経損傷
骨・関節損傷による形態変化(上腕骨外顆骨折偽関節後の外反肘変形など)により継続的に牽引力が加わり損傷されるもので解剖学的に骨，筋，腱弓などによって圧迫や絞扼を受けやすい部位で，繰り返しの負荷により損傷されるものやガングリオンなどで圧迫されるものなどがある.

d. 薬物注射による神経損傷
橈骨神経，坐骨神経などに発生する.

5 神経損傷部と創部との交通の有無による分類

a. 閉鎖性神経損傷
創部と神経損傷部との交通のないもの.

b. 開放性神経損傷
創部と神経損傷部との交通のあるもので，鋭利な刃物，器具，ガラス破片，射創などにより皮膚，皮下軟部組織に及ぶ損傷がある場合は，神経を断裂することもある.

D・末梢神経損傷の症状

運動神経，感覚神経ならびに自律神経の脱落症状がみられるが，当該神経の種類，高位，損傷の程度により異なる(詳細は各論を参照).

1 運動神経障害
弛緩性麻痺，腱反射の減弱あるいは消失，筋力低下(徒手筋力検査により判定).

2 感覚神経障害
支配領域に発生し，重複支配のため完全断裂でも比較的小範囲である. 触覚，温度覚，痛覚および識別覚などを検査するが，固有支配領域の検査は損傷された神経を推察するうえで重要である.

3 自律神経障害(血管障害，発汗停止，栄養障害)
急性期の血管運動障害では，皮膚が紅潮し温度が上昇する(慢性化するとむしろ蒼白となり皮膚温は低下する). 皮膚温の客観的な評価は，皮膚温度計やサーモグラフィーを用いる. 発汗障害では，汗の水分やアミノ酸を検出する機能検査が行われ，正中や尺骨神経損傷時の触診では，

健側との比較で手掌の皮膚乾燥の有無などが評価しやすい．栄養障害では，皮膚は薄く光沢を帯び萎縮し，カサカサになる．爪も萎縮し変形する．これらの症状を損傷神経の支配領域に認める．

4 チネル Tinel 徴候（☞付録参照）

損傷部分を軽く叩打すると，その神経支配領域にシビレ感が走る徴候をいう．損傷の部位診断，回復時などの再生感覚神経軸索が前進している程度を知るのに有用な検査法である．

5 筋電図，神経伝導速度

筋電図は，筋に電極を付け，筋への刺激に対して筋の反応を見る検査で，筋力低下の原因が筋原性であるか，神経原性であるかの鑑別や，複数の筋を調べることで，損傷神経およびその高位の同定が可能である．運動神経伝導速度は神経を異なる高位で刺激して，筋収縮の得られる時間（潜時）の差で，刺激部位の距離を割ると得られ，損傷時には遅延する．

E・末梢神経損傷の治癒過程（図 4・14）

軸索の連続性が温存されている限り機能は通常完全に回復する．中等度の神経圧迫損傷では通常軸索の連続性は保たれ，障害は neurapraxia に分類される．これは数週から数ヵ月以内に機能回復する可能性がある．

より強い圧迫や牽引あるいは重篤な圧挫損傷では軸索の連続性が断たれ，その結果，末梢の軸索変性を引き起こすが，神経内膜鞘の連続性は保たれる（axonotmesis）．中枢端からの再生軸索は，神経内膜より形成され，正しい末梢標的器官への再生が起こる．

神経幹の神経内膜鞘と結合組織の両方成分が損傷されると（neurotmesis），軸索を導く組織構

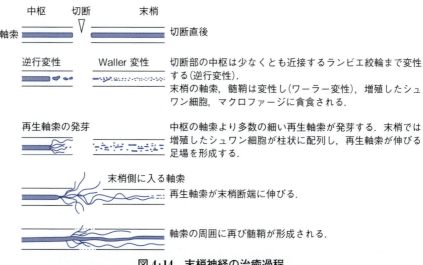

図 4・14　末梢神経の治癒過程

造物はなく，状態は確実に悪化する．損傷部を越えて伸長すると軸索の過誤支配が問題になるため，直接縫合や自家神経移植などの外科的治療が必要になる．ヒトにおける軸索再生の速度はおおむね1日1〜2mmとされている．

5 診　　察

　　柔道整復師業務を正しく遂行するには患者の訴えに傾聴し，視て，触れて，動かして，患部の状態を正確に診察することが重要になる．診察を行うには常に対等な立場，目線で患者あるいは患者家族に，共感的理解を示す態度を忘れてはならない．こうした態度は患者の人間的，心理的側面への配慮にも現れ，良好な信頼関係の構築がその後の施術に大きな影響を与える．

　　診察では損傷の種類や程度を判断して，柔道整復師の業務範囲であるかを判断する必要があり，業務範囲を逸脱する場合は速やかに医師と連携をとる必要がある(医接連携)．業務範囲内であれば適切な診察を行い，正確に記録することが原則となる．

　　柔道整復師の施術は患者との信頼関係，適切な診察(病歴聴取，視診，触診など)を基盤にして十分な説明と同意の上に施行されるものである．

A・診察時の注意点

1 環境への配慮
　　患者が正確に訴えを述べられ，可能な限り周りにみえない環境を設定する．病歴聴取の内容が他の患者に聞かれたり，患部を衣服の上から観察するようでは適切な診察を行うことができない．

2 診察時の身だしなみ
　　清潔感が重要である．この清潔感のとらえ方は様々であるが，たとえば，自分の親の世代の患者が，若い柔道整復師に診察を受ける場面を想起してみるとよい．整えられていない長髪，長い爪，不精髭，口臭，汚れた白衣，男性の耳ピアス，派手なネイルアートなどはおそらく患者に不信感を与えるものであろう．

3 言葉遣い
　　患者に対してわかりやすい言葉を使い，適切な声の大きさ，速さで話す．そして，患者への敬意が感じられるように話すことが重要である．

B・診察手順の概説

　　基本的な診察手順の概略を中心に記述する(詳細は『一般臨床医学』を参照)．

84　第Ⅱ章　総　論

1　病歴聴取の進め方

a. 患者との位置，距離，姿勢

正面から向かい合うのではなく，机の角を利用して90°で相対し，近すぎたり遠すぎたりしない(ソーシャルディスタンス)．また，腕組みや足組みは厳禁である．

b. 患者の体位

患者が楽な姿勢を保てるように配慮する．坐位保持が困難であれば，ベッドに臥位とする．

c. 病歴聴取の流れ

患者の目をみながら話す．共感と理解を示し患者を支援するという態度で進めていく．聴取の方法には，「開放型の質問，open question」と「閉鎖型の質問，closed question」などを場面により使い分ける．

1. 導　入

呼び入れ，挨拶，自己紹介，患者確認．同伴者が居れば患者との関係を確認する．

2. 主訴の把握

受傷日時，受傷機序，経過，部位，痛みの性状，影響因子，増悪・寛解因子，随伴症状などを確認する．

3. 患者の希望，懸念の把握

患者の抱いている心配事や望んでいることを確認する．

4. 既往歴，生活歴，家族歴の把握

これまでに罹患した疾患，外傷，手術歴，入院歴，治療中の疾患などについても尋ねる．薬の服用状況，薬・食物などのアレルギー情報も確認する．生活環境(住居など)，職業，食・運動・飲酒・喫煙習慣，趣味，家事への関与，家庭・地域・社会における役割なども必要になる．家族歴は疾患，家族構成，要介護者の有無など，経済状況によっては，医療ソーシャルワーカーなどとの連携により利用可能な制度などが確認できるとよい．

d. まとめ

患者から聴取したことを整理して主訴を的確にまとめ，患者に確認する．身体診察に入る前に，言い忘れたことがないかどうかを確認する．

2　身体診察の流れ

最初に意識レベルとバイタルサインを確認し，緊急対応が必要と判断した場合は，詳しい診察の前に全身状態の安定を優先する．全身状態に問題がなければ局所の診察に進む．可能な限り衣服を脱がせ，健側との比較を原則とする．

a. 視　診

体形，姿勢，脊柱や四肢の変形，顔貌，歩容，局所の腫脹・腫瘤・変形など．

b. 触　診

脈拍，皮膚温，リンパ節・皮膚・筋・腱・骨・関節の性状，圧痛など．

c. 計　測

上肢長や下肢長計測，上腕や大腿の周径計測など．

d. 動的な診察

　　自他動運動，ROM（range of motion，関節可動域），MMT（manual muscle testing，徒手筋力検査法），関節弛緩性テスト，ADL（activities of daily living，日常生活動作）上の総合機能，異常音など．

e. 神経学的評価

　　表在感覚，深部感覚，表在反射，深部反射，チネル徴候，クローヌスなど．

f. 各種徒手検査

　　ジャクソン Jackson テスト，アドソン Adson テスト，マックマレー McMurray テストなど．

g. その他

　　打診，聴診，バイタルサインの測定（体温，脈拍，血圧，呼吸数など）．判断の参考として超音波画像観察装置を用いることもある．

C・診察の時期による分類

　　診察は初検時のみ行うものではなく，患者が来院するたびに必要な内容を抽出して進めていく．時期別に初期，中間，最終に分けることができる．

1　初　　期

　　初検時の実態を詳細に把握し，まず業務範囲か否かを判断する．そして，損傷や障害の程度，残存能力を確認して治療方針を決定し，治癒（ゴール）にいたる治療プログラムを設定するまでである．この時期，クリティカルパス（診断スケジュール表）に沿って，当該病態の標準的な治療経過を時間軸に沿ってまとめ，事前にわかりやすく提示していくことも方法の一つである．また疾病を疑い，予知できた場合や，主訴の原因が不明な場合には対症的治療を行わずに，専門医の診断を勧奨し転送するケースもある．

2　中　　間

　　現在の治療方針が的確であるか，治療手段や治療間隔などの変更の必要性はないか，回復過程が順調であるかを評価する．これは，患者来院ごとに症状の変化を中心に行っていくもので，患者とのコミュニケーションを充実させながら積み重ねていくことになる．場合によっては，この段階でも業務範囲か否かの判断が必要なことがある．

3　最　　終

　　当初の予後目標である治癒に到達できているか，治療続行の必要性があるか，回復の可能性はあるか，通院は何日くらい必要か，回復の限界（症状固定）に達したかなどを判定する．この最終段階では，転帰後に対する患者の自己管理（損傷予防と健康増進）を助言するための内容を検討し，指導し実践させることも含まれる．

D・治療計画の作成

治療の計画は診察により病態を把握し，ゴール目標を設定することから始まる．治療計画の作成にあたっては安全性の確保を第一とし，効率性を重視した内容を患者にわかりやすく説明し，理解をえる必要がある．

以下の1→2→3→4によるPDCAを継続していく．

1. 治療計画（P：plan）

病態把握

改善すべき問題点

目標設定

期間（日，週，月）

具体的な治療内容の作成（問題点を，いつまでに，どのような治療法で，どこまで）

2. 治療の実行（D：do）

3. 治療の評価（C：check）

4. 治療計画の見直し（A：act）

E・施術録の扱いと記載

医師法には第24条1項に「医師は，診察をしたときは，遅滞なく診療に関する事項を診療録に記載しなければならない．」また，2項に「前項の診療録であって，病院又は診療所に勤務する医師のした診察に関するものは，その病院又は診療所の管理者において，その他の診療に関するものは，その医師において，5年間これを保存しなければならない．」との規定がある．柔道整復師はこれを準用して「柔道整復師の施術に係る療養費の算定基準の実施上の留意事項等について（通知）」で施術録にかかわる記述内容や保存期間について規定している．施術録は療養費の支給申請にあたりその根拠となる書類で，療養費の支給対象となる施術については必須のものである．療養費の支給対象以外の施術に関しての規定はないが，施術をする限り同様に作成され保存されるべきである．このほかに紹介状，施術証明書，傷病手当金証明に関する控えなどがあるが，施術録と同様に扱われるべきである．

施術録の記載にあたり，注意点やマナーを中心に列記する．

（1）来院した日付を，そのたびに記載する．

（2）受傷機序・日時，症状や所見，判断と治療内容，治療計画，経過などを簡潔に要領よく記載する．また，医科で行われているPOS（problem oriented system，問題指向型方式）に沿って，検査から診断，治療までの過程を施術録に記載するPOMR（problem oriented medical record，問題指向型診療録）なども考慮する．

（3）患者や家族に対する説明は，説明の日時，内容，質問に対する説明，説明した相手や同席者の氏名なども記載する．

（4）ボールペンなどを用い，鉛筆による記載は行わない．

（5）第三者にも読める字で記載する．

（6）略語を用いる場合は医学用語集に準拠したものとする．

（7）記載の訂正は，訂正する部分に2本線を引き，元の記載がみえるようにする．

（8）業務範囲外と判断した場合や骨折，脱臼を疑い医師へ紹介した場合，また，骨折，脱臼の施術で医師の同意を得た場合はその旨を記載する．

● POS と POMR

POS とは…problem oriented system，問題指向型方式

患者の問題を明確にとらえ，その問題解決を論理的に進めていく一体系(system)．

POMR とは…problem oriented medical record，問題指向型診療録

患者のケアに焦点をおいた医療を目指す，一貫した論理的構成を持つ診療記録．基礎情報，問題リスト，初期計画，経過記録の四つを SOAP の4項目に整理して患者の問題の経過を記載する．

● SOAP

来所ごとの経過は，SOAP に基づいて記録するとよい．下記に一例を示す．

・S：subjective data(主観的情報)
　　　主に自覚症状
・O：objective findings(客観的情報)
　　　主に他覚所見
　　　問題点に関しては連日記載する．
・A：assessment(評価)
　　　問題点の評価
・P：plan(診断，治療，教育計画)
　Dx：診断(判断)計画
　Rx：施術計画
　Ex：教育 or 説明計画

6 治療法

　柔道整復師の治療法は，整復，固定，後療法の３段階に分けられ，さらに後療法は手技療法，運動療法，物理療法から構成されている．整復，固定，後療法が三位一体となり，その相乗効果が期待できる．患者の指導管理を行いながら早期社会復帰させることを目的にしている．また，治療にあたっては患者の既往歴や現病における全身状態および局所状態を把握し，リスク管理を行ったうえで取り組むべきである（例：人工股関節・人工骨頭置換術後の禁忌動作など）．

> 参考として，治療を行う際の体位について列挙する．
> ● 治療の体位（姿勢）
> 四肢・体幹の支持機構とバランス機構の回復程度およびそのとき行われる治療の種類に応じて適切なものが選ばれる．このとき考慮すべきは，患者にとって安全であり負担の少ないこと，術者にとっては治療が正確に，しかも効率的に行うことで固定性，安定性，支持性，方向性が確保されていなければならない．そのために種々の体位がある．
> （1）背臥位（仰臥位）
> （2）腹臥位（伏臥位）
> （3）側臥位
> （4）坐位（端坐位，長坐位，胡坐など）
> （5）四つ這い位
> （6）立位

● 6-1. 整復法

　柔道整復師の行う整復とは，骨折や脱臼などでの骨転位を非観血的な無麻酔下での手技で解剖学的位置に復する手技である．整復は可能な限り早期に施行することで，整復操作の大きな障害となる筋の緊張を緩め，二次的損傷を与えることなく完了させることを目標としている．機械的に整復操作の実施や転位したまま放置すれば，周辺の筋，腱や関節の機能低下や障害，二次的な神経，血管，皮膚への障害や損傷，美容的醜形などの問題が発生する．また，疼痛による全身的な悪影響や精神的苦痛，局所の二次的な組織損傷を発生させる恐れがある．整復操作での痛みを最小限に抑えることや，患者の恐怖心を取り除くといった環境作りが優先される．

A・徒手整復施行時の配慮

　無麻酔で整復手技を行う柔道整復師は，痛みを理解して手技の熟達によりできる限りの無痛整復を目指すべきである．この時，もっとも優先されるのは，患者あるいは患者家族に徒手整復の

同意を得ることである．また，応急処置の段階で整復を行うか否かは，患者の全身状態や合併損傷の有無，当該損傷の特徴や転位程度，術者の力量などを総合的に評価し，患者にとって有益と判断される場合にのみ施行すべきである．場合によっては，固定のみ施行し，医科へ搬送する判断が必要になる．各損傷に対する個々の手技は各論に譲るが，整復の意義，その後の注意は患者本人ならびにその家族などの十分な理解と協力が必要である．

1 整復目的の説明と理解

無麻酔整復を行う際には，転位組織を早期に原位置に戻すことの意義は，疼痛の軽減，腫脹の抑制，周辺組織への負担軽減など，良好な治癒経過に導く目的があることを説明し，十分な理解を得る．また，可能であれば，スムーズな医接連携や後療法などに反映させる目的で，患者あるいは家族に了解を得たうえで，患部の外観を健側と比較できるよう映像に記録しておくとよい．

2 整復環境の整備

助手の必要性を判断し，助手の有無により，患者の体位や患肢の保持方法を設定する．必要に応じて固定材料は準備しておく．季節や来院時間などにもよるが，施術室の温度や患者のプライバシー保護などにも十分配慮する．また，必要であれば家族への連絡を行うなど，患者の立場に立った環境整備を行う（個々の損傷に対する整復法については各論を参照）．

3 既往歴ならびに他疾患との関連

高血圧，心疾患，神経疾患，糖尿病，関節リウマチなどがある場合，また，バイタルサインなどを確認のうえ，全身状態に問題があると判断した場合は，速やかに医療機関に搬送するなど慎重な対応を要する．

4 合併症の確認

皮膚損傷を開放性と判断した場合は，整復しないで速やかに医療機関に搬送する．整復前に神経損傷や循環障害の有無を確認する．これらの合併症が確認できても，適切な整復により臨床症状は改善することが多いが，受傷機序が高エネルギーの場合や変形が強い場合などは慎重な対応を要する．

5 整復手技の計画

整復手技は，患者環境はもとより，患者などから得た受傷機序，局所変形や患肢全体の外観を健側と比較した転位分析などを総合的に評価したうえで計画する．局所の安定性を慎重に評価し，再転位の可能性も事前に説明する必要がある．整復時にできるだけ力を抜かせるように工夫し，方法によっては時間を必要とすること，痛みを伴うこと，途中で患者に協力を得ることなどを説明しておく．

90 第Ⅱ章 総 論

6 整復手技の注意

整復時にもっとも配慮が必要なのは，患者の訴える疼痛であり，可能な限り愛護的な手技で整復を進める．また，患肢末梢のシビレ感も重要な所見となるため，疼痛と同じように整復途中で確認する．整復時のショックなど患者の全身症状に配慮する．また，高齢者では整復手技による皮膚剝離に十分注意する．

B・骨折の整復法

非観血的整復法と観血的整復法に大別でき，前者は徒手整復法と牽引整復法に分けられる．ここでは非観血的な徒手整復法と牽引整復法について述べる．

- （1）非観血的整復法 ── 徒手整復法 ── 牽引直圧整復法
  - └ 屈曲整復法
- └ 牽引整復法 ── 介達牽引法
- （2）観血的整復法 ── 牽引整復法 ── 直達牽引法

1 非観血的整復の要点

a. 早期の整復

時間が経過すると腫脹が強くなり整復が困難になるばかりか，周囲組織あるいは骨損傷の治癒自体に悪影響を与えることになる．

b. 整復とは損傷前の状態に復することを原則として行う（とくに関節内骨折）

すべての骨折が解剖学的整復を要するわけではなく，患者の年齢，骨折部位，転位の状態などによっては許容されるものがあり，個々のケースで的確に見極めなければならない．

c. 整復が不必要な場合

- （1）骨片転位がないか，ごく軽度のもの（骨折部が嵌入したものを含む）
- （2）乳幼児で，自家矯正が期待できるもの

d. 整復が適応しない場合

- （1）徒手整復が不可能な骨折
  - ①粉砕骨折
  - ②筋力による著しい延長転位のある骨折
  - ③骨片間に軟部組織が介在している骨折
- （2）整復位の保持が困難な骨折
- （3）関節内にあって解剖学的整復が要求される骨折

2 整復の一般原則

- （1）長骨骨折の場合，近位骨片の長軸方向に十分な牽引力を加える．
- （2）骨片転位を生理的状態に復する方向に力を加える．
- （3）受傷機序を考察し，骨折部周辺の軟部組織や骨膜損傷を的確に把握し，損傷されていない

短縮転位　　　①遠位骨折端を屈曲　　　②屈曲したまま牽引　　　③次いで伸展すると
　　　　　　　　して骨膜あるいは　　　　して両骨折端の一　　　　整復される．
　　　　　　　　筋を弛緩する．　　　　　端を接近させる．

図 6・1　屈曲整復法

組織を利用する．
（4）近位骨片に遠位骨片を合わせる．

3　整復法の分類

a. 牽引直圧整復法

　整復操作は，牽引力と直圧を加えて行う．この整復法は一般的な骨折型に適応するものである．高度な捻転転位は自然に整復されることは少なく，まず牽引により捻転転位の整復を行い，その肢位を保持しながら遠位骨片を近位骨片の長軸に沿って遠位方向へ牽引する．このとき急激に力を加えると軟部組織損傷を発生させ，また反射性の筋収縮による抵抗のため患肢の緊張が増大し徒手整復は困難になる．牽引を緩徐に，かつ持続的に力を加えることで，短縮転位が整復され，これに伴って屈曲転位も漸次矯正される．側方転位は短縮転位の整復を待って，骨折端に側方から直圧を加えて整復操作を完了させる．

b. 屈曲整復法

　屈曲整復法は，一般に短縮転位が強く整復困難な横骨折に適応される．この整復法の目的は整復操作を妨害している骨膜や筋の緊張を取り除き整復を容易にするものである．

　整復は三つの操作手順によって行う．まず整復操作を容易にするための肢位で近位骨の上位関節を含めて助手に把持固定させた後，図 6・1 に示す手順で操作を行う．整復操作の際には，筋，神経，血管，皮膚などを損傷させないよう慎重に行う必要がある．

> ●操作手順
> 　高度な捻転転位に対しては牽引直圧整復法と同様な操作を行う．
> 　①解剖学的にもっとも強く緊張していると思われる骨膜あるいは筋の存在する側に，注意深く骨折部を屈曲する．その結果骨膜あるいは筋緊張が除かれる．
> 　②その屈曲位を数秒間ほど維持すると筋緊張がさらに弛緩する．その状態の肢位のまま近位骨片の長軸上に遠位方向へ牽引すると，遠位骨片の A′ 端は近位骨片の B 端に接近する．骨折端が接近したら数秒間そのままの位置を維持し，さらに遠位骨片の A′ 端が近位骨片の A 端に接近するように緩徐に牽引を続けると，抵抗が少なく引き込まれる感触が伝わる．この感触は遠位骨片の B′ が近位骨片の断端に滑り込んだときのものである．
> 　③遠位骨折端に直圧を加えながら伸展すると，骨折端が槓杆の支点となって整復される（図 6・1）．

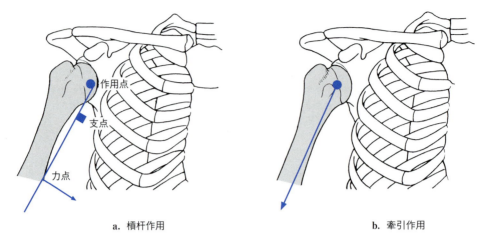

　　　　　　　a. 槓杆作用　　　　　　　　　　　　b. 牽引作用
　　　　　　図6・2　関節損傷の非観血的整復法

C・脱臼の整復法

　　非観血的整復法と観血的整復法に大別でき，前者は「槓杆（テコ）作用」と「牽引作用」を応用した手技に分ける（図6・2）．脱臼の場合，一般には，非観血的整復を行い，これによって整復されないものに対して観血的整復を行っている．
　　（1）非観血的整復法 ─┬─ 槓杆作用
　　　　　　　　　　　　└─ 牽引作用 ── 介達牽引法
　　（2）観血的整復法

1　非観血的整復の要点
a. 早期の整復
　　初期に一度の整復操作で完了させることが理想であり，時間が経過すると単に整復が困難になるばかりでなく，ときには脱臼骨頭などの壊死をもたらす危険がある．
b. 解剖学的整復を必要とする
　　脱臼は，骨折と違い解剖学的に整復されなければならず，転位が許容されるものではなく転位の残存によって大きな機能障害が残る（例外：肩鎖関節脱臼，胸鎖関節脱臼）．
c. 整復が困難になりやすい脱臼
　　（1）ボタン穴機構にある場合
　　（2）軟部組織や骨片が整復路に介在している場合
　　（3）整復の支点となるべき骨部が骨折によって欠損している場合

2　整復の一般原則
　　（1）遠位方向に牽引を行い筋の緊張を緩める．
　　（2）脱臼の発生した経路を逆に導く．

（3）関節包の裂孔部から整復する.

3 整復法の分類

整復法の基本原則は力学の法則で説明できるものが多い.

a. 槓杆作用を利用した方法

脱臼の発生機序を逆にたどり,骨の一部分を支点としてテコの原理を利用した手技である. 理論的に学習し操作技法に精通,体得できれば他の脱臼の整復手技も容易に可能となる.

b. 牽引を利用した方法

筋緊張を緩めることを重点に,二次的損傷を防ぐ理想的な整復法といえる. 軽い牽引のみで整復可能なものや,持続的な牽引によって筋が弛緩し整復されるものがある. これは脱臼関節周辺の筋・腱の大きさと力に左右されると考えられる. この整復法は瞬間的な整復手技ではなく,徐々に筋の弛緩を図るもので,患者に与える苦痛も少ない.

D・徒手整復後の確認と配慮

骨折では変形改善や良好なアライメントの回復,脱臼では弾発性固定の消失や骨頭の正常位置への回復,疼痛の軽減など,整復完了の確認を行う.

整復前と同様にバイタルサイン,神経損傷や循環障害の有無を確認する. 合併症,続発症など,二次的損傷や他疾患を十分念頭におき,全身および局所所見を経時的に診察する.

一般に整復後に固定へ移行することから,詳細は固定後の配慮の項を参照のこと.

E・軟部組織損傷の初期処置

軟部組織損傷は,当該組織の損傷断端を密着した状態におくことが治療の原則となる.

治療は非観血的治療法と観血的治療法に大別できるが,初期における非観血的治療については,前述の骨折,関節損傷にも該当するが,原則としては組織内圧上昇の原因となる出血（血管損傷）,そして炎症をいかに最小限に抑えるかが目的となる.

軟部組織損傷にのみ適応するものではないが,局所の閉鎖性損傷のすべてに該当する RICE の基本原則は,rest（安静）,icing（冷却）,compression（圧迫）,elevation（挙上）で,もっとも重要な処置は rest である. これらは痛みを和らげ,出血,浮腫による腫れを抑え,患部を保護し安静を保つ. 痛みの存在は運動を抑制し,過度な腫脹は組織の脆弱化や治癒の遷延を招く. 初期処置が予後を決定するといっても過言ではない.

- PRICE（プライス）の基本原則は,protection（保護）,rest（安静）,icing（冷却）,compression（圧迫）,elevation（挙上）である.

- Protection：ケガ人の保護を含め外傷受傷部の保護を指し,症状の悪化や拡大を防ぐことを目的とする.

94 第Ⅱ章 総 論

1 捻挫（靱帯損傷）の初期処置

各関節に様々な靱帯があり，それぞれの役割という意味からも特徴的なものが多く，その損傷程度も様々であるため，関節に応じた処置を行わなければならない．

■初期処置の要点

（1）RICE を原則とする．

（2）関節損傷の臨床症状を確認し，損傷程度を判断したうえで固定の必要性，材料を決定する．損傷高度のものは観血的治療を選択する．

（3）一定期間，損傷組織の治療と範囲拡大の防止のために固定を行い，当該関節の使用制限や禁止（免荷など）する．

（4）靱帯損傷などは組織損傷として認識させ，場合によっては骨折や脱臼よりも予後が悪くなることを理解させる．

2 筋損傷の初期処置

スポーツ活動，就労現場で多い損傷でありながら，不適切な処置をしていることがあり，損傷の重大性に気づかず，損傷直後からすぐに運動や作業を行うケースが多い．注意しなければならないのは，併発するコンパートメント症候群，クラッシュシンドロームや骨化性筋炎である．

■初期処置の要点

（1）捻挫（靱帯損傷）初期処置の要点の（1）〜（3）に準ずる．

（2）筋損傷として認識させ，捻挫同様，予後が悪くなることもあることを理解させる．

（3）筋損傷は，腫脹と筋機能回復の経過を中心とした，損傷部の観察が重要であり，損傷後48〜72時間後には次のようなチェックを行う．

　①腫脹の状態はどうか．

　②皮下出血斑の状態はどうか．

　③筋機能回復の状態はどうか．

> ●クラッシュシンドローム（挫滅・圧挫症候群）
> 災害時など瓦礫や重量物に長時間挟まれている場合，壊死した筋から，カリウム，ミオグロビンなどが遊離（横紋筋融解症）し，救助による圧迫開放で血流が再開すると，遊離した物質が全身に運ばれ急性の臓器不全を起こすこともある．医療機関への搬送を行う必要がある．

3 腱損傷の初期処置

受傷機序が明らかなものであれば，患者も損傷として認識する．しかし，繰り返しや継続して作用する力で，突然疼痛や機能障害が出現するものがあり，病態をわかりやすく説明し治療に協力を得る．

■処置の要点

（1）捻挫（靱帯損傷）初期処置の要点の（1）〜（3）に準ずる．

（2）急性症状が消退していれば損傷程度を考慮し，適宜，後療の方法を選択していく．

6. 治 療 法　95

4　神経損傷の初期処置

　神経損傷は骨折，脱臼，捻挫など外傷に合併するものと，絞扼性損傷のように単独で発症するものに大別できる．両者とも損傷の程度を正確に把握することが重要である．とくに前者では整復前と整復後の臨床症状を正確に把握しなければならない．

■処置の要点

（1）損傷直後から麻痺筋が関与する関節に対し，不良肢位の予防に，固定具などによる良肢位保持を行う．

（2）損傷直後あるいは急性症状が消退した時期から，拘縮予防として適宜，理学療法を行う．

（3）急性症状が消退していれば損傷程度を考慮し，適宜，後療法の方法を選択していく．

● 6-2.　固定法

　固定とは一定期間患部をある肢位に保持し，関節や筋運動を制限して，組織損傷の治癒を図るものである．組織損傷の急性期や反復外力の制限には，多くの場合固定が必要になる．患者に与える不自由度は固定材料や範囲などにより異なるが，機能のみならず精神的にも負担をかけることになる．したがって患者ならびにその家族に固定に対する理解をえて，固定材料，範囲，肢位，期間を的確に選択する必要がある．また固定は患部回復のためのよりよい環境となるべきであるが，施術者側の指導と患者側の対応によっては悪影響となることがあるので注意する．

A・固定施行時の配慮

　十分な説明による同意を得たうえで，組織損傷の程度に応じた固定を行うことが第一目標になるが，皮膚疾患やアレルギーの有無，以前に何らかの固定を経験していればその際の状況などを確認する．通常，骨折以外の組織損傷の固定は安易に考えられていることが多い．たとえば，脱臼整復後や靱帯損傷で，症状が軽快すると患者の自己判断で固定を除去する，通院を止めてしまうなどである．その固定の有無とその結果予測される予後を説明し，患者やその家族に理解と協力を得なければならない．また，日常生活における禁止事項や当該患者環境での諸問題を明確にしておくことも重要になる（例：自家用車の運転は危険なため固定具が取れるまで控えるように指導する）．

1　固定の目的

患者に固定の目的を分かりやすく説明し，理解を得る．

（1）骨折や脱臼などの整復位保持と再転位の防止

（2）患部の安静保持

（3）患部の可動域を制限し，損傷組織の良好な治癒環境の確保

（4）再受傷の防止

96 第Ⅱ章 総 論

（5）不良肢位や変形の防止と矯正

2 固定の種類

固定は内固定と外固定に大別される．両者は併用されることもある．内固定とは観血療法で骨や関節部を直接プレートや鋼線などを用いて固定することをいう．外固定は体外から間接的に骨や関節を固定するもので，主として硬性の固定材料が用いられているが，軟性の固定材料，たとえば包帯や絆創膏のようなものも含まれる．多種多様の外固定が選択されるが，重要なことは患部の安静保持，早期社会復帰，QOL などを十分考慮した固定法でなければならない．

3 固定の範囲

損傷の程度，年齢など，損傷組織の修復能から決めることが重要である．原則としては最低限の範囲の関節固定にとどめる．ただし，急性期には安静目的で広範囲の固定を行うことがあるため説明と理解を得る．上腕骨外科頸骨折時のハンギングキャストのように局所を固定しない方法を用いる場合には，十分な説明と理解が必要になる．骨折固定は患部を中心とした上下各1関節を含めた範囲を固定し，安静にすることが原則であるが，症例によっては例外もある．また，関節の一定方向の動き，あるいは可動範囲を制限する固定も必要になる．

4 固定の肢位

固定肢位は損傷によって異なるが，理想的な肢位は機能的肢位，すなわち良肢位（便宜肢位）に固定することである．手部では側副靱帯が緊張し拘縮が起こり難いとされている安全肢位が選択されることもある．骨折形態によっては，初めから機能的肢位に固定できない場合がある．その際は当初整復位に固定し，組織の修復状況に従って固定肢位を変化させる．また，通常は固定材料のみで固定肢位の継続が可能であるが，日常生活における患者の協力が必要な場合もあるので十分に説明し理解を得る（例：鎖骨骨折時の胸郭拡大の保持）（☞ p.132，図6・23 参照）．脱臼や靱帯損傷の場合は，関節構成組織が損傷しているという認識を患者に持たせ，損傷組織端が密着するような肢位での固定が必要である．

5 固定の期間

固定期間は損傷の程度，年齢，健康状態によって異なる．通常，骨折の癒合期間はグルトGurlt の骨癒合日数などを標準としているが，一律に定めることはできない．目安となる固定期間は各論に譲る．

患者ごとに予定する固定期間を説明し理解を得る．とくに，手舟状骨骨折など固定が長期にわたる場合は医師との連携をもとに指導，管理していかなければならない．

一定期間固定を継続する以外に，「ある作業時のみ」「夜間のみ」「入浴時は不要」など固定時間を限定することもある．この場合は，患者あるいはその家族の助けを必要とすることが多い．できるだけ患者自身で脱着可能な固定とし，装着方法や注意点を説明し実行できるようにする．

6 固定の材料

外固定に用いる材料は，軽量で固定力に優れ，安価であり，衛生的な素材が求められる．また，治癒過程やQOLを評価しながら，固定材料の合理的な変更が求められる．具体的には，組織の損傷程度，患者のおかれている環境，患部皮膚状況，季節などが該当する．その際，固定材料との間で褥瘡や神経圧迫などを生じやすい部位への対策を講じたうえで，日常生活内での管理を中心に指導する．たとえば，固定具内に少しでも違和感や痛みなどが出現したら申し出てもらう（詳細は『包帯固定学』を参照）．

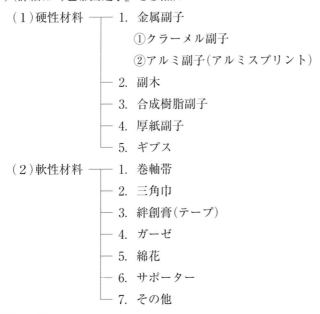

- （1）硬性材料
  1. 金属副子
     - ①クラーメル副子
     - ②アルミ副子（アルミスプリント）
  2. 副木
  3. 合成樹脂副子
  4. 厚紙副子
  5. ギプス
- （2）軟性材料
  1. 巻軸帯
  2. 三角巾
  3. 絆創膏（テープ）
  4. ガーゼ
  5. 綿花
  6. サポーター
  7. その他

■装 具

装具は筋骨格系を人体の外部から支える機能を持つ用具で，治療が完了する前に使用する医療用装具と，治療が終わり変形または機能障害が固定した後に使用する更生用装具に大別する．また，装具の使用部位により体幹装具，上肢装具，下肢装具に分類する．

- ●装具の使用目的
  - （1）関節運動制限もしくは免荷による疼痛緩和
  - （2）弱化，疼痛もしくは治癒過程にある筋骨格系の固定と保護
  - （3）荷重軸方向での負荷の軽減
  - （4）変形の予防と矯正
  - （5）機能の補完，改善

QOLを満足させるためには，できるだけ日常生活動作を可能にした装具を使う．その方法は，治癒機序に従った装具に変えることである．たとえば骨折の場合で，もっとも理想的な固定装具は，患部を含めた早期の機能訓練ができて，さらに骨折部に適度な圧迫と負荷を加えられる合理的な形状のものである．

B・固定後の配慮

1 全身的

　既往症や現病を把握し，当該医療機関での加療状況を確認のうえ，患者との密接な連携が必要になる．高齢者では広範囲の固定や長期の臥床により，種々の合併症や回復意欲の低下を招きやすいため，特別な配慮が必要である(骨折，脱臼の合併症の項を参照)．

　年齢に関係なく，下肢の固定を行った際には深部静脈血栓症に注意しなければならない．予防法としては早期離床，同一姿勢や肢位をとらせないように固定直後からの患部以外の運動，固定下の等尺性筋収縮運動，損傷部に悪影響が出ない範囲で早期からの部分荷重や歩行の許可，弾性ストッキングの着用，睡眠時の患肢高挙，適量の水分補給などがあげられる．心拍数増加，胸部の痛み，呼吸困難など肺での血栓症が疑われる場合は，緊急に医科への搬送が必要になる．

　固定により通常の衣服を着用できない場合もあり，保温の不良から体調不良の要因になることもあるので衣服の様式などの指導も忘れてはならない．

2 局所的

（1）疼痛や腫脹は最小限に抑える必要がある．通常，早期の的確な整復，固定と軟部組織損傷に対しては，RICE や PRICE を実施することが望まれる．疼痛や腫脹が不変または増大する場合には次の項目について再評価を行わなければならない．

　・整復不良および再転位の有無

　・固定不良(圧迫，締めつけ，不安定)の有無

　・新たな損傷の有無

　・疼痛や腫脹を助長する疾患の有無

　・日常生活動作，環境の指導管理の内容を確認し，それが実行されているかの評価

　・急性期だけではなく全期にわたる腫脹に対する評価

　・浮腫が長期間持続すると機能回復の著しい妨げとなることもある

　※原因不詳の疼痛や腫脹が長期間継続する場合は専門医に委ねる．

（2）変形や再転位の評価は，骨折や脱臼の経過観察上，重要な項目の一つである．日々変化していく患部と固定状況に細心の注意を払うことが原則となるが，厳密な確認は医師との連携による単純X線像などの画像診断が必要となる．したがって定期的に医師の指示を受けながら，その都度，患者も納得できるような説明を行う．患者自身が体位変換時などに患部で「音がした」「骨がずれた感じがした」などと訴えることがあるので参考にする．

（3）神経・血管の二次的損傷の原因は，固定具による緊縛，圧迫や転位骨片，骨頭による圧迫，その他四肢区画の内圧亢進などがあげられる．詳細な症状は各論に譲るが，次の項目は必ず点検・指導を行い，急性期には自宅でも励行させる．

　・四肢末梢部の皮膚温，色調の変化

　・四肢末梢部の運動機能障害

　・四肢末梢部の感覚異常(指の識別感覚)

・手足爪部の循環障害(爪部圧迫後の爪下色調回復の遅延)(ブランチテスト blanch test)

・固定後の疼痛増大

・四肢末梢部の動脈性拍動

・手指や足趾を伸展あるいは屈曲させた際の疼痛増大(他動的な伸長時痛)

・水疱形成の有無(患部あるいは患部周辺)

※評価にあたっては常に健側と比較し，腫脹(浮腫)は経時的に周径計測を行うとよい．

（4）皮膚への対応は，固定材料を問わず下記注意が必要である．

・清潔を保持する(手指，足趾は頻繁に清拭を心がける．とくに足趾間は密着しないようにガーゼなどを挟んでおくとよい)．

・長期間継続して固定を行う場合，骨や腱の突出部(肩峰，上腕骨内側上顆，肘頭，尺骨頭，上前腸骨棘，膝窩，腓骨頭，内果，外果，踵骨隆起など)には，下巻きを厚くするなど事前の配慮を行うが，固定中に当該部が「あたって痛い」「擦れている」などの訴えがあれば，ただちに固定を除去し，局所を観察する．

・固定下の皮膚に痒みを訴えた場合は，当該損傷の部位や程度にもよるが，できるだけ固定を除去して皮膚状況を確認のうえ対応する．ギプスなどのシリンダー固定下ではドライヤーで送風して様子をみる(患者が自己判断のもとに先端が鋭利なもので引っ掻き，皮膚を傷つける場合があるので事前に注意しておく)．

・臭気，しみや滲出物があればただちに固定を除去し観察する［（2）や（3）を放置した場合なども含む］．

・皮膚炎に注意する．絆創膏貼付時には皮膚炎を起こしやすいので注意する．

3 固定具

a. 破損，変形，固定力低下による再固定の必要性を判断する

包帯，絆創膏の緩み，ギプス，樹脂副子などによる固定では腫脹，筋萎縮による痩削（そうさく）のため患肢との適合性が低下していないか注意する．患者が禁忌事項を守っているか否かの評価材料にもなりうる．

b. 固定具の変更，除去を判断する

治癒経過や患者環境の適切な評価に基づいて，硬性材料から軟性材料へ，再転位防止肢位から良肢位へ，固定範囲の縮小，固定支持部の変更(掌側から背側へ)などを行っていく．

4 患肢保持方法（☞ p. 131，6-4. 指導管理参照）

a. 上肢の保持(図6・3，6・4)

三角巾は通勤・通学時や公共交通機関利用時など，人ごみの移動時に使用を限定するとよい．この際も，重量を保持する部位を，頸部→右僧帽筋部→左僧帽筋部など，日によって変化させると二次的な頸背部の疲労予防に有効である．損傷の内容や患者年齢などの条件にもよるが，指部から前腕部損傷であれば三角巾は使用しないで，患肢を頭部で支える，健側の手を添えて患肢を挙上するなどを指導する．また，強い腫脹や浮腫が予測される際には，自宅，学校，職場など，

100　第Ⅱ章　総　論

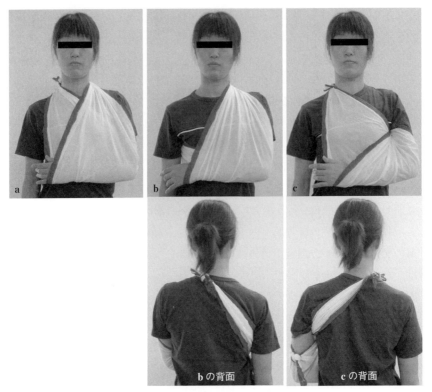

図 6·3　三角巾の提肘方法のバリエーション

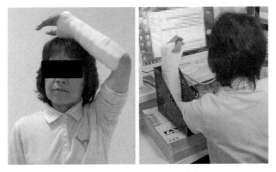

図 6·4　手部高挙の一例

　　三角巾に頼らず，手部を心臓より高挙して保持できるような工夫が必要になる．
b. **下肢の保持**
　　長時間同一肢位をとらせないことが原則になる．臥位時はブラウン Braun 架台による保持が一般的である．この際，下肢は外旋位をとりやすいため，固定具での総腓骨神経圧迫による障害には十分な配慮が必要である．坐位時は下垂位を容認する傾向にあるが，できる限り挙上を実行する工夫や，下垂と挙上を反復させる指導などを行う．移動の際には松葉杖や杖を用いて免荷することが多い．免荷を行った場合でも，可能な限り早期からの荷重を計画し，フロアータッチ，

部分荷重，半荷重など段階的に荷重負荷を増加していく（ヒール装着なども考慮する）．一方で免荷を指示する場合は，家族の協力が必要になることがあるので，患者の生活環境を十分把握しておく．

> ● 全荷重（FWB：full weight bearing），部分荷重（PWB：partial weight bearing），荷重しない場合は免荷（NWB：non weight bearing）という．体重の1/3まで荷重してよい場合は1/3 PWBとする．

5 固定中の運動

機能低下，深部静脈血栓症の予防や循環改善目的のため，等尺性筋収縮や固定外の関節運動などを行わせる（ポンピング：手部固定時の肩挙上と下垂，下肢固定時の背臥位下肢挙上運動の反復など）．

6 緊急時の対応（固定除去，連絡方法など）

固定中の注意事項を患者に書面でわかりやすく解説するとともに，注意事項が発生した場合の連絡方法や対応方法なども記載しておく．

7 固定による日常生活

衣服などの選択や改良，脱着方法，睡眠，食事，入浴，排泄などに関し，書面での解説が必要である．

8 固定による二次的愁訴

同一姿勢・肢位を継続することや，固定材料が継続して圧迫する部分には，疼痛や違和感が発現する．固定を行うことによる問題点を把握しておき，出現しやすい愁訴や予防方法を事前に説明することは，患者ならびにその家族の理解と協力を得るために重要なことである．

9 固定除去時

日常生活において固定中との違いを指導する．拘縮，萎縮などによって予想される患部の状態をあらかじめ説明しておく．場合によっては，浮腫が増大することがあるので，患肢保持方法は急性期からの方法を継続して行う必要がある．また，固定除去時にも深部静脈血栓により肺塞栓を起こす可能性が高くなるため，そのことを十分念頭に入れ，急な症状変化に対応できるようにしておくことが重要となる．

● 6-3. 後療法

後療法は，損傷組織を回復させる目的で，包帯などによる固定を継続するとともに，手技療法，運動療法，物理療法の3者の生体反応を相乗的に作用させて，早期に社会復帰させる手法をいう．

102　第Ⅱ章　総　　論

　後療法の対象として大きな部分を占める拘縮や筋萎縮は，損傷そのもので起こるよりは，むしろ固定に伴って発生する．この点を十分認識し，できるだけ拘縮や筋萎縮などが発生しないような治療法をとるべきである．したがって後療法とは，固定を除去した日から始まるものではなく，患部外への手技療法や運動療法など固定を施した直後から開始されるものである．各療法ともその意義を中心に理解と協力を得ることが必要である．また医療機関から後療法の依頼を受けた場合は，医療機関と密接に連携をとり，受傷機序，手術方法や経過など正確に把握したうえで進めなければならない．

A・用　　量

　後療法の質量は，後療法の強度×持続時間で示されるが，これを決めるには多くの因子を考慮しなければならない．
　（1）初回量は最小限にとどめる（多めに処方するよりむしろ控え目の量で始める）．
　（2）治療直後と翌日の反応（全身状態，疲労度，疼痛など）をみて増減する．
　（3）増量するときは漸増する．
　（4）施術所内の後療法のほか，自宅における運動療法の量も加算して考える．
　（5）隔日長時間の施術や運動療法より毎日短時間のほうが効果的である．
　（6）目的に応じ施術や運動療法の強度または持続時間で加減する．

B・患者の準備

　（1）服装はゆったりとしたものを着させる．
　（2）高齢者は必ず排尿，排便をさせておく．
　（3）後療法実施前，1時間以内の食事摂取は控える．
　（4）当日の体調などに不安があれば申し出るようにしておく．

C・手技療法

　柔道整復後療法の根幹をなすもので，術者の手を用いて患者の身体に種々の機械的刺激を加え，生体の持つ自然治癒力を活性化させ，損傷の早期回復を図ろうとするものである．手技療法の生体反応はその刺激量に依存し，不活化した生体機能を活性化するためには比較的弱い刺激がよく，亢進している機能や痛みを抑制するには強めの刺激が適している．したがって，施術には力の強さと時間を加減して，もっとも望ましい生体反応を引き出す必要がある．
　「手をあてる」という行為は施術者と患者間のコミュニケーションをより緊密にして，信頼感を育むと同時に，施術者は刺激に対する患者の反応を直接あてた手を通して感知することができるものである．手技療法を施行する際には，以下に配慮する．
　（1）手技療法の説明と同意：意義と必要性（理論，効果など）を簡潔に説明し同意を得る．

（2）手技療法の禁忌：既往歴や現病歴などを正確に把握し，判断する.

（3）手技療法施行時の患者体位や患肢肢位：手技内容はもとより，患者年齢や病態により坐位，腹臥位，背臥位，側臥位などを選択する.

（4）手技療法の変更：経過により種類，量，中止などを判断する.

1 基本型

a. 軽擦法

術者の手掌を患部に密着させ，遠位から近位に向かって平らに撫で擦する方法である．これを行うことにより皮膚に機械的刺激を与え，感覚神経を興奮させ，皮下の血管には血液が充満する．すなわち皮膚の栄養を増進させ，疼痛を寛解する．また静脈，リンパ系にも作用する．治療の開始と終了の際に用いられる主要な手技で，皮膚の栄養障害や筋の瘦削，その他の神経疾患から骨折，脱臼，捻挫などの後療法および関節腔内の病的産物の誘導などに施行する.

b. 強擦法

患者の皮膚上を滑らないように深部に向けて押しつけながら円を描きつつ移動していく方法である．組織中に存在する病的産物を粉砕してリンパ系に送り出す作用を持っている．生理的作用は皮下および深部出血，滲出液，組織の硬結，瘢痕の剝離などに効果がある.

c. 揉捏法

母指と四指の掌面および手掌との間に患者の筋をつかみ，圧搾するような動作を繰り返し，遠位から近位方向へ進んでいく方法である．主として筋に作用させるものであるが，もちろん皮膚や皮下組織にも影響を及ぼすものである．筋組織を絞って，その中にある病的産物を粉砕し，これをリンパ系に送り出し血液の循環を促して新しい血液を局所に送り込む．臨床的には筋萎縮や麻痺その他，非化膿性炎症などの治療に用いる.

d. 叩打法

軽快で律動的な打撃を加える方法で，手拳叩打，手背叩打などがある．生理的作用は，軽く施すと組織の活力を高めるが，強い場合は強擦法と同じように病的産物を粉砕する．皮膚に施すと分泌腺，血管，神経終末に作用し血管を拡張させて，温感を与える．また分泌腺の機能を高め，敏感となった神経の鎮静，筋の興奮性を亢進させる.

e. 振戦法

指を伸展位，手関節を基本肢位で肘関節を屈曲し，母指またはその他の指端を垂直に骨に向かって圧迫しつつ振動を与える方法であるが，この手技は力を必要とするので長時間にわたる施術は困難である．モーターを使用したバイブレーターを用いるものが多い．振動回数は1分間に200～300回くらいが効果的である.

f. 圧迫法

指頭あるいは手根などを用いて圧迫刺激を加える手技であり，基本的な力の加え方は漸増圧・漸減圧，数秒間の持続圧・静止圧が原則である．種々の深部組織や臓器の病変に対応して現れる体表の特定部位の圧痛点・反応点に施術する．脊髄を介する反射によって対応する病変の治癒の促進を図り，また，神経根の表在部に圧迫刺激を加えて神経の伝導を抑制し，末梢部分の鎮痛を

104 第Ⅱ章 総 論

図ることができる.

g. 伸長法

徒手的に筋,腱を伸長することによって筋紡錘の興奮を抑制し,関節可動域の拡大効果を期待する手技である.正しく実施するためには,目的とする筋の起始,停止を理解し,もっとも効率的に伸長することのできる方向に関節を動かす必要がある.力は持続的,漸増的に加えていき,けっして衝撃的に行わないことが大切である.

2 適 応

a. 局所的な適応

損傷部,病変部,拘縮した関節に直接的に手技療法を適応するものである.通常,軽擦法に始まり,揉捏法,圧迫法,強擦法などの各手技を実施した後に伸長法を行って,最後に軽擦法で施術を終了する.

b. 遠隔部への適応(誘導マッサージ)

古来,柔道整復術で行われてきた方法であり,外傷の初期で患部に直接施術ができない場合,患部から離れた近位(心臓に近い部位)に比較的強めの軽擦法や揉捏法を施して間接的に患部の血液循環を改善して損傷の治癒過程の促進を図ってきた.貴重な臨床経験のもとに用いられている重要な技法である.

c. その他

マニピュレーションの定義や分類については様々な議論があるところで,定まったものはない.スラスト,アーティキュラトリー,関節運動学的アプローチ,マッスルエナジーなどが挙げられる.効果の証明については,研究が足りないことや,明らかな器質的異常の診断を除外せずに行われる場合などは,かえって症状が悪化する場合がある.

3 禁 忌

(1)創傷部

(2)発疹部

(3)腫瘍部

(4)妊娠中の腹部

(5)神経炎の急性期

D・運動療法

人体各部における運動機能の障害を可及的速やかに改善し,運動を積極的に取り入れながら,その機能回復と増進を図るものであり,方法は,徒手で行うものと器具を用いて行うものに大別できる.運動療法を施行する際には,以下に配慮する.

(1)運動療法の説明と同意:意義と必要性(理論,効果など)を簡潔に説明し同意をえる.

(2)運動療法の禁忌:手術後は術式などによって禁忌となる運動があるので,医師との連携を

密にする．また，既往歴や現病歴などを正確に把握し判断する．事前に血圧，脈拍，体温などを評価することも大切である．

（3）運動療法施行時の患者体位や患肢肢位：運動内容はもとより，患者年齢や病態，既往歴により立位，坐位，腹臥位，背臥位，側臥位などを選択する．

（4）運動療法の変更：経過により種類，量，頻度，負荷，中止などを判断する．

（5）運動療法機器の安全対策（保守管理の充実）：施術所内の安全対策はもとより患者が自宅で行う場合も同様に，量，頻度，負荷，インターバルなどを詳細に説明し，さらに重りや補助器具の代用となるもの（砂囊，本，袋入りの塩・砂糖，ヒモ，バスタオル，机，椅子など）の使用方法を指導したうえ試行させ，正しく行うことができるか確認する．

1 運動の基本型

運動の力源，筋の収縮の状態により分類する．

a. 力源からみた運動

運動を起こす力により他動運動と自動運動に大別される．

1. 他動運動 passive exercise

他動運動とは施術者，器具，または患者自身の健康部位を使って患部を動かす運動であり，患者自身の健康部位による他動運動を自己（自助）他動運動と呼ぶ．

> ●持続的他動運動 continuous passive motion（CPM）は四肢に対し，機械を使ってゆっくりとした往復の関節可動域運動を持続的・反復的に行う訓練である．徒手と比べ安定感があり，運動のスピードや可動域を一定に保ち，長時間できるという利点がある．術後に用いられることが多く，関節拘縮予防，ROM の獲得，疼痛や腫脹の軽減が目的となる．

2. 自動運動 active exercise

自動運動は患肢の筋力で動かす運動であり，3種類に分類する．

① 自動介助運動 active assistive exercise

徒手または懸垂などで半分は他動的に助けられて自動運動をするもので，他動運動から自動運動への移行部分にあたる．

② 自動運動 active exercise

なんの助けもなく抵抗（負荷）もない運動である．正確にいうとまったく抵抗のないものから，若干の抵抗に対して行われる自動運動までを含む．たとえば肩・股関節のような近位の関節の運動は外見上なんの抵抗もないようにみえるが，自分の四肢の重力に打ち勝って動いている．

③ 自動抵抗運動 resistive active exercise

運動の過程で，抵抗を加えて行う各部位の運動で，抵抗の方法としては，体重による負荷，施術者の加える徒手的抵抗，器具（重錘，ゴムチューブ，各種マシンなど）による抵抗などがある．

b. 筋収縮からみた運動

筋収縮とは，筋の張力 tension が発生する意味であり，必ずしも短縮を意味しない．その収縮には種々のものがある．

1. 等尺性収縮（図6·5a）（アイソメトリック収縮）

抵抗に対して筋が収縮する場合，筋の張力が増し，収縮しているにもかかわらず，筋の起始，

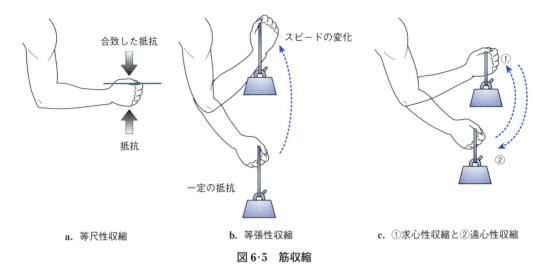

　a. 等尺性収縮　　　　　b. 等張性収縮　　　　c. ①求心性収縮と②遠心性収縮

図 6・5　筋収縮

停止が一定の長さを保っている収縮の相であり，関節運動は起こらない．

2. 等張性収縮（図 6・5b）（アイソトニック収縮）

　抵抗に対して筋が収縮し，張力がかかり，関節運動が起こる場合の相で，筋の起始，停止の動きの方向によりさらに二つに分類する（図 6・5c）．

① **求心性収縮（短縮性収縮）**

　筋収縮時の筋の起始，停止が近づいていく，つまり張力が抵抗より大きい場合にみられ，生理的な筋収縮としてみられる．一定の抵抗と重力に抗して行う肘関節屈曲時の上腕二頭筋や上腕筋などが該当する．

② **遠心性収縮（伸長性収縮）**

　求心性収縮とは反対に，筋収縮時に筋の起始，停止が遠ざかっていく，つまり抵抗が張力より大きい場合にみられ，伸長性収縮ともいう．重力方向にゆっくりとした肘伸展時の上腕二頭筋や上腕筋などが該当する．

③ **等速性収縮（図 6・6）**

　筋力の強弱にかかわらず，筋収縮の速度（関節運動の速度）が，全可動域を通して一定に制御された運動である．実際には，患者あるいは被検者が随意的にこの収縮運動を行うことはできず，特別の装置が必要である．一定の関節角度での筋収縮は関節トルクとして測定され，運動角速度が一定であるため筋力曲線および関節トルクの測定が容易であり，臨床および調査研究の面で有効である．

c. 単関節運動と多関節運動

　多くの身体運動は単関節運動か多関節運動のどちらかに区別することができる．両者の特徴や違いを表 6・1 に示す．

> ● 開放性運動連鎖 open kinetic chain（OKC）は床などに四肢や身体が接触や固定されていない状況で運動することをいう．
> 　閉鎖性運動連鎖 closed kinetic chain（CKC）は床などに四肢や身体が固定されている状況で運動することをいう．

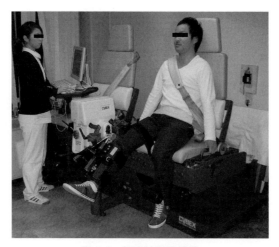

図 6·6 等速性運動機器

表 6·1 単関節運動と多関節運動

単関節運動	多関節運動
・開放性運動連鎖（OKC）で行われることが多い ・日常生活やスポーツ動作の一部分の運動に似る ・身体部位の固定が少ない ・対象とする筋群に適正な負荷が加わる ・運動は比較的簡単 ・動作の学習には向かない ・多関節運動の前段階の運動として用いる	・閉鎖性運動連鎖（CKC）で行われることが多い ・日常生活やスポーツ動作に似る ・床面に身体部分を接触，固定させることが多い ・個々の筋に対する負荷はわからない ・運動はややむずかしくなる ・動作全体が習熟するのでスポーツ動作の改善に役立つ ・重力下での身体運動制御が可能 ・弱い関節部位があると全体に影響する

d. 対象部位からみた運動

1. 患部の運動

患部局所の機能低下における改善を目的とする．

2. 患部外の運動

固定や臥床により，患部外の機能も低下するため，患部外の運動を実施して様々な機能の維持，改善を目的とする．このなかには循環器系の機能低下を予防する全身持久性の運動も含まれる．通常，急性期から患部局所に影響のない患部外運動を行う．

2 運動療法の種類

詳細は『リハビリテーション医学』を参照．

a. 基本的運動療法

1. リラクセーション

疼痛や精神的緊張などによる筋の過緊張状態を緩和すること，他の運動療法が無理なく行えるようにすることを目的として行う．

2. 関節可動域訓練

可動域の維持と増大に大別される．可動域増大訓練にはストレッチが含まれる．四肢の様々な関節の手術後に器械による他動運動 CPM が行われている．

3. 筋力増強訓練

患者の筋力の強さによって他動・自動介助・自動抵抗運動など適応が異なる．抵抗には徒手，重錘，自重など様々な方法があり，抵抗運動による訓練方法には等張性・等尺性筋力増強運動などいくつか代表的なものがある．

4. 持久力訓練

筋持久力を高めるには最大筋力の 60% 程度の力で比較的速い運動を数十分の単位で行うとよいとされている．もともと筋持久力の低下している場合には，もっと低い負荷でも効果は上がるとされる．筋持久力の向上は全身持久力の向上と平行し，全身調整運動との関連が深い．

5. 神経運動器協調訓練

神経系による運動の協調性を改善する目的で行われる．主に姿勢制御能の低下による関節への負荷が下肢の関節症の進行を助長させるという観点から，動的関節制動訓練(DYJOC トレーニング：dynamic joint control training)，バランス訓練が行われている．

b. 応用的運動療法

1. 基本動作訓練，歩行訓練

基本動作は臥位から立位，歩行までの順序だった動きである．

2. 全身調整運動

通常は最大酸素摂取量を向上させることを目標にする．より多くの筋を，ある程度以上のスピードで，最低 10 分以上持続的に活動させなければならない．ウォーキング，自転車エルゴメーター，トレッドミルなどが代表例である．

3. 治療体操

腰痛体操などがこれに該当する．可動域訓練，筋力訓練，全身調整やリラクセーションなどを目的にストレッチ要素ができるだけ多く組み込むように考えられている．

4. その他

転倒予防体操，健康 柔体操など．

3 実　際

詳細は『リハビリテーション医学』を参照．

a. 適　応

骨折，脱臼，捻挫，打撲，その他軟部組織の損傷に適応するが，その他，医師の指示による後療法がある．また，機能訓練指導を通して，要介護者などに対する重度化の防止または改善，非該当者の生活機能の維持や向上などが該当する．

b. 開始時期

局所の疼痛，発熱などの著明なときは実施しないのが原則である．この症状が消退しはじめる頃，細心の注意をはらって開始する．

c. 禁　忌
　　（1）発熱(38℃以上)しているとき
　　（2）安静時脈拍数が100回/分を超えるもの
　　（3）高血圧があり，拡張期血圧120 mmHgを超え，自覚症状があるもの
　　（4）収縮期血圧100 mmHg以下の低血圧があり，自覚症状を伴うもの
　　（5）急性症状のあるとき
　　（6）重度の心疾患
　　（7）その他

E・物理療法

　物理療法の最大の特徴は，徒手的には与えられない物理的エネルギーによる刺激を生体に与えることができることである．狭義の物理療法の定義は「物理的エネルギーを利用して，生体の神経生理学的反応や化学的反応を引き起こすことにより，損傷部の治癒促進や疼痛抑制および神経筋機能の賦活を促す治療法」とされている．理学療法白書(1985年)には広義の意味で「物理的なエネルギー(熱，水，光，電気，徒手)を外部から人体に応用し，疼痛の緩和，循環の改善，リラクセーションの目的で使用する治療法である．温熱療法，水治療法，光線療法，電気治療，マッサージに分類される」と記載され，運動療法は除外されている．

　物理療法を実施する主な目的は，痛みの軽減，筋スパズムの改善，局所循環不良の改善である．痛みや筋スパズム，局所循環不良は，痛みの悪循環を引き起こす原因として密接に関係しており，これらに伴う機能障害はADL制限など，患者に対して多大な肉体的および精神的ストレスを与える．臨床場面では，痛みの悪循環から脱却させることを目的に，運動療法などと併用しながら実施されることが多い．

1 分　類

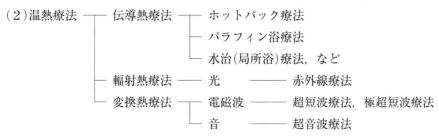

110 第Ⅱ章 総 論

2 安全対策

　　柔道整復師は専門職として物理療法機器を適切に使用する役割を担っており，使い方を一歩誤れば危害すら与えかねない医療機器を使用しているという意識を強く持たねばならない．各種物理療法の過量刺激は，望ましくない生体反応を出現させる．もっとも多いのは，加熱による熱傷，過冷却による凍傷であり，特殊なものでは機器の誤作動によるものなどがある．このほか，適応を誤って疾病や障害の悪化をもたらす危険もある．

　　物理療法を施行する際には，これらの過誤を防ぐために以下の点に配慮する必要がある．

a. 物理療法の説明と同意

　　意義と必要性（理論，効果など）を簡潔に説明し同意をえる．

b. 物理療法の禁忌

　　施行する各種物理療法の禁忌を熟知すること．さらに既往歴や現病歴などを正確に把握し，疾病，障害による適否を正しく判断する．

c. 物理療法施行時の患者体位や患肢肢位

　　物理療法の内容はもとより，患者の年齢や病態により立位，坐位，腹臥位，背臥位，側臥位などを選択する．

d. 物理療法の刺激強度

　　一般には不快を与えない程度の刺激が最良であって，治療中に痛みや不快感を与えることは厳禁である．過電流による電撃（マクロ・ミクロショック）などが発生しないよう患者をよく観察して，訴えに気を配り，わずかでも異常があればただちに治療を中止する．

e. 物理療法の変更

　　経過により種類，量，頻度，強度の調整，または中止などを判断する．

f. 自宅でできる物理療法の指導管理

　　温熱療法と寒冷療法が主となるが，温熱，シャワー，ドライヤー，氷などを用いて行わせることもある．

g. 物理療法機器の安全対策

　　取り扱い上の注意事項を理解，遵守したうえで，毎日の始業・終業点検と定期点検に分けて，保守管理する．機器ごとに添付されている使用説明書を熟読して，指定された使用法（危険，警告，注意事項）を厳密に守ること．とくにアースの設置を確実に行うこと．また物理療法機器に文書や図で解説したものを貼り付け，施行時間内に患者の理解が進むような配慮も必要である．

3 主要な物理療法

a. 電気療法

　　微弱な電流を生体に通電して筋，神経を刺激し興奮させ生体反応を起こさせる療法であり，通電療法ともいう．電気刺激の効果は①電流強度，②持続時間，③電流の時間的変化の割合（変化率）の三つが重要と考えられている（図6・7）．神経や筋を刺激する場合，神経の順応や筋疲労をなるべく起こさせないために，刺激電流波形の振幅，周波数（Hz），パルス持続時間などを様々に変化（変調）させる必要がある．神経や筋が興奮するためには，一定以上の電流密度（単位断面

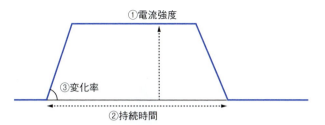

図 6·7　電気刺激の 3 要素

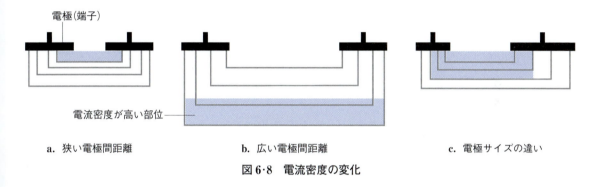

a. 狭い電極間距離　　b. 広い電極間距離　　c. 電極サイズの違い

図 6·8　電流密度の変化

積あたりを通過する電流量)が必要である．電流密度は，電極と皮膚が接触する部分でもっとも高くなり，多量の皮下脂肪がある場合，十分な電流密度が深部に達しえず，神経や筋の興奮が引き起こされない場合もある．電流密度は電極(端子)の大きさや間隔にも影響される．一般に電極のサイズが大きくなると，電流の分布が広がり電流密度は低くなる．また，電極間の間隔が狭いと浅層部が，間隔が広いと深層部の電流密度が高くなる(図6·8).

電気療法は周波数の違いにより，低周波電気刺激療法，中周波電気刺激療法などに分類される．

① 電流強度

オームの法則にあるように，電流は加えた電圧に比例し抵抗に反比例するため，電流強度を設定する際に，抵抗を考慮することは重要である．また，電気抵抗は導体の素材，温度などの条件で変わりうる．身体に電気刺激を与える場合，皮膚は一般的に $10^3 \sim 10^6\,\Omega/cm^2$ 程度と電気抵抗が高い．これは皮膚の角質層において，電気抵抗が小さい血液などの電解溶液の含有量が少ないことが影響している．腕の内側のような皮膚の薄い部位より，足底など皮膚の厚い部位の電気抵抗は非常に高い．擦り傷などの皮膚損傷がある場合や皮膚が濡れている場合は，皮膚の電気抵抗が1/20程度に低下する．

② 持続時間

持続時間が長い電気刺激のほうが弱い刺激で興奮を起こし，持続時間を短くすると刺激を強めないと興奮しない．また，持続時間を長くすることで，深層部と閾値の高い神経線維を興奮させることができる．

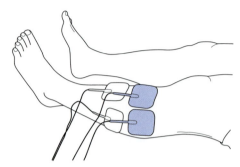

図 6・9　低周波療法の一例

③ 変化率
変化率の大きい矩形波刺激のほうが，緩やかに増加する漸増刺激より刺激効果は高い．

1. 低周波電気刺激療法
周波数 1 kHz 未満の電気刺激波形（パルス波）を用いて，患部の組織や神経を刺激する治療法である．波形幅が極端に小さく多くの電流は流せないため電流刺激効果は弱くなるが，筋の不快感が少なく心地よい刺激となる．経皮的末梢神経電気刺激療法（TENS），高電圧パルス電流刺激療法，神経・筋電気刺激療法など多くの種類がある（図 6・9）．

■効　果
① 疼痛軽減効果
　　痛みのある部位に低周波電流を流し，痛みの感覚神経を刺激すると，痛みを伝達する機能に変化を及ぼし（閾値を上げる），脳に痛みの感覚を伝えにくくする（主にマイナス電極での作用が著明）といわれている．

② 血行促進効果
　　低周波電流を流すと運動神経線維を介して電流が筋に伝達され筋収縮が起こり（主にプラス電極での作用が著明）筋のポンプ作用が働く．弛緩したときには血液が流入，緊張すると血液が流出する．この働きで血流が改善され，血行が促進される．不応期を考慮し筋の収縮反応が可能な周波数で通電する必要がある．

③ 電気刺激に対する筋の収縮反応を維持する効果
　　末梢神経完全麻痺で神経からの電気刺激が筋に伝わらない状態になった場合，低周波通電により正常な神経線維に途中から電気刺激を加え，筋の収縮機能を維持（主にプラス電極での作用が著明）しながら神経麻痺の回復を待つ．

■使用上の注意と禁忌
① 過電流と感電
　　使用条件によっては過電流が流れる危険性がある．水中での使用や濡れた部分での通電には感電の危険が伴い注意が必要である．また，電源を切らないで導子を装着し直す場合にも急激な電流が流れる危険性がある．

②禁　忌

心臓疾患，ペースメーカー使用者，感染症，悪性腫瘍，有熱者，結核性疾患，血圧異常，急性疾患，極度の衰弱時，妊婦，幼児または意思表示のできない人，血流障害の可能性がある人．

●電流に対する人体の反応および影響

電流値（1 秒間）	成人男子の反応および影響（成人女子は 2/3，小児は 1/2）
1 mA	ピリピリと感じる最小感知電流
5 mA	手から手，または足に許すことのできる最大許容電流
10〜20 mA	離脱電流限界値（持続する筋収縮）
50 mA	痛み，激しい疲労，気絶，人体構造の損傷の可能性 心臓・呼吸系統は興奮する
100 mA〜3 A	心室細動の発生，呼吸中枢は正常を維持
5 A 以上	心筋の持続した収縮，一時的な呼吸麻痺，熱傷など

2. 中周波電流療法

中周波電流療法ではパルス波ではなく，1〜5 kHz 未満の交流正弦波（サインウェーブ）か整流電流を使用する．正弦波を周波数変調することで，神経・筋が応答できる低周波領域に変調して，患部の神経や筋を刺激する治療法である．中周波電流療法には，干渉電流療法，ロシアン電流療法などがある．

■効　果

皮膚抵抗の少ない中周波電流は，皮膚の侵害受容器への刺激を抑える特性があり，深部組織への刺激に適している．筋に対する電気刺激の治療効果は，遠心性と求心性の 2 種に分けられる．

①遠心性効果

運動神経を興奮させて筋を収縮させることで得られる効果で，筋力増強，筋萎縮の防止または改善，筋ポンプによる末梢循環の改善などに用いられる．

②求心性効果

痙性筋の拮抗筋刺激（相反抑制）や，Ib 線維を選択的に刺激することで痙性の減弱効果がある．例として，脳卒中片麻痺患者の下腿三頭筋の筋腱移行部とアキレス腱部に対する刺激で，歩行速度の改善や痙性の減弱がみられたとの報告がある．

■使用上の注意と禁忌

低周波電流療法の危険性と同様．

- ●干渉波療法
  干渉波療法では 2,500 Hz または 5,000 Hz の周波数を用いる．二組の導子で異なる 2 種類の中周波電流を交差させ電流を干渉させると干渉低周波が発生する．たとえば一組の導子間に 5,000 Hz，もう一組の導子間に 5,010 Hz を通電すると，交差している部分から 2 種類の周波数の差である 10 Hz の干渉低周波が発生する（図 6·10）．
- ■効　果
  干渉電流型低周波治療器は皮膚抵抗が少ない中周波領域の周波数を使用するので，通電の際，導子装着部の痛みを感じにくくなり，結果として十分な筋収縮を起こす範囲まで電流量を上げられる．干渉波療法は筋を収縮させ，そのポンプ作用により血流を促進させて痛み物質を取り除く作用が強い．

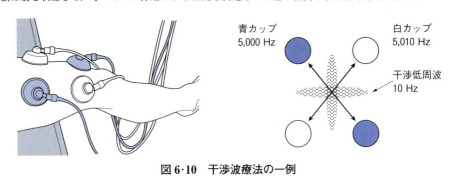

図 6·10　干渉波療法の一例

b. 温熱療法

　温熱を利用した物理療法で，温熱療法の定義は，熱，電磁波，超音波などの熱エネルギーを生体に供給し，最終的に生体に加わることで，循環の改善や疼痛の軽減，リラクセーションなどの生理的反応を引き起こす治療法とされている．身体に温熱刺激を加え生体反応を引き出すことを目的としている．温熱療法はもっとも人間の歴史となじみが深く，このなかの一つである温泉療法は，紀元前 500 年頃からギリシャで行われた症例の記録も残っているが，古代から行われている．熱源としては，日光浴や温泉浴などの日常的なものから，伝導熱を利用した温罨法やパラフィン浴，輻射（放射）熱を利用した赤外線照射や熱気浴（熱気療法），高周波を利用した超短波や極超短波療法などの電気療法，水治療法としての温浴などがある．とくに痛みの抑制，筋スパズムの寛解，拘縮の寛解と関節可動域の拡大，代謝機能の促進，血腫の消退などの効果が期待できる．科学的に研究されるようになったのは 18〜19 世紀になってからである．なお，温熱療法を実施する際には患者に対して熱くなったら必ず知らせるよう事前に指示して，事故防止に努める必要がある．

b-1. 伝導熱療法

　表面加熱ともいわれ体表面に熱源を接触させ，生体に熱を伝導させる治療法である．

1. ホットパック療法（図 6·11，6·12）

　ホットパックには湿熱と乾熱（ビニールパック式，電熱式など）があり，生体への熱伝導は湿熱のほうが大きいといわれている．シリカゲルやベントナイトは吸水力が強く，20〜25 分間の熱放出が可能である．皮膚温が最高に達するのは治療を開始してから 7〜12 分後で，5〜10℃上昇する．

図6・11　湿性のホットパック(左)と加温器(右)　　　図6・12　乾性(電熱式)のホットパック

■使用法

　湿熱式では，保温性の高いシリカゲル(珪酸)やベントナイトなどを厚い木綿の袋に入れ，パック状にしたものを加温器(ハイドロコレーター)で80～85℃，15分以上加温してバスタオルなどで包み，ベルトなどで患部に装着する．

　①ホットパックを加温器(80～85℃)で15分以上加温する．
　②熱傷を防ぐため，ホットパックより少し大きめの乾燥したタオル数枚を患部に敷く．
　③タオルの上に，よくお湯を切ったホットパックをおく．
　④その上にホットパックより大きいビニールを被せ，さらに数枚のタオルを被せる．
　⑤20分位を目安に治療を行う．

■適応と効果

　ホットパック療法では，含水率の高い組織(末梢血管，皮膚)ほど加温されやすく，1～2cmの深さの筋組織では最高温度に到達するまでに15分以上かかる．また，3cmの深さの筋では温度上昇は1℃以下で，とくに脂肪組織が多いところでは比熱の小さい脂肪に熱が集中し，筋組織に伝導しにくくなる．視床下部の温度調節機構の作用で血管拡張作用のあるヒスタミン様物質の分泌などにより，皮膚の毛細血管が拡張して皮膚内の血流は2倍以上になる．これにより血行が促進され痛みの産物であるヒスタミン，ブラジキニンが除去されて痛みが軽減される．また皮膚温度受容の熱刺激によりγ線維の伝導が遮断されると，筋紡錘の活動の低下により一過性に筋緊張が軽減される．

　①疼痛の寛解
　　打撲，捻挫などの外傷後の痛み，関節リウマチ，変形性関節症，変形性脊椎症，腰痛症，肩関節周囲炎，術後の痛み，筋肉痛，腱鞘炎，各種神経痛など．
　②筋スパズムの寛解
　　筋疲労や疼痛による二次的筋スパズムや，いわゆる肩の張りなど．
　③中枢神経麻痺による筋痙性の寛解
　④局所の浮腫軽減
　⑤血行改善
　⑥理学療法施行の前処置，関節拘縮に対する矯正，瘢痕組織の軟化，低周波通電前の皮膚電気

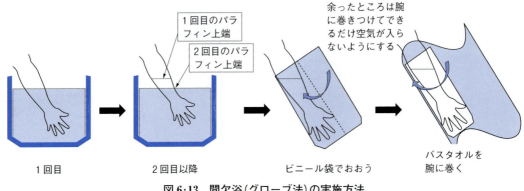

図6・13 間欠浴(グローブ法)の実施方法

抵抗の低下,運動療法・牽引療法の前処置など

■**使用上の注意と禁忌(とくに湿熱式を使用する場合)**
①熱傷の誘発要因
　(1)タオルの枚数を少なくしないようにする(おおむね8〜10枚).
　(2)ホットパックはよくお湯を切り,タオルからはみださないようにする.
　(3)感覚障害がある部位は熱傷に十分注意するか,または治療をしない.
　(4)軟部組織の少ない骨突出部などに注意する.
②ホットパックの位置
　ホットパックを身体の下において使用しない(熱の逃げ場がないために熱傷や,ホットパックの縫い目から中身のベントナイトなどが押し出されるおそれがある).
③脱水症
　(1)自律神経障害がある場合,発汗障害に注意する.
　(2)小児や高齢者が対象の場合は注意する.
　(3)2カ所以上の広範囲に行う場合は飲料水を用意し,脱水に注意する.
④治療時間
　(1)通常20分を目安とする(長時間必要な場合は,途中でパックを取り替えて使用する).
　(2)治療時間が長引くとホットパックの温度が低下し,逆に治療部位の熱を奪ってしまう.
⑤保　管
　長期間放置するとカビが発生する場合がある.使用しないときは乾燥させて保管する.

2. パラフィン浴療法(図6・13)

　パラフィンは水分を含まず乾熱であるが,発汗による汗が被膜との間にたまるので,実際は湿熱的性格を持つ.パラフィン浴装置で融点43〜45℃の固形パラフィンと流動パラフィンを100：3の割合に混ぜ合わせ加温し,溶解したパラフィンの中に直接患部を浸ける.パラフィンは空気に触れると,皮膚-薄い空気層-パラフィン被膜の層構造となり,パラフィン槽から患部を出してからもなかなか冷めない.また,比熱がきわめて高く保温性が高い.湯に比較して熱伝導率が小さい(水の0.42倍)ので,熱せられ溶解したパラフィンの中に患部を入れても熱がゆっくり生体

6. 治 療 法　　**117**

に放出され，熱く感じず，熱傷を起こしにくいという特長がある．

■**使用法(間欠浴)**

　①治療部位を十分に洗浄し，乾燥させる．

　②治療部位より少し広範囲を浴槽内に浸して，2～3秒したらゆっくり引き上げる．

　[　●被膜が破れないように関節は動かさないこと，層を均一にするため引き上げ速度は一定にする．　]

　③パラフィンが白く固まったら，再び浴槽に治療部位を浸す(5～10回繰り返す)．

　[　●熱傷を防ぐために1回目より遠位で作成し，先の被膜が溶けないよう長時間は浸けないよう注意する．　]

　④パラフィンの被膜ができたら治療部位をビニール袋でおおい，さらにバスタオルで15～20
　　分程度保温する．

　⑤治療終了後，パラフィンの被膜を除去する．除去したパラフィンは可燃ゴミとして破棄でき
　　るが，汚染していなければ再利用できる．

■**適応と効果**

　通常は上肢，下肢に限られる．手指や足趾のように凹凸のある形状の複雑な部位でも，細部ま
で一様にパラフィンが付着し，均等に加温できるのが特長である．

　①拘縮のある関節に対しての運動療法前処置

　②軟部組織の伸長性の向上

　③関節水腫があるものを除く関節炎(関節リウマチなど)

　④頸肩腕症候群および中枢性麻痺に伴う手指先端の感覚異常，痛み

　⑤腱鞘炎

　⑥変形性関節症など(手関節，指，とくにヘバーデン Heberden 結節の痛み)

　⑦治療後，皮膚はラノリン効果により艶やかになり，美容上の効果もえられる．

■**使用上の注意と禁忌**

　①パラフィンは熱伝導率が小さく，パラフィンバス内のヒーターに近い槽底部と表面の温度が
　　異なることがあるので，十分掻き回して温度を均一にして使用する．

　②反復法で行う際，パラフィンの被膜が破れると熱いパラフィンが流入するので，破れた際は
　　初めからパラフィングローブを作り直す．

3. 水治(局所浴)療法

　四肢の水治療法に使用する装置には上肢専用の上肢浴，下肢専用の下肢浴，上下肢用の上下肢
浴の各装置がある．これら装置は，湯の中で気泡を発生させる気泡浴装置，渦流(噴流)を発生さ
せる渦流(噴流)浴装置がある．両装置とも，温浴による温熱効果と，湯の中で発生させた気泡や
渦流による圧刺激が得られる．とくに気泡浴では気泡が破裂するときに生じる超音波刺激などが
相乗的に作用するとされる．

■**使用法**

　上肢および下肢の患肢を浴槽に入れ，エジェクターから噴出される気泡を含む水流や気泡など
により，患部に軽度の物理刺激を加える．局所浴中は浴槽内でも自動的・他動的関節可動域運動
を実施する．

■適応と効果

温熱効果やマッサージ効果があり，骨折後，打撲，捻挫，腱鞘炎，関節拘縮，疼痛，筋スパズム，関節のこわばり，血流改善など適応となる.

■使用上の注意と禁忌

心臓疾患，血圧異常，急性疾患，感染症，有熱者，結核性疾患，悪性腫瘍，極度の衰弱時，妊婦，アトピーなどによる感覚・皮膚過敏症，幼児または意思表示ができない者.

> ●罨　法
> 疼痛，炎症，充血などを除去するために水，湯，薬などで患部を温めたり冷やしたりする治療法. 乾性と湿性，温熱と冷熱との組み合わせによる刺激を患部あるいは全身に与えて，循環系および神経系に好影響をもたらし，患部の状態の好転と自覚症状の軽減を図ることを目的とする治療法である.
> ①湿性の冷罨法…冷湿布，パップ
> ②乾性の冷罨法…氷嚢，氷枕，水枕
> ③湿性の温罨法…温湿布，蒸気浴，ホットパック，温浴療法
> ④乾性の温罨法…熱気浴，ホットパック，湯たんぽ，カイロ

● b-2. 輻射熱療法

1. 赤外線療法

赤外線は電磁波の一種で，放射されるとその通路にある物体に吸収されて熱を発生する. これは，赤外線の波長が分子の固有振動数の波長と同程度の範囲にあるため，物質に電磁的な共振が起こり，エネルギーが無駄なく吸収されるためである. この赤外線の輻射により生じる温熱効果を治療に応用したのが赤外線療法である.

赤外線の種類：波長 760 nm〜1 mm の電磁波で，波長域によって深達性が異なる.

①近赤外線（波長 760〜2,500 nm）：皮膚をよく透過する（照射透過度 10 mm）.

②中間赤外線（波長 2,500 nm〜0.25 mm）：近赤外と遠赤外の中間領域の深達度である.

③遠赤外線（波長 0.25 mm 以上）：表皮で吸収される（照射透過度 4 mm）.

■使用法

①患部を十分露出し，衣類が照射範囲にかからないようにする.

②黒い衣服を着用している場合は，白いバスタオルやシーツでおおう.

③照射部を患部に対してできるだけ垂直に設定する.

④出力強度は，患者が気持ちよく感じるよう 100〜1,000 W（ワット）の間で調節する.

⑤必要に応じて照射部を患部に近づけるが，患部を観察できるよう 15 cm 以下には近づけない.

⑥頻度は 1 日 1〜2 回，照射時間は目的に応じて 10〜30 分を目安とする.

⑦熱源は，電源を切ってからもしばらくは熱いので注意する.

■適応と効果

①主に温熱作用で，その作用は局所的，全身的，反射的な特性がある. ほかには皮膚血液循環量の増加や新陳代謝促進，鎮静作用，消炎作用などがある.

②赤外線の温熱効果は皮膚表面の浅層に限られるため，皮膚に選択的に温熱効果を与えることができるが，身体の深部は温熱効果が得られない.

③腰痛，筋スパズム，捻挫，筋違い，しもやけ，変形性関節症，関節リウマチ，関節炎，腱鞘炎，五十肩，結合組織炎，神経痛，神経炎，末梢性顔面神経麻痺，慢性皮膚疾患，慢性湿疹，強皮症，慢性中耳炎，慢性副鼻腔炎などがある．

■使用上の注意と禁忌

①ほくろやシミ，黒い衣服などは熱が集中しやすいので注意を要する．

②長時間や広範囲の照射は末梢部の血管を拡張させ血圧低下を招き，失神や頭痛，めまいが起こりやすくなる．また，広範囲な照射では発汗に伴う大量の水分喪失から，脱水症を起こす危険があるので，照射前後に水分をとる必要がある．

③急性炎症，化膿性疾患，内出血の危険のある疾患，低血圧，悪性貧血などが禁忌である．また，患部に血行不全や皮膚感覚低下がある場合も禁忌となる．

b-3. 変換熱療法

熱以外のエネルギーを輻射し，生体内で変換して発生させた熱(エネルギー変換熱という)を利用した治療法である．電磁波や超音波などは体内で吸収されて熱エネルギーに変換される．この熱エネルギーを利用するのがエネルギー変換熱療法である．電磁波は周波数が 2,450 MHz のマイクロ波と 27 MHz の超短波を，超音波は周波数が 1～3 MHz 程度のものを使用する．体外から照射して治療するものである．光線は一種の電磁波で，波長スペクトルでは，マイクロ波と X 線の中間に位置し，以下のような特性がある．

1. 超短波療法(ジアテルミー)

ジアテルミーとは，高周波の電流または超音波を用いて身体の一部に発生した熱を利用して治療を行う療法である．高周波電流によるものすべてをさす場合があるが，狭義には周波数 1 MHz のものをさす．現在ではあまり使われていない．

2. 極超短波療法(マイクロ波療法)

極超短波療法は 1925 年にスタインバック Stiebock により治療器として応用する考えが発表された．第二次世界大戦ではレーダー電波として使われていた電磁波が後に温熱療法の一つとして普及した治療法で，1947 年 12 月に米国で理学療法に関する国際会議で極超短波治療器が正式に許可され，治療器としてマイクロ波を使用することが決定された．治療機器の原理は，マグネトロンと呼ばれる特殊な 2 極管により極超短波を発生させるもので，生体の深部組織から温め，とくに水分をよく含む筋膜付近を温めるという生理作用がある．また，金属をよく加熱することから，体内にペースメーカー，金属類が入っている患者に対しての使用は禁忌である．

■使用法

①できるだけ楽な姿勢をとらせる．

②アンテナを治療部位から 5～10 cm 離して照射部位に直角にあたるようにする．

③治療時間を 15～20 分に設定する．

④患者が心地よいと感じる程度まで徐々に出力を上げる．

⑤治療中は熱すぎないか患者の反応をみる．

■適応と効果

疼痛の軽減，筋スパズムの軽減，局所の循環の改善，急性期症状のない慢性疼痛疾患など．

120 第Ⅱ章 総 論

①関節リウマチ

②腰痛

③変形性関節症

④打撲，捻挫，脱臼，骨折の回復期疼痛

⑤腱鞘炎の回復期疼痛

⑥肩関節拘縮症

■**使用上の注意と禁忌**

①患者の体内にペースメーカーや人工骨などの金属部品が埋め込まれている場合は治療を行わ
ない．刺青，補聴器，電子機器，カード類にも注意が必要である．

②感覚障害部位の治療を行わない．

③治療対象部位，衣服，ポケット内などにネックレス，指輪，携帯電話，カギ，コイン，携帯
カイロなどの金属類がないことを確認して治療を行う．

④骨端軟骨，眼球，睾丸，妊婦の腹部に治療を行わない．

3. 超音波療法

耳で聞こえる音波の周波数は 20 kHz 以下だが，それを超える周波数帯の音波を超音波とい
う．超音波は 1939 年にフォルマン Pholmann が医療に応用して以来，診断と診療の両面で活用
されている．超音波治療器の超音波の発生原理は，高周波電流発生回路から出力される高周波電
流が同軸ケーブルを通して治療導子（プローブ）へ流れ，治療導子の金属板に組み込まれているチ
タン酸ジルコリアの結晶に流れることによって結晶の形態的変化が起こり，前面の金属板に振動
が伝わり超音波が発生するものである．使用される治療周波数は，1 MHz，3 MHz の 2 種類だ
けで，浅層部位（筋膜まで）には 3 MHz を使用し，深層部位（筋膜から骨）には 1 MHz を使用す
る．また，照射時間率（デューティ比）とは，照射している時間と照射してない時間の割合を示す
もので，これにより治療の種類が変わる．一般的に照射時間率 100% を「連続」といい，温熱効
果がある．一方，照射時間率が 20〜50% の場合は「パルス」といい，非熱効果（機械的効果）が
ある．

超音波は空気中を伝播しないため超音波治療を行う際は，治療器と生体との間に超音波伝播物
質である超音波用ゲルを使う（超音波はゲルにより伝播する）．また，超音波治療器の導子に使わ
れている結晶の材質は，必ずしも均一でないので，導子の全体から超音波が発生しているわけで
はない．このため，超音波治療器の導子には照射面積の程度を表す有効照射面積 ERA（effective
radiating area）があり（単位：cm²），ERA が導子全体の面積に近いほど良好な導子といえる．ま
た，導子の品質を決める他の要素として，超音波の平均強度（W/cm²）を表す BNR（beam non-
uniformity ratio，ビーム不均等率）と呼ばれるものがある．

■**使用法**

①患者に楽な治療肢位をとらせ，治療部位を露出させる．

②治療する部位の面積に合わせて治療導子（プローブ）を選択する．

③刺激周波数を設定する．治療部位が筋膜程度の浅い場合は 3 MHz を使用し，また，筋から
骨までの深い範囲では 1 MHz を使用する．

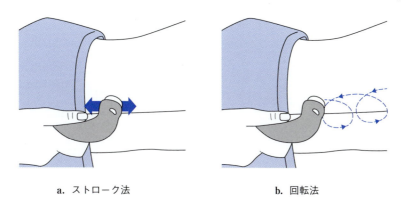

a. ストローク法　　　　b. 回転法

図 6・14　超音波のプローブ操作

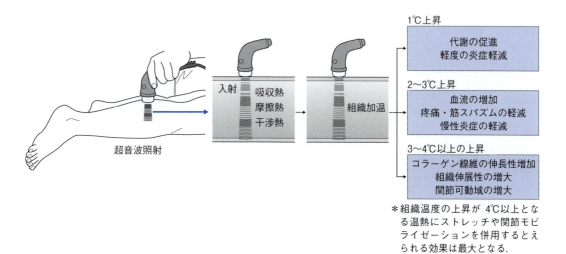

図 6・15　温熱効果の機序

④照射時間率(デューティ比)を設定する．
⑤治療時間は，非熱作用の場合は約 5 分，温熱作用の場合は 10 分を目安に設定する．
⑥患部に十分な超音波用ゲルを塗る．足関節や手指など凹凸が大きい場合には，患部を水の中に入れて行う水中法が有効である．
⑦超音波出力は，非熱効果の場合は $0.5〜1.0\ \mathrm{W/cm^2}$，温熱効果の場合は $1.0〜2.5\ \mathrm{W/cm^2}$ とする．
⑧治療中は治療導子を常に移動(ストローク法，回転法，図 6・14)する．

■適応と効果
温熱効果と非熱効果(機械的効果)に分けられる．
①温熱効果(図 6・15)
　(1) 組織の伸展性を高める．
　(2) 血流の改善と循環不全による疼痛の緩和を行う．

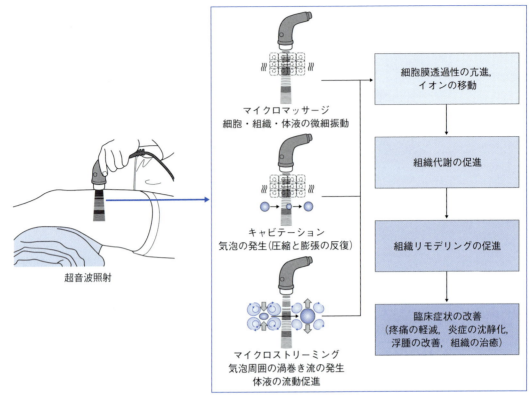

図 6・16　非熱効果の機序

　（3）筋紡錘の緊張と筋スパズムの改善を行う．
　（4）骨格筋の収縮機能を高める．
②非熱効果（図 6・16）
　（1）微細振動により細胞膜の透過性や活性度を改善し，炎症の治癒を促進する．
　（2）細胞間隙の組織液の運動を活発にして浮腫を軽減させる．

■使用上の注意と禁忌
①感覚障害，虚血部位，悪性腫瘍がある患者の使用は禁忌である．
②発育期の骨に照射しない．
③超音波の確実な伝播には，治療導子面をしっかり患部に密着させる．
④一つのポイントに対して，有効照射面積の 1.5〜2 倍を治療範囲とする．広い範囲はポイントを変えて同じように行う．
⑤治療導子を極端に速く動かさない．
⑥治療導子を落としてしまった場合はメーカーで検査を受ける．

c．光線療法
　　光線とは一種の電磁波であり，波長スペクトルでは，マイクロ波と X 線の中間に位置している．赤外線は熱線であるが，マイクロ波に近い波長領域の遠赤外線と可視光線領域に近い波長領域の近赤外線に分類される．光線療法にはレーザー光線療法（近赤外線療法），紫外線療法などが

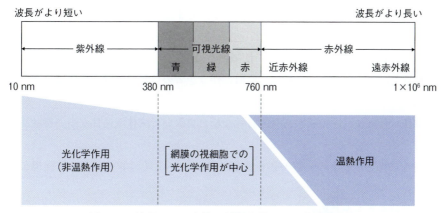

図6·17 波長による光線の種類と得られる生理的作用

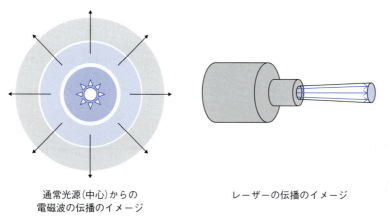

図6·18 通常光源からの電磁波とレーザーの伝播イメージ

あり，運動器疾患に対して現在汎用されている光線療法で照射される光線の大部分が近赤外線である．光線療法の生理的作用としては，遠赤外線に代表される温熱作用，紫外線に代表される光化学作用があり，光化学作用は光線の照射出力でなく光線の種類が本質的に重要となる（図6·17）．

レーザーとは，レーザー発振器を用いて作り出された人工的な電磁波であり，使用される媒質により半導体レーザーとガス（気体）レーザーに分類される．機器の普及率としては半導体レーザーのほうが圧倒的に多い．物理療法として用いられるレーザーは，原則として1 W以下の微弱な出力で照射されるものであり，一般に照射に伴う熱作用は認められない．このような微弱な低出力照射で行われるレーザー治療は，低反応レベルレーザー療法と呼ばれている．また，直線偏光近赤外線療法と呼ばれる，組織深達度の高い近赤外線のみを取り出して照射する機器もある．光線療法の実施には照射距離と照射角度を適切にして安全で効率的な照射を行う必要がある．

1. 低反応レベルレーザー療法

低反応レベルレーザー光は組織への刺激作用がなく，無侵襲で患者の治療ができる．その作用

機序は光化学作用に基づくと考えられているが，いまだ不明な点も多い．

　レーザーの物理的特徴は，可干渉性，単色性，指向性があるが，自然光との大きな違いとして，ほとんど広がることなく直進的に伝播する（図 6·18）ため，同一の照射出力の自然光と比較して高輝度（高密度）になる．一般に，照射に伴う患者の自覚的感覚の変化はほとんどない．

■使用法

　非接触法，接触法，圧迫法があり，特殊な場合を除いて生体深達性が高い接触法や圧迫法が推奨される．

①照射前に保護メガネの装着の必要性を説明する（もしくはレーザー光を直視しないよう指導する）．

②照射部位をあらかじめ確認しておく．

③照射強度や時間は，1 部位 1 回 20 分以内を隔日照射する（機器メーカー推奨）．

■適応と効果

①創傷治癒促進作用

②消炎作用

③疼痛の緩和作用

④血流改善作用

⑤殺菌作用

⑥免疫抑制作用

⑦生命体の活動の促進作用

■使用上の注意と禁忌

①使用上の注意

（1）眼に対する反応：レーザー光は損傷リスクが高い光線であるという報告がある．

（2）関節への連続照射：滑膜に充血，出血，細胞浸潤を生じるという報告がある．

（3）患者の不安解消：治療前に術者自身の手などに照射して安心させる．

②禁　忌

（1）悪性腫瘍

（2）甲状腺部，眼球，睾丸など

（3）新生児，乳児のように応答困難な患者

（4）高齢者や体力消耗疾患患者

d．寒冷療法（図 6·19）

　寒冷療法は，各種の冷媒（液体，固体，気体）を用いて患部を冷却し，生体の持つ熱エネルギーを損失させることで局所循環動態や神経筋系に対して促通，抑制の生理的効果を与える物理療法である．受傷後 48 時間以内の冷却は損傷組織の代謝を減少させ，痛みを抑制するのに効果がある．筋骨格系の外傷では筋スパズムの寛解と感覚神経の伝導抑制によって痛みを軽減することができる．冷却後に運動療法を実施すると，筋スパズムと痛みを減少することによって運動療法の効果が増す．もっとも効率的で効果的な冷媒は氷塊である．ただし，氷表面の状態（表面に霜がついているようであれば溶かす）や過冷却による凍傷の発生に注意が必要になる．

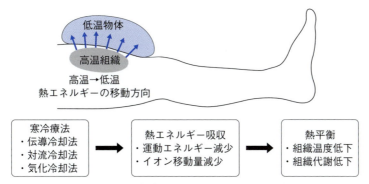

図 6·19 寒冷療法における熱エネルギーの移動

　皮膚面で 10～18℃ が最適の冷却状態であり，実施の際には温度を正確にコントロールする必要がある．また，末梢循環の改善には 12℃ の冷却 1 分と 40℃ の温浴 5 分を交互に行う温冷交代浴が効果的であるが，実施には外気温を考慮する必要がある．
　寒冷療法に伴う生体反応を以下にあげる．
①組織温度
　（1）冷却部位の皮膚表面温度が急激に低下する．
　（2）熱伝導により皮下組織の温度が低下する．
　　　皮膚温や皮下組織の温度は冷却終了直後から上昇する．
　（3）深部組織の温度低下が生じる．
　　　深部組織の温度は冷却終了後しばらく低下し続け，その後徐々に上昇する．
　（4）組織温度の上昇は，冷却による温度低下よりも緩慢で，数十分から数時間は回復しない．
　（5）皮膚温が －0.5℃ まで低下すると凍結し，細胞が破壊されるといわれている．
②循環系
　（1）皮膚表面の局所的な冷却によって，表在血管の部分的な収縮が起こる．
　　　組織温 20℃ 以下：ゆっくりとした全体的な血管収縮が起こる．
　　　組織温 10℃ 以下：反射作用により急速で全体的な血管収縮が起こる（一次的血管収縮）．
　（2）一次的血管収縮
　　　a．組織での酸化活動：酸素化ヘモグロビンの解離が起こらなくなる．
　　　b．リンパ液の生成，浮腫や腫脹の形成：血管収縮によって減少する．
　　　［●外傷直後に実施する冷却が応急処置として有効になる生理的作用である．］
　　　c．手指などの急激な冷却では，一次的血管収縮に続き二次的血管拡張が起こる．
　（3）二次的血管拡張
　　　冷却開始後 8～16 分の間で，2～6℃ の振幅での不規則な皮膚温変化（乱調反応）がみられる．
　　　［●動静脈吻合部での血管拡張で，神経性の反射機構によるものと考えられている．］

③神経，筋

（1）神経，筋への影響

    a. 受容器や神経線維の閾値上昇

    b. 神経伝導速度の低下

    c. 神経・筋接合部での活動低下

（2）神経，筋の生理的変化

    a. 筋紡錘のインパルス発射速度

    ・38℃→28℃への冷却で直線的に低下し，50～80％減少する．

    ・25℃以下ではインパルスの発射が不規則になり，20℃以下では停止する．

    b. 末梢神経伝導速度

    ・皮膚温の低下と直線的な関係を示し，1℃の低下で1.1～2.4 m/秒低くなる．

    ・無髄神経線維のほうが，冷却による神経遮断に強いという実験結果がある．

（3）神経系の活動

    a. 触覚，冷覚→筋力→血管収縮→痛み，粗大な圧迫感の順序で低下する．

    b. 冷却によって，神経，筋の興奮伝導にかかわる化学反応の低下が生じると考えられる．

（4）γ運動線維の抑制と筋紡錘の興奮低下，関節周囲組織の粘性増加，足クローヌスの軽減，アキレス腱反射の減弱なども報告されている．

④代　謝

（1）冷却によって代謝は低下（10℃低下ごとに半減）し，組織細胞の酸素需要は減少する．

（2）代謝の抑制は，急性外傷に対する寒冷療法のもっとも重要な効果である．

⑤結合組織および関節

組織の粘性が高まり，伸長に対する抵抗が増加する．

⑥筋　力

（1）筋力

前腕部の冷水浴（10～15℃）を30分行うと，握力は反対側の60～80％に低下する．

（2）筋持久力

18℃の冷却による筋温25～29℃の条件下で長時間の収縮維持が可能（それよりも高い温度，もしくは低い温度では筋持久力は低下する）となる．

1. 伝導冷却法

氷やアイスパックなどの低温媒体を，直接または間接的に接触させることで，生体の熱エネルギーを吸収する冷却法である．スポーツ中に急性外傷が発生した際に，アイスパックを用いてRICEやPLICE処置を行うことが一般的になっている．

■使用法

①患部の皮膚感覚，創傷の有無，浮腫および循環状態をチェックしておく．

②冷却に伴う自覚的感覚および運動麻痺などの異常について説明しておく．

[　●自覚的感覚は，冷たい→深部の痛み→暖かい→針で突かれるような痛み→感覚消失の順に変化する．　]

③アイスパック（ビニール袋でも可）に2/3程度の氷と少量の水を入れ，内部の空気をよく抜い

ておく.

④アイスパックを患部に合わせて，弾性包帯などで固定する.

⑤台やクッションなどを利用し，患部を挙上する.

⑥バスタオルなどで患部以外の身体は保温する.

⑦20〜30分間の冷却を1〜2時間おきに繰り返し，24〜72時間の経過観察を行う.

■**適応と効果**

①炎症緩和(浮腫，腫脹など)

②局所の疼痛軽減

③有痛性筋スパズムの軽減

④中枢性神経疾患の痙性軽減

⑤神経，筋の反応抑制および促通

⑥褥瘡の治癒促進

■**使用上の注意と禁忌**

末梢血管の反射障害や，寒冷アレルギー反応が予測される疾患を有する患者には禁忌となる.

①循環器系疾患を有するもの

②レイノー Raynaud 病

③寒冷アレルギーを有するもの

④感覚障害のある部位

⑤心臓および胸部

⑥寒冷に対して拒否的なもの(とくに高齢者)

> ●主要な末梢神経が表在を走行する部位での氷塊による冷却には注意が必要である(例：上腕骨内側上顆後方の尺骨神経，腓骨頭後方の総腓骨神経など).

2. 対流冷却法

①寒冷浴

アイスパックなどに比べて，寒冷浴は大量の水を用いるので冷却効果は高いが，適応部位が手部や足部に限定される. 一般には，渦流浴の機器を用いるか，急性外傷の場合では流水またはバケツなどの容器に冷水を入れて代用することもある. 足関節の外傷などでは，足趾が凍傷にならないよう，フットカバーなどで保温した状態で患部を冷水に浸して冷却する.

②極低温冷却療法

液体窒素や特殊な機器を用いて，空気を冷やして患部に噴射する治療法である. 特徴として，水分をほとんど含まない冷気を噴射するので凍傷の危険性が少ないこと，排水設備を要さないなどがある.

3. 気化冷却法

揮発液を塗布，または噴霧し気化熱で冷却する治療法で，コールドスプレーに代表される. 表層部の冷却効果は非常に高いが，凍傷の危険性があるため，連続して同一部位への噴射はできない. また，短時間の噴射しかできず，深部組織までの冷却効果は期待できない.

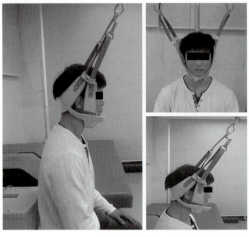

グリソン係蹄

図6·20　頸椎介達牽引機器とグリソン係蹄

e. 牽引療法

　　頸椎や腰椎（骨盤）に対する牽引療法を脊椎牽引療法といい，頸椎では吊りバンド，腰椎では骨盤ベルトを介して脊柱の長軸上に牽引力を負荷する方法である．柔道整復師が用いるのは介達牽引療法で，牽引の持続時間から持続牽引法，間欠牽引法に分かれる．生体反応は，軟部組織の伸長，椎間孔の開大，椎間板内圧の減少，安静・固定効果などがある．効果を得るためには，適切な強度，時間，方向が必要で，牽引方向とは反対方向に抵抗運動をしていることも理解しておく必要がある．牽引の力源は，徒手，電動，重錘などがあるが，徒手で行うものは徒手療法に分類される．

1. 頸椎介達牽引（図6·20）

　　上位頸椎から上位胸椎の疾患に対して下顎部と後頭部に係蹄バンドをかけて行う方法で，グリソン Glisson 係蹄牽引が行われている．一般に，持続牽引は臥位で，間欠牽引は坐位で行われることが多い．

■使用法（電動式間欠牽引の場合）

①患者を椅子に座らせる．

[●丸椅子ではなく背もたれのある椅子を用いるとリラクセーション効果が得られやすいとの考えもある．]

②支柱のアーム長を調節し滑車の位置を決める．

[●患者の体型に注意：円背が強い場合は支柱のアームを通常より長くする．]

③係蹄を後頭部と下顎部にしっかり密着させ，吊バンドが左右同じ長さになるように調節する．

④患者に背もたれに寄りかからせ，頸椎を軽度屈曲位（頸椎の高位によって調節する）で牽引角度を設定する（上位〜中位頸椎には屈曲10〜20°が最適）．

⑤牽引は1〜2回施行し，患者の状態を確認したうえで開始する．

⑥牽引中，患者に痛みや不快感などが生じた場合，ただちに手を上げるように説明する（非常用停止ボタンを持たせ，何かあればボタンを押させる）．

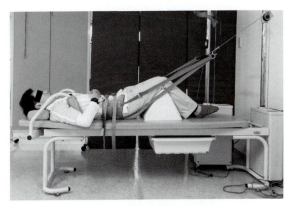

図 6・21　腰椎介達牽引機器

⑦牽引中，患者から離れず，時折痛みや不快感などがないか確認する．不快感を訴えるようであれば牽引角度などの設定を修正する．

⑧牽引終了後，係蹄をゆっくり外し，患者を移動させ，終了後の状態を評価する．

■適応と効果

変性椎間板や黄色靱帯のたわみによる脊髄や椎間孔付近での神経根圧迫の軽減や，後方椎間関節症に対する好結果が期待されている．

①頸椎症性神経根症，軽度の頸椎症性脊髄症

②いわゆる肩凝り

③頸部から上肢への不定愁訴など

■使用上の注意

①頸椎牽引は通常 3～4 kg(体重の 1/10 程度)から開始する(最大でも 15 kg までとする)．

②神経根や椎間関節の除圧が目的の場合でも 9～13.5 kg までとする．

■禁　忌

①悪性腫瘍，脊椎カリエス，化膿性脊椎炎，強直性脊椎炎，関節リウマチの場合

②頸椎の不安定性が認められる場合

③胸郭出口症候群に由来する頸肩腕痛がある場合

④外傷に由来する症状のうち急性期の場合

⑤骨粗鬆症が著明な場合

2. 腰椎介達牽引(図 6・21)

様々な器具を用いた牽引方法があるが，大きく分けると持続牽引法と間欠牽引法がある．骨盤ベルトを介して腰椎部に牽引力負荷を掛ける．腰椎の前彎を減少させる目的で，セミ・ファーラー肢位や膝屈曲姿勢が推奨され，牽引力は体重の 1/3～1/2 程度とし，体重の 50% を超えない範囲を目安とする．筋スパズムおよび椎間板内圧の軽減，軟部組織の伸長には体重の 25%，椎間関節の開大には体重の 50% の牽引力が推奨されている．

■使用法(電動式間欠牽引の場合)

①骨盤ベルトを腸骨の形状に合わせて装着する．

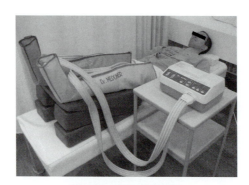

図6·22 間欠的圧迫法
スリーブ装着後,患肢挙上位で実施している一例

②牽引テーブルの上に背臥位となり,上体を固定するための腋窩装具を腋窩に十分密着するように固定する.
③下肢は股・膝関節が屈曲位になるように三角脚台などを膝窩に入れる.
④準備ができたら牽引テーブルのスプリット部分のロックを解除する(開始時に自動解除する機器もある).
⑤牽引は1~2回施行し,患者の状態を確認したうえで開始する.
⑥牽引中,患者に痛みや不快感などが生じた場合,ただちに手を上げるように説明する(非常用停止ボタンを持たせ何かあればボタンを押させる).
⑦牽引中,患者から離れず,時折痛みや不快感などがないか確認する.不快感を訴えるようであれば牽引角度などの設定を修正する.
⑧牽引終了後,牽引テーブルのスプリットのロックを行ってから,ゆっくりと患者を移動させ,終了後の状態を評価する.

■適応と効果
①神経根圧迫徴候を認める場合
②筋緊張が主体である腰痛症など

■使用上の注意と禁忌
①悪性腫瘍,脊椎カリエス,化膿性脊椎炎,強直性脊椎炎,関節リウマチの場合
②外傷に由来する症状のうち急性期の場合(急性腰痛も含む)
③神経炎や癒着が発症の主体と考えられる場合
④骨粗鬆症が著明な場合

f.その他

身体に機械的刺激を加えて行う物理療法として圧迫療法がある.物理療法機器を使用した圧迫療法としては,間欠的空気圧迫ポンプを用いた方法がある.

1.間欠的圧迫法(図6·22)

ゴム製スリーブを目的の四肢に装着し,スリーブへの空気の注入と抜去を間欠的に繰り返すことによって,目的部位に外圧を加えて静脈血の還流を促進しようとする方法である.術後の深部

静脈血栓症の予防に用いられることが多くパンピング法，波動マッサージ法などと呼ばれている．浮腫軽減に対しては，上肢の場合は 30〜60 mmHg，下肢の場合は 40〜80 mmHg の圧力で，総治療時間は 2〜3 時間程度（1 回あたり 20〜60 分）が推奨されている．

■使用法（下肢の場合）

①開始前に浮腫の程度を評価する．

②肌を保護するために，つま先から大腿近位にかけて筒状包帯や伸縮包帯などを施行する．

③ベッドやソファーを利用して背臥位で，下肢を心臓の位置より高くしてリンパの流れを補助する．

④ゴム製の圧迫スリーブを下肢に装着し，空気圧を間欠的に加える．

[●浮腫に対しては，スリーブの膨張時間と収縮時間の比率を 3：1 にして空気圧を加える．]

⑤治療中は患者に痛みや不快感などが生じた場合，ただちに手を上げるように説明する．

⑥治療後は再び浮腫の状態を評価する．

⑦浮腫の軽減を維持するため，弾性ストッキングなどで圧迫をする．

■適応と効果

①浮腫（静脈不全による浮腫，リンパ浮腫）

②深部静脈血栓など

■使用上の注意

リンパ管自体がきわめて微細な構造であるので，弱圧で長時間施行することが望ましい．

[●強すぎる圧迫は，リンパ管などの組織損傷を引き起こす危険性がある．]

■禁　忌

①心不全または肺水腫

②急性の深部静脈血栓症，血栓性静脈炎，肺塞栓症

③重度の末梢動脈疾患や動脈不全による潰瘍

④急性期の局所皮膚感染

⑤骨折の急性期，その他の外傷，急性炎症

⑥悪性腫瘍など

●6-4．指導管理

　指導管理とは該当する病態を良好な治癒に導くために，施術上ならびに日常生活動作上での励行事項や禁止事項を指示し，それらの指導事項が確実に遵守，実践されるよう配慮することである．施術室で施行される，整復，固定，後療法（手技・運動・物理療法）の効果は，家庭，学校，職場など患者を取り巻く環境により異なることが多く，総合的な環境整備を確実に実施させる必要がある．そのために患者および関係者に対しては，環境作りに必要な知識や方法を理解させ，十分な協力を得なければならない．また，インフォームド・コンセントの観点から，患部の状態や選択する施術方法などを詳細に説明し，同意を得ることが必要不可欠である．加えて，日常生

図6・23　鎖骨骨折時の就寝方法
左．患者宅において，坐椅子と壁，丸めた布団などを用いたリクライニングベッド様の寝具の配置．
　　胸郭の拡大を継続する目的で，丸めたバスタオルを脊柱部に敷いてもよい．
右．実際の就寝状態．膝の屈曲角度は膝窩部にバスタオルなどを入れて調整するとよい．

活の指導内容もなぜ必要なのか，禁止事項もなぜ良くないのかを説明し，患者との信頼関係を築いて的確な指導管理を行う必要がある．場合によっては，患者の自宅，職場，スポーツ現場などへ自ら出向き，良好な環境の整備を実践することも重要となる．

　他疾病で医療機関に受診，あるいは指導を受けている場合には，医師との相互理解がなされたうえでの連携した指導が必要となる．

A・患者とその環境の把握

　指導管理に際して，①患者の属性，②年齢，③住所，④家庭環境，⑤家族構成，⑥住居環境，⑦既往歴と現病歴などの身体情報，⑧就労環境，就学環境，スポーツ活動などの情報を集め評価を行う．

B・患者の環境に対する指導管理

1　日常生活動作，環境の指導管理

　初期の指導は，患者の不安を取り除く意味でも文書，図表などによってわかりやすい形で提示すべきである．また，治癒後の再発予防指導も十分に行う．障害の程度，年齢などの諸条件にもよるが，介助者，家族などの理解と協力が必要となる場合が多い．

a. 臥床時（安静時，睡眠時）の体位，患肢保持の指導管理（図6・23，6・24）

　臥床時の体位，患肢の保持は，比較的長時間同一の体位や肢位を維持することが多く，患者にとって負担が少なく施術効果が発揮される体位や肢位を選択する．また保持を行うために必要な材料は簡便で耐久性のあるものを選択する．

　（1）体位，患肢の肢位
　（2）補助材料（上肢，下肢の保持材料は扱いやすいものを作製し，貸し出すとよい）
　（3）注意点
　　　①褥瘡，局所圧迫による神経麻痺の注意喚起や指導
　　　②不良肢位，患肢肢位の指導（寝具の選択，変更，管理）

a. 自作の上肢保持材料
　　段ボール製

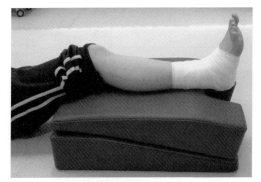
b. 下肢保持材料
　　ウレタンフォーム製

図6・24　補助材料

図6・25　不良な姿勢

図6・26　投球フォーム

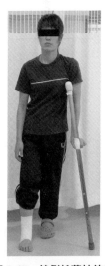
図6・27　健側松葉杖使用
患側と同時に松葉杖を出すことで支持基底面を広くし，安定性が高くなり歩きやすい．

　　　③体位変換時の指導
　　　④疾患の禁止体位の指導
　　　⑤保温・冷却方法の指導
b. 姿勢や肢位の指導管理（図6・25，6・26）
　　基礎となる姿勢や肢位を把握し，病態との関連を理解させるとともに，適切な姿勢や肢位を認識させる．
　　（1）不良姿勢や肢位の指導（静的姿勢など）
　　（2）行動・運動姿勢や肢位の指導（動的な作業姿勢，スポーツのフォームなど）
　　（3）既往歴の把握と施術体位・肢位の指導

図 6·28　入浴時に行える運動療法
浴槽の対角線を利用し，外側ウェッジを利かせることで膝関節内側のストレスを減少させる．

　　例：股関節の人工関節や人工骨頭の置換術歴がある場合，医師からの指導内容を確認し施術体位や肢位を選択する．また，指導内容に対する患者の遵守度を確認する．

c. 歩行の指導管理(図 6·27)
　　(1) 歩行制限，患肢への荷重制限や禁止(期間，距離，トイレのみ許可など)
　　(2) 患肢免荷方法(松葉杖，杖，歩行器，手押車，手すり使用，介助者など)
　　(3) 履き物指導(運動靴，足底板，ハイヒールなど)
　　(4) 歩行各期の指導(歩行姿勢，荷重方法，各関節運動など)
　　(5) 階段，斜面の歩行(制限，荷重方法など)

d. 衣服の指導管理
　　(1) 更衣指導(着衣時は患側から，脱衣時は健側から)
　　(2) 衣服様式の指導(肌着や上着のかぶりを前ボタンに変更，保温，補正下着など)

e. 食事動作の指導管理
　　(1) 食事動作の指導(食器，箸，スプーン，フォーク，介助など)
　　(2) 飲食時の体位指導
　　(3) 飲酒などの制限

f. 入浴の指導管理(図 6·28)
　　(1) 入浴制限や禁止(方法，時間，期間，介助者，浸浴範囲など)
　　(2) 入浴動作
　　(3) 入浴時に行える運動療法の指導

g. 清潔保持・保清の指導管理
　　(1) 全身清拭の方法
　　(2) 部分清拭の方法(洗髪，足浴など)

h. トイレの指導管理
　　(1) 介助，かがみ動作の制限など

i. 体調把握の指導管理
　　(1) 自宅でできる体温，脈拍などの測定，記録

（2）既往，現病と当該医療機関での加療

j. 施術所外でできる運動（ストレッチ，体操など）の指導管理
（1）施術中（方法，量，時期，介助者，禁忌など）

（2）予防（方法，量，時期，介助者，自己評価，禁忌など）

k. その他
（1）アクセサリーの指導（上肢損傷後の指輪除去など）

（2）癖の評価と指導（自己での頸椎矯正や関節を鳴らすなど）

l. 許容，禁忌事項の質疑と指導管理
以上，a～kのチェック（趣味，嗜好なども含み），通院ごとに日常生活上の質問を受け，対応する時間を設ける．

2 住宅環境に対する指導管理
自宅生活で患者の指導管理を行う際に，障害となるものや疾患の要因となっているものを排除し，とくに予防について必要な指導を行う．

a. 部屋の指導管理
（1）部屋の移動（階数，広さ，階段・段差の有無，日あたり，風通し，採光，照明，床材の種類，トイレとの距離など）

（2）プライバシーの尊重

（3）冷暖房機器の使用

b. 寝具の指導管理
（1）寝具の選択（ベッド，布団，坐椅子など）

（2）寝具の変更（硬度，枕など）

（3）寝具の管理（寝具交換の時期，方法など）

c. 家具の指導管理
（1）日常よく使用する椅子，机などの選択と注意

（2）台所や洗面台の高さの調節など

d. トイレ様式の指導管理
（1）選択と変更（洋式，和式，仮設，差込み便器など）

（2）性別などの条件を加味した使用方法

e. 浴室の指導管理
（1）浴槽周辺の変更（広さ，浴槽の高さ，床面など）

（2）補助具の選択（浴槽内，手すりなど）

f. 緊急時対応の指導管理
（1）非常ベル，スイッチなどの配置

3 就労環境，就学環境，スポーツ活動に対する指導管理
患者が社会生活を営む中で，施術のために受ける不利益は，予後との間に大きな関係があり，

とくに「欠勤」「欠席」「授業見学」などをはじめ，患者個人の努力以外にも会社や学校など関係者の相互理解と協力が必要である．

a. 就労環境の指導管理

（1）職内容（職務の変更，休職，欠勤，転職など）

（2）職場内（患肢保持方法，介助者，移動方法，デスク配置，機器，照明，空調など）

（3）通勤方法（公共交通機関，自家用車，オートバイ，自転車，徒歩，送迎，補助具の使用など）

（4）休憩時間（昼寝，体操，ストレッチなど）

b. 就学環境の指導管理

（1）就学内容（欠席，授業見学，部活動，クラブ活動など）

（2）学校内（a. の（2）を参照）

（3）通学方法（a. の（3）を参照）

（4）休憩時間（a. の（4）を参照）

c. スポーツ活動の指導管理

施術者はそれぞれのスポーツ現場に積極的に参加し，選手はもとより指導者，家族の理解を得ることが重要である．

（1）スポーツ内容（休止，禁止，見学，練習内容，用具，練習場，練習方法，種目変更など）

（2）予防面（前項でも同様ではあるが，柔道整復師のみではなく，所属組織，指導者，医師などの関係者を含めたトータルな取り組みが必要）例としては，有事に対応する事前準備として一次救命処置 BLS（basic life support）などの講習会の実施や参加なども重要である．

C・自己管理に対する指導（予防の認識と指導管理）

外傷，障害の程度によっては，治療経過中や治癒後の指導や管理が守られないと再発の可能性があることを説明し，再発予防に対する自己管理意識を持たせることが重要である．指導の際は，前述のごとく，各々の病態と環境を考慮すること，経過によっては再度来院させることもありうることを患者に説明する．

以上，指導管理は，整復，固定，後療法の効果が十分に発揮されるために不可欠なものであり，環境の把握と的確な評価のうえに成り立つものといえる．また，局所のみに捉らわれることなく，患者が受ける社会的不利益を最小限に抑え，生活のすべてを回復させるための環境作りであることを忘れてはならない．

7 外傷予防

　柔道整復師は発生した外傷への施術を専門とする．このため外傷の発生機序，発生環境，個別要因など外傷の背景を俯瞰的にとらえることができる．この視点は外傷のリスクに対し，いくつもの防護策を講じ，発生率の低下あるいは未然に防ぐことを可能にする．数日で寛解する例から，生命に影響を与える重傷例まで，外傷の軽重を問わず，外傷発生を少しでも減少させる活動に積極的に取り組む必要がある．対象は個人，あるいは集団全体とする．

　疾病の予防と同様に，外傷発生の阻止だけを意味するものではなく，外傷の経過における全過程にわたって実施するものと考え，三段階に分けるが，本書では主に第一段階について記載する．

> ●ポピュレーションアプローチ(Geoffrey Rose : 1985)
> 　対象集団全体への働きかけであり，罹患率を左右する要因を制御して危険因子の平均値を下げ，全体の曝露の分布をよい方向に移動させる試みのことである．高リスク集団にアプローチするより，一見，健康な集団にアプローチするほうがはるかに予防効率がよいという「予防医学パラドックス」(低リスクの大多数の集団から発生する患者数は，高リスクの小集団よりも多いため，多くの人間がほんの少しリスクを軽減することで全体的には大きな恩恵をもたらす)に依拠する理論が基盤になっている．高リスクではない集団に，リスクそのものを軽減させる予防的啓発が重要視される．

●7-1. 第一段階

　身体の運動機能を保持，向上させ，危険因子を除去または軽減することによって，外傷の発生を未然に防止することを目的とする．この段階を，①運動機能向上と教育活動，②特異的予防の二つに分け，これらについて対象者の運動機能に影響を与えると考えられる個体要因，環境要因などを踏まえ危険因子を把握する．なお，この運動機能に影響を与える要因は，身体の基礎的状態，付帯する環境要因，損傷時に加わる力(人体に加わる力を含む)，に分けて考えると理解しやすい．

　健康は総合的なものであり，身体的な健康に加え，メンタルヘルス(心の健康)を統合した全人的なアプローチも重要になる．日常生活全般を視野に入れ，習慣や行動の形成や維持についての原理を明らかにする行動科学を理解し，それに基づいた方法を導入することも重要になる．

Ａ・運動機能向上と教育活動

　積極的に健康状態を保持，増進する一般的な疾病予防と同様に，外傷予防のもっとも基本的な段階である．評価結果から向上あるいは改善すべき内容を抽出し具体的な方策を実践する．これにより外傷を回避する環境整備，身体作り，効率のよい動きを獲得する意識と習慣を身につける．また，定期的な評価と自己管理の重要性を学習し，変化するコンディションを把握しそれに対応することが重要になる．この際，至適な運動により対象者がフロー(flow：物事に熱中し没頭する)状態による精神的な幸福を得て，さらに難度の高い運動を実施していくという正のサイクルを構築することを目標にする．そのためには，身体の健康に直接影響する生活習慣行動だけではなく，感情のコントロール，対人技術や時間管理などのセルフケアを行うことが要点になる．具体的な方法としては，①達成可能な目標をたてる，②自分の行動や考えを観察，記録する，③望ましい行動を強化する，④望ましい行動を導くように環境を整備する，などがあげられる．

1　身体の基礎的状態の評価と対応

a. 健康と体調管理

　定期的な健康診断はもとより，簡便な方法で体調を把握し，それを継続して測定・評価する．

1. 年　齢

　成長期にはスキャモン Scammon の発達・発育曲線を重視し，その発達，発育に応じた運動指導が重要と考えられている．問題点として，交通手段の発達，外遊びの減少，スマートフォン，テレビゲームなどの非活動的に過ごす時間の増加が指摘されている．安全な遊び場，遊び時間確保などの社会環境整備に加え，非活動的な時間を減らす家庭内目標なども必要になる．

　成人には，通勤・買い物で歩くこと，階段を使用すること，運動・スポーツを行うことなど身体を動かすことを日常生活に取り入れることが必要である．この前段階として身体活動や運動に対する意識の向上が重要である．

　高齢者には，日常生活のあらゆる機会を通じて外出すること，ボランティアやサークルなどの地域活動に積極的に参加し，町内会や伝統的な奉仕活動，福祉活動(訪問活動，福祉ボランティアなど)や知的・文化的な学習活動，趣味活動などを行うことが望まれる．そのうえで，積極的な健康づくり行動としての体操，ウォーキング，軽いスポーツなどの運動を定期的に実施することである．

2. 性　別

　男女間における身体活動と健康との関連は基本的には同じであるが，女性では月経，妊娠，出産など特有の要因がある．中高年の女性に多い健康問題として，骨粗鬆症と身体活動量との関連が示されている．身体活動の状況をみると，どの年代でも運動習慣率や1日の歩数において男性より低い傾向があり(国民健康・栄養調査)，この点からも女性の身体活動量に対する取り組みが求められる．

3. 既往歴，現病歴，家族歴

過去の外傷や疾病，現病（治療内容，薬剤含む）が運動機能に及ぼす影響は計り知れない．様々な局面においてあらゆる可能性を予測することが重要である．家族歴も同様で，とくに先天性疾患との関係に留意し，心疾患などが推測される場合には，医科との連携が求められる．

4. 体組成（体脂肪率，除脂肪体重，筋量など）

やせや肥満などの健康，体型，体調・体重管理，筋力増強などの評価を目的に使用する．経時的な評価と対応が重要になる．

5. バイタルサイン（脈拍，体温，血圧，呼吸数）

起床時の測定は，体調のセルフチェックにはよい指標である．病的な状態はもとより，疲労度を予測し，オーバーワークのサインを早期に発見できることもある．

6. 栄養状態（肥満とやせ）

学童期からの肥満は生活習慣病のリスクが高い．偏食や不規則な食生活，無理なダイエットにより特定の栄養素が欠乏していることもある．喫煙，胃腸障害，内服薬，サプリメントなど様々な要因も影響を及ぼす．栄養状態の改善による疾病予防や早期発見，早期治療に役立つ（詳細は『一般臨床医学』を参照）．

7. 睡眠状態

睡眠不足は疲労感，情緒不安定，適切な判断力を鈍らせるなど，生活の質に大きく影響する．また，こころの病気の一症状として現れることにも注意が必要である．睡眠障害は高血圧や糖尿病の悪化要因として注目されるとともに，交通事故や職場における重大事故の背景とされていることなどから社会的問題としても認識されている．

8. 体格，体型

身長の極端な高低がある場合には，先天性疾患，心疾患などに注意が必要である．

9. 体位，姿勢

疾患による特有な姿勢については『一般臨床医学』を参照．

病的と判断しえない程度でも，円背では上肢機能，骨盤前傾や後傾では，下肢や脊柱機能に影響を与えるため，その原因を把握し対応していく．

10. 四肢の形態

動的な問題として取り上げられる knee-in toe-out の多くは股関節内転・内旋，膝関節外反，足部回内を複合する．この際，足部回内強制で発生する三角靱帯損傷予防を考えたとき，股関節部では外転筋の筋力増強，膝関節では外反制動テーピング，足部では足底板による回内制限といった対応が考えられる．また，下肢の脚長差は 2～3 cm 以上で様々な問題が発生するため補助具などで長さの調整を行う．

b. 身体機能とそれに伴う状態

1. 基礎体力

体力向上や維持を図る際には，対象者の目的に応じた運動様式，頻度，強度，時間，速度などを考え，スポーツの場合では競技種目，目的の試合時期などに配慮して実施する．

・代謝系トレーニング：有酸素性と無酸素性の能力を作業，運動，競技特性に応じて向上させ

る.

- 筋力トレーニング：最大筋力，パワー，筋持久力の向上や骨，結合組織の強化など競技に応じた内容が中心になる.
- コーディネーショントレーニング：身のこなし，状況判断，リズムなど，ある瞬間の状況を察知し判断して，目的に合った動きをスムーズに作り出す能力を向上させる.
- スタビリティトレーニング：静的・動的バランス能力を高め安定性を向上させる.
- アジリティトレーニング：直線的な素早さよりも急激なストップ，方向転換など，反応も含む様々な方向への加速や減速を伴う素早い動作ができる能力を高める.
- スプリントトレーニング：短時間に大きなパワーを発揮し，最大あるいは最大に近いスピードを発揮する能力を高める.
- 持久性トレーニング：比較的強度の低い運動を長い時間にわたって持続するために重要な体力要因．身体運動中に大量の酸素を摂取して有酸素的にエネルギーを産出するような運動を行い，肺，血管，心臓などの呼吸循環器および筋への刺激を与え，最大酸素摂取量や無酸素作業閾値を改善する.
- サーキットトレーニング：筋力，パワー，筋持久力，全身持久力などの多くの体力要素を同時に総合的に高める.

2. 関節可動域と柔軟性

可動域の制限がみられる場合，その原因が既往歴や変形などによる関節構造にあるのか，日常生活，就労，スポーツなどの疲労による軟部組織由来なのかを評価する．疲労などが原因と考えられる場合は，ストレッチや事後のアイシングで対応する.

柔軟性が過剰な場合にも，関節損傷や筋への過剰な負担の原因になることがあるので考慮する．過柔軟性 laxity．また，関節不安定性がある場合は，トレーニングやテーピングによって対応可能か否かの判断が重要になる.

3. 日常生活活動機能

一部介助が必要な場合，できない問題点を抱えている場合に対処するが，介助が必要でない場合もその動作機能の質を高めることは重要である.

4. 起立・歩行機能

立位姿勢の不良，関節可動域制限，抗重力筋の筋力低下など，その要因に対してアプローチする．健康維持のためには1日7,000〜8,000歩の歩行が推奨されている.

5. バランス機能

片脚立位保持，臥位体幹保持，坐位側方リーチ，横・後ろ歩き，タンデム立位・歩行，バランスディスク上での動作練習など，対象者の状態に合わせ反復練習する.

6. 刺激に対する反応機能

単純反応時間，選択反応時間ともにトレーニングにより短縮し向上がみられる．前述したコーディネーショントレーニングは，ある瞬間の状況を察知し判断して，目的にあった動きをスムーズに発揮する能力を高めるものであり，この一部に含まれる.

7. 外傷予防　141

2 付帯する環境要因の評価と対応

1. 温度，湿度など

自宅，学校，職場，スポーツ現場などで適切な整備が必要になる．湿球黒球温度指数 wet bulb globe temperature（WBGT）の測定（気温，湿度，輻射熱）は熱中症対策に用いられる．ときには活動中止の判断も必要になる．

2. 食生活（水分摂取含む）

『食生活指針』（厚生労働省）を参照する．栄養のバランスのとれた食事の重要性を理解し，小児の頃から望ましい習慣を身に付ける．糖質の不足は集中力低下，ミネラルや水分の低下はだるさ，めまいなどを引き起こす要因となる．高齢者における低栄養状態の改善，小児では食物アレルギーについて把握しておくことも必要になる．

3. 施設，設備（学校，通学路，職場，スポーツ現場，自宅など）の整備

バリアフリー化による転倒予防や，路面・グラウンド・体育館床面などの滑り事故の予防，同時に活動する人数に見合った空間確保により衝突などを回避，ドアなどの指はさみ事故の予防（ストッパー設置），手すり・柵の設置などが該当する．また，前胸壁部（心臓部）への衝撃で心室細動や房室ブロックを起こす心臓震盪があり，自動体外式除細動器 AED（automated external defibrillator）の設置は最近では必須となってきている．

4. 衣服，靴などの整備

天候，気温，床面，活動内容に適した衣服，靴を選択する．

5. 社会モラル，交通・作業・競技ルール，健康管理規定，関係法令などの遵守

規定されている時間，場所，人数，方法，規則などを遵守し，不適切，粗暴な行為を慎む．保育所，幼稚園，小学校，中学校，高等学校などの教育現場における規定はもとより，職場における労働安全衛生法で事業主に義務付けられている措置なども含まれる．

6. 器具，用具，道具，防具の整備

自宅，学校，職場，スポーツ現場などにおいて当該活動に必要な器具，用具，道具，防具を適切に選択し使用する．また，使用前，使用後の保守管理を徹底する．必要に応じてヘッドギア，ヘルメット，ベルト，帽子，マウスピース，手袋，肘・手首・膝・足首ガードあるいはサポーターの他，ヒップや胸部パッド，プロテクターなどを選択して装着する．

7. 趣味，嗜好，習慣の把握と対応

喫煙，飲酒は，小児期からそのリスク教育を行う．嗜好している際には，一定期間の量を確認しそのリスク教育を実践する．首や指の関節を鳴らす，異常な強制運動を関節に加えるなど，習慣として運動器に自らストレスを加えるケースは比較的多く，適切に対応する．

3 外傷予防啓発などの教育活動

a. 安全活動の実践

安全な行動を定着させるためには，各現場環境において参加するすべての人が外傷予防の活動に取り組み，危険に対する認識，安全意識を高めることが重要になる．自宅では親，学校や職場では管理者，スポーツ現場では監督，コーチなどの役割として認識されがちであるが，各現場環

142 第Ⅱ章 総　論

境における参加者全員が共有し，一緒に推進する活動が求められる．また，行った安全活動に対し，その内容と結果を集積，評価する機構も必要になる．

1. ヒヤリ・ハット活動

活動中にヒヤリとした，ハッとしたが幸い外傷にはいたらなかったという事例を報告する制度を設け，事前に対策を講じる活動である．

2. 危険予知活動

活動前に現場や活動内容に潜む危険要因とそれにより発生する外傷について話し合い，参加者の危険に対する意識を高めて外傷を防ごうとする活動である．さらに危険予知活動でみつけた危険なポイントにステッカーなどを貼り，可視化して注意喚起を強める．

3. 安全当番活動

現場環境の安全確認や話し合いの進行役を当番制で参加者全員が担当し，参加者の安全意識を高める活動である．

4. 安全提案活動

参加者のなかから実際の安全策を提案する活動である．

5. その他

4S(整理，整頓，清掃，清潔)活動，安全推進者の配置など

6. 上記1.～5.の集積と評価

上記活動内容について各現場環境を束ねる中央の組織などが集積し評価する．さらに全体の情報を分析する学会や研究会などが，より精度の高い活動の提言を行っていく．

b. 啓発活動の実践

1. 学会活動など

学会や研究会での外傷予防提言を広く一般に浸透させる．

2. 外傷予防プログラムの作成

前十字靱帯損傷で作成されている外傷予防プログラムが有名であるが，学校や職場での安全対策，高齢者における転倒予防プログラムの作成など，広い分野での対応が求められる．

3. 外傷予防パンフレットの作成

上記2.を踏まえ，当該外傷予防のパンフレットを作成し，当事者はもとより，保護者，家族などを含めた関係者全体に注意喚起を行い，未然に外傷を予防することを目的とする．

4. 講師の派遣

講演や実演の基本的なカリキュラムをベースに進める．さらに各現場環境で実施されている具体的な安全活動に対する評価も行う．また，実際の現場で積極的な情報収集を行い，提言も含めた報告書を作成する．将来的には第三者評価による定期的な派遣活動に発展させる．

5. 外傷既往者あるいはその家族，関係者，団体などとの連携

外傷を負った当事者やその家族などの意見を真摯に取り入れる．弁護士とも協力し，法律整備の観点からも外傷や事象に向き合うことでより重篤な外傷や事案発生を回避できるよう連携を図っていく．

7. 外傷予防　143

4　メンタルヘルス(心の健康)を保つ活動

　メンタルヘルスを保つには多くの要素があり，適度な運動やバランスのとれた栄養，食生活は身体だけでなくメンタルヘルスの基礎にもなる．これに「休養」が加わり，健康のための三つの要素とされてきた．さらにストレスへの対応策を講じることや，適切な睡眠によりストレスと上手につきあうことはメンタルヘルスに欠かせない要素となっている．

1. 休　養

　「休養」は疲労やストレスと関係があり二つに大別できる．一つめは休むこと，つまり活動によって生じた心身の疲労を回復し活力のある元の状態に戻すことである．二つめは養うこと，つまり明日に向かっての鋭気を養い，身体的，精神的，社会的な健康能力を高めることである．

2. ストレスへの対応

　対応としては，①ストレスに対する個人の対処能力を高める，②個人を取り巻く周囲のサポートを充実させる，③ストレスの少ない社会をつくることがあげられる．

　①ストレスに対する個人の対処能力を高める

　　具体的な方法を列記するが，自己管理目標の一つと位置付けて取り組むことが重要になる．

　　・ストレスの正しい知識をえる．

　　・健康的な睡眠，運動，食習慣によって心身の健康を維持する．

　　・自分自身のストレスの状態を正確に理解する．

　　・リラックスできるようになる．

　　・ものごとを現実的で柔軟にとらえる．

　　・自分の感情や考えを上手に表現する．

　　・時間を有効に使ってゆとりを持つ．

　　・趣味などで気分転換を図る．

　②対象者個人を取り巻く周囲のサポートを充実させる

　　個人が受けるストレスの影響は，学校，職場，地域社会，そして家族，友人，知人などのサポートによって緩和される．このためには個人側からのアプローチに加え，個人を支えるような社会的環境を整え，個人からの求めに応じることも重要である．

　③ストレスの少ない社会をつくる．

　　社会全体の取り組みとして，社会経済的環境，都市環境，住環境，学校・職場環境などをよりストレスの少ないものへと変えていく必要がある．

3. 睡眠障害の対応

　睡眠障害の危険因子としては，ストレスやストレス対処能力の低さ，運動不足，睡眠についての知識不足などがあげられる．対策としては，睡眠について知識の普及，かかりつけ医が適切な対応をとれるようにする．さらに，かかりつけ医と専門医との連携を充実させることが重要となる．

B・特異的予防

外傷を引き起こすと考えられる要因に対して，特定の対策を行うことである．危険因子を除外または改善するためには，上記の要因に加え，各外傷が発生している状況について分析し把握しておくことが重要になる．具体的には，各組織損傷における発生機序，外傷のリスク（発生しやすい活動，作業，環境，アライメントの特徴，動作パターン）などの評価とその対応になる．

a. 発生機序（損傷時に加わる力［人体に加わる力を含む］）の評価と対応

●事例1と評価の流れ

活動内容 事例1	活動の有害性, 危険性と 発生が予測され る外傷	リスクの評価			リスク除去・改善措置案	措置実施後の リスクの程度		
		重症度	発生の可能性	リスクの程度		重症度	発生の可能性	リスクの程度
中学校の体育授業における柔道の大外刈	柔道の練習や試合などで大外刈を掛けられ，受身を取れずに頭部を強打し，脳振盪などの頭部外傷が発生する．	3+	3+	Ⅲ	①受身を段階的に練習し習熟させる ②初心者には大外刈を禁止する ③体格差のある相手に大外刈は禁止する ④ヘッドプロテクターをつける ⑤身体疲労時に大外刈を掛けない ⑥頸部屈筋群の筋力を強化する ⑦指導者，選手に頭部外傷の危険性を十分に認識してもらう ⑧畳はスプリングのよく効いたものを使用する	2+	2+	Ⅱ

●「外傷の重症度」 3+：重度（生命にかかわる，日常生活復帰が1ヵ月以上）
　　　　　　　　　2+：中度（日常生活復帰が1ヵ月未満）
　　　　　　　　　 +：軽度（日常生活復帰が3日以内）
●「発生の可能性」 3+：高い（有害性または危険性が高く，かなり注意しても外傷につながる）
　　　　　　　　　2+：可能性がある（ときに有害性，または危険性がある）
　　　　　　　　　 +：ほとんどない（めったにない）
●「外傷の重症度」と「発生の可能性」との関係からリスクを評価する．

⬇

リスクの程度　Ⅲ：重大なリスク，ただちにリスクを解決すべき．
　　　　　　　Ⅱ：速やかにリスク除去・改善対策を実施すべき．
　　　　　　　Ⅰ：必要に応じてリスク除去・改善対策を実施すべき．

外傷の重症度 発生の可能性 リスクを評価		外傷の重症度		
		致命的・重度 3+	中度 2+	軽度 +
発生の可能性	高い　　　　3+	Ⅲ	Ⅲ	Ⅱ
	可能性がある　2+	Ⅲ	Ⅱ	Ⅰ
	ほとんどない　+	Ⅱ	Ⅰ	Ⅰ

b. 外傷のリスク評価と対応

　1. 外傷が発生しやすい活動の理解と取り組み

　具体的な事例について，発生機序に加え，活動に伴う有害性または危険性を把握し，これを除去，改善するための積極的な取り組みである．a〜e の手順で実施する．リスクが除去，改善しなければ措置案を見直し反復する．

a. 参加者の活動における有害性または危険性を特定する．

b. 特定した有害性または危険性について，リスクを評価する．

c. 評価により，リスクを除去，改善するための優先度を設定する．

d. リスク除去・改善措置を検討し実施する．

e. 上記を記録する．

7-2. 第二段階：早期発見，早期治療

　外傷により組織損傷が存在しても，症状がない，もしくは非常に軽微な初期段階に発見することは，組織損傷の治癒，合併症や機能障害の防止，放置された場合のより重篤な外傷への進展を防ぐことになる．とくに，施術所には損傷初期段階で来所する患者が多く，発生頻度と重大性（重症度，緊急性）の評価判断に加え，年代別，性別，病態別の代表的疾患が反射的に想起できることや，頻度の高い見落としパターンを認識しておくことが重要になる．損傷予測時には固定や医療機関受診の必要性を説明して，確定診断にいたるように努める．詳細は各論に譲る．重要なのは，医療機関に受診しない対象者への積極的なアプローチである．検診や健康相談が一般的ではあるが，スポーツや介護の現場，地域の母子・学校・産業・成人・高齢者保健への様々なかかわりが重要になる．この活動は柔道整復師の組織的な展開，あるいは他医療関係職種とチームを組んで行うことで効率的に進めることができる．野球肘検診では，痛みの出ていない初期段階の離断性骨軟骨炎をみつけ，適切に対応することで，手術にいたらないケースもある．

7-3. 第三段階

　残念ながら発症した外傷に対し，取り組む段階であり，大きく三つに分けることができる．なお，詳細は各論に譲る．

　（1）その外傷による悪化を防止し，機能障害を残さないように治療をする段階

　（2）何らかの障害が残った場合に，対象者を家庭，社会生活，スポーツ現場などに再び復帰させる段階

　（3）再受傷を予防する段階

第III章

各　論

骨　　折
脱　　臼
軟部組織損傷

1 骨　　折

● 1-1. 頭部，体幹の骨折

A・頭部，顔面部の骨折

1　頭蓋骨骨折 fracture of skull

a. 頭蓋冠骨折 fracture of calvaria

■概　説

　頭蓋冠の骨折は硬質物に強打するなど直達外力により発生するものが多い．青壮年では亀裂骨折が多く，陥没骨折もみられ，脳損傷(実質，髄膜，血管)を合併しやすい．幼小児では全身に対する頭部の比率が大きいため発生も多いとされるが，頭蓋骨は軟らかいため，完全骨折にはいたらない陥凹骨折や，まれに縫合離開が起こる．外観上の変形もしくは，単純 X 線像所見から各骨折型の診断は比較的容易とされる．各骨損傷部の所見では，骨折部を中心とした血腫の形成，限局性の圧痛，変形などを認める．

■分　類

1. 亀裂骨折(線状骨折)

　頭蓋冠を強打した際に発生する．

2. 陥没骨折

　硬質物の角や鋭利な物体に高速度で衝突した際に発生する．

3. 陥凹骨折

　とくに乳幼児に発生する．

4. 縫合離開

　乳幼児にきわめてまれに発生する．

■合併症

　頭蓋腔内の出血による脳圧亢進や各種脳損傷の合併を考慮し側頭部急性硬膜外血腫に伴う意識障害や瞳孔不同が出現する．骨折の有無にかかわらず，24〜48 時間の急激な変化(嘔吐，意識消失，大きないびきをかいて眠り込むなどの症状は危険である)に対する監視が必要である．

　(1)脳振盪

　　脳振盪とは，「頭部打撲により，ただちに意識障害や他のなんらかの神経症候を一過性に生

じたもの」とされ，ラグビー，アメリカンフットボール，柔道などコンタクトスポーツでの発生頻度が高く，一時的に顔面蒼白，頭痛や嘔気，嘔吐，めまいなどをみる．

脳振盪症状は一過性であるが，一方で死亡あるいは重篤な後遺症を引き起こすこともある．どんなに軽度の脳振盪であっても，セカンドインパクト症候群という2回目の頭部打撲が致命的な状態，重篤な後遺症を引き起こすことがあるため，慎重な判断と十分な安静を確保しなければならない．

図1-1・1にスポーツ現場（柔道）での脳振盪後の対処法のフローチャートを示す．

（2）脳挫傷

（3）急性硬膜外/下血腫

（4）頭蓋内出血

（5）脳圧迫症

■応急処置

意識障害の有無の確認は必須であり絶対安静が条件であるが，移送する場合は，頭部を高位とし，砂嚢または毛布などで周囲を固定して動揺を防ぐ．開放創からの出血がある場合は，滅菌ガーゼ（ない場合は手に入る布地でよい）などを用いて創部圧迫し，止血処置を行う．また，アイスバッグなどで頭部の冷却を行い，早急に専門医に委ねる．

b. 頭蓋底骨折 basal（basilar）skull fracture

■概　説

頭蓋底骨折は，介達外力によるものが多く，頭蓋冠を強打した際，または，高所から墜落し足底または殿部を衝いた際に頸椎により頭蓋底が突き上げられて発生する．直達外力では眼窩，鼻根部などの骨折線が頭蓋底に波及するものがある．各骨折の固有症状の確認は困難だが，骨折線部の付近を通る脳神経の損傷症状から発生部位を推測できる場合がある．また，単純X線像でも骨折部特定は困難であるがMRI像，CT像，三次元CT像などは有用である．以下の特徴的な症状・合併症がみられる．

■分　類

1. 前頭蓋底骨折

眼窩周辺の皮下出血斑（ブラックアイ black eye，図1-1・2）が特徴的で，嗅神経や視神経障害を発現するものがある．

2. 中頭蓋底骨折

耳介後部や乳様突起部の皮下出血斑（バトル徴候 Battle's sign，図1-1・3）のほか，耳出血後に髄液耳漏もみられ，外傷性皮下気腫を認めるものもある．

3. 後頭蓋底骨折

舌咽神経や迷走神経の障害による口蓋垂の健側偏位（図1-1・4）やカーテン徴候（図1-1・5），舌下神経の障害による舌の患側偏位（図1-1・6）など各種脳神経障害を疑わせる症状がみられる．

■応急処置

頭蓋冠骨折と同様の処置を行うが，タンポナーデは行わず，早急に専門医に委ねる．

150　第Ⅲ章　各　論

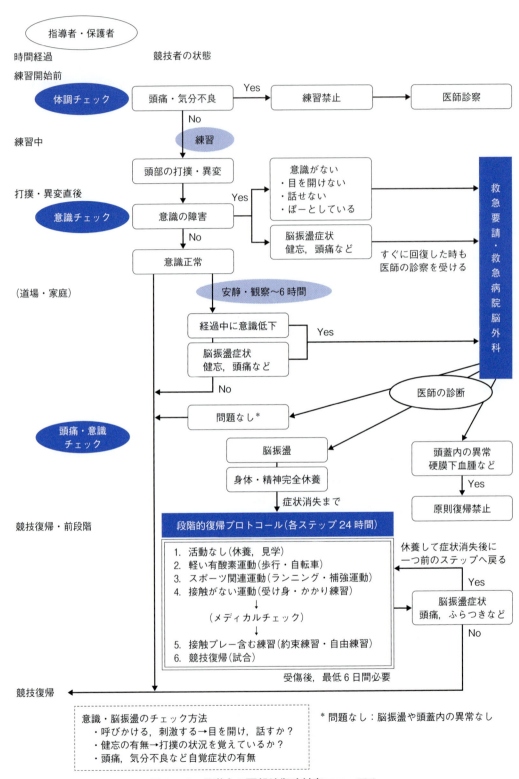

図1-1・1　柔道中の頭部外傷時対応マニュアル
[全日本柔道連盟：柔道の安全指導，第4版，2015より引用]

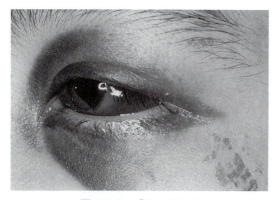

図1-1・2 ブラックアイ
[高倉公明,阿部弘編:NEW 脳神経外科学,南江堂,1996 より引用]

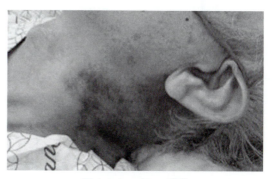

図1-1・3 バトル徴候
[日本医科大学横田裕行教授のご厚意による]

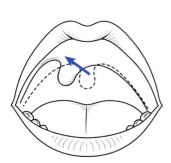

図1-1・4 口蓋垂の健側偏位

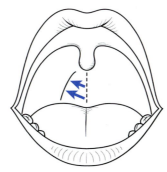

図1-1・5 カーテン徴候

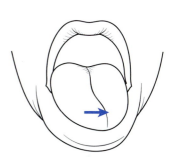

図1-1・6 舌の患側偏位

2 顔面頭蓋骨折 fracture of face cranium

a. 鼻骨骨折,鼻軟骨骨折 fracture of the nasal bone

■概 説

　直達外力により鼻の正面から打撃を受けたものでは鞍鼻型(図1-1・7a)に,やや斜め方向から外力を受けた場合の受傷では斜鼻型(図1-1・7b)となる.

　(1)鼻稜部が彎曲または平鼻となり,鼻出血や鼻閉がみられる.
　(2)鼻部を中心に高度な腫脹および圧痛がみられ,眼窩部に皮下出血斑が出現する.
　(3)受傷後は時間の経過とともに腫脹が増大し,変形など骨折症状が認めにくくなる.

■固定法

　プロテクターを装着.耳鼻咽喉科,脳神経外科に加え眼科への受診を指示する.

■続発症と後遺症

　発生により鞍鼻型や斜鼻型があるが,両方ともに変形癒合が多いため,患者自身に鼻部が受傷以前の形状に戻ったかどうかを確認させる.涙骨,篩骨,前頭骨,蝶形骨などの骨折の合併がある.

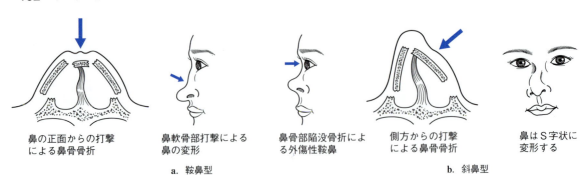

鼻の正面からの打撃による鼻骨骨折　　鼻軟骨部打撃による鼻の変形　　鼻骨部陥没骨折による外傷性鞍鼻　　側方からの打撃による鼻骨骨折　　鼻はS字状に変形する

a. 鞍鼻型　　　　　　　　　　　　　　　　　　　　　　　b. 斜鼻型

図1-1・7　鼻骨骨折

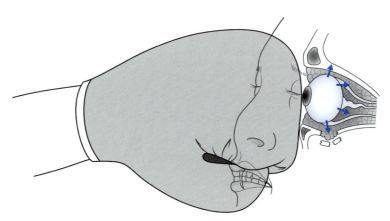

図1-1・8　眼窩底破裂骨折の発生機序

b. 上顎骨骨折 fracture of the maxilla
● b-1. 眼窩底破裂骨折（眼窩底吹き抜け骨折）blow-out fracture
■概　説

　拳やボールがあたるなど眼窩部への打撃により，眼窩に受けた圧力の伝播が波及して発生する（図1-1・8）．患側眼球の後退や上転障害がみられ，眼窩内出血や浮腫による瞼裂の狭小，複視や視野障害を訴える．診断には単純X線ウオータース撮影のほか，頭部CT，三次元CT，MRIによる画像診断が有用である．

■合併症

　脳振盪や脳挫傷，眼窩下神経障害や視神経障害，視束管骨折などがある．

■応急処置

　この骨折が疑われる場合は頭蓋冠骨折と同様の処置を行い，早急に専門医に委ねる．

c. 頬骨骨折 fracture of the zygomatic bone
■概　説

　頬骨骨折は転倒など顔面部の直達外力で発生し，頬骨弓部はV字型に骨折する．変形は顔面のへこみとして表れ，側頭筋の圧迫では開口障害を伴う．頬骨体部は3ヵ所の骨接合部での骨折

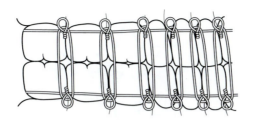

図 1-1·9 下顎骨骨折の治療例（顎間固定）

tripod fracture がみられ，症状では損傷部の高度な腫脹と皮下出血斑を形成し，頰は平坦となり，顔貌の変化を認める．また，眼球陥没に伴い複視や視野狭窄も合併することもあるため観血療法を主眼とした治療が必要になると考えられる．

■合併症
（1）脳振盪
（2）脳挫傷
（3）眼窩下神経障害
（4）視神経障害（視束管骨折）

d. 下顎骨骨折 fracture of the mandible

■概　説

　下顎骨骨折は顔面頭蓋骨折のなかでも発生頻度が高く，体部骨折では開口時の強打や激突など直達外力による発生が多い．下顎枝部骨折は関節突起部にかかわるものが多く，オトガイ部や体部側方からの外力のほか，顎関節脱臼の整復時に起こることがある．わずかな骨片転位の残存でも咬合異常や開口運動障害を後遺しやすいため，咬合不全を残さないことを主眼におき治療する．咬合不全があれば上顎歯列と下顎歯列を銀線で締結（顎間固定）する（図 1-1·9）など観血療法を主眼とした治療が必要になると考えられる．

■症　状

　骨折の固有症状のほか，顔貌の変化，咬合の異常，開口や咀嚼の障害，嚥下障害での唾液流出や骨折部直上歯肉部の出血や裂傷などがある．

■合併症
（1）顎関節脱臼
（2）歯列の転位による咬合不全
（3）下歯槽神経の損傷によるオトガイ部皮膚の感覚障害，神経痛様疼痛
（4）気道閉塞

B・頸椎の骨折 fracture of the cervical spine

　頸椎の骨折は胸・腰椎部に比べ発生頻度は低いが重篤な合併症がみられる．上位頸髄損傷を合

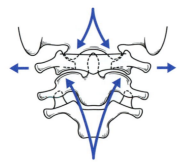

図 1-1・10　ジェファーソン骨折の発生機序

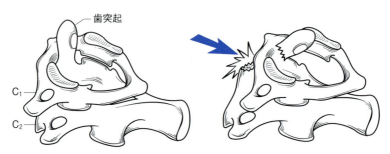

図 1-1・11　軸椎歯突起骨折アンダーソンⅡ型の発生機序

併した場合は呼吸筋の麻痺が生じ，致命的となる．生命をとりとめても麻痺が広範囲に及ぶため，日常生活動作が著しく制限され社会復帰を困難にする可能性がある．

1　上位頸椎骨折

■発生，分類

1．環椎骨折

頭部から頸椎への軸圧が働いて発生する．

(1) 環椎破裂型骨折(ジェファーソン Jefferson 骨折，図 1-1・10)

(2) 後弓骨折：歯突起や軸椎骨折の合併

(3) 前弓骨折：過伸展損傷

(4) 外側塊骨折：軸方向荷重と側屈による損傷

2．軸椎骨折

交通外傷や階段からの転落などで後頭部や前頭部を強打し，頸部に強大な屈曲力あるいは伸展力が働くことで発生する(図 1-1・11)．

(1) 歯突起骨折

(2) 軸椎関節突起間骨折(ハングマン hangman 骨折)

(3) 軸椎椎体骨折

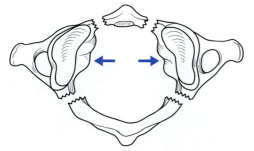
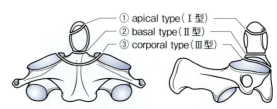

図 1-1·12　ジェファーソン骨折の骨折部および転位方向　　図 1-1·13　軸椎歯突起骨折アンダーソン分類

a. 環椎破裂型骨折（ジェファーソン Jefferson 骨折）

■概　説

　後頭骨の衝突で長軸圧迫力により前弓，後弓それぞれの外側塊に近い抵抗の弱い 4 ヵ所で骨折が起こる．開口位の単純 X 線像では左右の側塊が外側に転位する（図 1-1·12）．軽症例では項頸部痛，回旋制限がみられ，重症例では死の転帰となる．治療は，一般に脊椎の安定性が保持されているものに対して，医科では頭蓋骨直達牽引（クラッチフィールド Crutchfield，バートン Barton など）で安静臥床させる保存療法を行うが，環軸関節に不安定性を残すものや，二次的脊髄損傷の招聘，頑固な疼痛や変形性関節症を残すものは観血療法を主眼とした治療が必要になると考えられる．

b. 軸椎歯突起骨折

■概　説

　歯突起骨折は交通外傷や転落などによる後頭骨の衝突で歯突起への長軸圧迫力や靱帯の牽引，頭部側方からの外力により起こる．骨折部位によって I 型，II 型，III 型に分類される（アンダーソン Anderson 分類，図 1-1·13）．I 型は尖端部の裂離性斜骨折 apical type で安定性が良好である．II 型は体部と頸部の境界骨折 basal type でもっとも発生頻度が高く，転位が起こりやすいため，骨癒合も不良で偽関節を生じやすい．III 型は骨折線が椎体におよぶ骨折 corporal type で骨癒合の良好な部位である．単純 X 線像は開口位にて撮影する．

c. 軸椎関節突起間骨折（ハングマン hangman 骨折）

■概　説

　名の由来は，犯罪者処刑によるもので絞首刑骨折または，首吊り骨折ともいう．今日では，交通外傷やコンタクトスポーツなど顔面部の強打による頸椎の過伸展，屈曲圧迫力で発症する．単純 X 線像では歯突起には骨折がなく，左右の椎弓根が骨折して，椎体から離開した軸椎関節突起間部を上下に走る骨折線が認められる（図 1-1·14）．正確な把握には CT 像が有用である．多くは不安定型となり死の転帰となるが，軽症の場合は無症状のこともある．また，合併症に頭蓋冠骨折，頭蓋底骨折，脊髄損傷，顔面裂傷がある．

■治療法

　医科では，転位が軽度なものでは短期間の臥床安静とハローペルビックトラクションなど外固

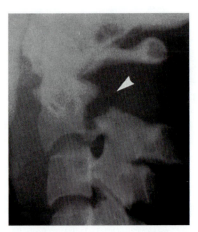

図 1-1・14　ハングマン骨折
［井形高明 編：部位別スポーツ外傷・障害 4 脊椎・体幹，p.49，南江堂，1997 より引用］

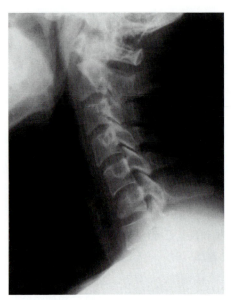

図 1-1・15　第 6 頸椎圧迫骨折
［中嶋寛之 編：スポーツ整形外科学，改訂第 2 版，p.63，南江堂，1998 より引用］

定が有効とされ，転位が明らかな場合には，頭蓋骨直達牽引による整復と外固定が行われる．不安定性が残ったものは観血的に頸椎の前後固定術が施される．

2　中・下位頸椎骨折（第3～7頸椎）

■分　類
 （1）椎体楔状圧迫骨折
 （2）椎体前辺縁部骨折（ティアドロップ teardrop 骨折）
 （3）椎体破裂骨折（バースト burst 骨折）
 （4）椎弓骨折
 （5）棘突起骨折
 （6）横突起骨折

a．頸椎椎体楔状圧迫骨折

■概　説
　好発部位は第 5・6 頸椎で，椎体前方に働く強力な屈曲力と圧迫力がかかり発生し，椎体は楔状の変形を呈する．楔状変形（図 1-1・15）では後縦靱帯の損傷は少なく，頸椎の安定性は良好であるが，項頸部痛や項部強直による回旋運動制限がみられる．また，椎間孔の狭小例は神経根刺激症状を呈する場合もあるが，脊髄損傷をきたすことは少ない．頸髄損傷の招聘例では，四肢麻痺や死の転帰となることがある．治療は，程度に応じて下顎と後頭部から胸骨高位までのギプスや SOMI 装具（図 1-1・16），パンツェルコルセットなどで受傷後約 2 ヵ月間固定する．固定除去後は

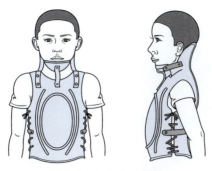

図 1-1・16 SOMI 装具

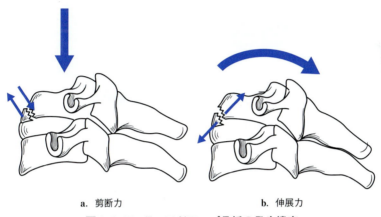

a. 剪断力　　　　　　b. 伸展力

図 1-1・17 ティアドロップ骨折の発生機序

可動域の回復と筋力増強を目的に機能回復訓練を施行する．高度な圧迫変形により後方の靱帯組織が破綻した症例や椎間板の脱出を伴った症例は観血療法を主眼とした治療が必要になると考えられる．

b. 椎体前辺縁部骨折（ティアドロップ teardrop 骨折，図 1-1・17）

■概　説

椎体前辺縁部骨折は頸椎の過度な屈曲外力によって発生し，単純 X 線側面像で椎体前辺縁角部に三角形の小骨片（図 1-1・18）が生じる．この骨片が前下方へ欠け落ちるように転位する骨折をティアドロップ骨折 teardrop fracture，またはチップ骨折 chip fracture という．頸部の痛みと運動制限がみられるが，後縦靱帯の連続性は保たれるため，脊髄損傷の合併は少ない．転位のないもの，あるいは軽度なものは，下顎と後頭部から胸骨高位までのギプスか SOMI 装具などで固定する．後方の靱帯組織に破綻をきたした症例では観血療法を主眼とした治療が必要になると考えられる．

c. 椎体破裂骨折（バースト骨折）

■概　説

椎体破裂は不安定性骨折であり，骨片の後方転位や椎間板脱出の症例では頸髄損傷の招聘が高

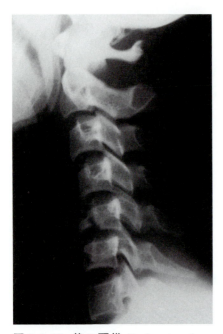

図 1-1・18　第 5 頸椎 flexion teardrop 型骨折（16 歳，男性）
[井形高明 編：部位別スポーツ外傷・障害 4 脊椎・体幹，南江堂，p.39, 1997 より引用]

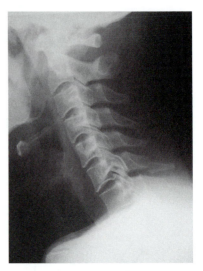

図 1-1・19　第 6 頸椎棘突起骨折
[栗原整形外科のご厚意による]

い．治療は頭蓋直達牽引による臥床安静とする．その後，頸椎硬性カラー（フィラデルフィアやパンツェルコルセットなど）で固定する．観血療法の場合は後方固定術を行う．

d. 棘突起骨折（図 1-1・19）

■概　説

　棘突起骨折は直達外力によるものや，ラグビーなどコンタクトスポーツで頭部に受けた打撃によって頸椎の過伸展の強制や介達性の筋収縮による牽引力により起こるもので，下部頸椎（とくに第 7 頸椎）に多くみられる．また，中高年者のゴルフスウィングやボウリングなどのスポーツ活動，建築土建業務従事者や骨の脆弱者に起こる疲労性骨折をスコップ作業者病骨折 clay shoveler's fracture という．頸部の軽い疼痛と運動制限，棘突起部の圧痛がみられるが，脊髄損傷の合併はない．単純 X 線側面像で棘突起部に骨折線を確認できるが，高度な骨片転位は認めない．治療は疼痛が軽減するまで頸椎カラーを 4〜8 週装着し安静を図る．

e. 椎弓骨折

■概　説

　椎弓骨折は頸椎への長軸圧迫力と過度伸展力によって起こる中間柱部（ミドル）の損傷であるが，第 1 頸椎のジェファーソン骨折と同様に骨片が外方へ転位するために脊髄損傷 spinal cord injury の発生は少ない．

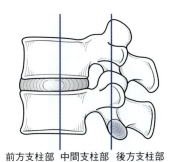
前方支柱部　中間支柱部　後方支柱部
図 1-1・20　デニスの 3 支柱理論

C・胸椎の骨折

　胸椎部の各部位の骨折は，力学的特性や解剖学的構造などから発生に特徴があり，力学的に負荷がかかる胸腰椎移行部に好発する．これら椎骨損傷の安定性の評価には，損傷部位を前方支柱部，中間支柱部，後方支柱部に分類するデニス Denis の 3 支柱理論(図 1-1・20)がある．中間支柱部に及んだ骨損傷は不安定型骨折といわれ，脊髄損傷を合併しやすい．若年者では，スポーツ活動や就業などで後方から外力を受けたり，高所からの転落や交通外傷などで発生する．一方，高齢者は軽い尻餅でも発生し，骨粗鬆症など骨脆弱を起因としている場合は，本人に外傷の自覚がなく発生する脆弱性骨折がみられ，椎体前方部での損傷で安定型の骨折が多い．

1　上部胸椎棘突起骨折
■概　説
　下部頸椎の骨損傷同様にスコップ作業動作を多く行う土木作業者や，骨脆弱者に損傷が起こりやすく，自家筋力による繰り返しの牽引力で発生するスコップ作業者病骨折 clay shoveller's fracture と報告されている．
■発生機序
　ラグビーなどコンタクトスポーツでの外傷や，ゴルフスイングやスコップ作業動作時の筋収縮による牽引力で発生する．
■症状・所見
　上背部痛，棘突起の圧痛，叩打痛や上肢の運動に伴う疼痛の増強などがあるが，骨片転位をみる症例は少ない．
■経　過
　経過は良好で 2〜3 週の安静で回復するが，自発痛の強い症例や骨片転位の強い症例は，体幹前屈位の触診で棘突起の異常可動性を認めたり，突起上の感覚異常を訴えるものがある．

2　胸椎の椎体骨折(図 1-1・21)
　脊椎骨椎体の骨折は，胸椎部，胸腰椎移行部，腰椎部に垂直軸方向からの過度の圧迫力や屈曲

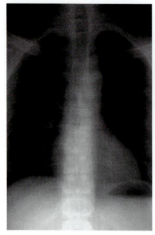 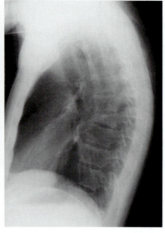 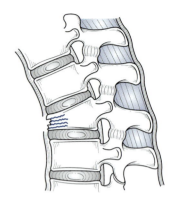

図1-1・21　第6胸椎椎体圧迫骨折
［栗原整形外科のご厚意による］

図1-1・22　椎体の楔状骨折

力が加わり発生する．とくに椎骨の前方支柱部が損傷して楔状椎（図1-1・22）を呈する安定型骨折が多い．また，骨粗鬆症の場合は，軽微な外力や本人の自覚がないままに発生する脆弱性骨折がみられる．

- ● 骨粗鬆症
  骨吸収能が骨形成能を上回っている不均衡状態である．閉経後および高齢者の骨粗鬆症は骨形成能，骨吸収能ともに低下し，椎体の骨梁が少なくなり脆弱化して骨損傷を起こす（図1-1・23）．

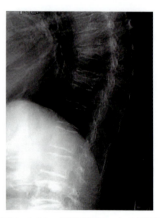

図1-1・23　骨粗鬆症による骨折

a. 胸椎椎体圧迫骨折

■概　説

　胸椎は解剖学的に椎体側面や横突起は肋骨と連結し，可動性が少ないため，生理的彎曲（後彎）の増強，強い屈曲力で発生する．とくに生理的な後彎の強い第6〜8胸椎に多く，高齢者では軽く尻餅をつく程度の軽微な外力でも発生する．

（1）背腰痛は起立，歩行時など起居動作時に強く，体幹の前屈など運動制限を訴える．
（2）罹患椎棘突起の圧痛，上下椎を含めた叩打痛がみられる．
（3）棘突起が後方に突出した亀背，突背を呈することがある．
（4）罹患椎高位に一致する皮膚分節に帯状痛を認めるものがある（遅発性神経障害疼痛）．

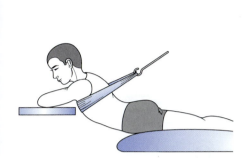
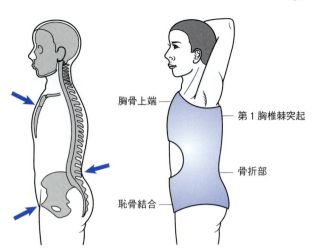

図1-1・24　脊椎圧迫骨折ベーラー反張整復法　　　図1-1・25　ベーラー反張位ギプス固定法

（5）単純X線側面像で，罹患椎体の楔状変形を認めるが，経時的に椎体の圧潰像が進む症例がある（遅発性圧潰）．
（6）安定型骨折が多く，脱臼骨折にならない限り脊髄損傷の合併は少ない．

■固定法

受傷肢位とならないよう可能な限りベーラーBöhlerの反張位（図1-1・24）での臥床と2〜3ヵ月間のベーラーBöhler反張位ギプス固定法（図1-1・25）を行う．ギプス固定除去後は，硬性フレームコルセットや軟性コルセットによる固定が用いられる．ギプス固定の範囲は，前方は上端が胸骨上縁に，下端は恥骨結合部まで掛け，後方は第1胸椎棘突起から坐骨結節まで行う．固定期間のギプス装着中から廃用性筋萎縮の予防のため，体幹筋の等尺性収縮訓練やベーラー体操（図1-1・26）を行う．

■予後（続発症と後遺症）と指導管理

（1）破裂骨折では支持力の低下や，椎間腔の狭小化などで頑固な背腰痛が残存することがある．
（2）遅発性の椎体圧潰や大腿前外側の神経障害がみられることがある．
（3）過度の体幹の強い屈曲などはしないなど具体的な説明が肝要である．

■注意点

受傷原因のはっきりしない症例などでは，がん転移などによる病的な骨折を疑うことも重要である．とくに高齢者の場合は，まず骨脆弱での骨損傷を疑い，安易に判断しないよう病歴聴取で原因を確認し，慎重な判断が必要である．

b. 胸腰椎移行部椎体圧迫骨折（図1-1・27，1-1・28）

■概説

胸腰移行椎の圧迫骨折はもっとも発生頻度が高く，後方への転倒や足を滑らせ尻餅を衝いた際の脊柱過屈曲強制や長軸圧で発生し，椎骨前方支柱部が損傷する型で，楔状変形を呈する安定型骨折が多い．

（1）尻餅などの原因で起こったものでは患者が軽傷と判断して，治療が遅れたり，数日を経過

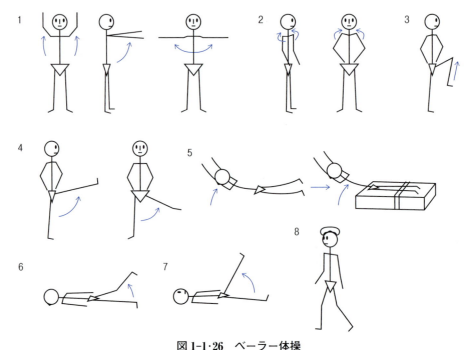

図 1-1・26　ベーラー体操
1. 上肢運動　2. 肩甲挙上運動　3・4. 下肢運動　5. バックエクステンション
6. ヒップエクステンション　7. SLR　8. 代表的な運動の重錘負荷歩行

してから寝返り動作や日常生活起居動作での疼痛増強で来所することがある．
（2）罹患椎の棘突起の圧痛，叩打痛がみられる．
（3）安定型骨折で脊髄症状や神経根症状を呈することは少ない．
（4）大腿神経や外側大腿皮神経領域の違和感を訴える症例や，腸の蠕動運動低下による腹部膨満感を訴える場合や便秘傾向になることもある．

■合併症
（1）踵骨骨折（高所からの転落による骨折の場合）
（2）大腿骨頸部骨折（高齢者の転倒による骨折の場合）

■治療法
　転位軽度な安定型骨折では，楔状変形のままでのギプス固定や，硬性フレームコルセット固定（図1-1・29）などが行われる．疼痛の残存や後彎変形，偽関節の予防には可能な限りアライメントを整える肢位を保持して，安静臥床することが望ましいが，高齢者や全身的合併症を有する例などは早期離床をさせる．若年者で後彎角（図1-1・30）が20°以上の症例や，2～3ヵ月保存的治療を続けても骨癒合せずに痛みが持続する場合は経皮的椎体形成術（バルーン・カイフォプラスティー，BKP）などの観血療法を主眼とした治療が必要になると考えられる．

■整復法
（1）ベーラー法（☞図1-1・24参照）では，25～30cm高さに差のある台を2個用意し，患者腹臥位で高いほうの台に顎および上肢を載せ，低いほうの台に大腿部を載せて体幹を反張

1. 骨　折　163

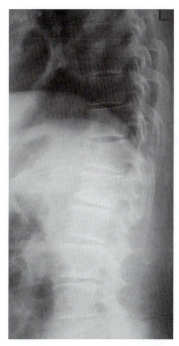

図 1-1・27　第 12 胸椎椎体圧迫骨折
［栗原整形外科のご厚意による］

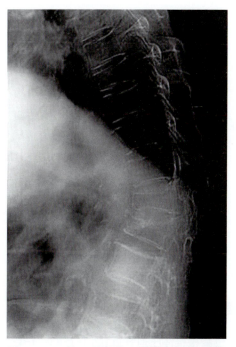

図 1-1・28　第 12 胸椎第 1 腰椎椎体圧迫骨折

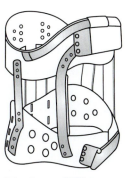

図 1-1・29　硬性フレームコルセット

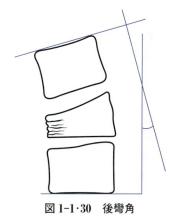

図 1-1・30　後彎角

　　位として整復する．このとき，帯などを用いて胸部を引き上げてもよい．
（2）反張背臥位法は，損傷部の下に毛布などをたたんで挿入（図 1-1・31）し，反張位のままベッド上に臥床させて整復を図る．
（3）背臥位吊り上げ法は，骨折部にさらしの帯などをかけて反張位をとらせる（図 1-1・32）．反張位の曲率半径が小さいため，損傷部に限局した力が加えられる．

■固定法
　　ベーラー反張位ギプス固定法（☞図 1-1・25 参照）を行う．前方から胸骨部，恥骨部を支え，後

図 1-1・31　反張背臥位整復法

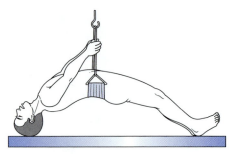
図 1-1・32　背臥位吊り上げ整復法

方から骨折部を押さえた 3 点での固定を意図して反張位を保つように成形する．コルセットなどを含めた固定期間は通常 3 ヵ月程度が多い．その間，筋萎縮を予防する目的でベーラー体操（☞図 1-1・26 参照）を行う．

D・腰椎の骨折

1　下位腰椎椎体圧迫骨折（図 1-1・33，1-1・34）

■概　説

　下位腰椎は脊椎骨の中で構造上大きく強固なため，前方支柱部（☞図 1-1・20 参照）の椎体骨折の発生は少ないが，若年者では，アウトドアやスポーツ活動中の転落，転倒など比較的高エネルギーな外力で発生し，青壮年者では，交通外傷や就業時など高い所からの転落などで，脊柱に垂直軸方向の圧迫力がかかった場合や，腰椎部に強く屈曲力が働いた場合に発生する．日常生活での脊柱運動痛が主体で，起居動作や寝返り動作など腰背部や側腹部の疼痛と罹患椎の棘突起圧痛，叩打痛がみられる．安定型では脊髄損傷の合併は少ないが，下肢後面のシビレ様放散痛を訴える症例がある．

■治療法

　腰椎圧迫骨折では，機能的または構造的な回復が重要で，椎体の中間支柱部まで骨損傷を認める不安定型骨折や，椎間板など静的支持機構の損傷が高度な場合は観血療法を主眼とした治療が必要になると考えられている．

2　チャンス骨折 Chance fracture

■概　説

　交通外傷など高エネルギー外傷で起こる．骨折線が棘突起から椎弓根を経て，椎弓や椎体に及ぶ（図 1-1・35）骨折で 2 点シートベルトを装着し，体幹が固定された状態で衝突した際に（図 1-1・36）脊柱に急激な屈曲力が働いて，椎体前方支柱部に圧迫力がかかり，後方支柱部の椎弓に強い牽引力 flexion-distraction force が働くことで発生する．発生頻度は低いが広範囲の骨損傷であるため，脊髄損傷や腹部内臓器損傷の合併に注意を要する．

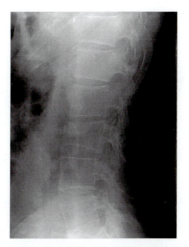

図 1-1・33　第 3 腰椎圧迫骨折 (16 歳, 男性)

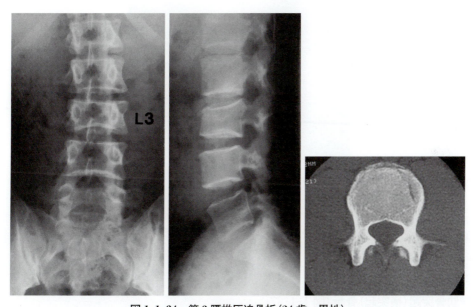

図 1-1・34　第 3 腰椎圧迫骨折 (24 歳, 男性)
［井形高明 編：部位別スポーツ外傷・障害 4 脊椎・体幹, p.100, 南江堂, 1997 より引用］

3　腰椎椎体破裂骨折 burst fracture
■概　説

　脊柱に強い軸圧が働き，椎体全体が過度な圧迫を受けて，椎間板が椎体内に嵌入し，椎体内の圧力の上昇で発生する．椎体の前方支柱部および後方支柱部が圧潰，粉砕されるとともに椎体の後縁骨片が脊柱管内に突出することがある．このような不安定型骨折で，脊柱管横断面積に対する骨片の占拠率の高いものは，脊髄や馬尾神経損傷の危険性が高くなる．

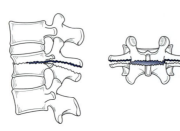
図1-1・35 チャンス骨折

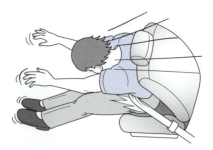
図1-1・36 チャンス骨折発生機序

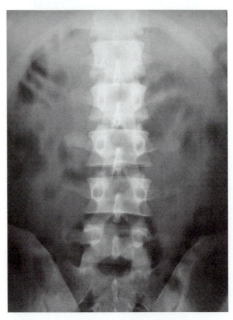
図1-1・37 左第3・4腰椎肋骨突起骨折
[栗原整形外科のご厚意による]

4 腰椎肋骨突起（横突起）骨折（図1-1・37）
■概　説
　家事や就労中などで転倒した際の直達外力で発生する．第3腰椎肋骨突起に多く，大腰筋や腰方形筋の強い収縮による介達力で発生することもある．合併症のない場合は，予後は良好で3〜6週で症状は軽快する．本来，解剖学的には腰椎の横突起に相当するのは乳頭突起および副突起であるが，臨床では肋骨突起の骨折を横突起骨折という．
　（1）腰部の疼痛や，損傷椎体高位の脊柱起立筋部の圧痛を認める．受傷直後は，脊柱運動制限や側屈時痛を訴える．
　（2）運動痛は，寝返り動作や股関節屈曲時など腸腰筋の収縮で出現する．体動時痛の特徴では，立位では痛みは少ないが立位から臥位，臥位から立位などの起居動作，また，階段昇降時や敷居などの段差を越える時などで痛みを訴える．

（3）体幹を健側に側屈すると疼痛が増強するパイル Payer 徴候がみられる．また，損傷高位の確認は，ヤコビー線（☞ p.418 参照）を用い判断することがある．

（4）直達外力による骨折は，下位肋骨骨折の合併や腎損傷の合併もあり確認と注意が重要である．

■治療法

軟性コルセットを用いて患部の安静を図り，超音波など物理療法を施行する．

E・胸部の骨折

1 肋骨骨折，肋軟骨骨折 fracture of the rib

■概　説

肋骨は扁平で細く，彎曲し弾性を持つ骨である．前方は胸骨に，後方は胸椎に連結する構造で，外力を受けたときに力を分散できないため骨折が発生しやすい．第1・2肋骨は，解剖学的構造や位置的に直達性外力は受けにくいが，マラソンなど長距離走者の呼吸運動での胸郭上下動によるものや，テニスサーブなどオーバーアーム動作による後頸筋群や肩甲周囲筋群などの過牽引によって疲労骨折や裂離骨折がみられる．

下位肋骨の浮肋骨は肋骨頭関節のみで連結し，浮遊性や運動性が大きく骨折は起こりにくいが，腰部打撲や腰椎肋骨突起骨折に合併する場合がある．また，閉経を過ぎた女性で骨粗鬆症を有する場合には，軽微な外力や咳でも骨折する．一方，幼小期は，骨の弾力性に富むため骨折は起こりにくいが，近年では，虐待による骨損傷を疑うケースもある．

なお，胸部の外傷では，胸郭構成骨の損傷有無だけでなく，胸腔内臓器の損傷やそれらに伴う呼吸循環機能の障害によって死の転帰となることがあり，細心の注意が必要である．

■発生機序（図 1-1・38）

1. 直達外力

高所からの転落やスポーツでの衝突，浴室での転倒などにより発生する．第5〜9肋骨前側胸部の骨折に多く，解剖学的にもっとも張り出す第7肋骨が多いとされる．骨折部は胸郭内方凸（図 1-1・38a）の変形となる．

2. 介達外力

胸郭が前後，または左右方向から圧迫を受けて，肋骨の持つ耐性以上に屈曲が強制されて骨折が起こる．骨折部は胸郭外方凸（図 1-1・38b）の変形となる．高齢者や代謝性疾患のある骨脆弱者は，咳やくしゃみ，体位変換など急激な筋収縮の際に発生することがある．また，ゴルフスイングなど体幹捻転の反復性負荷などで起こる疲労骨折は，肋骨後方の肋骨角付近に発生し，とくに第5・6肋骨に多い．これらの骨折では典型的な骨片転位は少ない．

■分　類

（1）肋軟骨部骨折

（2）肋硬骨部骨折

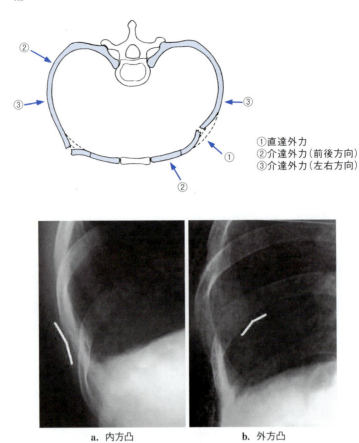

図1-1・38　肋骨骨折の発生機序と骨片転位単純X線像

> ●完全骨折：転位の著しいものや多発骨折では変形を触知する．
> 　不全骨折：軋轢音などは触知できない（疲労骨折や自家筋力による裂離骨折）．

■症状，所見

1. 疼　痛

　深呼吸や咳，くしゃみなど胸郭内圧の急激な変化で増強する．骨損傷部の限局性圧痛が著明であり，胸郭の前後あるいは左右から圧迫すると，骨折部に一致した介達痛を認める．また，体幹の屈曲や伸展，側屈や捻転運動，上肢帯の運動で骨折部に運動痛が誘発される．

2. 軋轢音

　患者に深呼吸をさせたときや，胸郭を前後左右に圧迫した際に出現することがある．また，患者自身が起床時や日常生活動作などで，体幹の捻転や前後屈した場合のほか，咳やくしゃみなどで自覚することがある．

3. 転位と変形

　触診で骨折端の異常可動性や，骨片転位に伴う変形を触知すれば診断は確実であるが，多発骨折（図1-1・39，1-1・40）以外は，骨片転位や変形を認めない場合が多い．エコー観察は，骨損傷

1. 骨　折　169

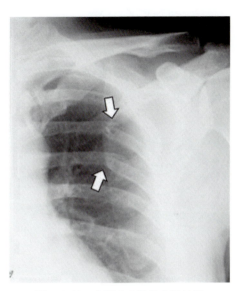

図1-1・39　左第4・5肋骨多発骨折

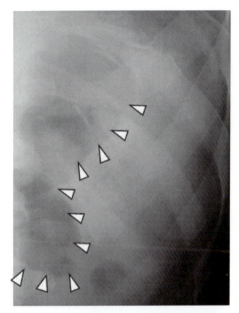

図1-1・40　左第9・10・11・12肋骨多発骨折
（△縮小した肺の輪郭）

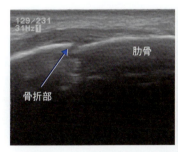 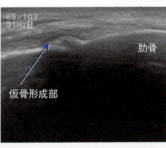 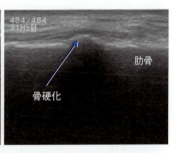

図1-1・41　肋骨骨折の治癒経過エコー観察像（左から受傷後1週，受傷後3週，受傷後6週）

部の骨連続性が断たれた状態の骨線状エコーの不整像や，血腫による低エコー像を確認できる場合があり，治療経過の観察（図1-1・41）などにも有用である．

■合併症
1. 胸壁動揺 flail chest
　1本の肋骨が2ヵ所以上で骨折し，隣接する数本の肋骨に及ぶと胸壁の支持性が失われて胸壁動揺（図1-1・42）となり，呼吸困難やショック症状を引き起こし，死の転帰となることがある．
2. 外傷性気胸
　外傷で胸膜が損傷し，胸膜腔に空気が貯留した状態をいう．単純X線像では，患側肺野の気管支陰影の消失（図1-1・43）や緊張性気胸（図1-1・44）では，呼吸困難が生じて心拍出量や，血圧の低下で死にいたることもある．

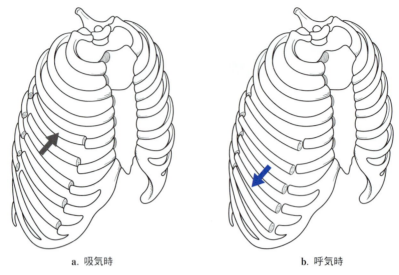

a. 吸気時　　　　　　　　　　b. 呼気時

図 1-1・42　胸壁動揺

3. 血　胸

　肺破裂や動静脈損傷で起こり，胸部単純X線像で出血した血液の肺野下方貯留（図1-1・45）がみられる．

4. 内臓損傷

　大きな骨損傷や変形などがないまま，胸腔や腹腔内臓器損傷を合併することがある．とくに第11・12肋骨部打撲後の背腰痛や，血尿などの所見は腎損傷を疑い，右季肋部では，肝損傷の合併があるため注意を要する．初検時には，必ずバイタルサインのチェックを行い，経過観察中に息苦しさや呼吸困難などの訴え，めまいや吐き気，不整脈や血圧変化などの異常所見が出現した場合は，内臓器損傷などを疑い，ただちに専門医に委ねる．

■治療法

　骨片転位の大きなものや多発複数骨折などを除いては，胸郭の屋根瓦状絆創膏固定やバストバンド外固定を3～4週行う．胸郭運動を抑制して疼痛の軽減を図り，転位の増大や動揺での臓器の二次的損傷を防いで患部の安静を図る．また，帰宅後の症状の経時的な変化にも注意の喚起や胸腹腔内臓器の損傷が疑われるものは，ただちに専門医に委ねる．

■固定法

　絆創膏屋根瓦状固定や絆創膏と副子併用，バストバンド固定など外固定を3～4週行う．
　（1）前後正中線を越えて健側から健側に終わる範囲に貼付し，胸郭全周に貼布しない．
　（2）患部に貼付する絆創膏の幅は1/2～1/3重ねていき，順次上方に向かって貼布する．
　（3）呼気状態で呼吸を止めさせて行う．
　（4）固定力が均等にかかるよう損傷部の上下の肋骨を含める．
　（5）皮膚かぶれや水疱形成が起こりやすいため3～4週の間，衛生面も考え交換する．

1. 骨　折　171

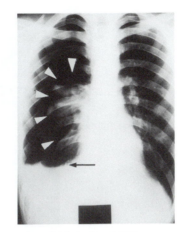

図1-1・43　血気胸
矢頭で囲まれた部分が縮小した肺．矢印の先が血胸．
[井形高明 編：部位別スポーツ外傷・障害4 脊椎・体幹，p.185，南江堂，1997より引用]

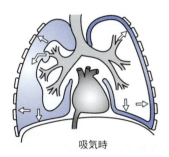
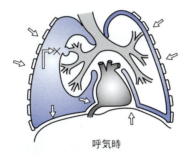

図1-1・44　緊張性気胸，縦隔偏位の成立メカニズム

図1-1・45　血　胸

[　●胸壁動揺の対処
　　応急処置では支持力を失った胸郭への外固定で補強を行い，ただちに専門医に委ねる．　]

■後療法

　臥床時（安静時，睡眠時）の体位変換時に痛みの増強の訴えがあるため，体動に対する指導管理は重要である．温熱・寒冷療法は全身の循環，代謝に少なからず影響を及ぼすため，実施には細心の注意が必要である．超音波療法は骨形成を促進させ，骨折部癒合の臨床経過を短縮できるとされ，医科でも推奨されている．

■予　後（続発症と後遺症）

　骨癒合も良く予後良好である．一方で過剰な仮骨形成で，肋間神経が刺激されて痛みの原因となったり，まれに過労時や悪天候時に疼痛が出現し，数ヵ月にわたり持続することもある．予後が不良となるのは，胸膜や肺に損傷がある場合に癒着や呼吸機能に影響を残すものや，胸壁動揺

図1-1・46 ハンドル損傷

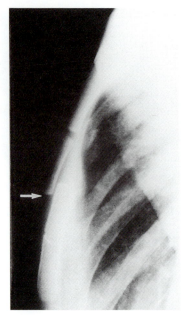

図1-1・47 胸骨骨折(遠位骨片が後方転位)
[井形高明 編:部位別スポーツ外傷・障害 4 脊椎・体幹, p.181, 南江堂, 1997より引用]

の発症の場合は,呼吸困難やショック症状を引き起こし,死の転帰となることがある.

2 胸骨骨折 fracture of the sternum

■概　説

　胸骨の骨折は,スポーツ活動での衝突や胸壁正中部の強打,交通事故の際にハンドル損傷 steering wheel injury(図1-1・46)や,シートベルト損傷 seat belt injury(syndrome)など直達外力での発生がみられる.介達外力では体幹の強い前屈や,まれに過伸展で発生するが,交通事故では直達,介達外力の両方の要素を含んだ発生機序 flexion-compression-fracture があり,遠位(尾側)骨片が近位(頭側)骨片の前上方に転位騎乗する骨折型となるものは合併症の発生頻度が高くなる.胸骨体部の発生頻度がもっとも高く,次いで胸骨柄結合部の骨折が多い.骨折型では横骨折がもっとも多く,骨片転位は階段状となり,骨片が陥没することもある(図1-1・47).脊椎の損傷や胸腔内臓器の損傷を合併している場合があるため注意を要する.

■分　類

1. 胸骨柄結合部骨折

（1）前方転位:遠位骨片が突出し,近位骨片に騎乗する.

（2）後方転位:遠位骨片は近位骨片の後方に転位する(図1-1・47).

2. 胸骨体部骨折

　直達外力では陥凹や陥没骨折もみられるが,ハンドル損傷やシートベルト損傷などでは,遠位骨片が近位骨片の前上方に転位し,騎乗する階段状の転位となる.

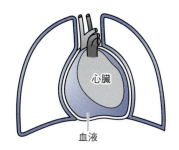
図1-1・48　心タンポナーデ

3. 胸骨剣結合部骨折
剣状突起は，胸骨体の後方に転位する．
■症状，所見
（1）頭頸部を前方に屈曲し，両肩を前内方にすぼめ，背を丸めて疼痛緩和肢位をとる．
（2）局所の皮下出血斑および腫脹が著明で，限局性の圧痛を認める．
（3）胸式呼吸時には疼痛が誘発されるため，ゆっくりとした腹式呼吸を行う．バイタルサインのチェックは重要で，呼吸状態や循環機能に対して十分に配慮しながら観察する．

■合併症
転位のある骨折は大きな外力で発生するため，肋骨や脊椎骨折を伴うことがある．また，患者の訴えや所見では，胸痛や呼吸困難，チアノーゼなどの症状がみられたり，胸壁動揺が疑われる場合は，呼吸困難やショック症状を引き起こし，死の転帰となるため，速やかに専門医に委ねる．
（1）心挫傷，心タンポナーデ（図1-1・48），心原性ショック　心臓震盪など
（2）血胸（動静脈から出血した血液が胸腔（胸膜腔）に貯留した状態）
（3）胸管損傷
（4）肋骨骨折，頸椎骨折，胸椎骨折
（5）縦隔臓器の損傷

■治療法
転位のない胸骨骨折は，副子をあて，胸背部8字包帯または絆創膏で胸郭運動を制限する固定を行い，胸部の固定バンドも併用する．臨床では患部疼痛が強く出現するため，理想的な固定肢位は疼痛緩和肢位が望ましく，体動痛に対する指導も重要である．骨癒合は4～5週であるが，超音波療法は骨形成を促進し，骨折部癒合の臨床経過を短縮できるとされている．

■予後，指導管理
重篤な合併症がない限り，予後は良好である．指導管理では，当初は異常なくとも帰宅後などに変化することがあるため，本人はもとより，家族や友人などに経過所見をしっかり説明し，注意喚起することや対診医療機関への依頼も重要である．

● 1-2 上肢の骨折

A・鎖骨骨折 fracture of the clavicle

鎖骨骨折の発生頻度は高く，その多くは介達外力による．小児の場合は不全骨折の割合が高いが，頭部損傷の合併に注意する必要がある．少年期までの骨折では，変形癒合でも旺盛な修復力で自家矯正され，機能的にも外観上の容姿も徐々に改善され，予後は良好である．成人，高齢者の場合は，転位が高度となり第三骨片を生じることがある．完全に整復されても整復位を保持する固定が困難で，多くは再転位し，変形を残す．また過剰に形成された仮骨による神経障害を続発することもある．不十分な整復では，長期間の固定が必要で，肩関節の拘縮が発生する．また再整復を頻回に繰り返すことは遷延癒合や偽関節形成の要因となる．

■発生機序

介達外力で肩部を衝いて転倒したときに発生することがもっとも多く，肩関節外転位，肘関節伸展位で手掌を衝いた場合も含め，介達性の衝撃が鎖骨の長軸方向に働いて，もっとも力学的に弱い中央・遠位 1/3 境界部に屈曲力が作用し発生する．

直達外力での発生はまれで，鎖骨のいずれの部分にも骨折を生じる可能性があるが，遠位 1/3 部(遠位端部)に発生することが多い．

■転　位

1. 定型的転位(図 1-2・1，1-2・2)

[完全骨折]

近位骨片は胸鎖乳突筋の作用により，上方やや後方に転位する．遠位骨片は上肢の重量により下垂し，大・小胸筋の緊張によって短縮転位する．

[不全骨折]

上方凸の変形を示す不全骨折が多い．異常可動性などの骨折固有症状がなく見落としやすい．乳幼児の場合は両腋窩を持って抱き上げると号泣したり，疼痛を訴える．

■症　状

患者は頭部をやや患側に傾け，顔面を健側に向け胸鎖乳突筋を弛緩させて疼痛を緩和し，患側の肩は下垂し肩幅は減少する．鎖骨は皮膚直下に接しているので，変形が著明で肩関節運動の検査に伴い異常可動性や軋轢音を触知しやすい．骨折部の限局性圧痛，血腫形成による高度な腫脹の存在，皮下出血斑の出現，上肢運動制限などが確認できる．

■合併症

（1）腕神経叢損傷

（2）鎖骨下動脈損傷

（3）胸膜，肺尖損傷(血胸，気胸を発生することがある)

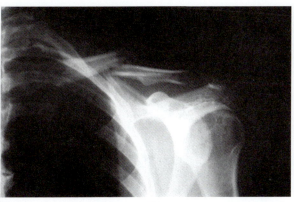
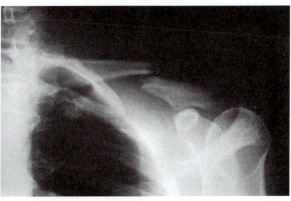

a. 正面像
近位骨片は遠位骨片に対して上方に転位

b. 軸射像
近位骨片は遠位骨片に対して後方に転位

図 1-2・1　鎖骨骨折定型的転位

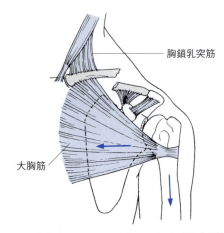

図 1-2・2　鎖骨骨折(中央・遠位 1/3 境界部)定型的転位

■整復法

整復前に，①腕神経叢損傷，②鎖骨下動脈損傷，③胸部損傷(肺損傷)の確認を行う．

1. 幼児骨折の整復法

幼児の若木骨折の場合は上方から軽い圧迫操作を行う．

2. 臥位整復法(鎖骨整復台を使用した方法)

①診察台と同じ高さにした鎖骨整復台(図1-2・3)，患者を背部が診察台から十分出る位置に背臥位で寝かせる．

　[●整復台の代わりに，診察台にて肩甲骨間に円柱状の枕などをあて背臥位にしてもよい．]

②背臥位のまま，両肩をバランスよく外転・外旋させ，かつ上肢は自然な伸展位となるよう(深呼吸をするような胸を張った肢位)に，体全体の力を抜くように患者に指示する．

③この肢位を維持してしばらく時間を置くと筋の緊張が緩み，転位が概ね整復される．

図1-2・3　鎖骨整復台

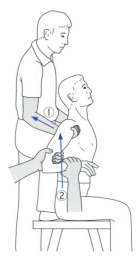
図1-2・4　坐位整復法

④整復不十分な場合には，術者は近位骨片を一方の手の指で固定させ，助手に肩を後外上方に引かせて骨折端を接近させ，他方の手で遠位骨折端を把持し両骨折端に直圧を加えて整復を完了する．

- この方法の優れた点は整復位のまま8字帯，リング包帯，ギプスをはじめ厚紙副子などの固定法が可能であるため，体位変換による再転位を防止できる点である．

3. 坐位整復法
①患者を診察台または椅子に端坐位とする．
②第1助手は患者の後方に位置して，脊柱部（肩甲骨の内転を邪魔しない位置）に膝頭をあてがい，両脇に手を入れて両肩を外後方へ引き，短縮転位を取り除く．なお，膝頭をあてる際はタオルなどで保護するとよい．
③患側に位置した第2助手は，患肢の上腕および前腕を把握して上腕と肩甲骨を上外方に持ち上げて，下方転位の遠位骨片を近位骨片に近づける（図1-2・4）．この操作により下方転位を取り除く．
④術者は臥位整復法と同様に両骨折端を両手で把握し，遠位骨片を近位骨片に適合させるよう両骨片に圧迫を加えて整復する．

■固定法
鎖骨骨折では肩甲骨の固定が困難なため，鎖骨骨折では多くの固定法が考案されている．固定肢位は両側肩甲骨が後上方に挙上した「胸を張った姿勢」である．

1. 8字帯固定法
通常，巻軸包帯を用いて，背側部8字帯などで固定する．成人では，約3mのガーゼで綿を巻いたもので固定することもある．

2. デゾー Desault 包帯固定法
詳細は『包帯固定学　改訂第2版』p.22を参照．

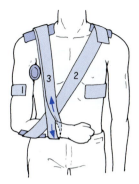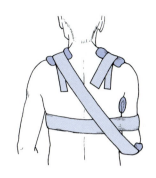

図 1-2・5　セイヤー絆創膏固定法

3. セイヤー Sayre 絆創膏固定法（図 1-2・5）
　転位の少ないものに行われている．3～4 cm 幅の伸縮性のない絆創膏（テープ）を使用する．
　腋窩枕子：「末梢牽引を行うためのテコの支点の働きをさせる」
　　　　　　患側腋窩に綿花枕子を入れ肩関節を内転させ，遠位骨片を外方へ牽引する．
　第1帯：「肩を外方に引き鎖骨の短縮転位を防止する」
　　　　　患側上腕中央部の前面から後ろに回り，背部を水平に進んで健側の側胸部に止める．
　第2帯：「患肢を挙上させて遠位骨片の下方転位を防止する」
　　　　　健側の肩から胸部を斜めに下行して患側の肘を通り，背部を上行してはじめの位置へ戻る．
　第3帯：「前腕の重量で骨折部を圧迫する」
　　　　　骨折部近位骨片の上から下行して前腕を回り，前胸部で絆創膏を捻転して，最初に貼付した絆創膏に重ねながら再び上行して元の位置に固定する．

4. 厚紙副子固定法
　3枚の厚紙副子を用いて行う．第1副子は患部にあて，第2副子は患側の肩をおおい長軸短縮を防止し，第3副子は鎖骨，胸骨，肩甲骨がおおわれるように当てる．そのうえから8字帯包帯を行う．

5. T字状木製板固定法
　T字状の木製板を背部にあて，横木に両肩を固定して肩を後方に引く．

6. バンド固定法
　種々考案された固定バンドを使用する．

7. ギプス固定法
　両肩から胸部にかけギプス包帯を施す．

8. リング固定法（図 1-2・6）
　直径5～8 cm の綿花棒をガーゼで包み，腋窩から肩峰部が入る輪を1対作製する．長さ60～70 cm の細ヒモ3本，腋窩，肩甲間部に入れる綿花を使用する．

■固定期間
　年齢，性別，骨折の程度，第3骨片の有無，合併損傷の有無，途中経過などを考慮して判断し

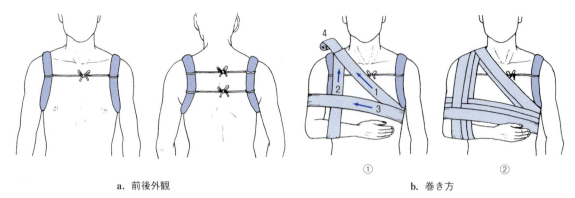

a. 前後外観　　　　　　　　　　　　b. 巻き方

図 1-2・6　リング固定法

ていく．

　成人では，約4週でリングや体幹包帯を除去し，背側8字帯と三角巾を実施する．5～6週で三角巾除去し，背側8字帯のみ継続する．8～9週ですべての固定を除去する．小児の場合は，仮骨形成が旺盛なので固定期間を2～3割短縮する．

■非観血療法の限界点
　（1）鎖骨遠位1/3部骨折で，烏口鎖骨靱帯の断裂があり近位骨片が上方に浮き，骨癒合が不能となるおそれのあるもの．
　（2）第三骨片が楔状骨片となり皮下で直立して皮膚貫通のおそれのあるもの．
　（3）粉砕骨折などで整復位保持が不可能なもの（必ずしも観血療法を行うものではない）．

■後療法
　（1）整復完了後，10日間は局所の安静を保ち，再転位に注意する．
　（2）骨折部安定後には患部および周辺部に対する後療法を開始する．
　（3）成人では約4週程度で骨折部の安定性が得られる．
　（4）軟部組織の回復に努め，肩関節運動制限の改善に取り組む（とくに壮年期以降）必要がある．

■後遺症
1. 変形癒合
　とくに女性では美容上の問題となる．
2. 偽関節
　形成されても他の骨折部と異なり機能障害は少ない．
3. 過剰仮骨形成
　神経損傷，循環障害を発生する．
4. 変形性関節症
　肩鎖関節に起こる．

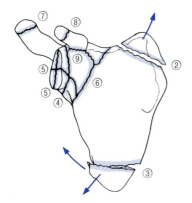
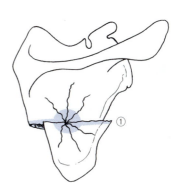

① 骨体部骨折
②,③ 上・下角骨折
④ 解剖頸骨折
⑤ 関節窩骨折
⑥ 外科頸骨折
⑦ 肩峰骨折
⑧,⑨ 烏口突起骨折

図 1-2・7　肩甲骨に発生する骨折

B・肩甲骨の骨折 fracture of the scapula

　比較的まれな骨折で，多くは直達外力による．好発年齢は 40〜60 歳代である．
　肩甲骨の各部に骨折が発生するが，一般に大きな外力により発生するので，肋骨の多発骨折を合併するものでは血・気胸など重大な胸郭内臓器の損傷を伴うことが多く，これを見落としてはならない．

■分　類（図 1-2・7）
　（1）骨体部骨折（肩甲棘を含む）
　（2）上・下角骨折
　（3）関節窩骨折
　（4）頸部骨折（解剖頸，外科頸）
　（5）肩峰骨折
　（6）烏口突起骨折

1　肩甲骨骨体部骨折および上・下角骨折

■概　説
　骨体部では横骨折，粉砕骨折，まれに縦骨折も発生するが，横骨折が多く，前面では肩甲下筋，後面では棘上筋，棘下筋および小円筋により厚くおおわれているため骨片転位は少ない．
　上角骨折では近位骨片が肩甲挙筋により上内方に転位する．下角骨折では大円筋や前鋸筋により前外上方に転位する．

■発生機序
　直達外力が多い．

■症　状
　患者は通常患肢を内転させて保持する．骨折部に一致した限局性圧痛，皮下出血斑を認める．ときに深呼吸により疼痛が増強する．また筋内出血での腱板筋群攣縮により外転障害などがみられ，腱板損傷に類似した症状を呈する．これは内出血の吸収に伴い回復する．

180 第Ⅲ章 各　論

■合併症

（1）肋骨骨折

（2）血胸，気胸（肋骨骨折の合併に伴う）

■治療法

　転位のないものでは，三角巾で吊るか，絆創膏で肩甲骨を胸郭に固定する．転位の大きいものでは観血療法の適応がある．

2 関節窩骨折

■概　説

　関節窩骨折は肩甲骨後方から強打，または上肢が外転状態で衝撃を受け，関節窩に上腕骨頭が衝突して骨折する．転位のある骨折では骨折線が関節窩の中心部を通り，関節面に不整を残すと肩関節強直の原因となる．

■症　状

　関節包内骨折のため腫脹は著明ではないが，上腕骨頭が関節窩の破壊により内方へ移動し肩峰が突出する．肩関節脱臼に合併する場合もある．

■治療法

　転位の少ない場合，肩を後方へ引き，胸を張った姿勢とし，上腕を上方へ突き上げ，外転60～80°の位置で固定する．骨癒合には約2ヵ月を要する．

3 頸部骨折

■概　説

　解剖頸骨折はまれで，外科頸骨折が多い．

■症　状

　一般的な骨折症状のほか，上肢は挙上不能，肩峰が突出し，その下方は凹む．また肩の丸みは消失する．肩関節前方脱臼との鑑別が必要である．

■治療法

　前内下方に転位した骨片を後外上方へ持ち上げるように固定する．骨癒合には約2ヵ月を要する．

4 肩峰骨折

■概　説

　直達外力によるものが多いが三角筋の牽引力により発生することもある．一般に転位は軽微である．

■症　状

　局所の圧痛，腫脹のほか，呼吸や肩関節運動により疼痛が増強する．

■治療法

　骨片を圧迫整復して，絆創膏を肩から肘関節部に貼付し上腕を押し上げて固定し，三角巾で提

肘する.

5 烏口突起骨折

■概　説

単独骨折はまれで肩関節上方脱臼，肩鎖関節上方脱臼に伴うものがある．単独骨折は直達外力によるものが多い．

■症　状

局所の圧痛，前腕回外位で肘関節を屈曲し，上腕を内方へ上げる動作により烏口突起部に疼痛が起こる．

■治療法

肘関節を屈曲して上肢を胸郭に固定する．転位の大きいもの，脱臼を合併するものは観血療法の適応がある．

C・上腕骨近位部の骨折

上腕骨の近位端部の骨折には結節上骨折と結節下骨折とがある．主に介達外力によって発生し少年期と高齢者に多い．直達外力の場合は青壮年にも発生する（図 1-2·8）.

■分　類

（1）結節上骨折 { 骨頭骨折 / 解剖頸骨折

（2）結節下骨折 { 外科頸骨折 / 大結節単独骨折 / 小結節単独骨折 / 結節部貫通骨折

（3）骨端線離開

ほかに，骨折部位と転位などを組み合わせて分類するニア Neer の分類などがある.

1 骨頭骨折（図 1-2·9）

■概　説

上腕骨頭の単独骨折はまれである．

■発生機序

激突などによって肩部を強打して発生する．

■症　状

（1）肩関節部における強大な打撲傷の様相を呈し，打撲と誤診されやすい．

（2）関節内血腫を形成する．

（3）機能障害は内出血と疼痛のため著しい．とくに骨片を伴う骨折では強く障害される．

（4）腫脹は結節部骨折や外科頸骨折に比べると少ない．

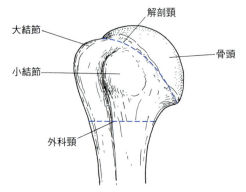
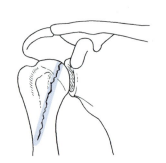
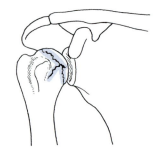

図 1-2・8　上腕骨近位端部の解剖　　　　図 1-2・9　上腕骨骨頭骨折

(5) 疼痛は激しく，自発痛，限局性圧痛があり，とくに関節運動時の疼痛は強い．
(6) 関節窩に向かって骨頭を圧迫し，回旋すると軋轢音を触知することがある．
(7) 上肢を挙上して腋窩で骨頭を触知することによって骨折部を触診できることもある．

■整復，固定法
　転位のないものは肩関節 70～80° 外転，30～40° 水平屈曲位で固定を行う．骨頭の剝離骨片があり，転位の著しいものは観血療法の適応がある．

■後療法
(1) 初期には関節運動を避けて固定肢位のままで等尺性収縮運動を行う．
(2) 3～4 週後，軽度の自動運動を開始する．
(3) 関節拘縮など機能障害の改善に努める．

■予　後
　関節内骨折のため骨癒合が起こりにくく，近位骨片は血流障害により二次的な阻血性骨壊死の危険性があり，また肩関節の外傷性関節症を起こすことがある．高齢者では関節拘縮を残すことが多い．

2　解剖頸骨折（図 1-2・10）

■概　説
　骨頭周囲の関節内骨折で，骨折線が結節部あるいは外科頸部に及ぶこともある．高齢者に多い．

■発生機序
　転倒して，肩部を強打したときに生じる．

■症　状
(1) 関節内骨折であるため変形は少ない．嵌合骨折の場合わずかに転位し短縮する．まれに，骨頭側が回転転位するものもある．
(2) 関節内血腫は著明である．
(3) 自発痛と限局性圧痛は著明である．
(4) 軋轢音を触知することもある．

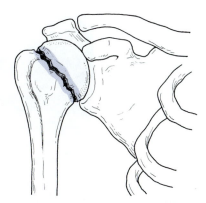

図 1-2・10　上腕骨解剖頸骨折

（5）上腕の運動機能は著しく障害されるが、嵌合骨折の場合はある程度動かすことができる。

■整復法

転位のないもの、あるいは嵌合骨折のときは整復を要しない。転位のあるものは、上腕を徐々に下方に牽引して患部を直圧して整復する。

■固定法

肩関節 70〜80°外転，30〜40°水平屈曲位で固定を行う。

■後療法

骨頭骨折に準ずる。骨癒合期間は 6〜8 週で、全治には 4ヵ月以上の長期を要する。

■予　後

嵌合骨折は経過良好である。しかし、高齢者は骨癒合が困難な場合が多く、長期固定による関節拘縮を残す。また、骨頭部の阻血性骨壊死や外傷性関節症などを起こすこともある。

3　外科頸骨折 fracture of humeral surgical neck（図 1-2・11）

■概　説

高齢者に好発する代表的な骨折であり、骨頭から結節部にかけての太い部分から骨幹部に移行する部分で発生する頻度の高い骨折である。

■発生機序

介達外力によることが多く、直達外力はまれである。

1. 直達外力

肩を衝いて転倒したとき、または、三角筋部を強打して発生する。

2. 介達外力

転倒時に肘や手を衝いて発生し、受傷時の上肢の肢位によって外転型骨折、または、内転型骨折となる。

（1）遠位骨片外転位：外転型骨折
（2）遠位骨片内転位：内転型骨折

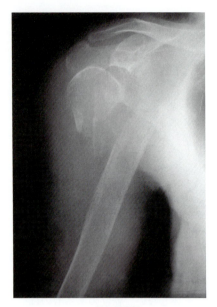 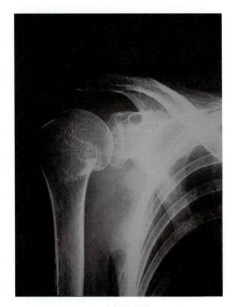

a. 外転型骨折　　　　　　　　　　　　　b. 内転型骨折

図 1-2・11　上腕骨外科頸骨折

■症　状
1. 腫　脹
　肩関節は血腫のために高度な腫脹がみられ，外転型骨折の患部は肩関節前方脱臼に類似の外観を呈するが，脱臼時にみられる三角筋の膨隆消失は認められない．皮下出血斑は経過とともに上腕内側部から前胸部に出現する．
2. 異常可動性と軋轢音
　骨折部は筋層の深部に位置し，骨折端が嚙合することが多いので，異常可動性と軋轢音を確認できないこともある．
3. 機能障害
　肩関節の自動運動制限が著明であるが，嚙合骨折の場合，わずかな自動運動は可能である．
4. 疼　痛
　外科頸部の限局性圧痛が著明である．
5. 転位および変形(図 1-2・11)
　ⓐ　骨軸の変化
　　（1）外転型骨折：上腕軸の骨折端部は内側へ向く．
　　（2）内転型骨折：上腕軸の骨折端部は外側へ向く．
　ⓑ　骨片転位
　　（1）外転型骨折：近位骨片は軽度内転，遠位骨片は軽度外転する．上肢を下垂位におくと遠位骨折端は前内上方へ転位するため，骨折部は前内方凸の変形を呈する．
　　（2）内転型骨折：近位骨片は軽度外転・外旋位，遠位骨片は軽度内転する．上肢を下垂位にお

くと遠位骨折端は前外上方へ転位するため，骨折部は前外方凸の変形を呈する.

■合併症

（1）肩関節脱臼

（2）血管損傷（腋窩動脈の圧迫損傷）

（3）神経損傷（腋窩神経損傷による三角筋麻痺（感覚障害を含む）のため肩関節の外転不能）

（4）関節不安定性（固定中にみられる骨頭の下方移動に伴う不安定性）

■鑑別診断

外転型骨折は上腕軸の骨折端部が内方へ向くため肩関節烏口下脱臼の外観と類似する.

1. 外転型骨折

（1）三角筋部に血腫による腫脹が著明に現れる.

（2）肩峰下に上腕骨骨頭を触知できる.

（3）機能検査で関節運動はある程度保たれていて，その際，軋轢音を触知することがある.

2. 肩関節烏口下脱臼

（1）三角筋部の膨隆が消失する.

（2）骨頭の位置異常（肩峰下に上腕骨骨頭が触れず空虚となる）

（3）関節運動を試みると弾発性固定がみられる.

■整復法

1. 外転型骨折

①患者を背臥位とし，患者の腋窩にタオルまたは三角巾で枕子を包んだ牽引用の帯を通し，第1助手はそれを内上方に牽引し肩（近位骨片）を固定する.

②第2助手は患側肘関節を直角位で上腕遠位部および前腕部を把握し，遠位方向に牽引ししながら，徐々に上腕を外転していく（短縮転位の除去）.

③術者は両手で遠位骨折端部を把持し，助手と協力し骨片を操作できる準備をしておく.

④第2助手は引き続き牽引を緩めずに，徐々に末梢骨片を内転させる.

⑤その際に術者は両母指を大結節にあて，他の四指で骨幹部（遠位骨片）を外方へ引き出すようにすると内方転位が除去される.

⑥第2助手は引き続き牽引を緩めずに，遠位骨片を前方挙上する. その際，術者は小指球で遠位骨片の骨折端を前方から直圧し前方転位を整復する. 上腕の長軸上である胸壁前方へ持ってくる.

2. 内転型骨折

①第1助手は背臥した患者の肩を固定する.

②第2助手は患側肘関節を直角位で肘および前腕部をつかみ，末梢牽引しながら次第に外転させて胸壁外方へ持ってくる.

③術者はこのとき，両手で上腕の骨幹部（遠位骨片）を内方へ圧迫して外方転位を整復する.

④続いて牽引を緩めず術者が一方の手の小指球で遠位骨片の骨折端を前方から圧迫しながら，第2助手に患肢肘関節部を前方へ引き上げさせると前方転位が除去される.

図 1-2・12　ミッデルドルフ三角副子固定

シーネを包帯で巻いたもの

■固定法

　固定法は，外転副子，ミッデルドルフ Middeldorpf 三角副子（図 1-2・12），ハンギングキャスト hanging cast，ギプスなどの固定法が，各施術者の独自の工夫によって行われている．

1. 外転型骨折

　内転位で再転位をしないように固定を施し，2〜3 週後に良肢位に固定を直す．

2. 内転型骨折

　整復後は，その位置にて外転副子を用いて固定する．

■後療法

　高齢者に多いため，肩関節の外転・外旋・内旋運動の制限に注意する．機能障害防止のために肩関節運動を制限しながら早期に等尺性収縮運動を開始し，漸次，負荷を掛けた運動を行い，経過をみながらコッドマン Codman 体操，棒体操，滑車運動などを積極的に行わせる．また，ハンギングキャストなどにより骨頭の位置が下方へ移動して起こる不安定性の出現に注意する．

■骨癒合

　骨癒合に 4〜6 週を要する．

■予　後

　骨癒合は良好であるが肩関節の可動域制限を残しやすい．

4　大結節単独骨折（図 1-2・13）

■発生機序

　直達外力，または付着筋による裂離骨折が発生する．この骨折は腱板の牽引による裂離骨折とみなされ，病態は腱板断裂のメカニズムに通じるものがある．

■整復，固定法

　転位が少ない場合は，三角巾で吊るだけでよいが，転位が著しい場合は，肩関節外転，外旋位で固定する．整復不良なときは腱板機能からみても観血療法の適応となる．

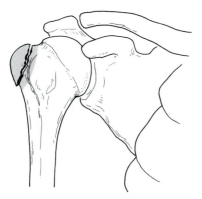 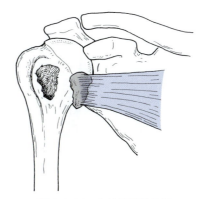

図 1-2・13　大結節単独骨折　　図 1-2・14　小結節単独骨折

■合併症
　肩関節前方脱臼

5　小結節単独骨折（図 1-2・14）
■発生機序
　きわめてまれである．直達外力，または肩甲下筋などの付着筋による裂離骨折が発生する．また，小結節骨折は肩関節後方脱臼に合併するものがある．
■整復，固定法
　転位の小さなものは肩関節下垂内旋位で安静を保持する．
■合併症
　上腕二頭筋長頭腱脱臼

6　近位骨端線離開
■概　説
　新生児，乳幼児，少年期に特有な骨折である．少年期に発生したものでは，肩関節脱臼と誤認しないよう注意が必要である．
■発生機序
　打撲あるいは墜落に際し，直達外力または介達外力により生じる．まれに分娩時に上腕を伸展し，回旋した際に生じる．
■症　状
（1）骨折線は関節包の内外にわたる．新生児の場合は骨端線に限られる．
（2）腫脹，疼痛が著しい．
（3）患肢を動かさず，上肢は内旋して下垂する．
（4）自動運動はほとんど不能で，運動時に激痛がある．

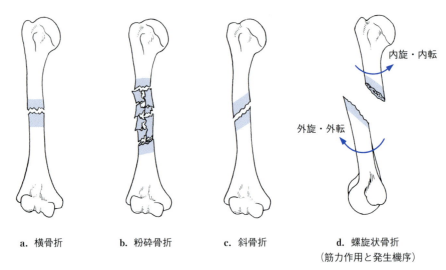

a. 横骨折　b. 粉砕骨折　c. 斜骨折　d. 螺旋状骨折
（筋力作用と発生機序）

図 1-2・15　上腕骨骨幹部骨折の分類

■整復，固定法

　転位のあるものはまれで，多くの場合，整復は不要である．肩関節 90°以上外転，45°水平屈曲位，外旋位，肘関節 90°屈曲位で固定する．固定期間は 3～4 週とする．

■後療法

　骨癒合経過に従って徐々に機能訓練を行う．

■予　後

　良好であるが成長障害の発生に注意する．

D・上腕骨骨幹部骨折

■概　説

　この部分の骨折は筋に囲まれており骨癒合はよいとされているが，中央部の横骨折や遠位 1/3 部の横骨折に近い斜骨折は骨癒合が悪く，偽関節が発生しやすい．また，橈骨神経麻痺を生じやすい骨折でもあるので，治療には細心の注意が必要である．

■発生機序（図 1-2・15）

1. 直達外力

　多くは衝突，強打などの強力な直達外力で発生する．

　横骨折，粉砕骨折，軽度の斜骨折になる．

2. 介達外力

　手掌や肘を衝いて転倒時の介達外力で発生する．筋力作用による捻転骨折（投球骨折，腕相撲骨折）がまれに発生し，螺旋状骨折，斜骨折になりやすい．

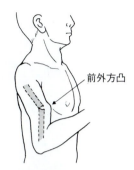

図 1-2・16　上腕骨骨幹部骨折の前外方凸変形
三角筋付着部より遠位での骨折

■症　状
1. 変　形
　三角筋付着部より遠位の骨折では前外方凸の変形を呈する(図 1-2・16).
2. 疼　痛
　動揺痛，限局性圧痛などが著明に現れる．受傷直後には自発痛もみられる．
3. 腫　脹
　上腕部全体に強く現れる．
4. 皮下出血斑
　時間の経過とともに上腕内側から肘関節および前腕の内側に出現する．
5. 機能障害
　患肢の使用が不能または困難となるが，前腕の回旋運動や手関節の運動にはあまり障害を受けない．
6. 異常可動性，軋轢音
　著明に現れる．
■合併症
橈骨神経麻痺
　橈骨神経は橈骨神経溝内にあって，上腕骨に密着して走行しているために損傷しやすい．受傷時の一次的損傷と，整復時損傷または治療中に仮骨によって圧迫または埋没されて発生する二次的損傷に大別される．
■転　位
　骨片転位は外力の方向，上肢の重量，筋力作用によって決まるが，骨折部が三角筋付着部の上下によって転位が異なる．
1. 三角筋付着部より近位での骨折(図 1-2・17a)
　①近位骨片：内転筋群(大胸筋，大円筋，広背筋)によって内側転位する．
　②遠位骨片：三角筋，上腕二頭筋，上腕三頭筋，烏口腕筋により外上方へ転位する．
2. 三角筋付着部より遠位での骨折(図 1-2・17b)
　①近位骨片：三角筋によって前外側転位を呈する．

190 第Ⅲ章 各　論

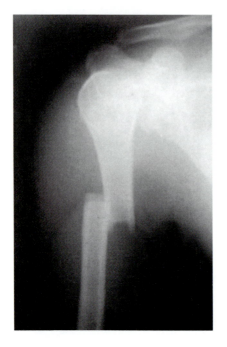
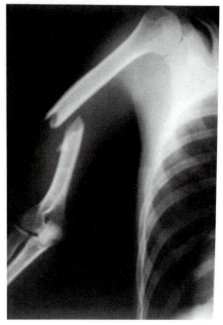

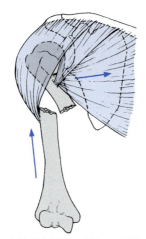
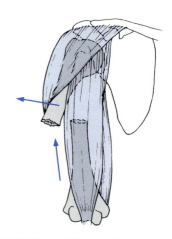

a. 三角筋付着部より近位での骨折
　近位骨片（内側転位）… ｛ 大胸筋，大円筋，
　　　　　　　　　　　　 広背筋
　遠位骨片（外上方転位）… ｛ 三角筋，上腕二頭筋，
　　　　　　　　　　　　　 上腕三頭筋，烏口腕筋

b. 三角筋付着部より遠位での骨折
　近位骨片（前外側転位）…三角筋
　遠位骨片（後上方転位）…上腕二頭筋，上腕三頭筋

図1-2・17　上腕骨骨幹部骨折転位と筋の関係

　②遠位骨片：上腕二頭筋，上腕三頭筋により後上方へ転位する．
■整復法
1. 三角筋付着部より近位での骨折
　（1）患者背臥位で患側肩外転位とし，その肩部を第1助手に固定させる．

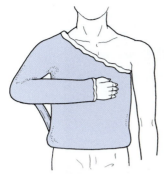 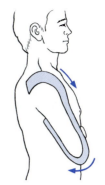

a. 三角筋付着部より遠位骨折（ギプスによる固定）　　b. 三角筋付着部より近位骨折，U字副子法（合成樹脂による固定）

図 1-2・18　上腕骨骨幹部骨折の固定法

(2) 第2助手は患側の肘関節を屈曲して上腕の筋を弛緩させ，肘関節および前腕部を把持して末梢牽引を徐々に行う．
(3) 第2助手は遠位骨片を外転させ，術者は遠位骨片を後方へ圧迫し骨折部を接合した後に第2助手は遠位骨片を内転させる（側方転位の整復）．
(4) 次いで，骨折部に前方から圧迫を加えると同時に第2助手に前方挙上させる（前方転位の整復）．

2. 三角筋付着部より遠位での骨折
(1) 患者背臥位で患側肩外転位とし，その肩部を第1助手に固定させる．
(2) 第2助手は近位骨片骨軸に合わせるように遠位骨片を外転する．
(3) 術者は一方の手で近位骨片を固定し，他方の手の前腕部を遠位骨片近位端にあてる．
(4) 第2助手は末梢牽引しながら遠位骨片を内転させると同時に，術者は前腕部で遠位骨片近位端部を外下方に直圧する（側方転位の整復）．
(5) 次いで術者は近位骨片の遠位端を前方から圧迫すると同時に，第2助手は遠位骨片を前方挙上させる（後方転位の整復）．

■固定法
固定肢位は原則として整復位とする．ギプス副子（図1-2・18a），合成樹脂（図1-2・18b），クラーメル副子固定法などにより，肩関節部から手関節まで固定する．

1. 三角筋付着部より近位での骨折の場合
急性期では肩関節0°〜軽度外転位で固定し，骨折部の安定とともに徐々に外転位を強めて肩関節の拘縮予防に努める．

2. 三角筋付着部より遠位での骨折の場合
肩関節外転70°，水平屈曲30〜45°，肘関節直角位，前腕回内外中間位にする．外転副子またはミッデルドルフ三角副子などで固定する．

■後療法
骨幹部は成人の上腕骨に発生する骨折のなかではもっとも偽関節や遷延癒合を起こしやすい部

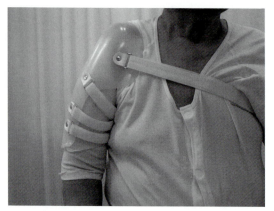

図1-2・19　ファンクショナルブレース
装具が隔室としての機能を持ち，圧迫された上腕筋群により骨折部が固定される．

位であり，治療中は過剰な牽引力や剪断力が働かないよう十分に注意する．また，橈骨神経溝付近の骨折であるため橈骨神経が仮骨に埋没される危険性があることから橈骨神経麻痺の発生には十分注意する．
(1) 初期安静期には冷湿布を行い，近位の骨折では上肢を体幹に固定して動揺を避けるよう配慮する．
(2) 初期安静期が過ぎたら等尺性収縮運動や温熱療法，手技療法などを開始するが，サルミエント Sarmient の機能的装具療法(ファンクショナルブレース，図1-2・19)などを利用して，上腕骨のみを筒状の装具で固定し，肩関節，肘関節の自動運動を行い，筋萎縮と関節拘縮とを予防することもよい方法である．

■後遺症
偽関節
[偽関節の発生しやすい理由]
(1) 発生頻度の高い横骨折では骨折部の横断面が小さく整復後の接触面積が小さい．
(2) 緻密質のために仮骨形成が不利である．
(3) 整復位を保持する固定が困難である．

■骨癒合
骨癒合期間は斜骨折で約8週，横骨折で約10週である．

■予　後
下肢の長骨とは異なり，多少の短縮は機能障害の原因にならない．また，骨折部が肘関節に近いほど内反変形を起こしやすいが，これによる機能障害はほとんどみられない．しかし，偽関節の形成や，高度な橈骨神経損傷の合併は予後不良である．

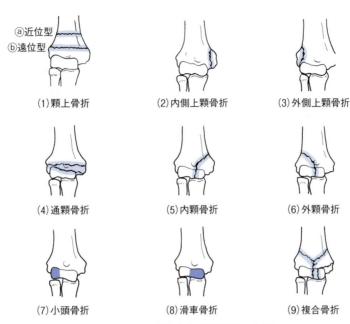

図 1-2・20　上腕骨遠位端部骨折の分類

E・上腕骨遠位部の骨折

　幼少年期に発生する上腕骨骨折は遠位端部骨折が多くを占める．これらの骨折では変形や関節機能障害を残すことが多いので注意が必要である．骨折の程度も不全骨折から高度の転位をきたすものまで様々で，治療法の選択肢も多岐にわたるため，その決定には患者への十分な配慮が必要である．また好発年齢が幼小児期であるため，保護者への十分な情報開示，意見交換，さらに医科との綿密な連携が不可欠である．

■分　類（図 1-2・20）
　上腕骨遠位端部骨折を以下のように分類し，臨床上重要なものについて記載する．
　（1）顆上骨折
　（2）内側上顆骨折
　（3）外側上顆骨折
　（4）通顆骨折
　（5）内顆骨折
　（6）外顆骨折
　（7）小頭骨折
　（8）滑車骨折
　（9）複合骨折

 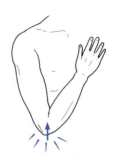

a. 伸展型骨折　　　　　　b. 屈曲型骨折
図 1-2・21　上腕骨顆上骨折の発生機序

1　上腕骨顆上骨折 fracture of humeral supracondylar

上腕骨内側上顆と外側上顆を結ぶ線より近位の骨折で，これは骨幹部が顆部に移行する境界部付近を骨折線が走行する近位型（図 1-2・20，（1）ⓐ）と，内側上顆，外側上顆の直上を走行する遠位型（図 1-2・20，（1）ⓑ）がある．

■特　徴
（1）小児が手を衝いて倒れ，肘関節部に激しい疼痛，腫脹，運動障害を訴えて来院した場合は，まず第一にこの骨折を考えるべきである．
（2）小児に特徴的な骨折で，変形癒合を残すものが多く，治療のむずかしい骨折である．
（3）肘関節周辺の骨折のうちもっとも頻度が高い．

■発生機序および分類（図 1-2・21）
伸展型骨折と屈曲型骨折に分ける．発生頻度は伸展型が高い．

1. 伸展型骨折
肘関節伸展位で手を衝いて倒れた際，上腕骨遠位端部に強力な前方凸の屈曲力が作用して骨折する．

2. 屈曲型骨折
肘関節屈曲位で肘部を衝いて倒れた際，上腕骨遠位端部に後方凸の屈曲力が働き，骨折を起こす．

■骨折線と骨片転位（図 1-2・22，1-2・23）

1. 伸展型骨折
［骨折線］
前方から後上方に走行する．
［骨片転位］
遠位骨片は近位骨片の後上方に転位する．内側皮質の粉砕や骨折線が内側上方へ斜走するとき，遠位骨片の骨折面における内旋転位は必然的に内反変形を引き起こすため捻転転位には特に

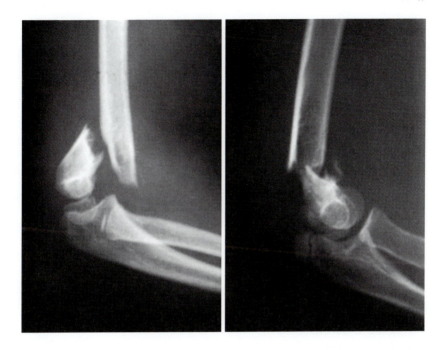

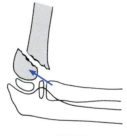

a. 伸展型　　　　　　b. 屈曲型
図1-2・22　伸展型骨折と屈曲型骨折

注意を要する.

2. 屈曲型骨折

[骨折線]

　後方から前上方に走行する.

[骨片転位]

　遠位骨片は前上方に転位する.

■症　状

1. 腫　脹

　肘関節全周に著明(骨髄, 軟部組織からの出血のため).

2. 疼　痛

　限局性圧痛, 運動痛が著明. 受傷直後には自発痛もみられる.

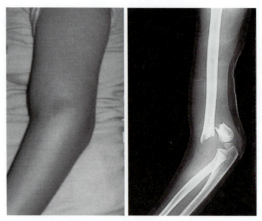

図 1-2・23　上腕骨顆上伸展型骨折の外観と単純 X 線像

3. 機能障害

肘関節の運動不能(屈伸運動障害).

4. 異常可動性および軋轢音

顕著にみられる.

5. 変　形

伸展型骨折では，遠位骨片が後上方に転位するため，肘関節後方脱臼と類似の外観を呈する．顆上骨折においてヒューター三角(☞ p.428 参照)は正常で，ヒューター線上に肘頭が位置する.

6. 肘関節の厚さと幅の増大

近位骨片に遠位骨片が騎乗するため厚さが増大する．側方転位が加われば幅も増大する.

■受診時の注意事項

1. 循環障害

阻血所見に注意する．健側の橈骨動脈と比較する．骨折は受傷 2，3 日後でも整復可能であるが，阻血性拘縮(Volkmann 拘縮)は緊急を要するため，もっとも注意が必要である.

2. 神経損傷

整復前に神経麻痺がないことを確認する．正中，橈骨が多く，尺骨神経損傷は少ない.

3. 皮膚損傷

近位骨片端で肘関節屈側の皮膚を損傷し創を形成，出血を認める開放性骨折となることがある.

■整復および後遺変形の単純 X 線像による評価(☞ p.428 参照)

整復直後の整復の正否を評価するのに前後像ではバウマン Baumann 角(固定下の肘関節屈曲位で撮影した画像でも評価できる)を用い，健側と比較して行う．また，側面像では上腕骨遠位端の前方傾斜角を用いる．後遺症として内反変形を残したときは carrying angle が減少する.

1. 骨　折　**197**

参考 11　上腕骨顆上骨折の整復，固定，後療法

■整復法

1.　伸展型骨折

1)　整復法

①患者を背臥位にして助手に上腕部を保持させ，術者は，患肢を把持した後，ゆっくりと末梢牽引を加え短縮転位を整復する.

②牽引は持続し，上腕遠位端においた手で回旋転位（主に内旋），前額面内での側方転位と屈曲転位を整復する.

③続いて，牽引は持続し，母指を肘頭部，他四指を近位骨片前方におく. 近位骨片を他四指で把持しながら母指で肘頭を前下方に押すとともに，前腕回内外中間位で肘関節を徐々に屈曲する（90〜110°）. これにより矢状面内での側方転位，屈曲転位を整復し完了する.

2)　術者が一人で行う整復法（神中一人整復法）

①術者は一方の手で上腕遠位端を握り，他方の手で前腕を握る. 肘関節を鈍角位とし，前腕の方向に牽引する.

②前腕は回内位とし，牽引を持続し，母指を肘頭にあて肘頭を強く前方に押す.

③この操作で遠位骨片が近位骨片端に整復されたならば，肘関節を徐々に屈曲し鋭角位とする.

④肘関節の屈曲角度は橈骨動脈の拍動の状態によって決定する.

2.　屈曲型骨折

患者の位置，患肢上腕の外転，助手の固定は伸展型骨折と同じであるが，術者は患肢肘関節を屈曲し，側方転位を整復した後，遠位骨片を前上方から後下方に圧迫して整復する.

■固定法

1.　伸展型骨折

肘関節 90〜100°，前腕回内位で肩から MP 関節の手前までギプス副子，またはクラーメル副子などで約 4 週間固定する. ただし，腫脹が高度で阻血性拘縮の恐れがある場合は，腫脹軽減するまでの期間（整復後 1 週間くらい）は，一時的に肘関節屈曲鈍角位とし，その後鋭角屈曲位へ変更する.

2.　屈曲型骨折

肘関節 80〜90° 屈曲位，前腕回内・回外中間位で，伸展型骨折と同様な範囲に約 4 週固定する.

■後療法

再転位の防止に注意し，その際，循環障害（阻血の 5P），神経損傷（正中，橈骨，尺骨神経）の有無などに注意する. 拘縮予防や ROM 改善には強力な手技や暴力的他動運動は行わずに自動運動を主体に行う.

■上腕骨顆上伸展型骨折と肘関節後方脱臼の相違（表 1-2・1，図 1-2・24）

［ファットパッドサイン fat pad sign（図 1-2・25）］

このサインは通常鈎突窩や肘頭窩にある脂肪組織が関節内骨折による血腫で圧迫されて移動したために現れる透亮像である. とくに肘頭窩から移動した背側の透亮像の存在に注目することが大切である.

表 1-2·1 上腕骨顆上伸展型骨折と肘関節後方脱臼の相違点

	上腕骨顆上伸展型骨折	肘関節後方脱臼
1. 年　齢	幼小児に多い	青壮年に多い
2. 疼　痛	限局性圧痛	連続的脱臼痛
3. 腫　脹	速やかに出現	漸次出現
4. 他動運動	異常可動性	弾発性抵抗
5. ヒューター線	肘頭正常位	肘頭高位
6. 上腕長	短　縮	不　変

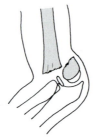
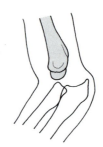

a. 上腕骨顆上伸展型骨折　　　b. 肘関節後方脱臼

図 1-2·24　上腕骨顆上伸展型骨折と肘関節後方脱臼の比較

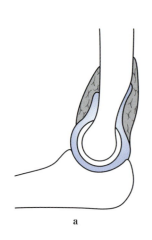
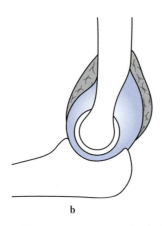
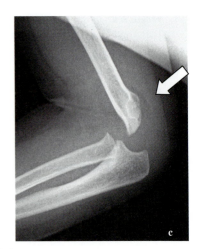

図 1-2·25　ファットパッドサイン

a. 肘関節および後面のファットパッドの正常所見.
b. 骨折などにより関節内に血液が貯留し，ファットパッドが後方に偏位した像を呈す.
c. 単純 X 線像で後方にファットパッドが確認できる.

　関節内骨折による血腫，肘関節炎による滲出液の貯留により，鈎突窩や肘頭窩の関節包外にある脂肪組織が，拡張した関節包に圧排されたために観察される単純 X 線像所見である.
　とくに肘頭窩から移動した後方の透亮像は正常単純 X 線像では観察されない．しかしこの透亮像は，関節包の断裂があると血腫流出のため明瞭でなくなる.

 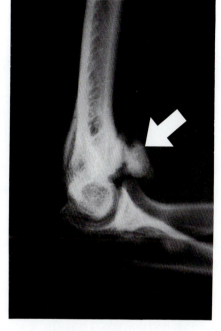

a. 阻血性拘縮(フォルクマン拘縮)　　b. 骨化性筋炎(過剰仮骨も合併した例)

図 1-2・26　上腕骨顆上骨折の後遺症

　関節包の断裂があると，血腫は流出するため明瞭でなくなる．単純X線像所見で骨折線が不明の場合でも，骨陰影のほか，軟部組織の陰影にも留意することが必要である．

■後遺症(図 1-2・26)
1. 阻血性拘縮
　血流の障害から発生する阻血性拘縮(フォルクマン Volkmann 拘縮)は上腕骨顆上骨折に伴うものがもっとも多い．重症なものでは前腕回内，手関節掌屈，示指〜小指MP関節過伸展，IP関節屈曲，母指内転の特有な肢位を呈する．
2. 骨化性筋炎
　ほとんどが暴力的な手技を行ったことにより起こる．
3. 屈伸障害
　とくに屈曲障害，遠位骨片の傾斜角(TA)の整復が不完全な場合に起こりやすい．
4. 形態的変化
　内反肘や外反肘を起こし，内反肘を引き起こすことが多い．上腕骨顆上部後内側は骨膜が厚く，骨折によって切れることは少ないとされ，遠位骨片の後上方転位に伴い近位骨片から剥離した状態が多い．このため内反内旋変形を残しやすい．

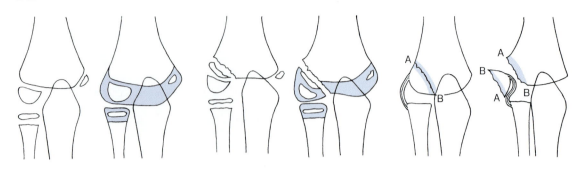

a. 7歳児単純X線正面像と実像　　b. 単純X線像と実際の骨片　　c. 回転転位

図1-2・27　上腕骨外顆骨折（骨端軟骨と骨折線）

2　上腕骨外顆骨折 fracture of humeral outside condyle

■特　徴
(1)肘関節周辺の骨折では顆上骨折に次いで多い．
(2)幼小児に多い．
(3)転位軽度の場合は骨折が見落とされやすく，治療経過中に骨片の転位が増大し，整復が不能となる．
(4)小児骨折でもっとも偽関節を形成しやすい骨折である．偽関節に伴い橈側の成長が障害され外反肘を形成する．
(5)高度な外反肘は遅発性尺骨神経麻痺の原因となる．

■発生機序
(1)肘関節伸展位で手掌を衝いて転倒の際に，肘関節に内転力が働き前腕伸筋群の牽引作用によって発生する（プルオフ pull off 型）．
(2)上腕骨遠位端外側部に肘関節伸展位あるいは軽度屈曲位，前腕回内位（尺骨遠位端は外側へ偏位）で手を衝き転倒した際に発生する（プッシュオフ push off 型）．

■骨折線と骨片転位（図1-2・27）
1. 骨折線
(1)外側の靱帯付着部付近から骨折線が始まり，厚みの薄い橈骨窩へと進みねじれながら，滑車中央部のくびれを通って関節内で終わる．
(2)まれに，小頭核の内側一部を貫通する核骨折も発生する．(1)と同じ関節内で終わる．
2. 骨片転位
骨片が回転して関節前方へ転位する場合の機序を（図1-2・28）に示す．

■症　状
1. 腫　脹
肘関節，とくに外顆部に著明．初期には内側の腫脹はみられない．
2. 疼　痛
外顆部に限局性圧痛および運動痛がみられる．

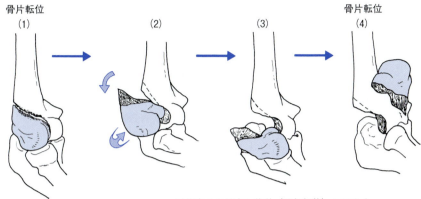

図1-2・28 上腕骨外顆骨折(骨片転位の発生機序)
（1）骨折線のみでほとんど転位のないもの，（2）外力が加わり続け肘関節が内後側に亜脱臼した場合，（3）（2）の状態にさらに外力が加わり続けた場合，（4）骨片は回転し肘前方へ転位．

3. 機能障害
肘関節の運動は可能なことが多い．

4. 異常可動性および軋轢音
外顆部に骨片を触知し，異常可動性および軋轢音を認めるものがある．

■整復，固定法

1. 転位のない骨折(または転位の軽微な骨折)
転位のない骨折はそのまま，転位軽微な例は前腕を末梢側へ牽引しつつ，術者の指頭で骨片を外上方から内下方へ圧迫し整復した後，いずれも肘関節直角屈曲位，前腕回内回外中間位から回外位の範囲で上腕近位端部からMP関節の手前まで3〜4週の固定を行う．

2. 転位のある骨折
回転転位の大きな場合や3mm以上の離開があるものは徒手整復が困難であり，整復固定しても再転位を生じやすいため，観血療法を主眼とした治療が必要になると考えられている．

■後遺症
（1）偽関節
（2）成長障害に伴う外反肘形成（まれに過成長による内反肘を呈することがある）
（3）遅発性尺骨神経麻痺

3 上腕骨内側上顆骨折 fracture of humeral medial epicondyle
■特　徴
肘関節周辺部の骨折では，顆上骨折，外顆骨折に次いで多く，少年期から思春期に多い．

■発生機序

1. 介達外力
急激な外転が強制され前腕屈筋および内側側副靱帯の牽引により内側上顆骨折を起こす．肘関

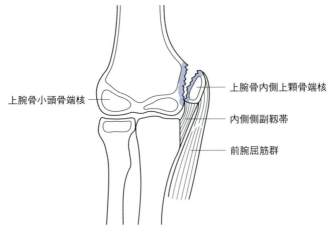

図 1-2・29　上腕骨内側上顆骨折

節脱臼に合併して発生することが多い．
2. 直達外力
内側上顆部を直接強打した際に発生する．発生はまれである．
■骨片転位
（1）前腕屈筋，靱帯の牽引により，骨片は前下方へ転位する（図 1-2・29）．
（2）脱臼に合併した骨折では脱臼に伴う関節包の裂孔から肘関節包内に骨片が迷入することがある．
（3）12～15 歳では骨端線離開として発生する．
■症　状
1. 腫　脹
肘関節，とくに内側に著明
2. 疼　痛
限局性圧痛，運動痛著明
3. 機能障害
肘関節の屈伸障害
4. 異常可動性および軋轢音
骨片が触知でき，異常可動性および軋轢音を認めるものもある．
■整復，固定法
1. 転位のない骨折
肘関節直角屈曲，前腕回内回外中間位，上腕中央部から MP 関節の手前まで，金属副子またはギプス副子で固定する．
2. 転位のある骨折
徒手整復が困難であり，整復固定しても再転位を生じやすいため，観血療法を主眼とした治療が必要になると考えられている．

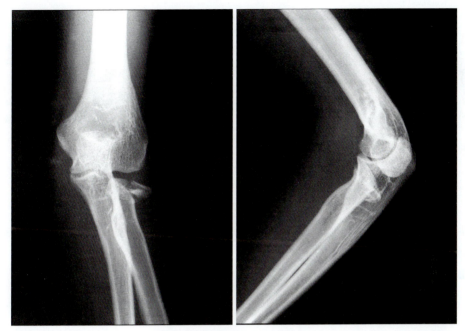

図 1-2・30　橈骨近位端部骨折

■後療法

　骨癒合の後，温熱療法，手技療法，自動運動などを行い，肘関節の機能回復に努める．

■後遺症

　（1）肘関節伸展障害
　（2）前腕回内・回外運動制限
　（3）尺骨神経麻痺

F・前腕骨近位部の骨折

■分　類

　前腕骨近位端部骨折を以下のように分類し，臨床上重要なものについて記載する．
　（1）橈骨近位端部骨折
　（2）肘頭骨折

1 橈骨近位端部骨折

　橈骨近位端部での骨折は，橈骨頭あるいは橈骨頸部，ときにはその両者にわたる部分に発生し，頭部は成人に，頸部は小児に多くみられる(骨端線離開もみられる)．この部の骨折は，その治療が適切に行われなければ著しい肘関節の機能障害を残す点から，軽視できない骨折である（図 1-2・30）．成人の場合は，解剖学的整復位での骨癒合が得られなければ，可動域制限，疼痛などを後遺することがある．成人の屈曲転位が残存するもの，圧迫骨折，粉砕骨折などは観血療

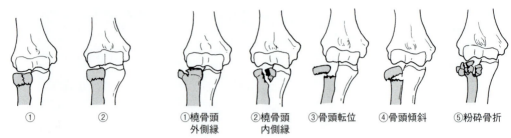

図1-2·31　橈骨近位端部骨折（成人の場合）(Meschan)

法の適応となる．小児の場合には，一般にわずかな転位では，自家矯正により骨端と骨幹の間の位置関係は正常になる．

■発生機序
1. 直達外力
少ない．
2. 介達外力
前腕回内位で手掌を衝いて転倒した際，手掌から橈骨長軸に及ぶ衝撃，外転強制などにより橈骨頭が上腕骨小頭に衝突して骨折する．上腕骨遠位端部骨折，尺骨骨折，肘関節脱臼の合併症として起こるものもある．

■骨折型
1. 成人の場合（図1-2·31）
（1）転位のない骨折

（2）転位のある骨折 ｛橈骨外側縁の骨折／橈骨内側縁の骨折／骨頭が転位した頸部骨折／骨頭が傾斜した頸部骨折／粉砕骨折

2. 小児の場合
小児では橈骨頭部の骨折はまれで，骨折は骨端軟骨部またはそのすぐ遠位で起こり，橈骨頭関節面は外側または前方に傾斜する（図1-2·32）．橈骨頭関節面の傾斜は種々の程度のものがあり，次のように分類される．30°以上の傾斜は変形に伴う機能障害を残しやすく，観血療法の適応がある．

（1）0～30°未満：軽度の転位（肘関節捻挫との鑑別を要する）
（2）30～60°未満：中等度の転位
（3）60°以上：高度な転位

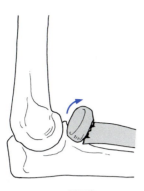
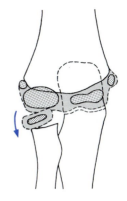

a. 側面像　　　　　　　　b. 前後像

図 1-2・32　橈骨近位端部骨折（小児の場合）

■症　状
1. 腫　脹
　橈骨頭部周辺に腫脹がみられるが，他の骨折に比べ比較的軽度である．関節内骨折のため，関節血腫もみられる．
2. 疼　痛
　橈骨頭および頸部の圧痛，前腕回内・回外運動痛，橈骨長軸方向からの圧迫や回外強制で疼痛が増強する．とくに肘関節伸展位での回外運動で疼痛が増強する．
3. 機能障害
　前腕の回内・回外運動障害，肘関節の屈伸運動障害．とくに肘関節伸展位での回外運動が制限される．
4. 変　形
　肘の外反変形
■合併症
　（1）上腕骨小頭骨折
　（2）上腕骨内側上顆骨折
　（3）肘頭骨折
　（4）肘関節後方脱臼
■整復，固定法
1. 転位のない骨折
　肘関節直角屈曲位，前腕回外位で背側に金属副子などをあて，上腕骨近位端からMP関節手前まで固定する．
2. 転位のある骨折
　徒手整復が困難であり，整復固定しても再転位を生じやすいため，観血療法を主眼とした治療が必要になると考えられている．

206 第Ⅲ章 各　論

■後療法

固定除去後自動運動を開始するが，肘関節の屈伸，前腕の回旋の機能回復の経過は非常に緩慢で長期を要する．

■後遺症

（1）関節内遊離体

（2）骨端軟骨の早期閉鎖による外反肘変形

2　肘頭骨折

成人に多く，小児にはまれな骨折である．

上腕三頭筋の腱膜や肘頭骨膜などの肘伸展機構が有効に働くかは，重力に抗して肘が伸展できるか否かで判断する．これは治療法の選択に影響を与える．

■発生機序

1.　直達外力

肘関節を屈曲位で肘頭部に強い打撃や衝突を受けたときに発生する．骨片が二つ以上に割れる粉砕骨折になるものがある．

2.　介達外力

（1）肘関節が過伸展され，肘頭が肘頭窩と激突して生じる．

（2）上腕三頭筋の牽引力による裂離骨折がある．

■骨折線と骨片転位

骨折面は通常尺骨長軸に対し垂直または斜めの方向に走り，単純X線像上の骨折線は滑車切痕の中央部付近において，横走または斜走する．転位のないものもあるが，骨片の転位は数mmから数cmの明瞭な離開を認める．上腕三頭筋の牽引による延長転位で，近位骨片は近位方向に転位する．骨片の大きさは骨折部位によって異なるが，上腕三頭筋の付着部の小骨片から1〜2cmに及ぶ大骨片の場合もある（図1-2・33，1-2・34）．

■症　状

1.　疼　痛

圧痛，運動痛は著明で，とくに骨折部の限局性圧痛が著明である．受傷直後には自発痛もみられる．

2.　腫　脹

骨折部を中心にみられ，波動を触れるものがある．

3.　陥凹の触知

骨折部が離開する場合は，陥凹を触知する．

4.　変　形

骨片転位のある場合は，近位骨片が後上方に突出し外観上の変形が認められる．

5.　運動障害

肘関節の自動屈曲は可能であるが，自動伸展は制限される．

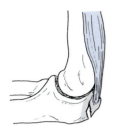 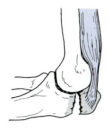 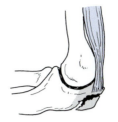 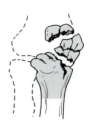

a. 小骨片　　b. 大骨片の離開転位　　c. 関節外骨折　　d. 粉砕骨折

図 1-2・33　肘頭骨折の骨折型

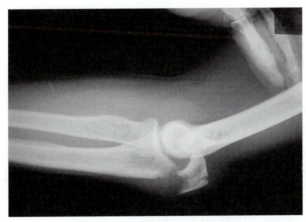

図 1-2・34　肘頭骨折の単純 X 線像

■合併症
1. 肘関節前方脱臼
　尺骨と橈骨が前方に脱臼する．
2. 尺骨神経麻痺
　尺骨神経支配領域の感覚障害，あるいは支配筋の運動麻痺が発生する．
3. 橈骨近位部の損傷
　肘関節に外反力が作用し，肘頭骨折に橈骨近位部骨折を合併するものがある．とくに小児では，ジェフリー Jeffery 型損傷として分類されるものがある．
■整復法
　肘関節を静かに伸展位とし，上腕三頭筋の弛緩を図り転位骨片への牽引力を除き，術者の両母指を用いて近位骨片を徐々に遠位方向に押し直圧を加え，遠位骨片に適合させる．近位骨片の離開が 1 cm 以内の場合には非観血療法が可能であるが，骨片が 1 cm 以上離開したり，肘を軽く屈曲することにより離開が増大する場合は，観血療法の適応となる．
■固定法
　整復位で近位骨片の後方部に綿花枕子を強く押しあて，近位骨片を遠位骨片に向かって圧迫す

る．この綿花枕子を含めて絆創膏を近位・遠位骨片および綿花枕子が緩まないように貼付する．局所に厚紙副子をあて，上腕近位端部より MP 関節の手前まで金属副子などをあて肘関節をほぼ伸展位，前腕回外位に固定する．

■骨癒合

4～6 週を要する．

■後療法

この骨折は再転位を起こしやすいので 1～2 週は十分注意する必要がある．3～4 週後から副子を調整して肘関節屈曲角度を少しずつ増加する．肘関節の屈伸運動は骨癒合後より徐々に慎重に行う．

G・前腕骨骨幹部骨折

前腕骨骨幹部骨折には，橈骨骨幹部骨折，尺骨骨幹部骨折ならびに前腕両骨骨折がある．小児の急性塑性変形はもとより単独骨折のようにみえても近位および遠位橈尺関節の脱臼を見落としてはならない．また循環障害は不可逆性の機能障害をもたらすため，コンパートメント症候群でみられる症状の経時的観察を怠ってはならない．開放性骨折や橈尺骨の癒合，偽関節などを考慮したうえで保存療法の適応を見極め，正確な診断と適切な治療を施さなければ前腕回内・回外運動障害などにより手や上肢の機能を損なうため，十分な注意が必要である．

1 橈骨骨幹部骨折 fracture of radius diaphysis

■概　説

骨片の転位は橈骨に付着する筋によって影響されることが多く，筋の作用を熟知して治療にあたらなければならない．骨折型は横骨折，斜骨折，骨片骨折などがある．小児では若木骨折や，尺骨の急性塑性変形にも注意が必要である．

■発生機序

1. 直達外力

前腕橈側部を強打されるなどにより発生する．

2. 介達外力

転倒，転落などで手掌を衝いて前腕骨に介達外力が働いて発生する．外力が前腕両骨の骨折を起こすほどでない場合に橈骨骨幹部の単独骨折となる．

■定型的骨片転位

1. 円回内筋付着部より近位での骨折(図 1-2·35a)

①近位骨片：回外・屈曲位(回外筋，上腕二頭筋の牽引による)

②遠位骨片：回内位(円回内筋，方形回内筋の牽引による)

2. 円回内筋付着部より遠位での骨折(図 1-2·35b)

①近位骨片：回内・回外中間位(回外筋・上腕二頭筋と円回内筋の牽引の拮抗による)

②遠位骨片：回内位(方形回内筋の牽引による)

①上腕二頭筋
②円回内筋
③回外筋
④方形回内筋

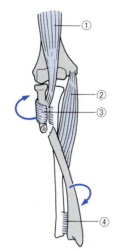

a. 円回内筋付着部より近位での骨折　　b. 円回内筋付着部より遠位での骨折

図 1-2・35　橈骨骨幹部骨折の定型的転位

■症　状
1. 変　形
　骨片転位のある場合は異常な骨隆起，陥凹を触知し，幼小児の若木骨折では，精査することによりその変形を触知できる場合がある．
2. 腫　脹
　前腕全体にみられ，とくに橈側部に著明である．
3. 疼　痛
　骨折部の限局性圧痛は著明で，介達痛が認められる．受傷直後には自発痛もみられる．
4. 機能障害
　肘関節屈伸運動および前腕回内・回外運動の障害，とくに前腕の回外運動は疼痛とともに強く制限され，もしくは不能となる．
5. 軋轢音，異常可動性
■合併症
　（1）遠位橈尺関節脱臼（ガレアジ骨折）
　（2）コンパートメント症候群
■整復法
　前腕の回内・回外運動制限を残さないように橈尺両骨間の骨間隙を維持する．
1. 円回内筋付着部より近位での骨折
　患者を背臥位で肩関節外転位，肘関節90°屈曲位で助手に肘関節部を固定させ，術者は手関節部を把握して，遠位方向へ強力に牽引しながら前腕を回外させていく．前腕回外位で牽引しながら，他方の手を骨折部にあて，圧迫して整復する．

210 第Ⅲ章　各　　論

2. 円回内筋付着部より遠位での骨折

円回内筋付着部よりも近位での骨折と同様の操作を前腕回内・回外中間位で行う.

■固定法

各々の整復終了時の肢位で，背側，掌側，内外側面に局所副子をあて，上腕中央部から MP 関節の手前まで金属副子などで前腕が回旋しないように固定する. 固定では，末梢部の血行障害を起こさないように注意を払わなければならない. 固定期間は骨折型，部位，程度によって異なるが，小児で 4〜5 週，成人で 6〜8 週とする.

■後療法

（1）手指の運動は早期から開始する.

（2）固定除去後の関節可動域訓練は肘関節，手関節の自動運動を中心に開始し，無理な他動運動は避ける.

（3）骨折部の安定性が獲得されたら，徐々に前腕回内・回外運動を開始する.

■後遺症

（1）前腕回内・回外運動障害

（2）変形癒合による角状変形

② ガレアジ Galeazzi 骨折（逆モンテギア骨折）（図 1-2·36，1-2·37）

■概　説

成人に起こるまれな骨折である. 橈骨骨幹部中央・遠位 1/3 境界部付近の骨折で，尺骨頭の脱臼を合併する. 橈骨遠位骨片の屈曲転位に伴い，尺骨頭は背側または掌側に脱臼する. 小児では遠位橈尺関節脱臼のかわりに尺骨遠位骨端線離開を起こすことがあり，ガレアジ類似骨折と呼ばれ，成長障害に注意する必要がある.

■整復，固定法

非観血的には円回内筋付着部より遠位の骨折として処置されるが，骨片の再転位や遠位橈尺関節の再脱臼などが起こりやすく，不安定型の骨折である. 多くは観血療法が適応と考えられている.

■後遺症

（1）尺骨神経の損傷

（2）手部尺側の疼痛

（3）前腕回内・回外の可動域制限

③ 尺骨骨幹部骨折 fracture of ulnar diaphysis

■概　説

尺骨骨幹部の単独骨折は発生頻度が低く，主に直達外力によって発生するが，前腕の回内・回外時に働く介達外力や，剣道，ソフトボールなどのスポーツによる疲労骨折もみられる. 遠位 1/2 部に多く発生し，骨折線は斜骨折，横骨折，ときに第 3 骨片を有する場合もある. 骨片が転位することは少なく，転位する場合は外力の働いた方向に起こることが多い. これは橈骨が著明

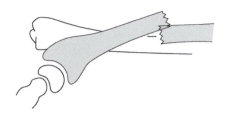
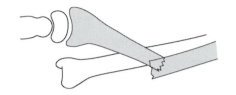

a. 尺骨頭が背側に脱臼したもの

橈骨遠位骨片は掌側に屈曲転位し，尺骨頭は背側に脱臼する（背側凸）.

b. 尺骨頭が掌側に脱臼したもの

橈骨遠位骨片は背側に屈曲転位し，尺骨頭は掌側に脱臼する（掌側凸）.

図1-2・36　ガレアジ骨折

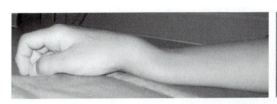
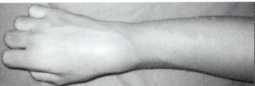
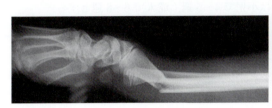
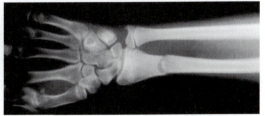

図1-2・37　ガレアジ骨折（尺骨頭が掌側に脱臼したもの）
［栗原整形外科のご厚意による］

な転位や短縮の発生予防に働くこと，尺骨に対する筋作用が少ないためと考えられる．

■発生機序
1. 直達外力

転倒，転落などで肘関節屈曲位，前腕回内位で尺骨骨幹部を強打したり，他者からの打ち込みに対して前腕で顔面を守った際に尺骨骨幹部を強打されて発生する．

2. 介達外力

転倒などで前腕回内位で手掌を衝き，前腕に強い回旋力が作用すると，尺骨は回旋できないため，橈骨と交叉する近位から中央1/3部に発生する．

■症状
1. 腫脹

前腕尺側部にみられ，とくに背側に著明である．

2. 疼痛

限局性圧痛，介達痛が著明である．受傷直後には自発痛もみられる．

212 第Ⅲ章 各　論

3. 機能障害

前腕回内・回外運動が障害される.

4. 軋轢音，異常可動性

■**合併症**

（1）橈骨頭脱臼(モンテギア骨折)

（2）コンパートメント症候群

■**整復法**

尺骨の生理的彎曲，橈尺骨間隙の保持，末梢部の循環障害に注意して整復固定を行う.

患者を背臥位で，肩関節軽度外転，肘関節伸展位，前腕回外位とする．第1助手に前腕近位部または肘関節部を把握して固定させ，術者は患者の手関節部を両手で握り，遠位方向にゆっくりと牽引を行う．この際，術者は一方の手で牽引を持続し他方の手で骨折部の整復を試みるか，第2助手に遠位方向へ牽引させ，術者は両手で骨折部を整復する.

[　●尺骨はおおむね全長にわたり皮下に触知可能なため，整復状態をある程度確認できる．]

■**固定法**

肘関節 90° 屈曲位，前腕中間位で，掌背内外側面に局所副子をあて，上腕中央部から MP 関節手前まで金属副子などで固定する．固定期間は小児で 4~5 週，成人で 6~8 週とする.

■**後療法**

（1）手指の運動は早期から開始する.

（2）固定除去後の関節可動域訓練は肘関節，手関節の自動運動を中心に開始し，無理な他動運動は避ける.

（3）骨折部の安定性が獲得できたら，徐々に前腕回内・回外運動を開始する.

■**後遺症**

（1）前腕回内・回外運動障害

（2）変形癒合による角状変形

---

4 モンテギア Monteggia 骨折

■**概　説**

尺骨骨幹部近位から中央 1/3 部の骨折に橈骨頭が脱臼しているもので，伸展型と屈曲型がある（図 1-2・38，1-2・39）．また，近年では急性塑性変形に伴う橈骨頭の脱臼の報告が散見されているため，尺骨に明らかな骨折がない場合も見落とさないように注意する．尺骨骨幹部近位の骨折で，橈骨骨幹部の骨折を合併していない場合は，橈骨頭の脱臼を疑って精査しなければならない．橈骨頭の脱臼を見落とすと，機能障害を残す原因となる．治療の困難な骨折の一つで，とくに伸展型骨折の整復ならびに固定はきわめてむずかしい.

■**分　類**

1. 伸展型(前方型)

大多数がこの型で尺骨が前外側凸の屈曲変形を呈し，橈骨頭は前外側に脱臼する.

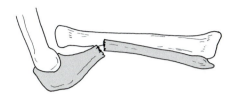
a. 伸展型（前方型）

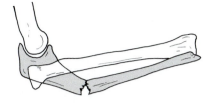
b. 屈曲型（後方型）

図1-2・38　モンテギア骨折

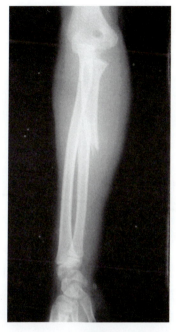
a. 正面像

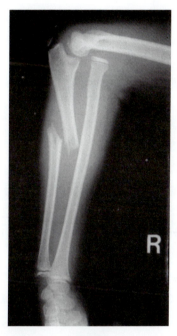
b. 側面像

図1-2・39　右モンテギア骨折伸展型（10歳，男子）

2. 屈曲型（後方型）
伸展型に比べると少なく，尺骨は後方凸の屈曲変形を呈し，橈骨頭は後方に脱臼する．

■合併症
（1）橈骨神経（後骨間神経）損傷
（2）コンパートメント症候群

■整復法
1. 伸展型
患肢肘関節を屈曲位で，第1助手は上腕を固定し牽引を行い，第2助手は患肢前腕回外位で，手関節を把握し徐々に末梢牽引を加える．牽引を維持させ術者は骨折部を背側に圧迫して整復を行い，次いで橈骨頭を後内方に押し込み整復する．伸展型の骨折は安定性が悪いため，十分な整

214 第Ⅲ章 各 論

復, 固定ができない場合は観血的に治療される.

2. 屈曲型

肘関節を伸展位で, 第1助手に上腕部を固定させる. 第2助手には前腕回外位で手関節を把握させ, さらに遠位方向にゆっくりと牽引させる. 術者は背側に突出している尺骨骨折部の屈曲転位の頂点を圧迫して整復する. 屈曲型骨折では骨折部が整復され変形が矯正されると同時に橈骨頭の脱臼は整復される.

■固定法

1. 伸展型

肢位は肘関節鋭角屈曲位, 前腕回外位. 上腕近位端からMP関節の手前まで背側に金属副子などで固定を6～8週施行する.

2. 屈曲型

肘関節伸展位, 前腕回外位. 範囲と固定期間は伸展型に準ずる.

■後遺症

(1)橈骨頭の脱臼遺残または再脱臼

(2)尺骨骨折の遷延癒合および偽関節

(3)尺骨骨幹部の屈曲変形癒合

(4)橈骨神経(後骨間神経)麻痺による手指の伸展障害

5 橈・尺両骨骨幹部骨折 radioulnar fracture

■概 説

橈・尺両骨骨折はそれぞれの単独骨折の場合よりも治療が困難であり, 治療日数も長期を要する. 成人では観血療法も含めた適切な治療法の選択が重要である. 幼小児では遠位部での骨折が多い. 多くは不全骨折で骨折部は屈折して角状を呈し, 短縮転位または側方転位をみることは少ない. 青壮年では転位の大きなものが多い. 尺骨の転位がない, または軽度で, 前腕回旋の軸としての機能が残存するものは, 筋の作用によって定型的な骨片転位を呈する. ただし直達外力が強大な場合はその限りではない.

■発生機序

1. 直達外力

前腕部に直接打撃を受けて発生する. 横骨折で骨折部はおおむね橈・尺両骨が同じ高さのものが多い.

2. 介達外力

手掌を地面に衝いた際の両骨長軸方向に作用する外力により発生する. 斜骨折になりやすく, 橈・尺骨骨折部は橈骨が近位になるものが多い. 斜骨折だけでなく, 横骨折, 螺旋状骨折, 第3骨片を伴う場合もある. 幼小児ではしばしば若木骨折がみられる.

■定型的骨片転位

1. 円回内筋付着部より近位での骨折(図1-2・40a)

①近位骨片：回外, 外転, 屈曲位(回外筋, 上腕二頭筋の牽引による)

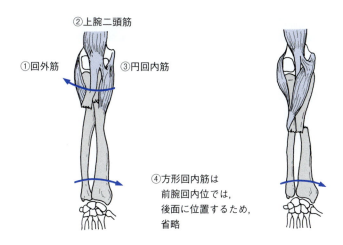

図1-2・40 橈・尺両骨骨折定型的転位

　②遠位骨片：回内位(円回内筋，方形回内筋の牽引による)
2. 円回内筋付着部より遠位での骨折(図1-2・40b)
　①近位骨片：回内・回外中間位(回外筋，上腕二頭筋の牽引と円回内筋の牽引の拮抗による)
　②遠位骨片：回内位(方形回内筋の牽引による)

■症　状

一般に橈・尺両骨骨折は，単独骨折よりも症状が著明である．
(1)患肢肘関節を伸展もしくは軽度屈曲位の状態で来院することが多い．
(2)種々の転位による骨折部の変形がみられる(前腕部の屈曲，短縮，回旋など)．転位が大きい場合は開放性骨折になることもある．
(3)前腕部の著明な腫脹
(4)限局性圧痛，運動痛が著明．受傷直後には自発痛もみられる．
(5)異常可動性，軋櫟音
(6)前腕回内・回外運動障害

[●幼小児の不全骨折では，腫脹が軽微なうえ，明瞭な変形を認めないことがある．受傷部の状態が不明なときは他の部の骨折，捻挫，肘内障との鑑別を要する．]

■合併症
　コンパートメント症候群

■転位高度な場合の難治の理由
(1)2本の骨の骨片転位を同時に解剖学的に整復することはきわめて困難である．
(2)解剖学的整復位が得られたとしても，筋による再転位が起こりやすく，遠位骨片の回内転位とともに両骨折端が接近しやすい．
(3)再転位を防ぐため緊縛ぎみな固定が必要となり，末梢部の循環障害の危険や患者の苦痛を

216 第Ⅲ章 各　　論

参考 12　橈・尺両骨骨幹部骨折の整復，固定，後療法

■整復法

　患肢の前腕肢位は骨折部の位置によって異なる．円回内筋付着部より近位では，前腕回外位とし，円回内筋付着部より遠位の場合は，前腕回内外中間位とする．

1.　円回内筋付着部より近位での骨折

　①患者を坐位または背臥位で，患肢肘関節直角屈曲位で第 1 助手に上腕を固定させる．

　②第 2 助手に患肢の手関節および前腕遠位端を把握させ，前腕長軸末梢方向へ十分時間をかけ牽引させ，短縮転位を除去させる．

　③短縮転位が除かれた状態で術者は，まず尺骨の近位骨片を掌側から，遠位骨片を背側から圧迫し整復する．

　④次に橈骨は近位骨片に対して遠位骨片が回内方向に転位しているため，牽引したまま遠位骨片に掌側から圧迫を加えながら前腕を回外位にし，整復する．

2.　円回内筋付着部より遠位での骨折

　円回内筋付着部より近位での骨折と同様の操作を前腕中間位で行う．

■固定法

　整復位で固定を行う．肘関節直角屈曲位とし，円回内筋付着部より近位部の骨折では前腕回外位，円回内筋付着部より遠位，または，転位のない骨折は前腕回内回外中間位にする．

　骨折部の凸変形のあった位置に再転位を防止するため局所副子をあて，さらに，掌背側に局所副子をあて，上腕中央から MP 関節の手前まで金属副子などで固定する．

■後療法

　整復は困難を極め，整復位保持にも難渋する．両骨間の狭小化，捻転転位，短縮転位により遷延癒合，偽関節，前腕回内・回外の運動制限を残しやすい．とくに 2～3 週は前腕の回内・回外や肘関節屈曲の固定肢位を慎重に確認し，再転位に注意する．

　肘関節，手関節の自動運動開始時期は，骨折型，部位，年齢などにより異なるが，4～6 週後を目安とする．ただし，前腕回内・回外運動は骨癒合がさらに進行した時期でなければ再転位や偽関節などの原因となる危険性が高い．

　　招く．

（4）前腕骨は直径が小さく，血行も豊富でないことから骨癒合の遷延や偽関節を発生しやすい．

（5）まれに橈尺骨の癒合による永続的な前腕回内・回外運動障害を残すものがある．

（6）両骨の骨癒合に長期を要し，長期固定による上肢全体の関節可動域制限を残す可能性が大きい．

　以上から転位が高度な骨折，成人の骨折には十分な治療法の検討が必要である．

■後遺症

（1）変形癒合による角状変形

（2）偽関節

（3）橈尺骨の癒合

（4）遷延癒合

（5）前腕回内・回外運動障害

（6）阻血性拘縮

H・前腕骨遠位端部骨折

前腕骨遠位端部には橈骨遠位端部と尺骨遠位端部があるが，骨折の多くは橈骨遠位端部に起こる．尺骨茎状突起骨折は橈骨遠位端部骨折に合併するものが多い．

1 橈骨遠位端部骨折

骨折の頻度が高く，幼児から高齢者まで幅広い年齢層に発生する．幼小児は若木骨折や竹節状骨折などがみられ，予後は良好である．ときには骨端線離開が発生する．10歳代以降では手関節の近位1〜3cm付近での完全骨折が多い．高齢者の粉砕骨折は解剖学的な整復が困難である．長期間固定すると関節機能が障害される一方で，固定期間が短いと変形するという，相反する要素を持っている．そのため高齢者では，解剖学的治癒より機能的治癒に主眼をおき，肩，肘，手，指の関節運動の維持を目標にして，できるだけ早期に自動運動を開始する必要がある．

■**分　類**（図 1-2・41）

橈骨遠位端部骨折には種々のタイプがあるが，日常の臨床で多く遭遇するのは橈骨遠位端部伸展型骨折，いわゆるコーレス Colles 骨折である．

現在では背側転位を呈するものをコーレス骨折，掌側への転位を呈するものをスミス Smith 骨折と総称することも多い．骨折線が関節内にまでいたる症例では整復後の安定性が悪くなることが多く，治療方法を選択するうえで大きな意義を持つため，関節内骨折についても記載する．

（1）コーレス骨折

（2）スミス骨折

（3）バートン Barton 骨折

①掌側バートン骨折

②背側バートン骨折

（4）ショウファー chauffeur 骨折

（5）橈骨遠位骨端線離開

a. コーレス骨折

■**発生機序**

多くは介達外力によって発生し，直達外力によって発生するものはまれである．

手掌を衝いて転倒した際に，橈骨遠位端に受ける長軸圧と，手関節を含めて強度な伸展（背屈）力が強制され，橈骨遠位端部に掌側凸の屈曲力が働いて，手関節の1〜3cm近位で骨折する．また，手掌を衝いた際の捻転力が主要な原因となり，前腕の回内に伴い橈骨遠位端が過度に回外され骨折にいたるという考え方もある（図1-2・42）．

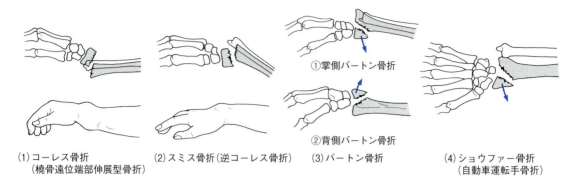

(1) コーレス骨折
　（橈骨遠位端部伸展型骨折）
(2) スミス骨折（逆コーレス骨折）
(3) バートン骨折
　① 掌側バートン骨折
　② 背側バートン骨折
(4) ショウファー骨折
　（自動車運転手骨折）

図 1-2·41　橈骨遠位端部骨折の骨折型

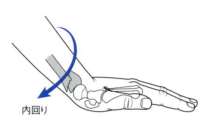

内回り

図 1-2·42　コーレス骨折発生時に前腕に働く捻転力

■症　状（図 1-2·43, 1-2·44）
1. 骨折線の走行
　前額面内では橈側近位から斜めに尺側遠位に走る．矢状面内では手関節の 1〜3 cm 近位の掌側から，やや斜めに背側近位方向へ走る．
2. 転　位
　背側転位，橈側転位，短縮転位，捻転転位（回外）を呈する．
3. 変　形
　遠位骨片の転位のため，骨折部の厚さと幅が増大する．
　（1）背側転位が高度になり，近位骨片に騎乗，短縮すると，フォーク状変形を呈する．
　（2）橈側転位が高度になり，遠位橈尺関節が離開して，尺骨頭が尺側に突出すると，銃剣状変形を呈する．
4. 腫　脹
　出血による高度な腫脹が，前腕遠位部，手関節，手部にかけて出現する．受傷数時間後には手指にまで腫脹が現れる．
5. 疼　痛
　限局性圧痛，介達痛は著明である．受傷直後には自発痛がみられる．
6. 機能障害
　前腕の回外運動や，手関節運動制限，手で物を握る，第 1 指と第 2 指でつまむなどの動作障害

1. 骨　　折　219

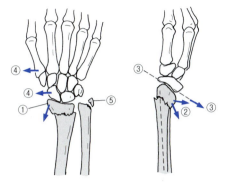
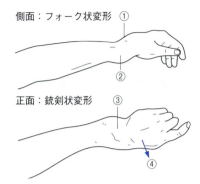

①遠位骨片は短縮転位する（橈骨茎状突起は尺骨茎状突起と同一レベル，または近位側にある）．
②遠位骨片は背側へ転位する．
③橈骨関節面が背側へ向く（この角度は症例により異なる）．
④手根骨および手は橈側に偏位する．
⑤ときに尺骨茎状突起骨折を合併する．

典型的変形
　①急峻な背側の突出
　②なだらかな円形の掌側突出
　③手関節の横径の増大
　④手の橈側偏位

図1-2・43　コーレス骨折（橈骨遠位端部伸展型骨折）

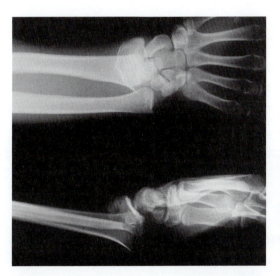
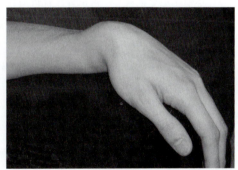

受傷直後

図1-2・44　成人のコーレス骨折

がみられる．

■合併症
（1）尺骨茎状突起骨折
（2）舟状骨骨折
（3）遠位橈尺関節離開

220 第Ⅲ章 各 論

（4）月状骨脱臼

（5）正中神経，尺骨神経，橈骨神経の損傷

■整復法

1. 牽引直圧整復法（転位軽度の骨折に適応）

①坐位または背臥位にさせた患者の肘関節を90°屈曲して，助手に骨折部の近位部を把握固定させる．

②術者は両手の母指を背側に，両四指を掌側にあて，手根部とともに遠位骨片を把握し，回内位に末梢牽引を行って捻転転位，前額面内の側方転位，短縮転位を取り除く．

③そのまま末梢牽引の手を緩めずに，両示指で近位骨片を掌側から背側に向けて圧迫し，同時に両母指で背側から掌側に向けて遠位骨片を直圧して整復する．

④続いて，遠位骨片の再転位を防ぐために手関節を軽度屈曲（掌屈）位，手関節軽度尺屈位にして固定する肢位に移行する．

2. 屈曲整復法（転位高度な骨折に適応）

①坐位または背臥位の患者の肘関節を90°屈曲して，助手に骨折部の近位部を把握固定させる．

②術者は両手の母指を背側に，両四指を掌側にあて，手根部とともに遠位骨片を把握して，回内位で軽く橈側から遠位骨片，尺側から近位骨片に圧迫を加えて，捻転転位と前額面内の側方転位（軸を合わせること）を取り除く．

③続いて遠位骨片に手とともに伸展方向への屈曲（過伸展）を強制して，その肢位のまま，両母指で遠位骨片骨折端を前腕長軸末梢方向に圧迫し，近位骨片の骨折端に近づける．

④さらに，両示指で近位骨片骨折端を掌側から固定して，その肢位（角度のまま）で前腕長軸方向への圧迫を継続し，遠位骨片骨折端背側が近位骨片の骨折端背側に適合したところで，手を含み遠位骨片を屈曲方向に伸展（掌屈）させて，同時に背側から遠位骨片を圧迫して背側転位を整復する．

⑤続いて，遠位骨片の再転位を防ぐために手関節軽度屈曲（掌屈）位，手関節軽度尺屈位にして固定する肢位に移行する．

■固定法

1. 肢 位

肘関節90°屈曲位，前腕回内位，手関節軽度屈曲（掌屈）位，軽度尺屈位

2. 方 法

厚紙副子や金属副子などを用いて，肘関節を含みMP関節の手前まで，MP関節の屈伸運動可能な範囲で固定包帯を施行するが，強度の手関節屈曲（掌屈）位に長期間固定を施すと，指関節の拘縮を残すので注意する．

■骨癒合

4～5週を要する．

■後療法

受傷後1週は再転位に留意し，約2週過ぎより徐々に良肢位に近づける．指の運動は拘縮予防のため翌日から開始させ循環の改善を図る．骨癒合を認めたら固定を除去し，徐々に手関節の自

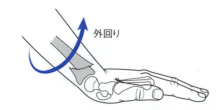
図1-2・45 スミス骨折発生時に前腕に働く捻転力

動運動を行わせる．高齢者の場合には，肩・肘関節に拘縮が生じることが多いので，患者自身に積極的に運動を行うよう指示する．ただし自動運動の際には長母指伸筋腱の断裂を起こすことがあるので，注意が必要である．治癒までに6～12週を要する．

■続発症，後遺症
　(1) 長母指伸筋腱の断裂
　(2) 手根管症候群
　(3) 変形癒合
　(4) 指・手・肘・肩関節の拘縮（とくに高齢者）
　(5) 変形性関節症
　(6) 橈骨遠位骨端軟骨損傷による成長障害
　(7) 正中神経，尺骨神経，橈骨神経の麻痺
　(8) 前腕の回内・回外運動障害
　(9) 反射性交感神経性ジストロフィー（CRPS Type 1型）（ズデック Sudeck 骨萎縮を含む）

b. スミス骨折（橈骨遠位端部屈曲型骨折：逆コーレス骨折）
コーレス骨折に比較して発生頻度は低い．

■発生機序
多くは手関節を屈曲（掌屈）して手背を衝き転倒した際に橈骨遠位端部に強い背側凸の屈曲力が働き発生する．また，手掌を衝いた際の捻転力が主要な原因となり，前腕の回外に伴い，橈骨遠位端が過度に回内されて骨折にいたるという考え方もある（図1-2・45）．

■症　状（図1-2・46）
1. 骨折線の走行
手関節の1～3cm近位の背側から，やや斜めに掌側近位方向へ走る．
2. 転　位
掌側転位，橈側転位，短縮転位，捻転（回内）転位を呈する．
3. 変　形
遠位骨片の掌側転位と橈側転位により骨折部の厚さと幅が増大する．さらに掌側転位が高度になると尺骨遠位端が背側に突出してみえ，鋤状変形を呈する．
4. 腫脹，疼痛，機能障害
コーレス骨折と同様

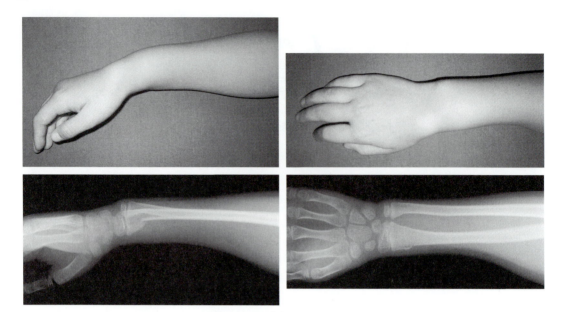

図 1-2・46　少年のスミス骨折
［栗原整形外科のご厚意による］

■整復法（牽引直圧整復法）

　転位軽度の骨折に適応する．坐位または背臥位にさせた患者の肘関節を 90°屈曲して，助手に骨折部中枢を把握固定させる．術者は両母指を掌側に，両四指を背側にあて，手根部とともに遠位骨片を把握して，回外位に末梢牽引を行って捻転転位，前額面内の側方転位，短縮転位を取り除く．そのまま末梢牽引を緩めずに，両示指で近位骨片の背側から掌側に向け，同時に両母指で掌側から背側に向け遠位骨片を直圧して整復する．両母指で遠位骨片に圧迫を加えるときは橈骨動脈の損傷に注意する．

■固定法

1. 肢　位

　肘関節 90°屈曲位，前腕回外位，手関節軽度伸展（背屈）位，軽度尺屈位

2. 方　法

　厚紙副子，金属副子などを用いて，肘関節を含み MP 関節の手前まで，MP 関節の屈伸運動可能な範囲で 4〜5 週の固定包帯を施行する．

■後療法

　後療法などはコーレス骨折に準じて行う．

c. バートン骨折

■発生機序

　バートン骨折はコーレス骨折（スミス骨折）と同様，手を衝いて倒れた際に発生する．その際，橈骨遠位端と手根骨が衝突し，橈骨手根関節面に骨折線に及ぶものをいう．関節面の一部を含む遠位骨片が掌側に転位すれば掌側バートン骨折，背側に転位すれば背側バートン骨折となる．

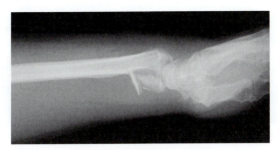

図 1-2·47　掌側バートン骨折

ともに骨片の安定性が悪く観血療法の適応となるものが多い.

- **c-1. 掌側バートン骨折（図 1-2·47）**
  - ■症　状
    遠位骨片は手部とともに掌側に転位し，橈骨手根関節は不全脱臼する.
  - ■整復法
    前腕を中間位で遠位骨片を手とともに遠位方向に牽引し，手関節の屈曲（掌屈）と同時に掌側から背側へ遠位骨片を圧迫して整復する.
  - ■固定法
    厚紙副子，金属副子などを用いて，肘関節を含み MP 関節の手前まで，手関節軽度屈曲（掌屈）位，前腕中間位，肘関節 90°屈曲位で 5〜6 週の固定を行う.

- **c-2. 背側バートン骨折**
  - ■症　状
    遠位骨片は手部とともに背側に転位し，橈骨手根関節は不全脱臼する.
  - ■整復法
    前腕を回外位で遠位骨片を手とともに遠位方向に牽引し，手関節の伸展（背屈）と同時に背側から掌側へ遠位骨片を圧迫して整復する.
  - ■固定法
    厚紙副子，金属副子などを用いて，肘関節を含み MP 関節の手前まで，手関節軽度伸展（背屈）位，前腕回外位，肘関節 90°屈曲位で 5〜6 週の固定を行う.

d. ショウファー骨折
  - ■概　説
    橈骨茎状突起の関節内骨折であり，舟状骨骨折との鑑別も必要である．解剖学的整復を行わないと手関節の可動域制限の原因となる．長期的には変形性関節症を続発する.
  - ■発生機序
    手関節が急激に橈屈を強制されて発生する.
  - ■整復法
    徒手整復は橈骨の月状骨関節面を支点として手関節を尺屈し，橈側の靱帯を緊張させて整復する.

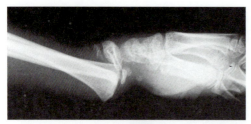
a. 受傷時側面像

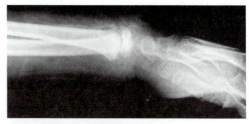
b. 整復後側面像

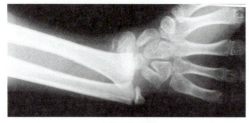
c. 受傷時正面像

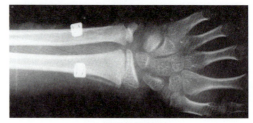
d. 整復後正面像

図 1-2・48　小児骨端線離開

■固定，後療法

肘関節 90°屈曲位，手関節尺屈位で上腕から第 1 指を含めてギプス副子などで固定する．固定期間は 4～5 週である．固定除去後は積極的に関節可動域訓練を行う．

e. 橈骨遠位骨端線離開(図 1-2・48)

骨端軟骨の早期閉鎖による成長障害を起こす危険性がある．とくに粗暴な整復が原因となることがある．

■発生機序

多くは，成人のコーレス骨折と同様な機序で起こり，転倒し手関節を 90°伸展(背屈)位で手掌を衝くと，ときに骨端軟骨の圧挫損傷が起こる．

■転　位

ソルター・ハリス Salter-Harris の I 型および II 型で，遠位骨片が背側へ転位するものが大部分である．

■整復法

前腕回内位で遠位骨片を手部とともに遠位方向に牽引し，手関節を屈曲(掌屈)しながら遠位骨片を背側から圧迫して整復する．

■固定法

コーレス骨折に準じて 3～4 週の固定を行う．

I・手根骨部の骨折

転倒時に手関節伸展(背屈)位で手掌を衝いて発生する．なかでも舟状骨は橈骨と遠位手根骨列

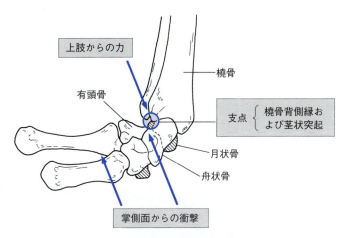

図 1-2・49　舟状骨骨折発生機序

の間に位置し，外力を受けやすく，手根骨骨折でもっとも多い．その他の手根骨もまれに骨折を生じる．

1 舟状骨骨折 fracture of scaphoid

舟状骨は圧迫力，橈屈力，剪断力など外力の影響を受けやすい．また，舟状骨骨折は，見落とされやすいので注意が必要である．舟状骨の栄養血管の多くは背面遠位側から入るため，近位骨片の阻血性壊死や偽関節が起こる可能性がある．外傷を契機に有痛性となったものには，本来の受傷から経過期間が長く，最初の外傷を想起できない例もある．

■発生機序

ほとんどが介達外力によるもので，手関節の伸展（背屈），橈屈が強制されて発生する（図 1-2・49）．

■分　類

舟状骨は橈骨と周囲の手根骨の間で圧迫され，様々な部位で骨折が起こる．以下の四つに分類され，中央 1/3 部（腰部）の骨折が大半をしめる（図 1-2・50，1-2・51）．

（1）結節部骨折
（2）遠位 1/3 部の骨折
（3）中央 1/3 部（腰部）の骨折
（4）近位 1/3 部の骨折

■症　状

（1）手関節とくにスナッフボックス snuff box の腫脹，疼痛を認める．
（2）手関節の運動制限と運動痛は伸展（背屈）かつ橈屈時に著明である．
（3）スナッフボックスおよび舟状骨結節部の圧痛を認める．
（4）第 1・2 中手骨の骨軸方向からの軸圧痛がある．
（5）握手をすると手根部に疼痛を訴える．

(1)結節部骨折

(2)遠位1/3部の骨折

(3)中央1/3部(腰部)の骨折

(4)近位1/3部の骨折

図 1-2・50　舟状骨骨折の分類

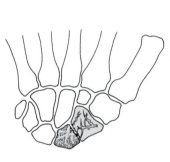
a. 舟状骨骨折と阻血性壊死

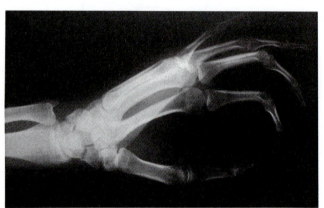
b. 舟状骨骨折中央1/3部骨折

図 1-2・51　舟状骨骨折

（6）陳旧例では，手関節の運動痛，可動域制限，脱力感などがみられる(腕立て伏せができないなど).

■合併症
（1）橈骨遠位端部骨折
（2）月状骨脱臼
（3）橈骨手根関節の脱臼
（4）手根中央関節の脱臼
（5）第1中手骨基部の骨折(ベネット Bennett 骨折)

■整復法
　新鮮な安定型骨折や転位の少ない骨折(骨皮質のズレが 0.5 mm 以下)が保存療法の適応となる．整復法は母指を長軸方向に牽引，舟状骨部を圧迫し手を軽度橈側屈曲することにより整復される(図 1-2・52).

■固定，後療法
　固定肢位は手関節軽度伸展(背屈)位，軽度橈屈位，手指はボールを握った形で前腕近位部から MP 関節の手前まで固定する．とくに大切なことは第1指のみは IP 関節の手前まで固定することである(図 1-2・53)．骨折部位によって異なるが 8〜12 週の固定が必要である．

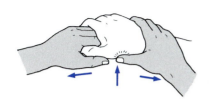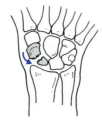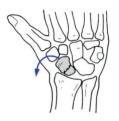

a. 徒手整復法   b. 骨片転位   c. 手を橈側屈曲すると骨片は整復される

図1-2・52　舟状骨骨折の整復法

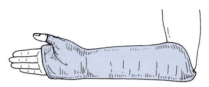

図1-2・53　舟状骨骨折ギプス固定法

　副子を掌側にあて，固定を完全なものにし，固定期間中は手指の運動を積極的に行わせ手根骨の骨萎縮を防ぐ．固定除去後は理学療法などを行い，早期機能回復を図る．

■注意点
　患者に長期固定の必要性を説明（同意）して固定期間を守らせることが大切である．早期の固定除去は偽関節を生じやすい．

■難治の理由
　（1）手関節運動とくに橈屈，尺屈に際して常に骨折部に剪断力が働く．
　（2）近位骨片への血液供給が絶たれやすく壊死に陥る．
　（3）関節内骨折のため骨膜性仮骨形成が期待できない．

■予　後
　新鮮時の骨折を見落として放置されていることも多く，適切な施術が行われずに偽関節を生じた場合，経過によっては変形性関節症に移行するものがある．一方，無症状で推移したり，腕立て伏せなど一部動作には制限を残す程度で日常生活に支障が少ないものもある．

[2]　三角骨骨折　fracture of triquetrum

　手根骨骨折における発生頻度は舟状骨に次ぐという報告が多い．血行は比較的良好で偽関節や骨壊死の危険性は少ない．背側部の骨折は単独骨折が多く，体部骨折は他の手根部損傷に合併することが多い．背側部の骨折は舟状骨骨折と同様に見落とされることも多く精査する必要がある．

■発生機序
　背側部の骨折が多く，靱帯付着部の裂離骨折や手関節過伸展時に尺骨茎状突起が衝突し発生すると考えられている（図1-2・54）．体部骨折は直達外力や手関節伸展強制により発生する．舟状

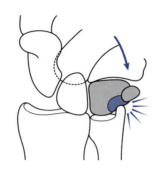

尺骨茎状突起がシャベルのように
背側部を引っかけて剥離する.

図 1-2・54　三角骨骨折の発生機序

骨骨折や月状骨脱臼に合併することもある.

■症　状

　背側部の骨折は手根背尺側部の軽微な腫脹, 限局性圧痛がある. 他の手根部損傷に合併した体部骨折は手関節部の疼痛, 機能障害が著明である.

■治療法

　背側部の骨折は手関節軽度伸展(背屈)位で前腕近位部から手掌まで, 2〜4週の副子固定をするが, 骨癒合を得られないことが多い. そのため積極的な治療を必要としないとする考え方もある. 転位のない体部骨折は3〜6週の副子固定で骨癒合するが, 転位を有する場合や豆状骨との関節面に骨折線がある場合は観血療法の適応がある.

■予　後

　豆状骨関節の関節症により疼痛が残存することがある.

3　有鈎骨骨折

a. 有鈎骨鈎骨折 hamulus (hook) of hamate fracture

　スポーツによる発生が多い. 発生の要因として, 有鈎骨体部と鈎部は骨梁構造が連続していないため力学的に脆弱であることがあげられる. 症状が軽微なため, 陳旧性になり偽関節が原因で屈筋腱断裂を起こしてはじめて骨折が明らかになることもある(図1-2・55).

■発生機序

　テニスラケット, ゴルフクラブ, 野球のバットを強く握った状態でスイングした際にグリップエンドが有鈎骨鈎部にぶつかり発生する(グリップエンド骨折). 一度の外傷によるものと繰り返される外力による疲労骨折がある.

■症　状

　有鈎骨鈎部に一致した圧痛, 握り動作に伴う疼痛があり, 握力が低下する. 陳旧例では屈筋腱断裂や尺骨神経麻痺(ギヨンGuyon管症候群)などの症状もみられる.

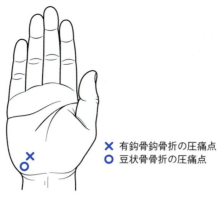

図 1-2・55　有鈎骨鈎骨折および豆状骨骨折の圧痛点

■**治療法**

　転位のない骨折は，約6週副子固定する．転位がある骨折や，偽関節を発生した場合は，骨片を観血的に摘出する．

■**合併症**

　偽関節，尺骨神経の障害，陳旧例ではギヨン管症候群，第4・5指の屈筋腱断裂が発生することもある．まれに尺骨動脈の損傷がみられる．

b. **有鈎骨体部骨折**

　有鈎骨の近位部骨折，体部背側部の骨折がある．単独骨折のほか，まれではあるが第4・5手根中手(CM)関節脱臼に合併してみられる．骨癒合は良好で約4週の外固定で癒合する．

4　**豆状骨骨折**

　骨折の認知度が低く発見が遅れやすい(図1-2・55)．

■**発生機序**

　転倒時に手掌を衝いた直達外力による発生が多い．まれに尺側手根屈筋の牽引により裂離骨折を起こすこともある．

■**症　状**

　豆状骨直上に限局した腫脹や圧痛がみられるが，手関節の可動性は保たれている．尺側手根屈筋の抵抗運動により疼痛が誘発される．

■**治療法**

　手関節軽度屈曲・尺屈位で3〜4週副子固定する．

■**予　後**

　骨癒合は良好であるが，豆状骨関節の変形性関節症により疼痛が残存したものは，豆状骨の摘出術が行われることもある．

230　第Ⅲ章　各　　論

⑤　その他の手根骨骨折

発生頻度は低いが，疼痛や機能障害が残存しやすく治療法の選択が重要になる．

a．月状骨骨折

手関節伸展（背屈）位で手を強く衝いた際，月状骨が橈骨と有頭骨に圧迫されて背側角部骨折が発生する．過度屈曲による掌側角部骨折，まれに手根骨脱臼に合併する体部骨折が起こる．一般に転位を伴うことが多く，整復や固定を行っても骨片は壊死に陥りやすい．

b．大菱形骨骨折

母指の長軸方向からの軸圧による体部骨折がみられる．手関節に過伸展（背屈）および橈屈が強制されて起こることもある．第1中手骨骨折，CM関節損傷を合併することが多く，軽度な転位でも第1指の運動が障害されるため，解剖学的整復が必要である．

c．有頭骨骨折

直達外力や手関節を過伸展（背屈）位で手を衝いたときの介達外力により発生し，多くは転位の少ない横骨折である．舟状骨横骨折との合併例はscapho-capitate fractureと呼ばれている．近位部の骨折は転位があると舟状骨近位骨折と同様に阻血性骨壊死を起こしやすい．

J・中手骨部の骨折

中手骨骨折の発生頻度は，指骨骨折よりも低いが手根骨骨折よりは高い．中手骨のなかでも第1中手骨基部関節面の骨折はベネット骨折として知られているが，この骨折については項を別にする．日常頻繁に使われる手指は変形癒合，関節拘縮により機能障害を残すことが多く，治療には十分注意を払わなければならない．

■分　類

中手骨骨折は骨折の部位により分類される（図1-2・56）．

（1）骨頭部骨折

（2）頸部骨折

（3）骨幹部骨折

（4）基部骨折

①　中手骨骨頭部骨折

ほとんどが圧砕によるもので粉砕骨折になる．骨片が大きい場合には観血的に整復すべきである．徒手整復が可能な場合でも長期間の固定で関節拘縮が発生しやすい．骨癒合が得られたら機能回復のため早期に物理療法や自動運動を開始するが，関節症に移行する場合がある．

②　中手骨頸部骨折（ボクサー boxer 骨折，またはパンチ punch 骨折）

この部の骨折は発生頻度が高く，しばしば高度な機能障害を残す．

■発生機序

拳を強打することによって発生することが多く，第4・5中手骨の発生頻度が高い．

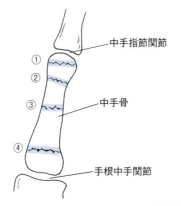

図1-2·56　中手骨骨折の分類

骨折部位
①骨頭部骨折
②頸部骨折
③骨幹部骨折
④基部骨折

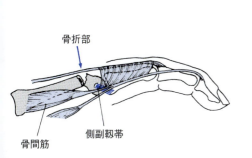

a. 頸部骨折

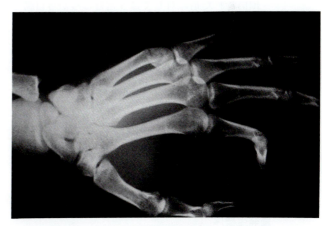

b. 第5中手骨頸部骨折

図1-2·57　中手骨頸部骨折

■症　状

　外力と骨間筋および虫様筋の作用により骨折部は背側凸の変形を示す（図1-2·57）．遠位骨片が掌側に屈曲するため，骨頭の隆起が消失する．

■整復法

（1）手関節を軽度伸展（背屈）位に保持して固定する．
（2）患指の中手指節関節を直角に屈曲する．
（3）中手骨長軸末梢方向に牽引しつつ基節骨を介して遠位骨片を背側に突き上げる．
（4）一方の手で背側凸に変形した近位骨片骨折端に圧迫を加えて整復する．

●中手指節（CM）関節を屈曲するのは同部の側副靱帯を緊張させ，中手骨頭に牽引力を有効に作用させるためである（図1-2·58）．

■固定法

（1）手関節軽度伸展（背屈）位，MP関節（40～70°）屈曲位，IP関節軽度屈曲位．

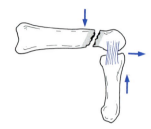

図1-2・58　中手骨頸部骨折の徒手整復における力の作用方向(津下)

　(2)前腕遠位1/3部より指尖にいたる副子をあて固定.
　(3)固定期間は3～5週.
■後療法
　損傷された指に対しては3週目ごろから自動運動を開始し，4週目ごろ固定を除去し，徐々に指を使用させながら機能回復を図る.
■後遺症
　屈曲変形が残存すると伸展障害を起こすことがある．とくに第2・3指ではCM関節による代償運動が期待できないため，解剖学的整復が必要である．物を把持した際に突出部位に疼痛を生じたり，回旋変形ではオーバーラッピングフィンガー overlapping finger が生じ指が交叉するものもある.

③ 中手骨骨幹部骨折

　骨幹部骨折は外力の働き方によって横骨折と，斜骨折および螺旋状骨折が発生する.
■発生機序
1. 横骨折
　手背を強打するような直達外力によって発生し，開放性骨折になる場合も多い.
2. 斜骨折，螺旋状骨折
　拳で物を強打したときの介達外力によって発生する.
■転　位
1. 横骨折
　一般に遠位骨片は掌側に屈曲し，骨折部は背側凸の変形をきたす．変形は主に骨間筋の作用であり，虫様筋もわずかながら働き，さらに浅・深指屈筋の牽引によって助長される(図1-2・59).
2. 斜骨折，螺旋状骨折
　横骨折のように屈曲転位を生じることは少なく，回旋転位と短縮転位が生じる(図1-2・60).転位は第3・4中手骨では軽度であるのに対して，第2・5中手骨では強く出現する．これは深横中手靱帯が一側からしか支持していないためである．短縮転位(2～3mm)は機能面では大きな問題とならないが，回旋転位は軽度であってもオーバーラッピングフィンガー(図1-2・61)の原因となり，障害が大きいので見落としてはならない.

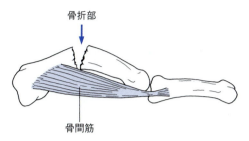

図 1-2・59　中手骨骨幹部骨折（横骨折）

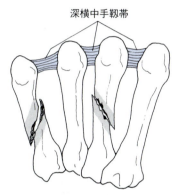

図 1-2・60　中手骨骨幹部骨折（斜骨折・螺旋状骨折）

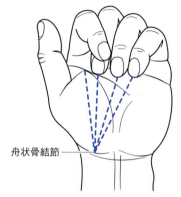

図 1-2・61　オーバーラッピングフィンガー

■整復，固定法
1. 転位のない骨折
　良肢位で固定する．
2. 転位軽度なもの
1）整復法
　（1）術者の一方の手で患指（第4中手骨なら第4指）を長軸末梢方向に牽引する．
　（2）他方の手で骨折部（近位部）を把握し，対牽引する．
　（3）両母指で背側から掌側へ圧迫し整復する（図1-2・62a）．
　●骨折部の回旋転位により指屈曲に際し隣接指と交叉していないかを確認するため，基節骨を直角まで屈曲してみる．

2）固定法
　固定は，短縮および回旋（捻転）転位を起こさないように受傷指の掌側から隣接指を含めた固定ができる幅の副子を前腕屈側から指尖まであて，背側には前腕伸側からMP関節の手前まで同様の副子をあてる．

［肢　位］
　手関節軽度伸展（背屈）位，MP関節20〜45°屈曲，PIP関節90°屈曲，DIP関節45°屈曲位で固定する（図1-2・62b）．

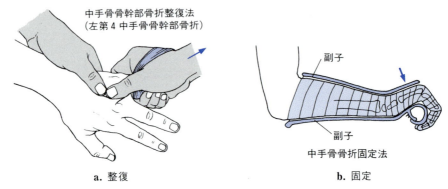

図 1-2・62　中手骨骨幹部骨折

[材　料]
アルミ副子，金属副子，ギプス副子などを用いる．
[期　間]
4～6 週．
3. 転位高度なもの
徒手整復が困難であり，整復固定しても再転位が生じやすいため，観血療法を主眼とした治療が必要になると考えられている．
■後遺症
中手骨頸部骨折の項参照．

4　第 1 中手骨基部骨折
第 1 中手骨は他の中手骨に比較して可動性が大きく，各方向への運動が許容され，形態は中手骨でも機能は指骨に相当する．骨折部位により，ベネット骨折，ローランド骨折，骨端線離開などに分けられる．
a. ベネット Bennett 骨折（第 1CM 関節の脱臼骨折）（図 1-2・63）
■概　説
第 1CM 関節内で中手骨基部掌尺側部が骨折し，掌尺側の小骨片は原位置に残り大菱形骨と正常な位置関係を保ち，遠位骨片となった第 1 中手骨の大部分が橈側に脱臼した第 1CM 関節の脱臼骨折である．
■発生機序
第 1 指を屈曲内転した肢位での遠位からの介達外力や，第 1 指への急激な外転強制により，中手骨基部の掌尺側に三角形の小骨片が発生し，遠位骨片は関節包を損傷して橈側に脱臼する．
■症　状
母指は内転屈曲変形を呈し，基部の腫脹，限局性圧痛などが著明で，第 1 指の内・外転運動が不能になる．

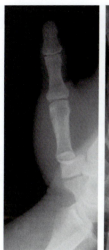
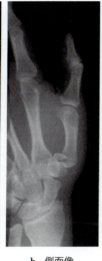
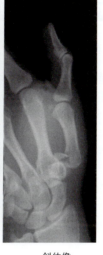
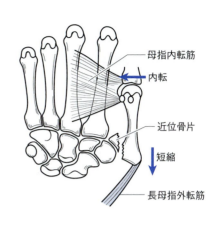

a. 正面像　　　b. 側面像　　　c. 斜位像

図 1-2·63　ベネット骨折
［米田病院のご厚意による］

■転　位

掌尺側にある近位(小)骨片は原位置にあり，遠位骨片骨折端は橈側に転位し，長母指外転筋により近位側に引かれる．さらに母指内転筋によって遠位骨片全体が内転屈曲位に転位する．

■治療法

整復は容易であるが骨折面の安定しないものは観血療法の適応と考えられる．

■注意事項

(1) 関節内骨折のため正確な整復と固定を必要とする．
(2) 整復位の保持が困難であり再転位しやすい．
(3) 捻挫や不全脱臼との鑑別に注意する．

b. ローランド Roland 骨折

ベネット骨折にみられる掌尺側の小骨片に加えて，背側にも骨片を有する．T・V・Y字状の関節包内の骨折をいう(図 1-2·64)．ベネット骨折より複雑なものだが治療はそれに準じて行う．

5　第 5 中手骨基部骨折(図 1-2·65)

逆ベネット骨折ともいわれる．遠位骨片の基部は尺側手根伸筋に牽引されて，第 5CM 関節内に三角形の骨片を残して脱臼する．第 5CM 関節は第 1CM 関節に次いで可動性が大きく，整復が不十分であると運動障害や運動時痛を残す．固定はギプス副子などを用いて行う．整復不良例や再転位例では観血療法の適応がある．

参考13　第1中手骨基部骨折の整復, 固定法

■整復法

患側の手関節を伸展(背屈), かつ, 橈屈させ, その母指を握り長軸方向に末梢牽引しながら徐々に橈側外転して, 橈側に突出した基部を橈・背側から尺・掌側に向けて圧迫して整復する.

整復は容易であるが牽引力と圧迫力を緩めると, 長母指外転筋により直ちに再転位する.

■固定法

手関節を伸展(背屈)位かつ橈屈位, 第1中手骨最大外転位で, 骨折部に枕子をあて, 患部に合わせて屈曲させた金属副子の屈曲部を枕子にあて, 前腕遠位端部から基節骨まで固定するが, 整復位の保持はなかなかむずかしい. 骨折面が安定しないものは観血療法の適応となる.

ギプス副子などを用いて中手骨基部を橈・背側から, 中手骨骨頭部からMP関節にかけて尺・掌側からそれぞれ圧迫力が働くように3〜5週の固定を施す.

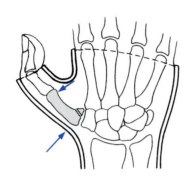
a
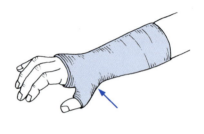
b

ベネット骨折の固定法

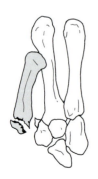
a. ローランド骨折

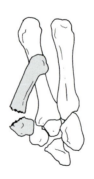
b. 中手骨基部横骨折

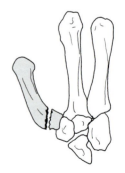
c. 中手骨基部斜骨折

図1-2・64　ローランド骨折とその他の骨折

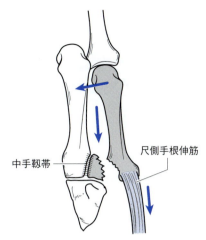

図1-6・65　第5中手骨基部骨折

- 中手骨骨折の後療法について
  手部の浮腫が継続するとMP関節は伸展位での拘縮を残しやすいので，固定はMP関節屈曲位で行う．浮腫を放置しておくと損傷周囲の関節は滲出液で浸潤され，線維素fibrinが関節包のヒダの間や腱と腱鞘との間，あるいは靱帯や筋の周囲などに沈着して拘縮が発生する．これを防止するため，RICE処置を徹底し，固定に含まれない部分は早期に動かす．

K・指骨の骨折

　指骨骨折の発生頻度は高く，日常生活やスポーツ，労働災害などで起こる．手指の骨折は保存療法を行うことが多く，不十分な整復，不適切な固定肢位，固定期間，指導管理により拘縮や変形を残しやすい．基節骨，中節骨，末節骨は骨折部位により骨片転位が異なるため治療法も同一ではない．整復は解剖学的整復を目標とする．固定は安全肢位を理想とし，転位の程度，骨癒合の進行などに従って範囲や肢位などを適宜選択する．治癒の指標として，各指の機能的な役割を理解しておく必要がある．たとえば，橈側の指はピンチ動作の可否，尺側の指は把持動作における可動性の獲得などである．

　その他，小児の骨端軟骨損傷や，裂離骨折による小骨片の見落としなどに注意する．

1　基節骨骨折 fracture of proximal phalanx

　比較的頻度の高い骨折であり，直達外力と介達外力のどちらでも発生する．スポーツ活動による過伸展や過屈曲による損傷が多い．完全骨折の場合にはしばしば定型的な掌側凸変形を示す．これにより屈筋腱を直接圧迫し，伸筋腱や手内在筋腱の緊張のバランスが崩れて指関節の運動が制限されるので，正確な整復が必要である．骨幹部骨折，骨頭部骨折，頸部骨折，基部骨折に分けられる．

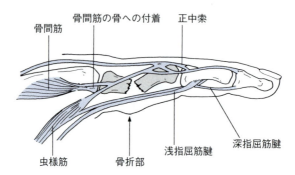

図1-2·66　基節骨骨幹部骨折にみられる定型的な掌側凸変形

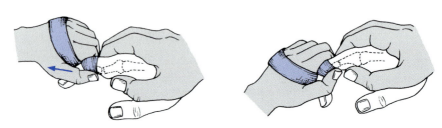

図1-2·67　基節骨骨折の整復と固定

a. 骨幹部骨折

■症　状
　近位骨片は虫様筋や骨間筋により掌側に屈曲，遠位骨片は指背腱膜などの牽引により背側に屈曲し，骨折部は掌側凸の変形となる(図1-2·66)．骨折の固有症状が著明に出現しやすい．

■整復法
　手関節を伸展(背屈)し基節骨遠位部にガーゼを巻く．一方の手の母指と示指で患部の近位側を挟み，他方の手の母指と示指でガーゼのうえから基節骨遠位骨片を握る．末梢牽引を行いながらMP関節を屈曲させ，両母指で基節骨を掌側から圧迫し，示指でPIP関節を屈曲させて変形を整復する(図1-2·67)．

■固定法
1. 範　囲
　前腕中央から指尖まで．回旋転位を起こしやすい不安定な骨折は隣接指と一緒に固定する．
2. 肢　位
　手関節30°伸展(背屈)，MP関節30°屈曲，PIP関節70°屈曲，DIP関節20°屈曲
3. 材　料
　金属副子，アルミ副子，ギプス副子，スダレ副子など
4. 期　間
　3～4週

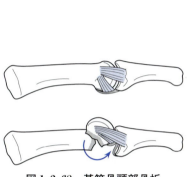

図1-2・68 基節骨頸部骨折

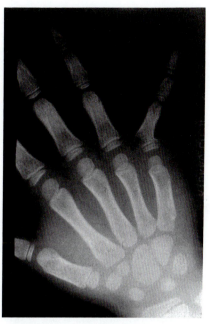

図1-2・69 基節骨基部骨折（第5指）

b. 骨頭部骨折，頸部骨折

発生頻度としては高くないが見落とされやすい．小児に多い骨折の一つである．骨折した骨頭部は，骨折端を掌側に向けて90°回転し，側副靱帯により絞扼されて整復が困難になる場合がある（図1-2・68）．

c. 基部骨折

掌側凸の変形を呈し，骨幹部骨折と同様にMP・PIP関節屈曲位での整復および固定が必要である．小児では骨端線離開が多く，背側転位とともに回旋転位を伴うものは，解剖学的な整復が必要である（図1-2・69）．

■後療法

早期の運動療法，固定期間が過ぎたら積極的に機能訓練を行わせる．

■後遺症

掌側凸変形を残すと，PIP関節の伸展制限や屈筋腱の癒着などを生じるものがある．中手骨骨折と同様に，回旋転位の残存によるオーバーラッピングフィンガーを残すものがある．

2 中節骨骨折

基節骨と比べると発生頻度は低い．頸部骨折，骨幹部骨折，基部骨折，掌側板付着部の裂離骨折に分けられる．

a. 頸部骨折

小児に発生するまれな骨折で，中節骨の頸部に剪断力が働いて発生し，腱の停止部を持たない骨頭が背側に回転するものがみられる．新鮮例では牽引後，屈曲して整復できるものがあるが，

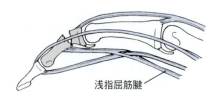 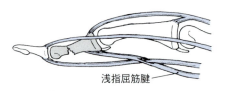

a. 浅指屈筋腱付着部より近位での骨折　　b. 浅指屈筋腱付着部より遠位での骨折

図 1-2・70　中節骨骨折の定型的転位

観血療法の適応度が高い.

b. 骨幹部骨折

■概　説

　骨幹部骨折では骨折部が浅指屈筋腱付着部の近位にあるか, 遠位にあるかにより転位が逆になる. 骨折部が浅指屈筋腱付着部よりも近位では, 遠位骨片が浅指屈筋腱によって掌側に引かれ短縮し, 近位骨片は伸筋腱によって背側に引かれ, 骨折部は背側凸の変形をきたす(図1-2・70a).

　骨折部が浅指屈筋腱付着部より遠位では, 近位骨片は浅指屈筋腱によって掌側に引かれ, 骨折部は掌側凸の変形をきたす(図1-2・70b).

■症　状

　腫脹, 皮下出血斑, 変形, 疼痛(自発痛, 運動痛, 限局性圧痛, 介達痛)などがあり, 軋轢音を伴う異常可動性を認める.

■整復法

　術者の一方の手の母指と示指で骨折部の近位を挟み, 他方の手の母指と示指で骨折部の遠位の指節を握り, 末梢牽引を加えながら整復する.

■固定法

　転位がなくても骨折の部位から考えて掌背側凸の変形をきたすと考えられる場合は, 転位のある場合と同様に固定する.

1. 浅指屈筋腱付着部より近位部の骨折(背側凸変形)

　手関節軽度伸展(背屈), MP関節軽度屈曲, PIP関節・DIP関節伸展位で固定する(図1-2・71a).

2. 浅指屈筋腱付着部より遠位部の骨折(掌側凸変形)

　手関節軽度伸展(背屈), MP関節軽度屈曲, PIP関節・DIP関節屈曲位で固定する(図1-2・71b).

■後療法

　約2週後に徐々に自動運動を開始し, 指の他動運動は禁止する.

c. 掌側板付着部裂離骨折

■概　説

　多くはスポーツ外傷で, 指の過伸展により発生する頻度の高い骨折である. PIP関節背側脱臼に合併して発生することや, 単なる捻挫と判断されるなど, 見落とされることが多く, 骨癒合不

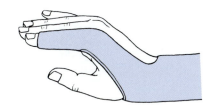 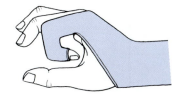

a. 浅指屈筋腱付着部より近位部骨折の固定法　　**b.** 浅指屈筋腱付着部より遠位部骨折の固定法
図 1-2・71　中節骨骨折の固定法

全による掌側不安定性(二次的なスワンネック変形の要因)，運動痛および関節拘縮を残すことがある．単純 X 線像では正確な側面像でなければ描出されないので注意が必要である．

■症　状

PIP 関節部の腫脹，皮下出血斑(主に掌側)，運動痛，他動的に過伸展した際の背側方向への不安定性がみられる．

■整復法

PIP 関節屈曲位で掌側板を中枢から末梢へ向けて圧迫した後，PIP 関節を完全に屈曲させ整復する．

■固定法

完全に屈曲した PIP 関節を徐々に伸展位とし，MP 関節 90° 屈曲位，PIP 関節伸展位，DIP 関節伸展位の安全肢位 safe position で固定する(☞ p. 435 参照)．

■後療法

2～3 週後から徐々に自動運動を開始する．

3　末節骨骨折

指骨のなかでも外傷を受ける機会がもっとも多く，手の骨の骨折の半数を超える．直達外力によるものが大部分であるが，突指など介達外力によっても発生する．

■分　類(図 1-2・72)

(1) 縦骨折
(2) 横骨折
(3) 粉砕骨折

■症　状

骨折部の腫脹，圧痛，皮下出血斑，遠位部の掌側転位などの症状を呈し，爪下血腫を形成すると強い疼痛を訴えることがある．

■転　位

1. 深指屈筋腱付着部より近位での骨折

①近位骨片：背側転位または原位置にある．

②遠位骨片：深指屈筋の牽引により掌側に転位する(図 1-2・73a)．

①縦骨折　　　　　　②横骨折　　　　　　③粉砕骨折

図1-2·72　末節骨骨折

a. 深指屈筋腱の付着部より近位での骨折　　　　b. 深指屈筋腱の付着部より遠位での骨折

図1-2·73　末節骨骨折の転位

2．深指屈筋腱付着部より遠位での骨折

筋の牽引による影響を受けず，爪に保護されて，ほとんど転位しないことが多い（図1-2·73b）．

■整復法

術者は母指と示指で骨折部の遠位部を強くつかみ，遠位方向に牽引すると同時に掌背側方向から圧迫して掌背側転位を整復する．次いで両側部を圧迫して側方転位を整復する（図1-2·74）．

■固定法

アルミ副子や金属副子などを用いて基節骨から指尖まで固定する．固定期間は2～4週とする．

4　マレットフィンガー Mallet finger

マレットフィンガーは，野球，バレーボールなどの球技中，突指で発生するものが多く，日常しばしばみられる．ハンマー指（槌指），ベースボールフィンガー baseball finger やドロップフィンガー drop finger とも呼ばれる．大部分は受傷後，早期に適切な処置を行えば保存的に治癒するものであるが，放置すると永続的な機能障害（DIP関節伸展障害）を残す．

■発生機序

DIP関節が屈曲強制された場合はⅠ型およびⅡ型になりやすく，過伸展損傷ではⅢ型が起こりやすい．

■分　類（図1-2·75）

Ⅰ型：終止腱の断裂

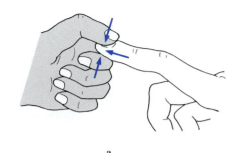 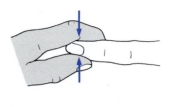

図1-2·74 末節骨骨折の整復法

 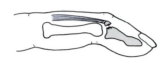 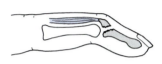

①Ⅰ型　腱断裂　　　　　　②Ⅱ型　裂離骨折　　　　　　③Ⅲ型　関節内骨折

図1-2·75 マレットフィンガーの分類

Ⅱ型：終止腱の停止部での裂離骨折
Ⅲ型：末節骨の背側関節面を含む骨折

■症　状

　DIP関節の腫脹と疼痛がみられる．DIP関節は屈曲し，自動伸展は不能になる．骨折を伴う（Ⅱ型・Ⅲ型）ではDIP関節部に腫脹，圧痛が著明に現れ，時間の経過とともに皮下出血斑もみられる．腱断裂（Ⅰ型）では腫脹，疼痛が軽度であり，圧痛や皮下出血斑がみられないこともある．

■骨片転位がある場合の整復法

　患指の中節部遠位を母指と示指で強く挟み，両指を末梢に滑らせながら，母指で骨片を圧迫，示指で末節部を過伸展して整復する（図1-2·76a）．

■固定法

　固定材料としては，ギプス副子による固定，いろいろな型の副子splintが用いられているが，肢位に適合した副子を作り，苦痛のない方法で固定する．

1. 固定肢位

1) Ⅰ型・Ⅱ型

　Ⅰ型，Ⅱ型はPIP関節を屈曲位（終止腱を弛緩させる肢位），MP関節を軽度屈曲，PIP関節90°屈曲，DIP関節を過伸展位（図1-2·76b）

2) Ⅲ型

　MP関節を軽度屈曲，PIP関節90°屈曲，DIP関節を伸展位

244　第Ⅲ章　各　論

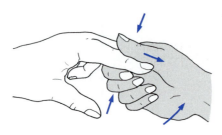
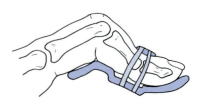

a. 整復法　　　　　　　　　　　　　b. PIP 関節を含めて固定

図 1-2・76　マレットフィンガー（ハンマー指）の整復・固定

- DIP 関節を過伸展位とし，さらに局所圧迫することで，末梢骨片が掌側に脱臼し，骨片が離開する恐れがあるため注意が必要

2. 固定期間

Ⅱ型，Ⅲ型では 5〜6 週の固定（Ⅰ型では 6〜8 週の固定）．

● 1-3. 下肢の骨折

A・骨盤骨骨折 fracture of the pelvis

　骨盤骨は仙腸関節と，恥骨結合部を有した輪であり，骨盤骨骨折には部位や程度によって様々なものがある．

　交通事故，労働災害の高エネルギー損傷の増加に伴い，発生頻度，重傷度ともに高くなってきた（頭部・胸部・腹部外傷を合併していることが多く，救命処置が優先される）．スポーツ外傷や障害での裂離骨折や疲労骨折，高齢者の脆弱性骨折の発生頻度も高く，裂離骨折は骨盤部の各骨端核が閉鎖する前に，付着する下肢（とくに大腿部）筋群と体幹の筋の強い牽引力によって発生すると考えられている．

　骨盤骨骨折は次の二つに大きく分類する．
（1）骨盤骨単独骨折
　　腸骨，坐骨，恥骨に骨折があるが，骨盤輪の連続性が保たれているもの．
（2）骨盤輪骨折
　　骨折によって骨盤輪の連続性が離断されたもの．

1 骨盤骨単独骨折（図 1-3・1）

■分　類
（1）腸骨翼単独骨折
（2）恥骨単独骨折
（3）坐骨単独骨折
（4）仙骨単独骨折
（5）尾骨単独骨折

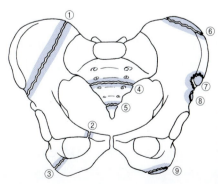

①腸骨翼単独骨折　　⑥腸骨稜裂離骨折
②恥骨単独骨折　　　⑦上前腸骨棘裂離骨折
③坐骨単独骨折　　　⑧下前腸骨棘裂離骨折
④仙骨単独骨折　　　⑨坐骨結節裂離骨折
⑤尾骨単独骨折

図 1-3・1　骨盤骨単独骨折

（6）腸骨稜裂離骨折

（7）上前腸骨棘裂離骨折

（8）下前腸骨棘裂離骨折

（9）坐骨結節裂離骨折

■概　説

　骨盤骨単独骨折は筋の牽引による裂離や直達外力による発生が多い．合併症のない場合は骨癒合が得られれば，一般的に予後はよい．

1. 腸骨翼単独骨折（デュベルニー Duverney 骨折）

　腸骨への直達外力で発生する．骨折した腸骨翼骨片は内・外腹斜筋，腰方形筋の牽引によって上外方へ転位する．転子果長は正常であるが，棘果長が長くなる場合がある．

2. 恥骨単独骨折

　直達外力による発生が多い．内転筋群による裂離骨折もある．恥骨上枝部の骨折では腫脹や皮下出血斑は鼠径部に現れ，恥骨下枝部の骨折では会陰部，男性では陰嚢の周辺に現れる．直達外力で発生した場合に恥骨結合離開，尿道損傷を合併するものがある．痛みや裂離骨片の転位で股関節の内転力が低下する．

3. 坐骨単独骨折

　直達外力による発生が多い．転倒や落下による坐骨部の強打で発生する．半腱様筋，半膜様筋，大腿二頭筋などの牽引による裂離骨折もある．痛みや筋付着部の転位で股関節の伸展力が低下する．

4. 仙骨単独骨折

　直達外力による発生が多い．骨折は仙腸関節より下方で起こる．横骨折が多く，骨片は前方へ屈曲転位することが多い．

5. 尾骨単独骨折

　直達外力により発生する．遠位骨片は前方へ屈曲転位することが多く，転位の大きいものでは直腸の損傷を合併するものがある．着座時の疼痛は長期にわたるものが多い．

6. 腸骨稜裂離骨折

　身体をねじるような動作で発生する．外腹斜筋の牽引で多くは腸骨稜前方部分に発生する（野球の空振り時など）．

7. 上前腸骨棘裂離骨折

　股関節伸展と体幹の伸展が同時に起こった場合（短距離走のスタート，走り幅跳び時など）に縫工筋，大腿筋膜張筋の牽引により発生する．発生原因となる筋の牽引により骨片が外下方へ転位する．痛みや筋付着部の転位のため膝関節を屈曲しながらの股関節の屈曲，外転，外旋力が低下する．

8. 下前腸骨棘裂離骨折

　大腿直筋の急激な収縮や過伸長により発生する（サッカーのキック時など）．

9. 坐骨結節裂離骨折

　体幹前傾姿勢から急激に膝関節を伸展した場合にハムストリングス（大腿二頭筋長頭，半膜様

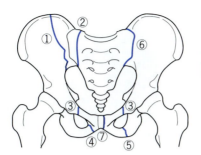

①腸骨骨折
②仙骨骨折
③恥骨上枝骨折
④恥骨下枝骨折
⑤坐骨骨折
⑥仙腸関節離開
⑦恥骨結合離開
①～③～④ マルゲーニュ骨折
②～③～④ 同上
⑥～⑦ 同上

図 1-3·2　骨盤輪骨折の分類

筋，半腱様筋)の牽引によって発生する場合(ハードルなど)と，両下肢の急激な外転動作で大内転筋の牽引によって発生する場合(チアリーディングなど)に大別できる．

■治療法
（1）該当する部位に付着する筋を弛緩させる肢位をとらせ，必要に応じ比較的硬い床に 3～5 週の臥床が必要である．その後，しばらく松葉杖歩行をさせる．
（2）その後，体幹および下肢に対し，自動運動から開始して徐々に抵抗運動を行う．
（3）単独骨折でもとくに転位の著しいものは観血療法の適応と考えられている．

2　骨盤輪骨折

骨盤輪骨折には救急処置を必要とするものがあるので慎重に，かつ速やかに判断し専門医に託すことを念頭に診察する．初期症状が軽度でも状態が急変することもあるので注意を要する．骨盤輪骨折は 1ヵ所で発生した場合，転位は比較的軽度である．骨盤輪骨折の中で，同側の恥骨上・下枝や恥骨上枝と坐骨の骨折に，仙腸関節や恥骨結合の離開，腸骨後部や仙骨が垂直に重複して骨折している場合はこれを垂直重複骨折(マルゲーニュ Malgaigne 骨折)という(図 1-3·2，1-3·3)．骨片は下肢とともに上方に転位し，骨盤部の著しい変形や，外見上下肢の短縮がみられるが棘果長は健側と変化がないことが特徴である．一般に起立や歩行は不能である．背臥位で膝関節伸展位のまま下肢を挙上できない．正常な股関節内に大腿骨頭があるので，下肢の他動運動は可能である．

■合併症

1. ショック

大量の内出血によりショックを起こすことがある．皮下出血斑が陰嚢部や殿部に出現したり，鼠径靱帯に沿ってびまん性に拡大するときは大量の内出血を示唆している．

2. 膀胱損傷，尿道損傷

両側恥骨の骨折による膀胱損傷，尿道損傷の発生頻度が高い．

3. 腸管損傷

特徴的症状には，腹壁強直，腸管蠕動音消失，腹部膨満感などがある．

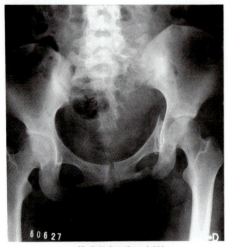
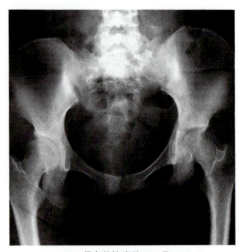

a. 治療前(19歳, 女性)
恥骨結合離開, 腰椎骨折も合併している.

b. 保存的治療後6ヵ月

図1-3·3　マルゲーニュ骨折

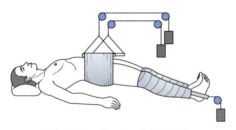

図1-3·4　キャンバス牽引法

4. 神経損傷

転位のある片側骨盤輪骨折で腰・仙骨神経叢損傷, 仙骨骨折で仙骨神経叢損傷がみられる.

5. 脂肪塞栓症

■治療法

(1) 骨盤輪骨折の連続性離断部位が1ヵ所と2ヵ所では, 治療法, 予後, 合併症に大きな違いがある.

(2) 1ヵ所の骨折や安定性のよい2ヵ所の骨盤輪骨折では3〜5週, キャンバス牽引法(図1-3·4), 直達牽引法などで固定する. 2〜3週後から体幹および下肢の自動運動ならびに抵抗運動を行う. 松葉杖歩行は3〜5週後から開始するが, 体重の負荷は慎重に行う. 回復には約10週が必要である.

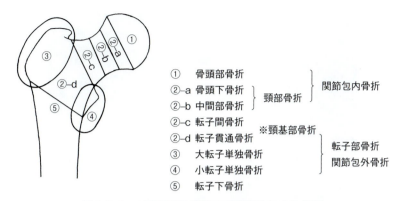

図1-3・5　大腿骨近位端部の骨折部位による分類

B・大腿骨骨折

1　大腿骨近位端部骨折

　高齢者に発生することが多いが，原因が明確でない脆弱性骨折，単純X線像のみでは見落とされる不顕性骨折も考慮して診察を行う必要がある．青壮年では交通事故など高エネルギーで発生する．早期離床を目標に観血的治療が行われる．頸部と転子部の中間に位置する骨折を頸基部骨折と呼び，滑膜性関節包の内外にまたがるものとしている．

■骨折部位による分類（図1-3・5）
　（1）骨頭部骨折
　（2）頸部骨折
　（3）転子部骨折 ｛転子部骨折／大転子単独骨折／小転子単独骨折｝
　（4）転子下骨折

a．大腿骨骨頭部骨折

■概　説

　関節包内骨折である．高エネルギーの交通事故（ダッシュボード損傷　☞図2-3・2参照）や労働災害で発生することが多い．発生頻度は低く，骨頭の圧迫骨折や頸部からの骨折線が骨頭部に波及したもの，股関節脱臼に合併したものなどがある．

■症　状

　股関節部の打撲様症状を呈し，疼痛，腫脹，運動障害がみられる．

■治療法

　安静と固定を目的に軽い重錘を用いて持続牽引を行う．患側下肢の免荷を治療の中心とし副子やギプスによる強固な固定は避けたほうがよい．比較的早期から自動運動を開始するが，荷重開始時期は慎重に判断すべきである．

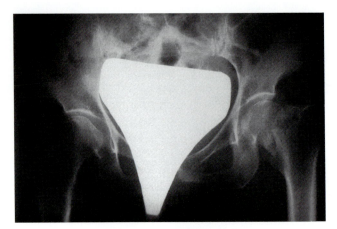

図 1-3・6　左大腿骨頸部骨折

b. 大腿骨頸部骨折（図 1-3・6）

■概　説

　骨粗鬆症がある高齢者に多発する．高齢者の保存療法では長期臥床による様々な合併症を起こす．外転型骨折に多い嵌合骨折は歩行可能なことがあり，歩行の可否で一律に骨折の有無を判断できない．関節包内骨折であることや特異な血行に起因する偽関節，骨頭壊死などが起こりやすい．このため骨癒合ならびに早期離床や歩行を目的として観血療法が行われる．しかし，高齢や合併症などの理由により種々の観血療法が選択できないこともある．その場合は保存療法が選択される．

■発生機序

　転倒時に大転子部を打った際，頸部に長軸圧や剪断力，屈曲力などが働き発生することが多い．また，歩行や起立動作で，捻転力や屈曲力が加わり発生するものもある．高齢者の転倒など低エネルギー損傷が多い．

■骨折型による分類（図 1-3・7）

1. 内転型骨折

　内転型骨折が大半を占め，骨折部は内反する．

2. 外転型骨折

　外転型骨折は比較的少なく，骨折部は外反する．骨折部は嵌合していることがほとんどであるが，嵌合部が離開すると内転型骨折に移行する．

■症　状

1. 機能障害

　起立は不能となり，背臥位で膝関節伸展位のまま下肢を挙上できない．

2. 下肢の短縮

　内転型骨折では棘果長が健側に比べて短縮する．内転転位の著しいものほど短縮が大きい（下肢短縮の原因が大転子より近位にあることは大転子高位によって明らかである）．外転型骨折の下肢長差は明確でない．

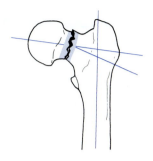
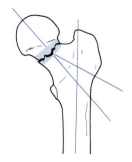

a. 内転型骨折　　　　　　　　b. 外転型骨折

図 1-3・7　大腿骨頸部骨折（骨折型）

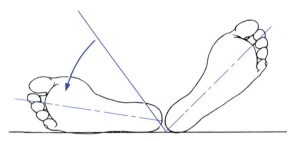

図 1-3・8　大腿骨頸部骨折の肢位

3. 骨折後の肢位

一般に内転型骨折の下肢は外旋する（図1-3・8）．外転型骨折では高度な外旋はみられない．

4. 腫　脹

関節包内骨折のため著明でない．

5. 疼　痛

股関節のスカルパ三角部に圧痛を認める．愛護的に大転子部を叩打するか，踵骨部に大腿長軸圧を加えることによって股関節部に強い疼痛が出現する．

■治療法

1. 内転型骨折

長期臥床による合併症を避けるため，早期離床を目的とした観血療法（人工骨頭置換術，人工関節置換術，釘固定術など）の適応となる．応急処置をして専門医に託す．

2. 外転型骨折

噛合している骨折はパウエル Pauwels 分類の第1度に属する（☞参考14）．免荷と固定による保存療法で骨癒合を望めるが，多くは観血療法が行われる．

[持続牽引療法・副子固定法]

全身状態が良好で，不全骨折や噛合している外転型骨折に用いられる場合がある．

■固定後の留意点

高齢者の骨折では長期の固定と臥床によって起こる続発症に注意する．

参考14　大腿骨頸部骨折の骨折線と転位

1） パウエルの分類
第1度骨折：30°以下で骨折部に働く力が骨癒合に有効に働くもの．
第2度骨折：30°を超え70°未満で骨折面には剪断力が働き骨癒合が困難なもの．
第3度骨折：70°以上で骨癒合が第2度骨折よりさらに不良なもの．

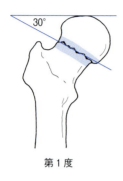
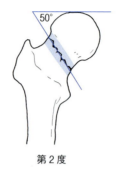
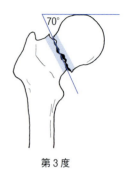

第1度　　　　　第2度　　　　　第3度

2） ガーデン Garden の分類
stage Ⅰ：転位のある不全骨折

高齢者に多い骨折で「転位のある不全骨折」と言う表現は理解しにくいがガーデン自身が単純X線像（図1〜4）を示し The "abducted" or "impacted" injury which the fracture of the inferior cortical buttress is greenstick in nature. としている．本来完全骨折と呼ぶべきであるが画像上見誤りやすいためこの表現をしていると思われる．

stage Ⅱ：完全骨折で転位のないもの．
stage Ⅲ：完全骨折で部分転位を有するもの．
stage Ⅳ：完全骨折で完全に転位するもの．

日本整形外科学会・日本骨折治療学会は『大腿骨頚部/転子部骨折診療ガイドライン 改訂第2版』（2011，南江堂）にて次頁の図を示し下記の記載をしている．

大腿骨頸部骨折の分類には，現在，Garden stage を用いるのが一般的である．Garden は大腿骨頸部骨折を転位の程度により stage Ⅰ〜Ⅳの4段階に分類した．

stage Ⅰは不全骨折であり，骨頭は外反位をとり骨折線の上部では陥入し，内側頸部骨皮質に骨折線はみられず，若木骨折型を呈する．骨幹部はほぼ内・外旋中間位である．

stage Ⅱは完全骨折であるが転位はなく，遠位骨片と近位骨片の主圧縮骨梁の方向性に乱れがない．

stage Ⅲは転位のある完全骨折であり，単純X線正面像では近位骨片は内反して主圧縮骨梁は水平化し，臼蓋，骨頭，および遠位骨片内側の主圧縮骨梁の方向が一致していない．Garden stage は正面像による分類であるが，軸射像では骨頭の主圧縮骨梁が正常の正面像のごとくに観察できる．これは骨頭が後方へ大きく回旋転位しているためで，損傷のない Weitbrecht 支帯の牽引の効果によるといわれている．

stage Ⅳは転位高度の完全骨折であり，単純X線正面像での stage Ⅲとの違いは臼蓋，骨頭，遠位骨片内側の主圧縮骨梁の方向が一致して，正常の方向を向いている点である．これは Weitbrecht 支帯が損傷されることによって，骨頭が後方への回転転位を示さないためであるといわれている．

この4段階は検者間での分類判定の一致率が低い．そこで上記のうち，stage Ⅰ とⅡ とを非転位型，stage ⅢとⅣとを転位型として二つに分類するのが，治療法の選択と予後予測との面で間違いが少ないという考え方が主流である．

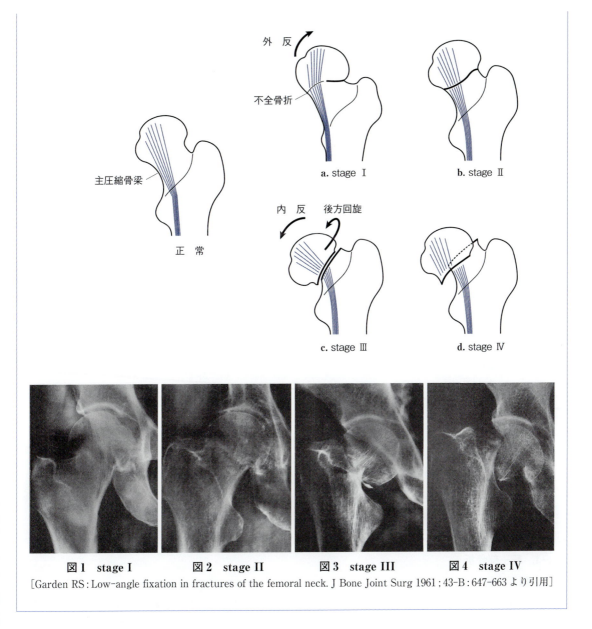

図1 stage I 図2 stage II 図3 stage III 図4 stage IV

[Garden RS: Low-angle fixation in fractures of the femoral neck. J Bone Joint Surg 1961;43-B:647-663 より引用]

254 第Ⅲ章 各 論

長期固定による膝関節の可動域制限は必発するので，固定期間中，膝蓋骨を含む膝関節の運動や大腿四頭筋を中心とし下肢の筋の等尺性収縮運動などが必要である．また，必要に応じて全身の運動も実施する．

■固定期間

保存療法での固定期間は 12 週以上が必要である．頸部骨折は，部位，程度により固定期間の差が大きく，固定の除去，荷重許可，治癒の判定や予後の判定には考慮すべき事項が多い．

■後療法

ADL の回復のため自動運動を中心とした運動療法および理学療法を行う．

■治癒の困難な理由

（1）大腿骨頸部が骨膜性仮骨の形成に欠ける．

（2）大腿骨頭を養う血管が骨折によって絶たれる．

（3）骨癒合に不利な力学的影響：骨折線が荷重軸に対し平行に近くなりやすく骨折部に剪断力が加わりやすい．

（4）高齢者に好発する．

■合併症

（1）阻血性大腿骨頭壊死

（2）偽関節

（3）遷延治癒

（4）認知症

（5）沈下性肺炎

（6）褥 瘡

（7）深部静脈血栓症

（8）尿路感染

［（4）〜（8）は臥床による続発症］

c. 大腿骨転子部骨折（図 1-3・9）

● c-1. 転子部骨折

■概 説

頸部骨折と比べ，関節包外であり血流が豊富な海綿骨部の骨折で骨癒合の条件はよいが，より高年齢に好発することや，合併症が多く，全身状態の管理が必要である．

■発生機序

大腿骨頸部骨折と同様で，転倒時に大転子部を打って発生することが多い．また，転倒時に膝から接地する場合の発生も報告されている．高齢者の低エネルギー外傷が多い．

■症 状

（1）起立歩行が不能となる．

（2）下肢は著明に短縮し外旋する．

（3）股関節は内反を呈することが多い．

（4）腫脹は大転子部を中心に著明に現れる（頸部骨折は関節包内骨折のためゆっくり現れる）．

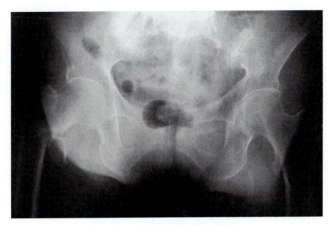
図1-3・9　右大腿骨転子部骨折

（5）皮下出血斑が大腿, 殿部にまで波及する.
（6）介達痛は大転子部に著明である.
（7）異常可動性を認めるが股関節運動と区別しにくい.

■治療法

骨接合術が行われ, 内固定材料としては sliding hip screw (CHS: compression hip screw, DHS: dynamic hip screw など), short femoral nail などが用いられている.

● c-2. 大転子単独骨折

発生率は低く, 直達外力や中殿筋, 小殿筋の急激な収縮により発生する. 骨片は離開転位することがある. 外転力は低下する. 転位軽度のものは股関節軽度外転位で骨折部を直圧し整復, 転位のないものは股関節軽度外転位で約6週の固定を行う. 著しい骨片転位を放置すると外転力が低下するため, 整復位がえられない場合は観血療法の適応がある.

● c-3. 小転子単独骨折

きわめてまれな骨折であり, 小児と高齢者でみられる. 小児の場合は腸腰筋の牽引により裂離され骨端線離開型で発生する. この場合単純X線像上, 骨端核との鑑別が重要になる. 高齢者では単独骨折はまれで大腿骨頸部骨折や大腿骨転子部骨折に合併する. 整復位が得られない場合は観血療法の適応がある.

[ルドロフ Ludloff 徴候 (図1-3・10)]

台の縁から下腿を垂らして座らせる. その位置から自動的に股関節が屈曲できない症状をいう. これは股関節90°までの屈曲運動は大腿直筋によって起こるが, それ以上の屈曲は, 腸腰筋によるためである.

d. 大腿骨転子下骨折

■概説

交通事故や転落事故など高エネルギー損傷で発生し, 多発外傷の一つとしてみられる. 高齢者にも起こるが, 青壮年での発生頻度が高い. 転子部と骨幹部の移行部に骨折線があるものをいう. 腫瘍の好発部位でもあり病的骨折との鑑別が重要である.

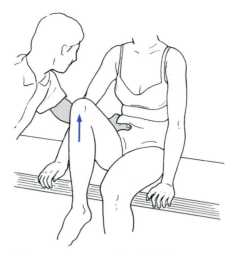

図1-3・10　ルドロフ徴候検査法(右側陰性)

■症　状

転子部骨折に類似するが，骨片転位は大腿骨骨幹部近位1/3部骨折に類似する．

■治療法

正常な下肢長の回復，捻転転位の整復，内反変形の防止を目的として観血療法が行われる．

2　大腿骨骨幹部骨折 fracture of femur diaphysis

■概　説

20〜50歳の青壮年に比較的多く小児にもみられる．交通事故，労働災害など高エネルギー損傷で起こることが多い．軟部組織損傷も高度で，開放性骨折となることもある．孤立性骨嚢腫，骨肉腫などを原因とする病的骨折にも注意する．出血性のショックなどに留意し，全身症状を観察することが重要である．

■発生機序

1. 直達外力

高エネルギー損傷によるものは軟部組織の損傷が高度になりやすい．骨折線は横骨折，あるいは粉砕骨折になりやすい．

2. 介達外力

屈曲力，捻転力の作用により発生し，骨折線は斜骨折，螺旋状骨折となる．

■分　類

（1）近位1/3部での骨折
（2）中央1/3部での骨折
（3）遠位1/3部での骨折

■症　状

通常，骨折部以下は外旋し，下肢の機能が失われる．腫脹，骨片転位による異常な膨隆がみら

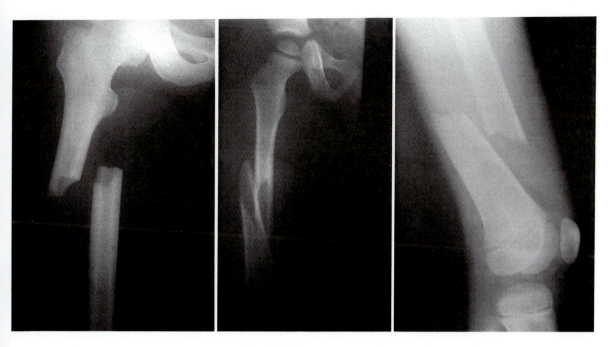

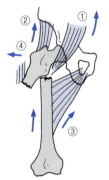
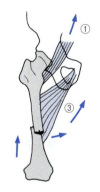
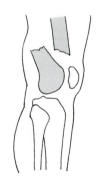

①腸腰筋
②中・小殿筋
③内転筋
④大殿筋

a. 大腿骨近位 1/3 部での骨折　　b. 大腿骨中央 1/3 部での骨折　　c. 大腿骨遠位 1/3 部での骨折

図 1-3・11　大腿骨骨幹部骨折における骨片転位
[a, b. 天児民和：神中整形外科　各論，第 21 版，p.915，南山堂，1990 より引用]

れる．

1. 大腿骨近位 1/3 部での骨折（近位骨折）（図 1-3・11a）

ⓐ　近位骨片

屈曲（腸腰筋の牽引），外転（中・小殿筋の牽引），外旋（大殿筋，外旋筋群の牽引）する．

ⓑ　遠位骨片

内上方（内転筋群の牽引）に短縮転位し，近位骨片の後方に位置する．

2. 大腿骨中央 1/3 部での骨折（中央部骨折）（図 1-3・11b）

大腿骨骨幹部骨折中もっとも多い．

258 第Ⅲ章　各　論

ⓐ **近位骨片**

屈曲(腸腰筋の牽引)，内転(内転筋，外転筋の作用がつり合う場合は中間位)する.

ⓑ **遠位骨片**

後上方(ハムストリングスなどの牽引)に転位する.

3. 大腿骨遠位 1/3 部での骨折(遠位骨折)(図 1-3·11c)

ⓐ **近位骨片**

屈曲・伸展，内・外転，内・外旋のほぼ中間位をとる.

ⓑ **遠位骨片**

中央部骨折よりも強く後方(腓腹筋の牽引)に転位し，短縮(ハムストリングスなどの牽引)する.

遠位端部に近いものは顆上屈曲型骨折の転位に類似する.

■治療法

以下の点に十分に注意する.

(1)頭部外傷による意識障害などを含む全身状態を観察し，ショック症状，合併症の有無を確認する.

(2)斜骨折では正しく整復されても再転位の傾向が強い.

(3)小児では，年齢に応じて回旋転位以外の屈曲転位や側方転位および短縮転位は自家矯正される.

(4)短縮転位は 3 cm 程度が許容範囲内と考えられている．それ以上だと明らかな跛行を残すことになる.

■合併症

大腿骨骨幹部骨折の保存療法は適切に治療しないと変形癒合や機能障害を残す．脂肪塞栓症やショックなどにより生命にかかわり，予後不良となる場合が考えられる.

3　大腿骨遠位端部骨折

大腿骨骨幹部骨折に比較して発生率は低いが，関節部の骨折で下肢の機能障害の原因となる.

■分　類

(1)大腿骨顆上骨折

(2)大腿骨遠位骨端線離開

(3)大腿骨顆部骨折

(4)内側側副靱帯付着部の裂離骨折

a. 大腿骨顆上骨折

■発生機序

直達外力によるものは交通事故や労働災害，スポーツ外傷で，大腿遠位部に高エネルギーが加わって発生する．介達外力によるものは屈伸が強制されることで発生する.

骨粗鬆症の高齢者が，膝関節屈曲位で転倒し膝を衝いたときに起こるものも多い.

参考15　大腿骨骨幹部骨折の整復および固定法

1. 牽引療法

横骨折，斜骨折，螺旋状骨折（捻転骨折）を問わず，非観血的整復法では牽引療法がもっとも有効である．

[持続牽引療法]

（1）半屈曲位牽引療法（骨折部位による牽引方向の変化）

①近位骨折：近位骨片は屈曲，外転，外旋位にあるので延長上に遠位骨片がくるようにする．股関節屈曲約40°，外転25～30°，軽度外旋，膝関節屈曲約40°，下腿は水平になるように架台におく（通常ブラウン Braun 架台を用いる）．

②中央部骨折：近位骨折よりも屈曲，外転の角度を小さくし，股関節屈曲約30°，股関節外転約20°，膝関節屈曲約30°で行う．

● 近位骨折または中央部の骨折で近位骨片の屈曲，外転による前外方凸の屈曲が矯正されないときは牽引方向の角度調節と第2の側方牽引を近位骨片にかけることもある．

③遠位骨折：近位骨片に内転する力が働き，また，骨折部では内方凸の屈曲が起こりやすいので，牽引肢位は下肢をほぼ体幹軸に平行に牽引することが望ましい．

[絆創膏牽引療法]

大腿骨骨幹部骨折の半屈曲位絆創膏牽引法（図A）

[下肢の垂直牽引療法]

①小児の大腿骨骨折の治療によく用いられる．

②当該牽引療法は，牽引力（重錘）と体重を利用した対向牽引による方法といえる（図B）．

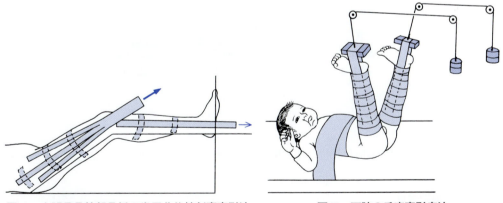

図A　大腿骨骨幹部骨折の半屈曲位絆創膏牽引法　　図B　下肢の垂直牽引療法

2. 屈曲整復法（横骨折の場合）

強大な筋力が整復障害となるため用いることが多い．

①骨折部において，近位骨片に対し遠位骨片を屈曲する．

②術者の片腕を遠位骨片にかけ骨折部を屈曲したままで遠位方向に牽引する．

③近位骨折端に遠位骨折端を合わせる．

④その後，骨折部の屈曲を緩めて伸展して整復操作を終了する．

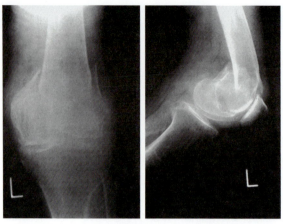

図1-3・12　左大腿骨顆上骨折（屈曲型骨折）

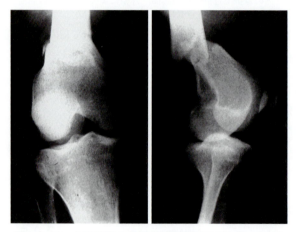

図1-3・13　大腿骨顆上骨折（伸展型骨折）（45歳，女性）

■分　類

　代表的な分類に屈曲型骨折と伸展型骨折があり，外力の方向，受傷時の肢位などにより骨折型が決まる．

1．屈曲型骨折

　骨折線は前方から後上方に走り，近位骨片は前内方（大内転筋，大腿四頭筋の牽引），遠位骨片は後方（腓腹筋の牽引）に転位し短縮する（図1-3・12）．

　近位骨片の先端による大腿伸筋群および関節包の損傷がみられる．

2．伸展型骨折

　骨折線は後方から前上方に走り，近位骨片は後方に，遠位骨片は前方に転位する（図1-3・13）．

■症　状

　疼痛，機能障害に加えて大腿遠位部の著明な腫脹（関節血腫など）や変形（前後径の増大），下肢短縮を認める．後方に突出した骨折端により膝窩動脈および脛骨神経を含む損傷がある．また，

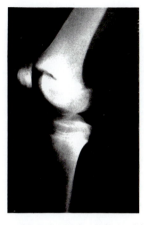
a. 遠位骨片が後方に転位する例

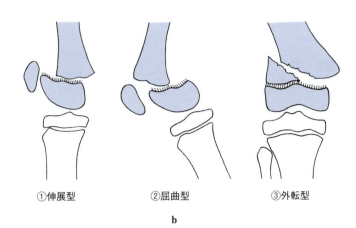
①伸展型　②屈曲型　③外転型
b

図1-3・14　大腿骨遠位骨端線離開

靱帯や半月などの軟部組織の損傷を合併することも多い．膝窩部に著明に拍動する血腫が認められるときは膝窩動脈の断裂を示唆する．また下肢の冷感などの高度な循環障害の所見がある場合や，開放性骨折では緊急手術の適応がある．

■治療法

高齢者が膝関節屈曲位で転倒した場合に多くみられる嵌合骨折や転位のわずかなもののみが非観血療法の対象である．他は徒手整復と術後管理が困難なことから観血療法が行われる．

膝関節軽度屈曲位で大腿近位端部（外側は大転子，後方は殿部まで）から足部まで固定する．骨癒合まで8週以上が必要で，高齢者の場合は褥瘡や沈下性肺炎などに注意する．

骨癒合の状態を勘案しながら免荷歩行，部分負荷歩行，全負荷歩行へと積極的に後療法と機能訓練を行う．

b. 大腿骨遠位骨端線離開（図1-3・14）

■概　説

多くは8〜10歳の小児に発生する．

■発生機序

交通事故，スポーツ外傷，高所からの転落などでの発生が多い．

■分　類

受傷機序から次の3型に分けられる．

1. 伸展型

膝関節伸展位で前方から大腿骨遠位端部に外力が加わると，近位骨片は後方へ，遠位骨片は前上方へ転位する．

2. 屈曲型

膝関節屈曲位で前方から大腿骨顆部に外力が加わると，遠位骨片は近位骨片に対して後方に転位する．

262 第Ⅲ章 各　論

3. 外転型

膝関節伸展位で外側から大腿骨遠位端部に外力が加わると，骨端部は三角形状の骨幹端の骨片を付着したまま外方へ転位する.

■症　状

（1）膝関節部を中心に著しい腫脹と疼痛がある.

（2）膝関節の運動は著しく制限される.

（3）転位に応じた変形を示す.

■合併症

1. 膝窩動脈損傷

伸展型で大腿骨遠位骨幹端が後方へ転位した場合，膝窩動脈の損傷を伴うことがあるので足背動脈などの拍動で血行状態を慎重に確認する.

2. 成長障害

大腿骨遠位骨端軟骨は人体のなかでもっとも成長が著しく，大腿骨長軸成長の約 70%，下肢全体の長軸成長の約 40% を担うため，損傷によって遠位骨端軟骨の早期閉鎖が生じれば，下肢長差を生じる.

■治療法

1. 伸展型

患者を背臥位とし，股関節 60° 屈曲位，膝関節伸展位で助手に下腿長軸方向に十分に牽引させる. 次いで，術者は母指で前方に転位した遠位骨折端部をまず大腿長軸方向へ押し，下腿の牽引を緩めることなく膝関節を徐々に屈曲させ，同時に術者が遠位骨折端部を後方へ圧迫して整復する. 膝関節 90° 屈曲位で固定する.

2. 屈曲型

患者を背臥位とし，助手に下腿長軸方向への牽引と膝関節の伸展をさせる. その際，術者は近位骨片を後方へ，遠位骨片を前方へ圧迫して整復する. 膝関節伸展位で固定する.

3. 外転型

患者を背臥位とし，股関節軽度屈曲位で助手に大腿を保持させる. 術者は下腿長軸方向へ十分に牽引し膝関節を伸展させ，外方に転位した骨幹端部の骨片を含む遠位端部を内側へ，近位骨片骨折端を外側に圧迫して整復する. 膝関節伸展位または軽度屈曲位で固定する.

c. 大腿骨顆部骨折

■概　説

顆部骨折は関節内骨折であり，膝関節面の形態変化と関節構成体の損傷を伴うため，可動域制限，内・外反変形，膝関節の動揺性などを残しやすい.

■分　類

（1）外顆骨折

（2）内顆骨折

■発生機序

直達外力によるものは，膝関節軽度屈曲位で直接強力な力が作用したときに発生する. 介達外

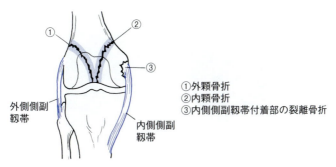

図1-3・15　大腿骨顆部骨折

力によるものは，膝関節伸展位で強力な軸圧が加わったときに発生する．

■骨折線，骨片転位

骨折発生時に外転力が加わると圧迫力により外顆骨折が発生し，牽引力により内側側副靱帯の大腿骨への付着部の裂離骨折が発生することがある．また，内転力が加わると圧迫力により内顆骨折が発生する．

外顆骨折の骨折線は顆間窩から斜上方に向かい，外側上顆の近位方向に走り骨片は外上方へ転位する．内顆骨折では顆間窩から斜上方に向かい，内側上顆の近位方向に走り骨片は内上方へ転位する（図1-3・15）．

■症　状

疼痛と機能障害のほかに関節部損傷に特有な関節血腫が高度で，関節部の腫脹は著明となる．膝関節部が外顆骨折では外反，内顆骨折では内反を呈し，関節包ならびに靱帯の断裂により関節の動揺性がみられ，半月の損傷症状などである痛みやクリックなどを関節裂隙に認める．

■治療法

転位のないものでは，大腿骨近位から足MTP関節の手前まで5～6週の副子固定を施行する．転位のある外顆骨折では膝内転方向に牽引，内下方に直圧をして整復する．転位のある内顆骨折では膝外転方向に牽引，外下方に直圧して整復を行う．整復後の関節裂隙の不整に注意する．通常は観血療法が行われる．

d. 内側側副靱帯付着部の裂離骨折

■発生機序

内側側副靱帯付着部の裂離骨折は膝関節部の外転，外旋の強制により発生する．

■症　状

限局性圧痛，他動的な膝関節の側方動揺性（外転方向への動揺）がみられる．

■合併症

しばしば内側半月の損傷を伴う．

■治療法

膝関節軽度屈曲位で外転を制限する固定を行う．

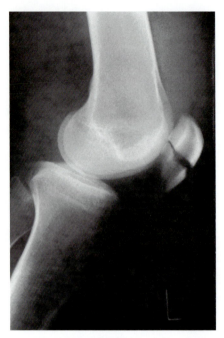

図1-3・16　左膝蓋骨骨折(31歳, 男性)

C・膝蓋骨骨折

1 膝蓋骨骨折 fracture of the patella

膝蓋骨は膝の前面にあって, 膝関節部の保護と膝伸展機構の要をなす. 皮膚直下に位置するため損傷を受けやすく, 骨折の多くは横骨折で腱膜の断裂と骨片の離開を認め観血療法の適応となる. また, 膝蓋骨辺縁にみられる小骨片や関節面から剥離する骨軟骨骨折は, 膝蓋骨脱臼, 膝蓋靱帯損傷などに伴い見落とされやすいので注意を要する(図1-3・16〜1-3・19). 分裂膝蓋骨との鑑別に留意する.

■分　類

骨折型による分類
  (1) 横骨折
  (2) 縦骨折
  (3) 粉砕骨折
  (4) 裂離骨折
  (5) 前額面骨折
  (6) 骨軟骨骨折

■発生機序

直達外力で発生するものは横骨折, 縦骨折, 粉砕骨折などの骨折型をとる. 大腿四頭筋の牽引による介達外力で発生するものは横骨折となる.

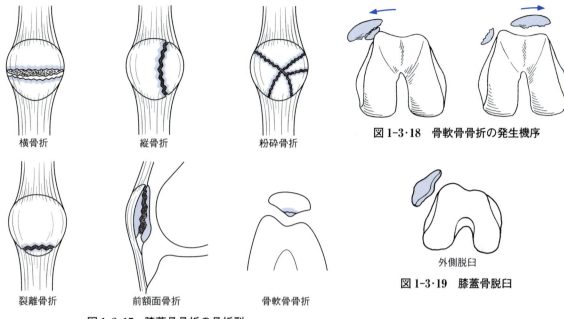

図 1-3・17　膝蓋骨骨折の骨折型
図 1-3・18　骨軟骨骨折の発生機序
図 1-3・19　膝蓋骨脱臼

■転位

骨軟骨骨折を除き腱膜断裂を伴わないものは転位が軽度である．膝蓋腱膜および両側の膝蓋支帯が断裂すると，近位骨片は大腿四頭筋によって強く上方に引かれ骨折端は広く離開する．

■症状

膝関節部の腫脹，疼痛は著明で，骨折部に一致して限局性圧痛を認め，膝蓋腱膜断裂を合併している場合は骨折端の著明な離開と体表から陥凹を触知できる．直達外力による場合は膝前面の皮膚に損傷をみることが多い．横骨折の腱膜が完全に離断した骨折は膝関節伸展が著しく障害されるが，腱膜下骨折では膝伸展が可能な場合もある．

■治療法

転位の軽度なものは，膝関節軽度屈曲位で4〜5週の副子固定に加え絆創膏あるいはリング固定を併用する．転位の大きいものは観血療法の適応と考えられている．

■合併症

長期固定による膝関節拘縮

D・下腿骨骨折

1　下腿骨近位端部骨折

下腿骨近位端の両顆部は内外側に突出している．海綿質の占める割合が高い，骨皮質が薄いなどから，比較的骨折を起こしやすい部位である．骨折線は膝関節面に及び，単純X線像で見落とされることもある．膝関節側副靱帯断裂などの合併もある．

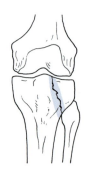 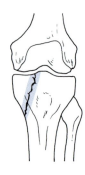 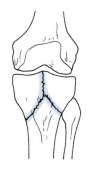

　　　a. 外顆骨折　　　　　　　b. 内顆骨折　　　　　　　c. 両顆骨折
図 1-3・20　脛骨顆部骨折の分類（De Palma）

■**分　類**
　（1）脛骨顆部骨折
　（2）脛骨顆間隆起骨折
　（3）脛骨粗面骨折
　（4）腓骨頭単独骨折

a. 脛骨顆部骨折 fracture of tibial condyle
■**分　類**
　（1）外顆骨折
　（2）内顆骨折
　（3）両顆骨折

■**発生機序**
　垂直の圧迫外傷（高所からの墜落など）により脛骨縦軸に衝撃を受けて発生する．同時に，外転を強制されたときには外顆骨折（図 1-3・20a），内転を強制されたときには内顆骨折（図 1-3・20b）を起こす．また内顆，外顆が同時に衝撃を受けたときには，逆 Y・V 字型の両顆骨折（図 1-3・20c）がみられる．
　　［●単純 X 線像ではみられなかった骨損傷が，MRI 像などにより発見されることもある．］

■**骨折線，転位**
　骨折線は脛骨近位端のほぼ中央を貫通し，骨片は両者とも下後方に転位する．

■**症　状**
　膝関節は出血のために著しく腫脹し，骨折側に下腿軸が偏位し膝関節部で外顆骨折では外反，内顆骨折では内反変形となる．膝関節の側方動揺性がみられる（外顆骨折，内顆骨折では骨片転位とともに反対側の側副靱帯の断裂を伴うことが多い）．

■**合併症**
　外顆骨折では腓骨近位端骨折を合併することがある（図 1-3・21）．

■**治療法**
　転位のないもの，あるいは軽度のものは副子固定後，患肢を高挙し安静を保持して腫脹の消退

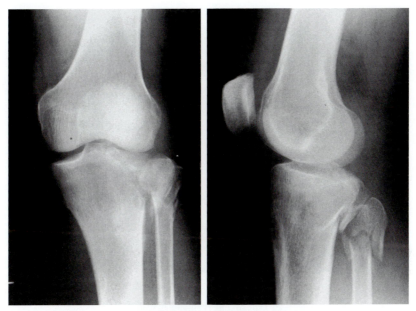

図 1-3・21　左脛骨外顆骨折と腓骨頭骨折の合併（46歳，男性）

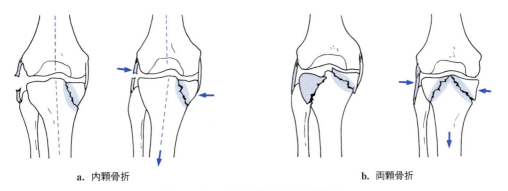

a．内顆骨折　　　　　　　　　　　　b．両顆骨折

図 1-3・22　脛骨顆部骨折の整復操作

に努める．関節内骨折であるため常に関節血腫を伴う．転位高度のものは関節血腫も高度となりやすいので必要に応じて専門医に託す．転位のある外顆骨折では膝関節内転，遠位方向に牽引，膝に内側から外方に側方牽引帯を掛け，内顆骨折ではこれと反対の整復操作を行い，骨片を直接圧迫して整復する（図 1-3・22）．整復困難なものや整復位の維持が困難なものは観血療法の適応がある．受傷後7～8週から，徐々に機能回復訓練を始める．関節内骨折であるため，長期にわたる固定は拘縮や強直を招きやすい．固定期間中に大腿四頭筋の等尺性収縮運動などを行う．

　顆部骨折では関節の拘縮，強直，膝の内・外反変形，動揺関節，支持力減退などの機能障害に注意する．転位のないものあるいは軽度なものの予後は一般に良好である．

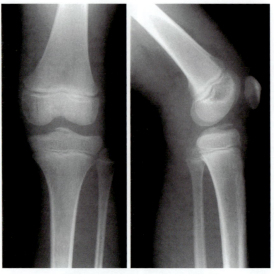

a. 正面像　　b. 側面像

図 1-3·23　脛骨顆間隆起骨折
[栗原整形外科のご厚意による]

b. 脛骨顆間隆起骨折（図 1-3·23）

■**概　説**

ほとんどが10歳前後の小児に発生する．骨折は単独に発生し，関節部の靱帯，関節面には損傷を生じることが少なく，初期の臨床症状が腫脹，疼痛，歩行・起立障害にとどまるので，捻挫，打撲と誤診されやすい．成人では関節内の損傷を合併し，機能障害を残すことがある．

■**分　類**

メイヤーズMeyersおよびマッキーバーMckeeverはこの骨折の発生に脛骨の内旋作用を重視し，骨折の程度によりこれを3型4種に分類している（図1-3·24）．

1. **Ⅰ型**

骨片の前方がわずかに持ち上がる．

2. **Ⅱ型**

前部1/3～1/2が裂離し，後方がわずかに接触している．

3. **Ⅲ型**

骨片が完全に遊離する．

4. **Ⅲ型（R）**

遊離した骨片が回転する．

■**発生機序**

膝関節屈曲位で下腿が固定されていて大腿に衝撃を受けたときなどに発生し（転倒，交通事故などによる），前十字靱帯の過度緊張により裂離骨折をきたすものが多い．

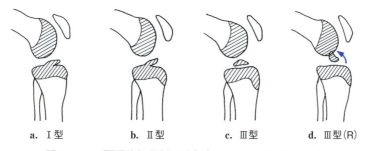

図 1-3・24　顆間隆起骨折の分類（Meyers & McKeever）

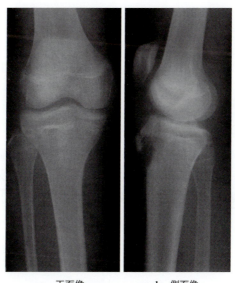

a. 正面像　　　b. 側面像

図 1-3・25　脛骨粗面骨折
［米田病院のご厚意による］

■症　状

　膝関節の腫脹，関節血腫形成，運動制限などがみられる．骨片が関節裂隙に嵌頓して関節運動を障害するものもある．Ⅲ型，Ⅲ型(R)では膝関節の引き出し症状を呈するものもある．

■治療法

　転位軽度のものでは，膝関節軽度屈曲位で大腿骨近位から足 MTP 関節の手前まで 4〜8 週の副子固定を行う．

　Ⅲ型は観血療法の適応となる場合があり，Ⅲ型(R)は観血療法の適応である．

c. 脛骨粗面骨折（図 1-3・25）

■分　類

　ワトソン・ジョーンズ Watson-Jones は 3 型に分類した（図 1-3・26）．

1. Ⅰ型

　脛骨粗面部の骨端核のみが裂離する．

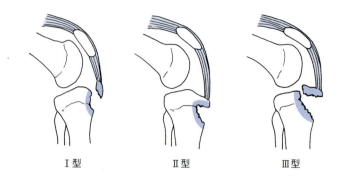

図 1-3・26　小児脛骨近位端部骨折の骨端線離開の分類（Watson-Jones）

2. Ⅱ型
脛骨近位骨端核の一部を含め裂離するが，近位骨端核との連続性を保つもの．

3. Ⅲ型
近位骨端核から完全に裂離したもの．

■発生機序

大腿四頭筋の強力な牽引力によって，脛骨粗面部または近位骨端線部に裂離，離開をきたす比較的少ない骨折である．多くはスポーツ外傷として陸上の跳躍競技などの踏み切りまたは着地で発生する．発生年齢は脛骨近位端部骨端線閉鎖前の 13～18 歳の男子に多く，筋力によって裂離骨折をきたしやすい．

■症　状

骨折と同時に支持力を失い膝関節の伸展力は著しく低下，脛骨粗面部に異常な隆起を触知する．

■鑑別診断

裂離骨片が小さいとき，症状が軽微なときはオスグッド・シュラッター Osgood-Schlatter 病との鑑別が必要になる．

■治療法

膝関節伸展位で大腿四頭筋を弛緩させ，骨片を下方に圧迫して整復，局所副子で患部を圧迫し大腿近位部から足 MTP 関節手前までの副子で固定する．整復位保持困難なものは観血療法の適応がある．

d. 腓骨頭単独骨折

■発生機序

脛骨外顆骨折に合併することが多く，単独骨折はまれである．単独の場合は，膝関節の内転が強制され，外側側副靱帯および大腿二頭筋の牽引により発生する．

■治療法

転位のないものまたは転位軽度のものは，膝関節軽度屈曲位で大腿中央部から足 MTP 関節手前まで副子固定する．腓骨神経麻痺の発生に注意する．整復位の保持が困難なものは観血療法の適応がある．

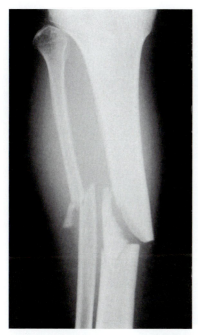
図 1-3・27 直達外力による下腿骨骨幹部骨折

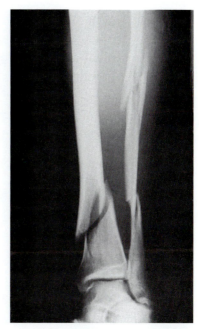
図 1-3・28 介達外力による下腿骨骨幹部骨折

2 下腿骨骨幹部骨折

下腿骨骨幹部骨折は交通事故やスポーツなどの高エネルギー外力により発生するため脛骨単独骨折よりも脛腓両骨骨折が多い．とくに脛骨は被覆軟部組織が薄いため開放性となりやすく，骨幹部では栄養血管が乏しいためしばしば偽関節を形成する．また荷重を担うため反張下腿などの変形を残すと機能障害が起こり全身運動に影響を及ぼす．他にも，若年者のスポーツ障害として脛骨，腓骨に疲労骨折（疾走型，跳躍型）が好発する．

a. 脛骨単独骨折および脛腓両骨骨折

■発生機序

1. 直達外力による骨折（図 1-3・27）

交通事故，高所から墜落，重量物の落下などによって起こり，横骨折またはそれに近い斜骨折となる．両骨骨折では骨折部位がほとんど同高位となる．凹側に楔状骨片をつくることがある．粉砕骨折，重複骨折の場合もある．

2. 介達外力による骨折（図 1-3・28）

スポーツなどの転倒により発生することが多い．相対的にみて近位部に対し遠位部が外旋するものと，内旋するものがある．この場合，螺旋状骨折や斜骨折となりやすい．

■転　位

1. 直達外力による骨折

骨片転位は作用した外力の方向によって異なる．骨折部は屈曲転位をして，前方凹の反張下腿型屈曲が多い．

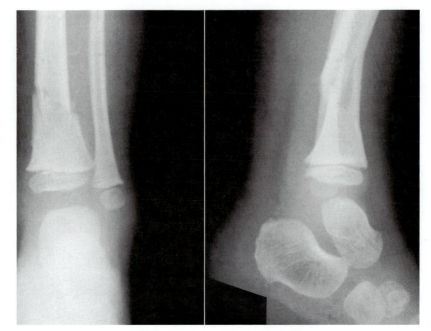

図 1-3·29　小児の下腿骨骨幹部骨折

2. 介達外力による骨折

定型的骨折(中央・遠位 1/3 境界部骨折)

骨折線：前内方から後外上方に向かう

転位：近位骨片は前内方に位置し，遠位骨片は後外上方に転位する．近位骨片骨折端が皮膚を内部から穿通して開放性骨折になるものがある．また，遠位骨片骨折端が後方の筋を穿通し，深部動・静脈や脛骨神経を損傷することがある．

[　●小児では，厚い骨膜でおおわれているため骨片転位は少なく，脛骨の単独骨膜下骨折や若木骨折を生じることが多い(図 1-3·29)．この場合，症状も軽微なため見落とさないよう注意が必要である．　]

■症　状

定型的な中央・遠位 1/3 境界部骨折では被覆軟部組織が薄いため，骨折症状(変形，限局性圧痛，異常可動性など)が著明で，比較的容易に判定できる．機能障害も著明で，起立・歩行不能となる．閉鎖性骨折では受傷後数日間は腫脹が強く，高度なものは皮膚が緊張して光沢を帯び，水疱を形成することもある．直達外力によるものは開放性骨折が多く，著しい出血や骨片の露出もまれでない．介達外力による骨折でも，骨折端が皮膚を穿通して開放性骨折となることがある．

■整復法

1. 牽引直圧整復法

膝関節屈曲位で助手に下腿近位端部を固定させ，術者は足関節部とともに遠位骨片を強く長軸方向に牽引する．これによって長軸転位を除去し，近位骨片を後外方に，遠位骨片を前内方に向かって直圧を加えて側方転位を除去する．

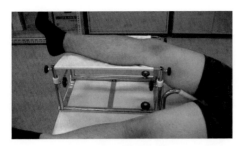
図 1-3·30　ブラウン架台

図 1-3·31　ブラウン架台と離被架

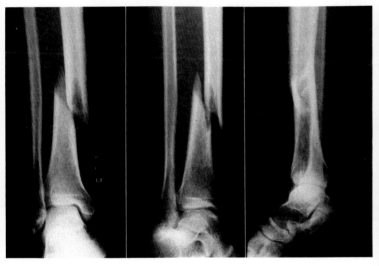
a. 初診時

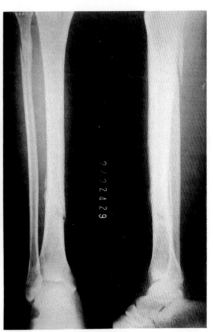
b. 整復後

図 1-3·32　脛骨中央・遠位 1/3 境界部骨折（腓骨近位部骨折を合併）

2. 牽引療法

斜骨折や螺旋状骨折で，整復位を維持することが困難なものには牽引と固定を併用した治療法を実施する．

牽引療法は膝関節約 30° 屈曲位で，ブラウン架台（図 1-3·30，1-3·31）に載せ，絆創膏またはスピードトラック，弾性包帯などで骨折部よりやや近位から持続牽引を行う．

牽引期間は 3～5 週で，除去後，大腿中央部から足 MTP 関節手前まで固定包帯をする．固定期間は 8～10 週．中央・遠位 1/3 境界部では 12 週を要することがある（図 1-3·32）．

3. 観血療法

転位の高度なもの，軟部組織損傷の著しいもの，徒手整復不能なもの，および開放性骨折では，観血療法の適応がある．

■固定法

　金属副子で大腿後面中央部から足 MP 関節手前まで，膝関節軽度屈曲位，足関節軽度屈曲（底屈）位で固定する．骨折部および骨隆起部（腓骨頭，踵骨隆起など）には，綿花あるいはフェルトを十分にあて，骨折部内側面，外側面に，呉氏副子またはスダレ・厚紙副子をあて，巻軸包帯を巻く．とくに急性期には包帯を締めすぎないように注意する．腫脹消退後，吸水硬化性キャスト材などによる装具固定を行う．

■後療法

　早期より下肢の等尺性収縮運動を指導，励行させ，症状の経過に従って手技療法，物理療法を行う．装具固定後は松葉杖による免荷歩行，下腿の等尺性収縮運動を積極的に行う．症状や経過に合わせて，足・膝関節可動域訓練を開始する．その後，松葉杖での部分負荷歩行，足・膝関節の等張性収縮運動へと進め，骨癒合完了後に固定装具を除去し全負荷歩行，足・膝関節への抵抗運動を開始する．

■後遺症

1. 骨折部変形癒合

　整復不良，早期の荷重などにより，反張下腿，外反・内反下腿を残す．とくに斜骨折は短縮転位の整復および固定が困難なため短縮を残しやすい．

2. 関節拘縮

　足関節の尖足位拘縮が多い．原因は屈曲（底屈）位固定，腓腹筋損傷，総腓骨神経麻痺などである．

3. 遷延癒合，偽関節

　脛骨骨折とくに中央・遠位 1/3 境界部横骨折は遷延癒合となりやすい．

　開放性骨折で感染し，急性・慢性骨髄炎を起こしたもの，骨折の整復も固定も不良であったもの，鋼線牽引療法での過度な牽引や，治療中に無理な他動運動をしたものなどは偽関節を形成することがある．

4. その他の後遺症

　筋萎縮，慢性浮腫など．開放性骨折では創傷感染による急性・慢性骨髄炎を起こし，腐骨，難治性瘻孔，偽関節や疼痛を残す．

b. 腓骨骨幹部単独骨折

■概　説

　腓骨の単独骨折では，脛骨が副子となるので，ほとんど転位しないことが多い（図 1-3・33）．

■発生機序

　直達外力によって発生し，横骨折か緩やかな斜骨折となることが多い．

■転　位

　外力の方向により一定しないが，軽度であることが多い．

■症　状

　局所の腫脹，限局性圧痛があるが，症状は軽微で歩行も可能なものが多いので骨折の見落としに注意する．

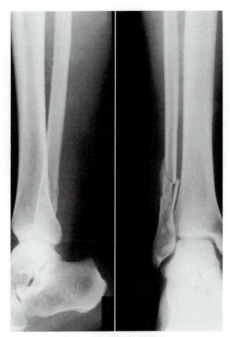

図 1-3・33　腓骨単独骨折（遠位端部）

■整復法
 (1)患者を背臥位，膝関節軽度屈曲位とし，助手に下腿近位端部を固定させる．
 (2)術者は足部を把持して牽引しながら足関節を内転強制し，骨片に直圧を加えて整復する．

■固定法
 金属副子を大腿後面中央部から足 MTP 関節手前まであて，膝関節軽度屈曲位，足関節軽度屈曲(底屈)位で固定する．腫脹消退後は吸水硬化性キャスト材などでの装具固定を行う．

■後療法
 早期から下肢の等尺性収縮運動をさせ，経過に従って手技療法，物理療法を行う．
 装具固定を行う場合は装着のまま下腿の等尺性収縮運動，膝関節の等張性収縮運動を積極的に行わせる．経過に合わせて免荷歩行から部分負荷歩行へと進み，足関節の等張性収縮運動を開始する．骨癒合後は固定装具を除去し全負荷歩行，足・膝関節の抵抗運動を開始する．

■後遺症
 ほとんどみられないが，まれに腓骨神経麻痺を残すことがある．

c. 下腿骨果上骨折
 ■概　説
 　距腿関節の上方，骨幹端付近の骨折である．脛骨単独骨折が多いが，腓骨が同時に骨折することもある．幼年期にはこの部で骨端線離開を起こすことがある(図 1-3・34)．果部骨折を合併すると症状は複雑である．

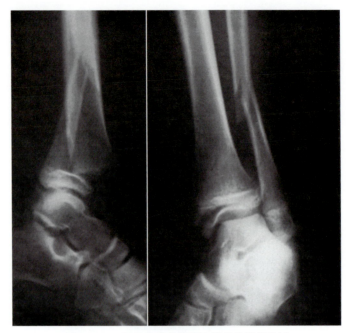

図 1-3・34　脛骨骨端線離開と腓骨骨幹部骨折

■**発生機序**

多くは介達外力による．
（1）高所から落下，脛骨に長軸方向からの衝撃を受け，同時に側方への屈曲が加わったとき
（2）果上部に外転力が働いたとき
（3）足部が固定されて下肢が捻転されたとき
直達外力によるものもある（轢傷など）．

■**転　位**

転位は外力の方向による．外転力が働いた場合には遠位骨片は外上方に転位し，ときに捻転しているものもある．小児の骨膜下骨折ではほとんど転位がない．

■**症　状**

骨折部の腫脹，限局性圧痛が著明である．骨膜下骨折でも，荷重歩行困難である．完全骨折では骨片転位による変形が明らかであり，異常可動性，軋轢音を証明する．

■**治療法**

1. 牽引直圧整復法

転位軽度なものは，助手に下腿近位部を固定させ，術者は足関節を両手で把握して牽引し屈曲転位を整復，直圧を加えて側方転位を整復する．

2. 牽引療法

ブラウン架台に患肢を載せ，絆創膏またはスピードトラックなどで骨折部よりやや近位から持続牽引する．

3. 観血療法

転位の著しいものは観血療法の適応がある.

■固定法

大腿中央部から足 MTP 関節まで金属副子で固定する.

■後療法

7〜10 週で固定を除去する. 外反扁平足発生予防には固定除去後に足底板を使用する.

■後遺症

下腿骨果上骨折はわずかな転位でも十分な整復をしなければ, 足関節の機能障害を残す. また, 斜骨折の場合, 再転位を起こし変形癒合を起こしやすいので細心の注意を要する.

d. 下腿骨疲労骨折

■概　説

下腿骨疲労骨折は成長期スポーツ障害の代表的疾患であり, オーバーユースを基盤に発症する. 脛骨にもっとも多く, 中足骨, 腓骨がこれに続く. 好発年齢は 10〜18 歳であり, 女性では月経周期の異常と骨塩量の低下を伴うことが多い.

■分　類

（1）脛骨骨折
- 近位・中央 1/3 境界部（疾走型 A）骨折
- 中央 1/3 部（跳躍型）骨折
- 中央・遠位 1/3 境界部（疾走型 B）骨折

（2）腓骨骨折
- 近位 1/3 部（跳躍型）骨折
- 遠位 1/3 部（疾走型）骨折

[● まれに脛骨顆部, 脛骨内果部にも発生する.]

■発生機序

荷重により骨幹部の特定部位に応力が集中しやすく筋収縮による牽引力が加わり疲労骨折にいたると考えられている. 疾走型と跳躍型の発生部位を示す（図 1-3·35）. 脛骨中央 1/3 部は前方凸の頂点となるため跳躍時に前方に張力が働き疲労骨折が発生する. 跳躍型は難治性になることが多い. 腓骨は近位 1/3 部でうさぎ跳びなどの跳躍の着地時にたわみが発生し, 繰り返すことで疲労骨折にいたる. 遠位 1/3 部ではランニングなどで, たわみが発生すると考えられている（図 1-3·36）.

■症　状

初期には単純 X 線像で骨折線が認められない. 限局性圧痛と患側片脚跳躍動作でみられる疼痛 hop test が重要な所見である. 一般に腫脹, 熱感を伴う. 2〜3 週後に単純 X 線像で骨皮質の肥厚や亀裂骨折が認められる. 触診しやすい部位では仮骨を触れることもある. 確定診断には MRI などが勧められている. 脛骨疾走型 B はシンスプリントとの鑑別がむずかしい.

■治療法

一般的に 1〜2ヵ月のスポーツ禁止で軽快するが, 再発しやすいので復帰後の練習方法や練習量の指導が大切である. 脛骨中央 1/3 部（跳躍型）骨折の難治性なものは, 観血療法の適応がある.

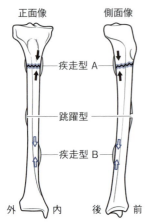

図1-3・35　脛骨の形態と疲労骨折
上方では曲率半径が小さく(➡)圧迫力は大きい．下方では曲率半径が大きく(⇨)圧迫力は小さい．

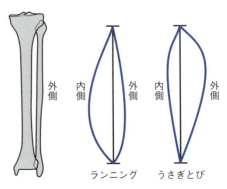

図1-3・36　腓骨の弦運動

3 下腿骨遠位端部骨折および足関節の脱臼骨折

　足関節部の骨折は，とくにスポーツ外傷で多発する．解剖学的に正しい整復位が得られないと，足関節の動揺性や，変形性関節症を残し，機能障害の原因となる臨床上重要な骨折である．

a. 果部骨折（図1-3・37）

■概　説

　内果骨折，外果骨折，両果骨折，後果骨折さらに三角靱帯や脛腓靱帯の断裂あるいは距腿関節の脱臼を合併することもある．また，それに伴う腓骨近位部の骨折が看過されることがあるので注意し観察することが肝要である．距骨の内転，外転，外旋，軸圧，足関節の屈曲，伸展の外力が複合的に作用して骨折を生じる．

　本骨折の治療は，受傷機序を正しく理解し損傷組織と転位方向を含め立体的に把握することが重要である．また，脛骨内果部は大きく，三角靱帯の牽引によって骨折する部位も前方や後方，また内果部全体として骨折することなどがあり注意を要する．

■分　類

　果部での骨折は初めて報告した人の名前をつける分類（ポット骨折，コットン骨折など）や骨折した部位の解剖学的名称により名前をつける分類（外果・内果骨折，両果骨折など），さらに献体などにより実験的に骨折を再現させた分類（ラウゲ・ハンセンの分類）などがある．

1. 人名をつけた分類

① ポットPott骨折（またはデュプイトランDupuytren骨折）

　ポットは腓骨の骨幹部骨折（外果先端より5～7.5 cm）と三角靱帯断裂と距骨の外側への亜脱臼を伴ったものを報告した．その後デュプイトランは献体でこの骨折を再現し報告したとされている．したがって本来同じ骨折をさすべきである．しかし，一部では内側の損傷が内果骨折であればデュプイトラン骨折，三角靱帯断裂であればポット骨折としているものもある．さらにどちら

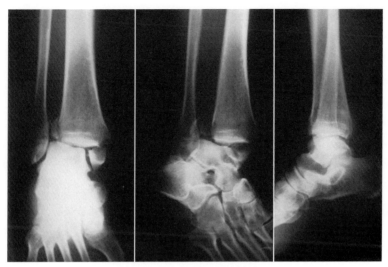
図 1-3・37　果部脱臼骨折

も内果と外果の二果骨折としているものもあり混乱を招いている．そこで本書ではこれらを同じ骨折として扱い，腓骨遠位骨幹部と距骨の外側への亜脱臼に加え，内側支持機構が破綻したもの（内果骨折もしくは三角靱帯断裂を発生したもの）をポット骨折（またはデュプイトラン骨折）と呼ぶ．なお，これらの骨折は後の研究で，前脛腓靱帯の断裂もしくは付着部の骨折がないと発生しないことが主な説になっている．

② コットン Cotton 骨折

内果および外果の骨折と脛骨遠位関節面前縁（前果）部骨折を合併したものもコットン三果部骨折として扱うものや，ラウゲ・ハンセン分類の SER 型（supination-external rotation）の重傷型として扱うものもあるが，本書では，腓骨外果骨折，脛骨内果骨折に加えて脛骨遠位関節面後縁（後果）を骨折したものをコットン骨折として扱う．

③ チロー Tillaux 骨折

チローは脛骨前脛腓靱帯付着部である結節部の裂離骨折を報告した．報告では骨端線離開には触れていないが，本書では骨端線離開も含む脛骨前脛腓靱帯付着部裂離骨折をチロー骨折と呼びその骨片をチロー骨片と呼ぶこととした．

2. 骨折した部位の解剖学的名称により名前をつける分類

　（1）内果骨折
　（2）外果骨折
　（3）脛骨前果骨折
　（4）脛骨後果骨折
　（5）両果骨折
　（6）三果骨折
　など

280 第Ⅲ章 各　　論

3. 献体などで実験的に骨折を再現させた分類（ラウゲ・ハンセン Lauge-Hansen の分類など）

［ラウゲ・ハンセンの分類］

　　（1）回内・外転損傷 pronation-abduction

　　（2）回外・内転損傷 supination-adduction

　　（3）回内・外旋損傷 pronation-external rotation

　　（4）回外・外旋損傷 supination-external rotation

　この分類は最初の用語で受傷時の足の肢位を，次の用語で下腿に対する距骨の動きを表しており，距骨の動きに伴う靱帯による牽引（裂離骨折，靱帯断裂）や骨同士の衝突を理解し骨片転位などを推測するのに優れている．さらに，整復に必要な情報を得ることもできる．それぞれの症状は，外力に対して距骨以下の足部が転位し特有なものとなることが多い．受傷時の外力に反対の力を加えることでおおよその整復位が得られることが多い．固定は整復位を保持するように行うが，保持できない場合には観血療法の適応となる．

　現在この分類を用いることが多いが，この分類は近年様々な矛盾が指摘されている．

4. 受傷外力を三つに大別した分類

　　（1）外転型

　　（2）内転型

　　（3）軸圧型

　以下，この分類に沿って記載する．

● **a-1. 外転型**

■**発生機序と損傷部（図 1-3・38）**

　距骨が強く外転されることにより発生する．回内あるいは外旋外力が加わることも多い．足関節の内側には牽引力が，外側には圧迫力が働く．内側の牽引力は内果の裂離骨折（多くは距腿関節面の高さ）あるいは三角靱帯損傷を起こす．外側の圧迫力は腓骨の遠位端部，骨幹部，ときに近位部の骨折を起こす．遠位脛腓靱帯損傷あるいは前脛腓靱帯脛骨付着部での裂離骨折，距骨との衝突による骨折を起こす．外転と同時に足関節屈曲（底屈）が強制されると，脛骨後果が骨折することがある．外転と同時に足関節伸展（背屈）が強制されると，脛骨前果が骨折することがある．

■**症　　状**

　荷重困難，足関節部の疼痛，腫脹が著しく，幅が広くみえる．転位のある脱臼・亜脱臼例では，足部は外反，あるいは回内，外旋位にある（加わった外力を足部変形が示唆していることがある，図 1-3・39）．内果の近位骨折端が突出し，ときに開放創になる．皮膚損傷がないもので早期に整復されないと内側部の圧迫により皮膚が壊死を起こすことがある．また，距骨が後方に転位している例では，足関節屈曲（底屈）位で前足部が短くみえ踵骨部が後方に突出，前方に転位している例では軽度伸展（背屈）位を呈することが多い（図 1-3・40）．

■**整復法**

　転位のないものまたは，少ないものは下腿骨上端部から足 MP 関節手前までの固定．足関節は良肢位または機能肢位とする．転位のある場合は整復は以下のごとくである．患者をベッドに

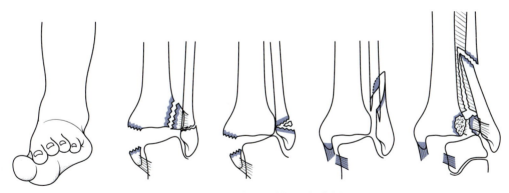

図 1-3・38　外転型の様々な損傷例

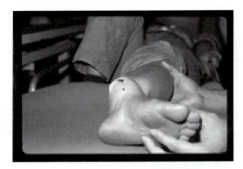

図 1-3・39　外転型の外観一例

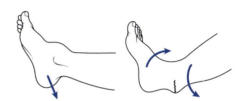

図 1-3・40　後方転位例と前方転位例

背臥位とし，股関節，膝関節を約 45°屈曲して助手に下腿近位部を固定させ術者は踵部を一方の手で保持し，他方の手は足背にかけ末梢方向に十分に牽引する．内果骨折では直角位とする．そのまま牽引を緩めずに足部を内転させると同時に患部を直圧し整復する．

■固定法

足関節軽度屈曲（底屈）位，軽度内転・内旋位（回外・外旋損傷では外転位）．膝関節軽度屈曲位で大腿中央部から足 MP 関節手前まで後面に金属副子などをあてて約 6 週固定する．腫脹消退後（受傷 2 週程度）吸水硬化性キャスト材などで装具固定に変更してもよい．

● a-2.　内転型

■発生機序，損傷部（図 1-3・41）

距骨が強く内転されることにより発生する．回外あるいは内旋外力が加わることも多い．足関節の外側には牽引力が，内側には圧迫力が働く．外側の牽引力は主に前距腓靱帯損傷を引き起こす．外力の大きさや足関節肢位によっては踵腓靱帯損傷が加わる．踵腓靱帯の単独損傷はまれといわれている．ときに外果の裂離骨折または関節面の高さで外果の横骨折を起こす．内側の圧迫力は距骨滑車の突き上げによる内果の斜または縦骨折を起こす．

- ●外側靱帯損傷の既往例では外側靱帯の機能不全により，内果骨折が単独で発生することもある．
- ●距骨滑車の骨軟骨骨折が発生することもある．

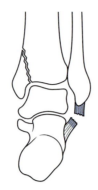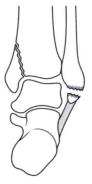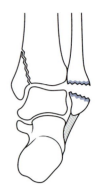

図 1-3・41　内転型の様々な損傷例

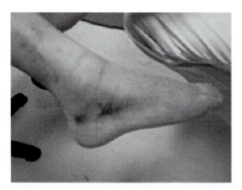

図 1-3・42　外果部中心の腫脹と皮下出血斑

■症　状

　転位，変形が軽度なことが多く，外側靱帯損傷の単独損傷と判断し内果骨折を見落とすことがある．

　荷重の可否は内果骨折の程度に左右されることが多い．足関節は屈曲（底屈）位を呈する．

　前距腓靱帯部や外・内果部に腫脹，限局性圧痛，外果下方に皮下出血斑がみられる（図 1-3・42）．

■整復法

　助手に下腿近位端部を把握させ，術者は一方の手を踵部にあて，他方の手を足背部にかけ屈曲位で牽引する．十分に牽引ができたら，それを緩めずに足関節を直角にする．次に，末梢牽引を緩めずに足部を外転しながら両母指球で骨片を直圧し整復する．

■固定法

　足関節直角位，軽度外転，外旋位，膝関節軽度屈曲位で大腿中央から足 MP 関節手前まで後面に金属副子などをあてて約 6 週固定する．腫脹消退後，装具固定に変更してもよい．

■後療法

　整復後数日間，とくに脱臼骨折の場合は再転位することがあるので，十分な管理が必要であ

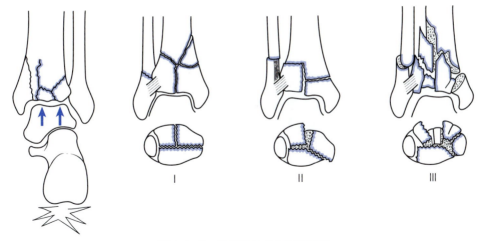

図 1-3・43 軸圧型の様々な損傷例

る．早期から股関節の等張性収縮運動と大腿の等尺性収縮運動を指導して励行させ，経過に従った手技・物理療法を併用する．下肢の等尺性収縮運動を積極的に行わせ，松葉杖による免荷歩行，部分荷重へと進め，膝関節の等張性収縮運動を開始する．経過に合せて膝関節の徒手的抵抗運動，足関節の可動域訓練を開始し，骨癒合の進行により抵抗運動，全荷重へと進め，機能の回復を図る．

■後遺症
(1) 遠位脛腓間の結合が離開したものは疲労しやすく，捻挫を起こしやすい．
(2) 転位の大きい場合は変形癒合，とくに外転損傷の場合は骨折部の外転屈曲または距骨の不全脱臼を残し，機能障害をみることがある．
(3) 足関節に尖足位拘縮を残すことがある．また，二次的に変形性関節症を起こして疼痛，歩行障害をきたすことが多い．

● a-3. 軸圧型 (pilon, plafond 骨折)
■概　説 (図 1-3・43)
スポーツにより生じる低エネルギー損傷と，高所からの墜落や交通事故により生じる高エネルギー損傷がある．

近年高エネルギーによる皮膚損傷合併例が多くなっている．骨折線は脛骨関節面から脛骨骨幹端部に向かい粉砕骨折になることが多い．関節軟骨損傷も著しい．このため創外固定，観血的固定術，骨移植が必要になる例も多い．

E・足・足指（趾）骨折

1 足根骨骨折

a. 距骨骨折 (図 1-3・44)

比較的まれな骨折で，単純 X 線像では周囲骨と重なるため見落とされやすい．また，栄養血

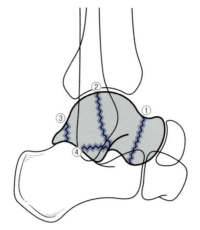

図 1-3・44　距骨骨折

管走行の特異性，骨表面の約 60％ が関節軟骨，筋の停止部がない，転位を伴うと脱臼を合併するなど，様々な要因から難治性で，重篤な機能障害を残すものがある．阻血性骨壊死では数年にわたり全荷重が制限されることがあり，足関節部の損傷においては常に念頭において診察にあたらなければならない．発生頻度は頸部骨折や体部骨折が多いとされている．

■分　類
　（1）頸部骨折
　（2）体部骨折
　（3）後突起骨折
　（4）外側突起骨折

■発生機序
　①頸部骨折は高所から落下し，足関節伸展（背屈）強制で距骨頸部が脛骨遠位前縁に衝突して発生する．
　②体部骨折は高所から落下し，脛骨と踵骨の間で圧迫されて発生する．
　③後突起骨折は足関節が屈曲（底屈）強制され，後突起が脛骨遠位端後縁と衝突して発生する．
　④外側突起骨折は足関節伸展（背屈）強制で内転あるいは軸圧，外反，外旋など様々な説があるが，スノーボードによる発生の報告が多い．

■症　状
　①転位のない場合は捻挫と判断され骨折を見落としやすい．捻挫と比較して腫脹が強く，距骨骨折部の限局性圧痛，荷重痛，足関節伸展（背屈）時あるいは底屈時痛がある．
　②頸部・体部骨折で転位のある場合は脱臼を伴うことが多く，骨片が足背または後方に突出し，外観から重症度が判断できる．
　　[●距骨滑車の骨軟骨骨折は見落とされることがあり注意を要する．観血療法の適応がある．]
　③頸部・体部骨折で骨片が後方に転位した場合は，後脛骨動脈，脛骨神経，足関節後方の循環障害，皮膚壊死などがみられる．その中でも長母趾屈筋腱が圧迫されると，第 1 趾が直角に

足底側に屈曲しナウマン Naumann 徴候と呼ばれる現象が発生する.

④後突起骨折は足関節屈曲(底屈)時に足関節後方あるいはアキレス腱の深部に疼痛を訴える.

⑤外側突起骨折は外果の深部に圧痛や荷重痛があるが,外側靱帯損傷と症状が類似する.

- 単純 X 線像で後突起骨折は,この部位にしばしばみられる三角骨と類似する.三角骨は,骨片のように辺縁が尖鋭的でなく滑らかな線である.外側突起は腓骨外果と踵骨に挟まれた位置にあり,単純 X 線像では周囲骨と重なり骨折が見落とされることが多い.このため CT 像などの有用性が報告されている.

■治療法

転位のない頸部骨折や体部骨折は固定と患部の安静が原則となる.高度の圧迫骨折,転位の大きなものは観血療法の適応がある.いずれも骨壊死の可能性があり荷重開始時期に慎重な判断が必要になる.後突起骨折や外側突起骨折で転位のないものや整復位が保持できるものは副子固定を行う.免荷期間は頸部・体部骨折では 6〜12 週,外側突起骨折では 4〜6 週が目安である.後突起骨折は 4〜5 週固定後,体重を負荷する.荷重開始は慎重に行い,PTB 装具の利用後,部分荷重などから行う.頸部や体部骨折における荷重時期は専門医の判断が必要である.

■予 後

体部の阻血性壊死や変形性関節症を基盤とした荷重痛の残存,足関節や足部の可動域制限などの機能障害が残存する.

b. 踵骨骨折(図 1-3·45,1-3·46)

踵骨は足根骨中最大の骨であり,接地時の力が最初に伝達される部位に位置し,足根骨骨折中もっとも発生頻度が高い.薄い緻密質上に距骨などとの複雑な形態の関節面を有するため,関節内骨折となる可能性が高い.また,周囲に腱,神経が多数通過しており,これに起因した後遺症も残しやすい.受傷機序から脊椎椎体圧迫骨折を合併することがある.

■分 類

(1)踵骨隆起骨折

(2)水平骨折(鴨嘴状骨折)

(3)載距突起骨折

(4)前方突起骨折

(5)踵骨体部骨折 { 関節面に骨折が波及しないもの / 関節面に骨折が波及するもの }

踵骨骨折の分類は数多くあるが,これらのいずれの分類も後距踵関節を含まないもの(関節外骨折)と含むもの(関節内骨折)に大別しており,前者は比較的良好な予後をもたらし,後者は様々な骨折形態を示して一般に予後は悪い.整復後の評価も関節面の適合が重要である.

■発生機序

多くが高所からの転落や飛び降りによる直達外力で生じる.まれに下腿三頭筋の収縮によるアキレス腱の急激な牽引による裂離骨折である水平骨折(鴨嘴状骨折),足部の内反による二分靱帯の牽引による前方突起骨折が起こる.水平骨折にみえるものの中に飛び降りて体部骨折後にアキレス腱により牽引されて離開転位するものがあるので注意を要する.

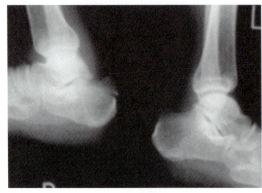
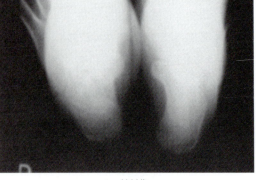

a. 側面像　　　　　　　　　　　b. 軸射像

図 1-3・45　踵骨骨折

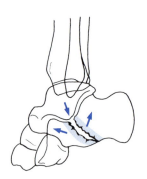

図 1-3・46　踵骨体部骨折

■症　状
（1）患肢荷重ができない．
（2）腫脹は踵骨部にもっとも強く，足関節部まで波及する．
（3）皮下出血斑は踵骨両側および足底に及ぶ．
（4）距腿関節屈伸運動は可能であるが，骨折が距踵関節に及ぶと足部の回内・回外運動は制限され，強制すると激痛を生じる．
（5）踵骨体部と隆起部の骨性連絡が断たれたものは，足関節の屈曲（底屈）が強く制限される．
（6）水平骨折や体部骨折ではベーラー Böhler 角（☞参考 16）が減少することが多い．
（7）前方突起骨折は，前距腓靱帯損傷との合併，二分靱帯損傷と鑑別する．圧痛点が前距腓靱帯部よりも 1.5〜2 cm 遠位で下方 1 cm 付近に存在し，同部位を中心に腫脹，皮下出血斑を認める．

■治療法
骨折の状況を正確に把握することが第一である．

1. 水平骨折（鴨嘴状骨折）
膝関節を 90°に屈曲し，足関節を屈曲（底屈）してアキレス腱を十分に弛緩させ，骨片を指で下

参考16 ベーラー Böhler 角（踵骨隆起関節角）

単純X線側面像で踵骨前方突起から後距骨関節面の最上端に引いた線(a)と，踵骨隆起上縁から後距骨関節面最上端に引いた線(b)とのなす角をいう．正常では20〜40°であるが，踵骨骨折ではこの角度が減少し0°，ときには(−)になることもある．

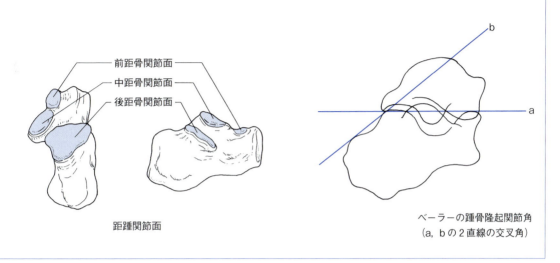

距踵関節面

ベーラーの踵骨隆起関節角
（a, bの2直線の交叉角）

方に圧迫して整復する．整復不能もしくは整復位が保持できない場合は観血療法の適応がある．
　固定期間は6週とし大腿中央から足MTP関節部まで足関節屈曲（底屈）位で足底アーチを保持し固定する．3〜4週で良肢位に変更する．固定期間中も超音波などの物理療法を積極的に行う．固定除去後も足底アーチを保持することを心がける．

2. 前方突起骨折

　転位のない例は，足関節0°で3〜5週固定する．骨片が大きく関節面に及ぶ場合は観血的整復，骨片が小さな場合は摘出が行われることもある．

3. 体部骨折

　患者を腹臥位，膝関節90°屈曲し，両手掌で両側より圧迫し牽引を加えながら内・外転を繰り返す．整復されない場合は観血療法が適応と考えられている．下腿中央から足MP関節手前まで固定する．歩行時には足底挿板を用いて外傷性扁平足の予防に努める．

■踵骨骨折でとくに留意すべき点
　（1）足底アーチ保持のため足底部筋，靱帯の機能低下防止
　（2）足部の慢性浮腫予防，防止
　（3）足部疼痛管理
　（4）距踵関節面の転位状況の把握

■予　後

　変形癒合（横径の増大，外傷性扁平足），腓骨筋腱腱鞘炎，変形性関節症（とくに距骨との関節部），慢性浮腫，ズデック骨萎縮，アキレス腱周囲炎などによる頑固な荷重痛を残し，職場復帰

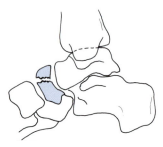

図 1-3・47　舟状骨体部骨折
舟状骨体部骨折は足部の伸展（背屈）強制によって起こる．

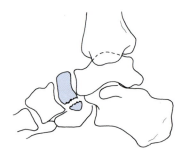

図 1-3・48　舟状骨粗面骨折
舟状骨粗面の骨折は後脛骨筋の牽引によって起こる．

後も長期間 ADL に障害を訴えることが多い．

●踵骨は疲労骨折にも注意する．年齢は成長期から中高年まで幅広いが，スポーツによる報告が散見される．早期発見により原因と考えられるスポーツ動作の制限，足底板で衝撃吸収するなどの対応で予後は良好のことが多い．運動中に踵骨部に痛みを訴える例は，専門医への受診をすすめる．

c. 舟状骨骨折（図 1-3・47，1-3・48）

■分　類
（1）骨体部骨折
（2）粗面骨折

■発生機序

介達外力による発生頻度が高い．骨体部骨折は高所からの転落などで足底部から強い外力が加わると，足部アーチの頂点にある舟状骨は，近位部にある距骨骨頭と楔状骨とに挟み込まれ圧壊し骨折する．小骨片が背側へ転位し関節面から逸脱するものがある．舟状骨粗面は足部の外転で，後脛骨筋の牽引による裂離骨折を起こす．また，直達外力によって，上方または下内側の粗面が骨折するものがある．

■症　状

舟状骨部の腫脹，限局性圧痛，骨片突出，第 1～3 中足骨からの介達痛，荷重痛，歩行困難であるが踵部での歩行は可能．足の回内・回外運動に制限がある．舟状骨の体部骨折では上方へ突出し，粗面骨折では内方へ突出する．上方が圧潰されると足底のアーチが低下する．

外脛骨や第 1 ケーラー Köhler 病との鑑別に注意する．外脛骨が外傷により舟状骨から裂離するものもある．

■治療法

骨体部骨折の転位がないものは，下腿近位端から足 MTP 関節手前まで固定し，足背部に厚紙やスダレ副子など局所副子をあてる．固定時ならびに歩行時に足底アーチを保持する．転位のあるものは観血療法の適応がある．粗面骨折は骨片が適合する肢位で固定する．小骨片などの理由で骨癒合が得られないことも多い．この場合の症状が強ければ小骨片の摘出などの観血療法の適応がある．

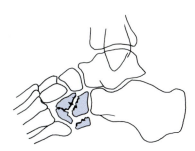
図1-3・49 立方骨骨折

図1-3・50 楔状骨骨折

■予 後

骨体部骨折は足の形態変化に関係する．外傷性扁平足を起こすと難治性の足部痛を残す．

> ●スポーツによる足舟状骨の疲労骨折は，脛骨，中足骨の疲労骨折に比べまれで診断がつきにくい．完全骨折や遷延癒合，偽関節になり治療がむずかしくスポーツ活動にも支障をきたす．競技レベルの高い陸上競技（短・中距離），バスケットボール，野球などで報告がみられる．中央部は相対的に血流が乏しいことにより遷延癒合や偽関節になりやすいと考えられている．下腿遠位部から足部にかけての痛みが徐々に発現し，あまり局在しないことが多い．運動の最初や最後に疼痛を感じるともいわれているが，訴えがはっきりせず一定しないことが特徴である．初期には局所の腫脹はほとんどなくROM制限もみられない．距骨と舟状骨近位関節面の背側中央の圧痛（N-spot：前脛骨筋腱と長母趾伸筋腱の間付近），ダッシュやジャンプ時の疼痛，内側縦アーチへの荷重痛などで疑う．

d．立方骨骨折（図1-3・49）

■発生機序

直達外力では粉砕骨折などの骨片骨折となる．介達外力では足部の外がえしで中足骨と踵骨の間に挟まれ，または舟状骨骨折時に距骨頭の外方移動によって起こる．まれに直達・介達外力ともにリスフラン関節の脱臼を合併するものもある．

■症 状

立方骨部の限局性圧痛，腫脹，第4・5中足骨からの介達痛，荷重痛，回内・回外運動制限，立方骨の損傷の程度が強い場合やリスフラン関節脱臼が合併すれば前足部の変形などがみられる．

■治療法

転位のない骨折は，舟状骨骨折と同様に行う．粉砕骨折，他の足根骨骨折や脱臼を伴うものは観血療法の適応がある．

e．楔状骨骨折（図1-3・50）

■発生機序

直達外力では中足骨基部骨折や舟状骨骨折を伴うリスフラン関節分散脱臼を，介達外力（前足部の強い外転あるいは屈曲［底屈］）ではリスフラン関節の脱臼を合併するものもある．

■症 状

楔状骨部に舟状骨骨折に似た症状がみられる．リスフラン関節脱臼を合併すれば前足部の変形などがみられる．

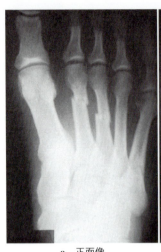
a. 正面像　　　b. 側面像
図1-3・51　中足骨骨折

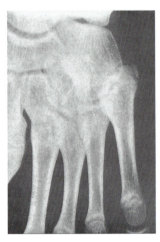
図1-3・52　第5中足骨基部裂離骨折

■治療法
転位のない骨折は舟状骨骨折と同様に行う．

2 中足骨骨折 fracture of metatarsal
■分　類
（1）骨幹部骨折（図1-3・51）
（2）基部骨折（図1-3・52）
（3）疲労骨折 { 行軍骨折（図1-3・53）
　　　　　　　 ジョーンズ Jones 骨折（図1-3・54）

■発生機序
1. 骨幹部骨折
　直達外力が多い．重量物の落下，車輪などによる轢過などの外力により発生する．高度の軟部組織損傷を伴い，開放性骨折になることもある．骨折線は横骨折であることが多く，二骨以上が同時に骨折することがある．

2. 基部骨折
　内がえし強制による第5中足骨基部骨折がある．短腓骨筋の急激な収縮による裂離骨折であり，下駄骨折と呼ばれる．その他の基部骨折は少ない．

■症　状
　骨折部の限局性圧痛，腫脹，荷重痛，骨長軸からの軸圧痛，前足部の横径増大などがみられる．疲労骨折では中足骨部の疼痛が主要な症状で，原因となる負荷を加えると疼痛が増強する．

■治療法
　転位の少ない中足骨骨折は下腿下部から足尖部まで約4週固定する．固定時ならびに歩行時に

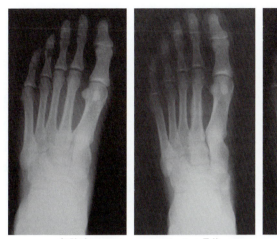
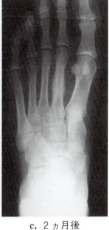

a. 初診時　　　　b. 1ヵ月後　　　　c. 2ヵ月後

図 1-3・53　第 2 中足骨疲労骨折
［栗原整形外科のご厚意による］

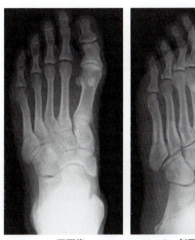

a. 正面像　　　　b. 斜面像

図 1-3・54　ジョーンズ骨折
［栗原整形外科のご厚意による］

は足底挿板を用いて外傷性扁平足の予防に努める．転位の大きな骨折は観血療法が望ましい．

■**予　後**

　変形癒合(横径の増大，外傷性扁平足など)，頑固な荷重痛を残すものがあり，多数の中足骨が同時に骨折する場合に多い．

　第 5 中足骨基部裂離骨折で外方凸変形が残るものは靴があたると痛い．ジョーンズ骨折では遷延癒合や偽関節に陥りやすい．

3. 疲労骨折

① 行軍骨折

　長時間にわたるランニングや歩行などの反復外力で中足骨骨幹部に発生する．第2・3中足骨の発生が多く，兵士の行軍で発生したことに由来する．

② ジョーンズ骨折

　1902年にロバート・ジョーンズ Robert Jones がダンス中に介達外力により受傷し，同様の6例とともに発表したことに由来する．そのため本来は外傷性骨折である．その後，スポーツ選手に第5中足骨骨幹部近位の疲労骨折として多くみられたため現在では疲労骨折をジョーンズ骨折，外傷性骨折をオリジナルジョーンズ骨折としている．

3 趾骨骨折

■発生機序

　重量物の落下などによる直達外力の発生が多い．つまずいて趾尖から外力が加わり発生するものもある．第1趾の基節骨，末節骨に多い．

■症　状

　腫脹，限局性圧痛，荷重痛，長軸圧痛が著明．高度の骨折では変形，異常可動性，軋轢音がみられる．爪下血腫を合併するものもある．基節骨骨幹部骨折，とくに第1趾の骨折では遠位骨片が背側へ転位し足底側凸の定型的転位をみることがある．

■治療法

　患指に包帯を巻いて牽引し，直圧を加えて整復する．副子などで指先を包むように固定し，絆創膏，厚紙などで補強する．

■予　後

　基節骨骨折，とくに第1・2趾では，足底側凸の変形が残ると，荷重および歩行障害が起こる．その他は骨癒合がえられれば良好である．

> ●種子骨骨折：まれに第1中足骨骨頭部底面にある種子骨の骨折がある．この場合，単純X線像で骨折と分裂種子骨との鑑別が必要である．

2　脱　　臼

●2-1. 頭部，顔面の脱臼

A・顎関節脱臼 dislocation of temporomandibular joint

■概　説
　顎関節脱臼の特徴は，女性に多いこと，前方脱臼が多いこと，顎関節は構造機能上，正常可動域内でも不全脱臼型を呈することなどがあげられる．

■発生機序，分類
1. 前方脱臼
　過度開口など構造的に一番多発する．両側脱臼と片側脱臼がある．

2. 後方脱臼
　口を閉じた状態で前からオトガイ部に外力が掛かった場合（ボクシング）．

3. 側方脱臼
　骨折の合併として起こる．単独は非常にまれである．

1　前方脱臼

■症　状
1. 両側脱臼
　（1）患者は口を開いたままとなって閉口不能（図2-1·1）となる．
　（2）開口位での弾発性固定で嚥下が困難なため唾液は流出する．
　（3）咀嚼や談話が不能となる．しかし，症例によっては会話が不自由程度のものもある．
　（4）下顎歯列は上顎歯列の前方に偏位する．
　（5）耳の前方の関節窩は空虚となり，陥凹を触れる．
　（6）関節頭は関節窩の前方の頬骨弓下に触知する．頬は外観上，扁平となる（図2-1·2）．

2. 片側脱臼
　（1）機能障害は両側脱臼ほど著明でなく，半開口で口の開閉はわずかに可能である．
　（2）オトガイ部は健側に偏位する．
　（3）患側の耳孔前方に陥凹を触知する．

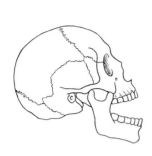
図 2-1・1　顎関節前方脱臼

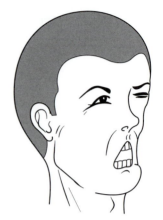
図 2-1・2　顎関節前方脱臼の外観

■整復法

探珠法の口内法と口外法の二つの方法(図2-1・3)は，現在でも応用されている．整復時には不安感や恐怖心を取り除き，心身の緊張を解かせて咀嚼筋の緊張を緩和させる．とくに整復時の筋緊張を解くためには鼻吸気，緩徐な口呼気を指示する(整復時の呼吸法)．愛護的な整復が重要で，強引な整復操作は下顎骨骨折の原因となる．

1. 口内法：ヒポクラテス Hippocrates 法(舟底法)
①患者を坐位または，仰臥位にさせて頭部を前屈位にさせる．
②術者は自身の両母指をガーゼなどで被覆保護する．
③患者の口腔内に両母指を入れ，大臼歯にあて，他の四指は口外から下顎骨を把持する．
④患者の両方の大臼歯にあてた左右母指腹で下顎骨を下方へ強く牽引し，さらに後方へ導くように押圧していくと，わずかに関節頭が引き込まれるような感触が術者に伝わる．
⑤このとき，口外より下顎骨を把持した他の四指で，下顎部全体を前上方(舟底型)にすくい上げるように操作すると復位する．
⑥整復と同時に，術者は大臼歯の母指を外方に滑らせる．

2. 口内法：ボルカース Borchers 法(図 2-1・4)
①患者は坐位とする．
②術者は患者の後方に立つ．
③後方から口腔内に両母指を入れ，患者の両大臼歯咬合面上または，大臼歯と下顎枝との間に置く．
④両母指で下顎を下後方に強く押圧し整復する．

3. 口外法：坐位整復法
①患者を坐位として，術者は患者の後方に立ち，体を密着させる．
②左右の母指球を下顎角から下顎角体部に密着させ，前下方に押圧する．

探珠母法

探珠子法

図 2-1・3　正骨範の探珠法
［二宮彦可，1808年「下顎脱臼整復法」より引用］

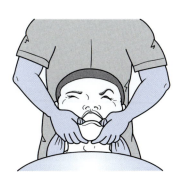

図 2-1・4　ボルカース法

③口の開きが拡大してきたら，他の四指で下顎骨を挙上し，口を閉じるように操作すると整復される．

4. 口外法：臥位整復法
①患者を背臥位とし，術者は患者の頭部側で正座し，患者の頭部を膝に載せる．
②～③は坐位整復法同様に行う．

■整復時の留意点
（1）整復への不安感や恐怖心を取り除く．
（2）口内法は，手指消毒を施して滅菌ガーゼやゴム手袋を用いる．
（3）筋緊張を解くため鼻呼吸，緩徐な口呼吸（アーアーとかすかな発生）を指示する．
（4）最初の1回で整復しないと筋の過緊張によって整復が困難となる．
（5）温罨法や電療法を用いることもある．
（6）愛護的な整復操作を行う．

296 第Ⅲ章 各　論

■固定法・後療法

巻軸包帯による提顎帯，投石帯，十字帯で 3〜4 日ほど固定する(外見上の理由で夜間のみ提顎帯を施すことがある)．

（1）顎関節部に 2〜3 日，冷湿布を施す．

（2）3〜4 日後から温罨法，超音波療法で患部の血行促進を図る．

（3）2 週間程度は硬い食べものは避ける(流動食，半固形食)．

（4）2 週後から半開口を許可(徐々に固形食に変更)する．

（5）3 週後から全開口を許可する．

（6）食事，あくびなどで大きく開口する顎関節運動は制限する．

（7）早期の開口運動は習慣性や反復性脱臼の原因となる．

2 後方脱臼

■概　説

受傷機序からも発生頻度の低い脱臼型といわれ，後方，側方脱臼ともに骨折を併発することが多いとされる．所見では下顎骨は後方に移動し，下顎頭が側頭骨乳様突起部などに偏位するため開口および咬合が不能となるとされる．頭蓋底骨折，外耳道前壁の骨折の合併がある場合は専門医に委ねる．

3 側方脱臼

■概　説

骨折の合併としてみられる脱臼型である．単独脱臼では下顎骨は後退し，下顎頭は下顎窩外側方または内側方に触知するとされ，咬合が不能となったり，下顎の運動障害が出現する．触診およびX線検査で判断する．

■合併症

（1）下顎骨骨折

（2）頭蓋底骨折

（3）外耳道前壁の骨折(専門医に委ねる.)

B・頸椎脱臼 dislocation of the cervical spine

柔道整復師が本損傷に遭遇した場合は，頸椎が不安定な状態にあることや，重篤な予後となる可能性の外傷と認識し，細心の注意のもとに専門医に委ねる．

1 環軸関節の脱臼および脱臼骨折

■概　説

環椎の脱臼は，交通事故，墜落，スポーツ活動中などで頸部の過屈曲により発生する．環椎横靱帯のみが断裂したものは単独脱臼(図 2-1・5a)となり，歯突起が骨折したものは脱臼骨折(図 2-

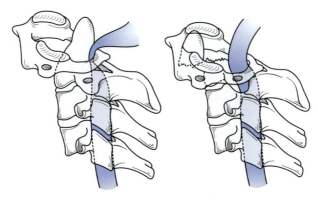

a. 単独脱臼　　　b. 脱臼骨折

図2-1・5　環軸関節の脱臼および脱臼骨折と脊髄の損傷

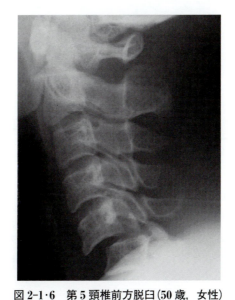

図2-1・6　第5頸椎前方脱臼（50歳，女性）
［芝啓一郎　編：脊椎脊髄損傷アドバンス，p108，南江堂，2006より引用］

1・5b）となる．脱臼骨折では骨折した歯突起とともに環椎が前方脱臼するため，脊柱管腔内がある程度保たれる分，脊髄損傷を免れやすいとされるが，単独脱臼による脊髄の完全横断損傷では死の転帰の可能性がある．

2　下位頸椎の脱臼および脱臼骨折

■概　説

頸椎の椎間関節脱臼は片側脱臼と両側脱臼があり，関節突起の前方転位（図2-1・6）が起こる．片側脱臼は単純X線像のみの診断では見落とされやすく，両側脱臼では脊髄損傷の合併頻度が高いとされる．単独の脱臼や関節突起などの骨折を伴う脱臼骨折の発症があり，脊髄損傷の有無

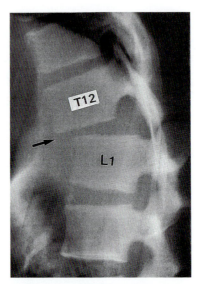

図 2-1・7　胸腰椎移行部脱臼骨折
[井形高明 編：部位別スポーツ外傷・障害 4 脊椎・体幹, p.94, 南江堂, 1997 より引用]

によって重症, 軽症が区分される.

C・胸椎の脱臼

　胸椎から腰椎部にいたる脊柱の脱臼は, 交通事故や高所からの転落など高エネルギー損傷で発生し, 胸腰椎移行部に発生頻度がもっとも高く, 脊髄損傷の合併は高率にみられる.

1 胸椎部脱臼骨折
■概　説
　胸椎部の背側から強い直達外力が働き, 過度前屈や捻転が強制されて後方靱帯群の損傷や関節突起の骨折が生じて脱臼骨折が起こる. 多くは脊髄損傷や胸腔内臓器, 肋骨の多発損傷を伴う.

2 胸腰椎移行部脱臼骨折 (図 2-1・7)
■概　説
　胸椎部と同様に, 胸腰椎移行部へ背側からの外力が加わり, 脊椎骨に回旋力が働いて椎間関節は脱臼して, 上位椎体が前外方へ転位する脱臼骨折が生じる. この場合, 下位の椎体中央部には水平に走行する骨折線が生ずるが, これをスライス slice 骨折という.

D・腰椎の脱臼

単独脱臼はきわめて発生は少ない．理由としては腰椎は大きく，椎間板や椎骨間靱帯群の静的支持性が高いこと，内・外寛骨筋群や脊柱起立筋群などによる前後左右方向の動的安定性が高いことなどが考えられる．

300 第Ⅲ章 各　論

● 2-2. 上肢の脱臼

A・鎖骨の脱臼

　胸鎖関節脱臼と肩鎖関節脱臼の二つがある(表2-2·1)．青壮年に多発して幼小児には少ない．どちらも固定が困難で変形を残しやすい．胸鎖・肩鎖関節が同時に脱臼する複数脱臼(二重脱臼)の発生頻度は低い．脱臼は鎖骨端の転位方向によって分類される．

表 2-2·1　鎖骨脱臼の分類

胸鎖関節脱臼	前方脱臼，上方脱臼，後方脱臼
肩鎖関節脱臼	上方脱臼，下方脱臼，後方脱臼

肩鎖関節上方脱臼がもっとも多く発生する．

1 胸鎖関節前方脱臼

　胸鎖関節脱臼中もっとも多発し，その多くは完全脱臼となる．

■発生機序

（1）肩または腕に対して働く後方への過度の介達外力によって起こる．

（2）物を投げるなどの動作の筋力作用によって起こる．

■症　状

（1）鎖骨近位端は前方に突出し鎖骨の走行が変化するため診断は容易である．

（2）患側の肩は下垂し，胸鎖乳突筋の緊張を避けるため頭部を患側に傾ける．

（3）患側上肢の可動域制限を認め，とくに外転運動は不能となり患部の疼痛が著明となる．

（4）鎖骨近位端骨折と転位が類似するため鑑別が必要になる．

■整復法

（1）患者を坐位とし，助手は患者の後方に位置し，膝頭を両肩甲骨間の脊柱部にあてる．

（2）助手は両手で左右の肩をつかみ強く後外方へ引く．

（3）術者は鎖骨近位端を前方から強く圧迫して整復する．

■固定法

　鎖骨近位端部に枕子をあて絆創膏を貼付し，厚紙副子で圧迫しながら鎖骨骨折と同様の固定を行う．

■予　後

（1）有効な固定が困難で鎖骨近位端の突出変形を残しやすい．

（2）鎖骨近位端の突出変形を残しても，上肢の運動機能に大きな障害は残さない．

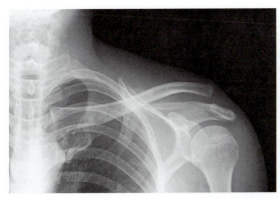
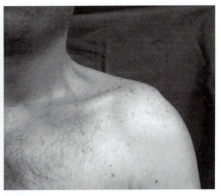

図 2-2・1　肩鎖関節上方脱臼（単純 X 線像と外観）
［栗原整形外科のご厚意による］

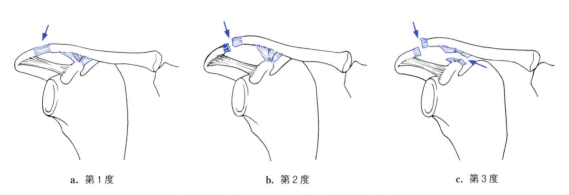

　　a. 第 1 度　　　　　　　　b. 第 2 度　　　　　　　　c. 第 3 度

図 2-2・2　肩鎖関節損傷の分類（Tossy, 1963）

2 肩鎖関節上方脱臼（図 2-2・1）

　鎖骨脱臼の中でもっとも多く 15〜30 歳の男性に好発する．交通事故やスポーツ活動によって発生することが多い．

■分　類（トッシー Tossy の分類）（図 2-2・2）

1. 第 1 度
　関節包や肩鎖靱帯の部分断裂はあるが関節の安定性が良好なもの（捻挫）．

2. 第 2 度
　関節包や肩鎖靱帯は完全断裂して関節は不安定となる．鎖骨遠位端が上方に転位して関節腔も離開しているもので，単純 X 線立位正面像では鎖骨遠位端が肩峰に対して 1/2 程度上方へ転位している（不全脱臼）．

3. 第 3 度
　関節包，肩鎖靱帯，烏口鎖骨靱帯が完全断裂しているもので，単純 X 線立位正面像では，鎖骨遠位端下面が肩峰上面より上方に転位している（完全脱臼）．

■発生機序

（1）転倒・転落時に肩峰への直達外力によって発生する.

（2）手掌や肘を衝くなどの介達外力によって発生する（多くは不全脱臼）.

■症　状

（1）鎖骨遠位端が階段状に突出し，肩峰との間に深い窪みができる.

（2）関節部に圧痛があり，上腕（肩関節）の挙上とくに外転運動に制限を受ける.

（3）突出した鎖骨遠位端を上から押すと下がり，離すとすぐ脱臼位に戻るピアノキー症状（反跳症状）がみられる.

（4）鎖骨遠位端の骨折と類似の外観を呈するので鑑別が必要である.

■合併症

（1）烏口突起骨折

（2）腕神経叢損傷

■整復法

（1）助手は患側上肢を後上方へ軽く引く.

（2）術者は下方に転位した患側上肢を上方に押し上げながら鎖骨遠位端を下方へ圧迫して整復する.

■固定法

絆創膏固定法

（1）鎖骨遠位端を下方へ圧迫し上腕を上方へ持ち上げた姿勢で，第1帯を鎖骨遠位端から前面は乳頭部より下，背面は肩甲骨下角より下に鎖骨遠位端を圧迫しながら貼付する.

（2）第2帯は胸部正中線近くから上昇して鎖骨遠位端の上を通り，上腕の後方を下降して，屈曲した肘部を回る.

（3）肘から上腕の前方を上昇して再び鎖骨遠位端を通って背部正中線付近まで貼付して患部の圧迫と上腕の引き上げを同時に行う（圧迫部に枕子をあてて褥瘡の発生に注意する）.

（4）腋窩に枕子をあて上腕を胸部に固定するように螺旋帯を巻き，吊り包帯を4〜8週行う.

■後療法

他の脱臼と異なり，整復位の保持および持続的圧迫が重要である．そのため固定期間中における包帯交換時や運動療法施行時には，上肢の下垂に伴う負荷や持続的圧迫の緩みにより再転位が起きないよう十分に注意する.

■後遺症

1.　脱臼の未整復

有効な固定が困難なため，階段状の突出変形を残すことが多い．変形の残存は肩の違和感や倦怠感，上肢への放散痛などを長期に残す原因となる.

2.　鎖骨遠位端の肥大変形や石灰沈着

陳旧例でまれに発症する.

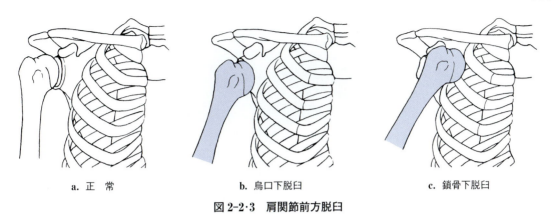

a. 正常　　　　b. 烏口下脱臼　　　　c. 鎖骨下脱臼

図 2-2・3　肩関節前方脱臼

B・肩関節脱臼 dislocation of the shoulder joint

　肩関節の脱臼は日常高頻度に遭遇する脱臼の一つで，成人に多くみられ小児に発生することはまれである．脱臼型や治療の経過により，反復性脱臼に移行するものがあるため，十分な注意のもとに治療する必要がある．

■発生頻度の高い理由
　（1）上腕骨骨頭に対して関節窩が極端に小さく浅い（3：1または4：1）．
　（2）各方向にきわめて広い可動域を持つ．
　（3）関節包や補強靱帯に緩みがある．
　（4）関節の固定を筋に依存している．
　（5）身体の突出した部分にあって外力を受けやすい．

■分　類
　（1）前方脱臼 ｛烏口下脱臼（図2-2・3b）
　　　　　　　 鎖骨下脱臼（図2-2・3c）
　（2）後方脱臼 ｛肩峰下脱臼
　　　　　　　 棘下脱臼
　（3）下方脱臼 ｛腋窩脱臼
　　　　　　　 関節窩下脱臼
　（4）上方脱臼（烏口突起上脱臼）

1　肩関節前方脱臼

■概　説
　外傷性肩関節脱臼の大部分を占める．

■発生機序
1. 直達外力
　後方からの外力によって起こる．

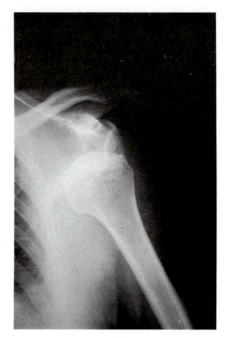

図 2-2・4　肩関節烏口下脱臼

2. 介達外力
　（1）墜落，転倒して手掌を衝き，肩関節に過度の伸展力が働いて起こる．
　（2）肩関節過度外転により上腕骨近位端部が関節窩上縁または肩峰に衝突して槓杆の支点となって起こる．
　（3）物を投げる際の外転，外旋強制などの自家筋力によって起こる．

■症　状
1. 烏口下脱臼（図 2-2・4）
　（1）肩関節は約 30° 外転，やや内旋位を呈する．
　（2）三角筋部の膨隆が消失し肩峰が角状に突出，三角筋胸筋三角（モーレンハイム Mohrenheim 窩）は消失する．
　（3）肩峰下は空虚となり，烏口突起下に骨頭を触知できる（骨頭の位置異常）．
　（4）やや外転位の上腕を胸壁につけても手を放すと，ただちに元の位置に戻る（弾発性固定）．

2. 鎖骨下脱臼
　（1）骨頭は烏口下脱臼よりさらに内側の鎖骨下に触れる．
　（2）上腕の外転角度は烏口下脱臼に比べ大きくなり，ときに水平位となる．
　（3）上腕は短縮してみえる．

■合併症
1. 骨　折
　大結節骨折，関節窩縁骨折（骨性バンカート Bankart 損傷），上腕骨骨頭部軟骨損傷または陥

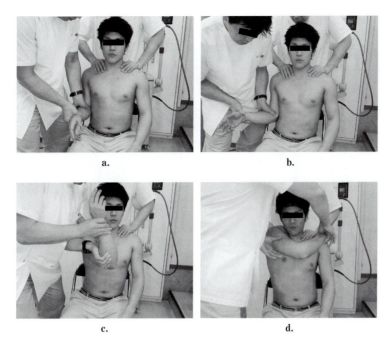

図 2-2・5　コッヘル法

没骨折(ヒル・サックス Hill-Sachs 損傷)

2. 神経損傷

腋窩神経麻痺(三角筋麻痺のため肩関節外転不能),筋皮神経麻痺

3. 血管損傷

腋窩動脈の損傷(橈骨動脈の拍動減弱または消失)

4. 軟部組織損傷

腱板損傷,バンカート損傷

■鑑別診断

肩関節烏口下脱臼と上腕骨外科頸外転型骨折との鑑別(☞ p. 186 参照)

■整復法

1. コッヘル Kocher 法(図 2-2・5)

①軽度外転位の上腕を長軸上に末梢牽引しながら側胸壁に接近させる(内転).

②末梢牽引を持続しながら,上腕(肩関節)を外旋する.

③牽引の手を緩めず外旋位のまま前胸壁を滑らせるよう肘を正中面に近づけながら(内転)屈曲(前方挙上)する.

④患側手掌が顔の前を通り健側の肩にくるように内旋する.

2. ヒポクラテス Hippocrates 法(踵骨法,図 2-2・6)

①背臥位の患者に接して座り,踵および足の外側縁を患側腋窩にあて肩甲骨を固定する.

②両手で前腕部を握り,徐々に外転・外旋位に末梢牽引する.

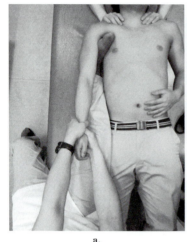 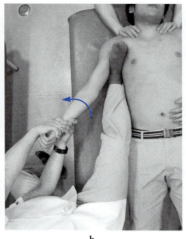 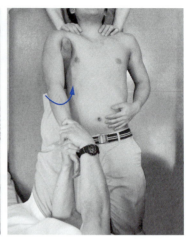

　　　a.　　　　　　　　　　b.　　　　　　　　　　c.
図 2-2·6　ヒポクラテス法

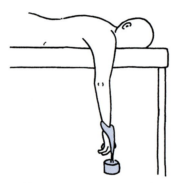

図 2-2·7　スティムソン法

　③同時に足底部を入れて牽引し，足底部を支点として内転・内旋して整復する．

3. スティムソン Stimson 法（吊り下げ法）（図 2-2·7）

　患者をベッドに腹臥位に寝かせ，患肢をベッドの端から下垂させ，10～15 分程度，10 kg 程度の重りを付け牽引すると自然と整復される．牽引中に肩に内・外旋を加えると整復に役立つ．

4. その他の整復法

　クーパー Cooper 法（槓杆法），ドナヒュー Donaghue 法（吊り下げ法），モーテ Mothe 法（挙上法），ミルヒ Milch 法（挙上法）

■固定法

　脱臼の種類・程度に応じ再発防止と周囲軟部組織の早期回復を目的に約 3 週行う．腋窩に枕子を入れ厚紙副子をあて，麦穂帯を用いて上腕を体幹に固定するように巻き，前腕を三角巾で吊る．前方脱臼では肩関節軽度の屈曲内旋位を保つように固定を行う．

■後療法

　中年以降の患者は五十肩，フローズンショルダー（凍結肩）の発生に留意し，2 週目からコッド

マン Codman 体操(振子運動)を行わせる．軟部組織の損傷に対して積極的に約1週冷湿布を行う．1週経過後，温熱療法・手技療法を行い，手指・肘関節の自動運動を積極的に行わせる．2週目からコッドマン Codman 体操(振子運動)を行わせる．中年層以降の患者はとくに五十肩，フローズンショルダー(凍結肩)の発生に注意する．3週で固定を除去し，自動運動を行うが，再脱臼防止のため外旋・外転運動を制限する．スポーツ活動への参加は最低2ヵ月禁止する．

■後遺症

反復性脱臼

2 反復性肩関節脱臼

肩関節の外傷性脱臼後，再度の受傷により脱臼を繰り返す状態で，肩関節前方脱臼後の発生頻度が高い．初回の脱臼をした年齢が10〜20歳の場合，合併する軟部組織損傷やスポーツの活動性が高いことから再脱臼を起こすことが多いので，整復後に軟部組織損傷の評価を行うことが重要であり，早期のスポーツ活動への復帰には注意が必要である．主要な原因として，バンカート損傷やヒル・サックス損傷があげられる．肩部に違和感や不安感(anterior apprehension test 陽性)を訴え，スポーツ活動が障害されることもある．脱臼を再発させる外力には個人差があり，スポーツ活動時に外転・外旋が強制されたとき，上着を着たとき，背伸びをしたときなど様々である．初回の脱臼整復後，内転・内旋位である程度の期間固定し，肩関節周囲筋の筋力訓練を行うことが一般的に再脱臼防止に有効であるとされているが，バンカート損傷の場合，下垂位での外旋位固定が有効であるという報告もある．

a. バンカート損傷(図 2-2・8，2-2・9)

線維軟骨の関節唇(下関節上腕靱帯関節窩付着部)が脱臼により裂離または関節窩前下縁の骨片が内方に転位し，関節窩縁の欠損を生じ(骨性バンカート損傷)，下関節上腕靱帯の緊張が失われ上腕骨の伸展，または外転・外旋に対する固定力が低下することで再脱臼する．脱臼を繰り返すことで肩甲下筋，関節包，下関節上腕靱帯が伸展されて反復性脱臼を起こす．

b. ヒル・サックス損傷(図 2-2・10)

外傷性肩関節脱臼により，上腕骨頭と関節窩が衝突することによる損傷で，前方脱臼の場合，骨頭の後外方(後方脱臼では骨頭の前内方)に関節軟骨損傷を主体とする陥凹を生じる．この陥凹に関節窩前縁が嵌頓，反復性に前方(前内方の陥凹は後方)に再脱臼を引き起こす．亜脱臼状態の場合，痛みや脱臼しそうな不安感を呈するが，咬み込んだ状態が解除され，自然に整復されることが多い．

3 肩関節後方脱臼

■発生機序

1. 直達外力

前方からの外力によって起こる．

2. 介達外力

肩関節屈曲位(前方へ手を伸ばして)で転倒し手を衝いて起こる．

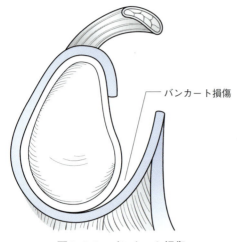

図 2-2・8 バンカート損傷

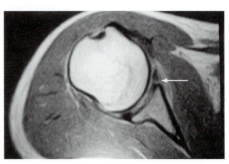

図 2-2・9 バンカート損傷(MRI 像)
[(公社)全国柔道整復学校協会 監,松下隆,福林徹,田渕健一 編:整形外科学 改訂第 4 版,p. 183,南江堂,2017 より引用]

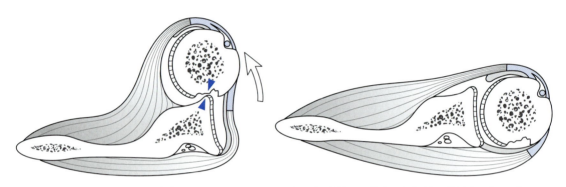

ヒル・サックス損傷 　　　前下方に脱臼した場合に上腕骨頭の後外方に生じる陥凹

図 2-2・10　ヒル・サックス損傷

■症　状
1. 肩峰下脱臼(図 2-2・11a)

　肩峰下で上腕が過度内旋状態にある例では著明な変形を認めない．疼痛は強く，下垂内旋位に弾発性固定されるが，局所の変形が軽微で見落とされることがある．

2. 棘下脱臼(図 2-2・11b)

　骨頭を肩甲棘の下部に触知する．

■整復法
1. デパルマ De Palma 法

　①術者は肘関節屈曲位とした患肢の前腕および肘関節部を把持し，上腕長軸方向に強く末梢牽引する．

　②同時に助手は母指で骨頭を下方へと圧迫して骨頭の移動を助ける．術者はさらに牽引を続けながら患肢(肩関節)を内転して側胸壁に接近させる．

　③その位置で徐々に患肢(肩関節)を外旋すると整復される．牽引力を緩めて静かに内旋して患

a. 肩峰下脱臼

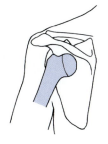
b. 棘下脱臼

図 2-2・11　肩関節後方脱臼

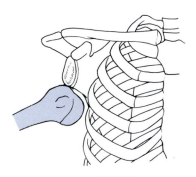
a. 腋窩脱臼

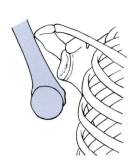
b. 関節窩下脱臼

図 2-2・12　肩関節下方脱臼

肢(肩関節)を軽度外転位に保つ．
■固定法
　前方脱臼と同様に再脱臼予防を目的に行うが，後方脱臼では患肢を下垂し外旋位を保つように固定する．

4　肩関節下方脱臼
■発生機序
　前方脱臼の発生機序とほぼ同様であるが，上肢の挙上時に外力を受けて発生する．
■症　状
1. **腋窩脱臼(図 2-2・12a)**
　（1）上腕の外転が前方脱臼より高度になる．
　（2）骨頭を腋窩に触知することができる．
2. **関節窩下脱臼(直立脱臼，挙上脱臼)(図 2-2・12b)**
　上腕を挙上した状態に弾発性固定され，多くは頭に手をあてて来院する．

310 第Ⅲ章 各 論

■整復法

垂直牽引法

①術者は背臥位にした患者の患側頭側に両足を伸ばして対座し，片足を肩にあて，肩甲骨を固定する．

②患肢を徐々に上方へ牽引し，同時に他方の足で腋窩部から骨頭を圧迫して整復する．

5 肩関節上方脱臼

■症 状

烏口突起上脱臼

（1）骨頭は烏口突起の上にあって突出する．

（2）非常にまれで，多くは烏口突起の骨折を伴い，軋轢音，運動痛，皮下出血斑などが著明である．

C・肘関節の脱臼 dislocation of the elbow joint

肩関節脱臼に次いで多発する．青壮年に好発し，前腕両骨後方脱臼が大部分を占める．12歳以下の小児では，後方脱臼と同様な発生機序で上腕骨顆上伸展型骨折が起こる．

■分 類

1. 前腕両骨脱臼

（1）後方脱臼

（2）前方脱臼

（3）側方脱臼 ⎰外側脱臼 ⎱内側脱臼

（4）分散（開排）脱臼 ⎰前後型 ⎱側方型

2. 単独脱臼

（1）尺骨脱臼：後方へ脱臼するがまれである．

（2）橈骨脱臼 ⎰前方脱臼 ⎰後方脱臼 ⎱側方脱臼

尺骨骨幹部骨折に伴って起こるものがある（モンテギア Monteggia 骨折など）．

1 前腕両骨脱臼

a. 前腕両骨後方脱臼

■発生機序

肘関節伸展位で手を衝いて倒れたり，後方から強い衝撃を受けて肘関節が過伸展されると肘頭の上縁が肘頭窩の上方に衝突し，ここが支点となり，上腕骨遠位端を前方に押し出す．強い張力

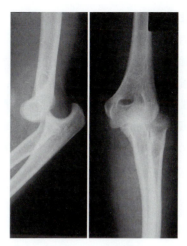

図2-2・13　後方脱臼

を受けて関節包の前面が断裂し，上腕骨遠位端が前方に転位して（前腕骨は結果的に上腕骨の後方に位置する）橈骨頭は上腕骨小頭の後面に接し，尺骨鉤状突起は上腕骨滑車の後壁に乗る（図2-2・13）．

■症　状

発生と同時に激しい疼痛があり，肘関節は軽度屈曲位（屈曲30〜40°）で弾発性固定されて自動運動は不能となる．肘頭は後方に突出し，上腕三頭筋腱が緊張して索状に触れる．肘頭高位のためヒューター Hüter 三角（☞ p.428 参照）が乱れ，外観が類似している上腕骨顆上伸展型骨折との鑑別が必要である．前腕は短縮してみえる．また神経損傷を伴うものもある．

■合併症

1. 骨　折

上腕骨内側上顆，上腕骨外顆，尺骨鉤状突起，橈骨頭などがあげられる．骨折が認められれば整復後の処置はその部の骨折の治療法に準ずる．

2. 神経損傷

尺骨神経，橈骨神経，正中神経の損傷がある．

3. 外傷性骨化性筋炎

脱臼により損傷された上腕の筋や肘関節の靱帯の石灰化が起こる可能性があり，手技や強制的な運動により悪化する危険性がある．少しでもその徴候がみられたら再び固定し，安静を図ることが第一である．

4. 側副靱帯損傷

内・外側側副靱帯ともに損傷されるが，内側側副靱帯損傷が多い．

■整復法

脱臼はきわめて激しい疼痛があり，脱転した骨頭が関節周囲の軟部組織を強力に圧迫，あるいは牽引するため脱臼の整復は可及的に速やかに行う必要がある．ただし，整復操作に入る前に橈骨動脈の拍動と手背部および手掌部の皮膚感覚の検査を行い，血管や神経の損傷の有無を確認し

ておかなくてはならない．また，骨折の固有症状にも注意する．

①坐位または背臥位の患者の上腕を助手が固定する．

②術者は一方の手で手関節部を前腕回外位で把持し，他方の手で肘関節部（患部）を把持し，脱臼肢位の角度のまま前腕長軸末梢方向に徐々に牽引する．

③次に牽引を持続して肘関節を屈曲させ，この際，肘関節部にあてた手指の一部で上腕遠位端部を前方から後方へ，残りの手指で肘頭部を後方から前方へ圧迫して整復する．

④整復後は，軽く肘関節の屈曲，前腕の回内外を試みて整復状態を確認する．

■固定法

1. 範　囲

上腕近位部からMP関節の手前まで金属副子などをあてる．

2. 肢　位

肘関節直角位，前腕回内外中間位として三角巾で提肘する．

3. 期　間

3週で副子を除去し，その後1週は提肘する．

■後療法

（1）受傷後1週は患部は冷却しつつ安静を保つ．

（2）固定に含まれない肩，手指の関節は固定処置後ただちに自動運動を行う．

（3）疼痛が減少したら固定したまま上腕筋，前腕筋の等尺性収縮運動を積極的に行う．

（4）受傷後10日目から一時的に三角巾を除去し，肩の運動を行う．

（5）受傷後4週目に副子を除去し肘関節部に理学療法と自動運動を行う．

b. 前腕両骨前方脱臼

■発生機序

肘関節屈曲位で後方から肘頭，前腕部に直達外力を受けて起こるが，多くは肘頭骨折を伴う．

■症　状

肘関節部の前後径が増大し，肘関節90°屈曲位付近で弾発性固定される．またほとんどの症例に肘頭骨折がみられ骨折の症状がみられる．

■整復法

肘頭骨折を伴う脱臼の整復は以下のように行う．

①坐位または背臥位の患者の上腕を助手が固定する．

②術者は一方の手で手関節部を他方の手で肘関節部（患部）を把持し，脱臼位から肘関節を徐々に伸展しながら前腕回外位に牽引する．

③続いて牽引を持続して前腕近位端部を前方から後下方へ圧迫しながら肘関節を屈曲して整復する．

④整復後は，軽く肘関節の屈伸，前腕の回内・回外を試みて整復状態を確認する．

■固定法

肘関節90°屈曲位，前腕回内・回外中間位で，上腕近位部からMP関節の手前までの固定を約3週行う．

[●肘頭骨折を合併した場合，多くは脱臼整復後に観血療法の適応となる．]

c. 前腕両骨側方脱臼

● c-1. 前腕両骨外側脱臼

■発生機序

前腕部に強力な内側からの力が加わり，肘関節の外転が強制されて発生する．

■症　状

靱帯の断裂があり，肘の横径は増大する．内顆が突出して肘頭が上腕骨外顆の側方にあり，橈骨頭を触知できる．

■整復，固定法

助手は上腕を固定し，術者は一方の手で手関節を把握し，他方の手で前腕近位端部を前方から把握して牽引する．牽引を続け，はじめに尺骨近位端を下方に押し，次いで内側に向けて圧迫，最後に前腕を回外させ上腕遠位端を回るように尺骨を押しながら肘関節を屈曲する．肘関節90°屈曲位で後方脱臼と同様に固定する．

● c-2. 前腕両骨内側脱臼

■発生機序

前腕両骨外側脱臼と逆の機序で発生し，変形も逆になる．

■整復，固定法

助手は上腕を固定し，術者は前腕遠位端を把握して，肘関節をやや屈曲位のまま強力に遠位方向に牽引をしながら前腕近位端（尺骨）を下外側へ圧迫する．整復音を触知したら肘関節を屈曲し，肘関節90°屈曲位で後方脱臼と同様に固定する．

d. 前腕両骨分散（開排）脱臼

前後型（肘頭は後方へ，橈骨頭は前方へ転位）と側方型（肘頭は内側へ，橈骨頭は外側へ転位）の二つの型がある．

■整復，固定法

1. 前後型

助手は上腕を固定し，術者は前腕を強力に牽引しながら一方の手で尺骨近位端部（肘頭）を後方から前下方に向かって圧迫し肘頭を整復する．続いて橈骨近位端を下方に強く押しながら肘関節を最大屈曲し前腕の回内・回外操作を行った後，回外位で，循環障害を起こさない程度にできる限り屈曲して，上腕中央部からMP関節手前まで固定する．

2. 側方型

助手は上腕を固定し，術者は前腕を強く牽引しながら一方の手で前腕近位端部を下方に圧迫すると同時に内外両側から圧迫して肘頭および橈骨頭を整復し，肘を屈曲する．前腕回外位，肘関節90°屈曲位で固定する．

2 橈骨頭単独脱臼

多くは尺骨近位の骨折を伴う（モンテギア骨折）が，橈骨神経（後骨間神経）の損傷を伴うものが多く注意を要する．橈骨頭が前方に転位するものが多い．

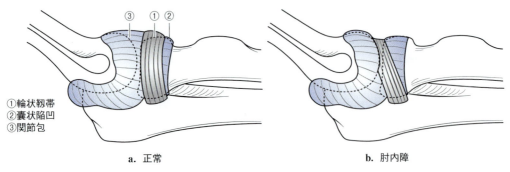

①輪状靱帯
②嚢状陥凹
③関節包

a. 正常　　　　　　　　　b. 肘内障

図 2-2·14　肘内障

■整復，固定法

上腕を固定し，前腕を強力に牽引し，一方の手で肘関節部が内転するように力を加えながら橈骨頭を直圧し整復する．肘関節鋭角屈曲位，前腕回外位で固定する．

3　肘内障（図 2-2·14）

2〜4歳の幼小児特有の傷害であり，非常に発生頻度が高いものの一つである．多くの場合，親が手を引っ張った際に発生することから pulled elbow syndrome（肘引っ張り症候群）と別称される．繰り返し発生するものもある．

■発生機序

強い引っ張り力に前腕回内力が加わり，輪状靱帯の下を橈骨頭がくぐり抜ける（近位橈尺関節の亜脱臼）ことで発生するが，布団の上などで前腕回内位で腕を体幹の下にして転がっていて，腕が身体に巻き込まれ発生する例もあるので注意を要する．この年齢によくみられる全身性関節弛緩や，橈骨頭の大部分が軟骨成分であることなどが因子と考えられる．

■症　状

（1）多くは前腕回内位，肘関節軽度屈曲位で来院する．
（2）肘関節運動に伴う肘関節外側の疼痛がみられる．
（3）ある程度の肘関節屈曲および前腕回旋は可能であるが，それ以上の屈曲，回外強制には不安感，疼痛があり，上肢を動かせない．
（4）局所の腫脹，発赤は認めない．

■鑑別診断

小児であることから原因がはっきりしないことが多く，橈骨頭部に腫脹があるときは，骨端線離開や軟骨損傷との鑑別が必要である．また鎖骨若木骨折などでも上肢の状態が同様にみえるため注意が必要である．

■整復法

一般的に整復は容易であるが，完全に脱臼し，輪状靱帯が嵌頓した場合は整復が不能となることが多い．術者は一方の手で患者の前腕部を把握し，他方の手の母指を橈骨頭部にあて肘関節を把握，前腕を回内または回外しつつ橈骨頭にあてた母指で橈骨頭を圧迫すれば軽いクリック

click 感を触知し整復される.

■治療法

整復が完了すると多くの場合，ただちに患肢を自由に動かせるようになる．特別な固定は必要としない．患部への冷湿布や提肘程度でよい．ただ，本損傷の発生機序を保護者に説明し，繰り返しの発症を防止するため，手を引っ張らないように指導することが必要である.

D・手関節部の脱臼

単独脱臼はまれであり，多くはコーレス骨折などに合併する.

■分　類

（1）遠位橈尺関節脱臼

（2）橈骨手根関節脱臼

（3）月状骨および月状骨周囲脱臼

1 遠位橈尺関節脱臼

多くは橈骨遠位端部の骨折に合併して起こる.

■分　類

尺骨頭の転位方向で分類する.

（1）背側脱臼

（2）掌側脱臼

（3）橈尺関節の離開

■発生機序

手関節伸展（背屈）位で手を衝き，回内を強制されて尺骨頭が背側に転位したものを背側脱臼と呼ぶ．回外強制で尺骨頭が掌側に転位したものが掌側脱臼である.

■症　状

1. 背側脱臼

前腕は回内位をとり，尺骨頭が背側に突出してみえる．回外運動が著しく制限される.

2. 掌側脱臼

前腕は回外位をとり，尺骨頭は掌側に突出してみえる．回内運動が著しく制限される.

3. 橈尺関節の離開

手関節部の横径が増大するのみで見落としやすい．手関節の運動制限は軽度である.

■整復法

1. 背側脱臼

肘関節 90°屈曲位で，前腕を固定して手部を握り，前腕遠位方向に牽引する．次いで，手部を橈屈させながら前腕を回外し，尺骨頭を橈骨に押し付ける.

2. 掌側脱臼

背側脱臼と同様に牽引した後，前腕を回内しながら手を静かに尺屈し，尺骨頭を橈骨に押し付

316 第Ⅲ章 各 論

ける.

3. 橈尺関節の離開

牽引した後,橈・尺骨を押し付ける.

■固定法

肘関節 90° 屈曲,前腕中間位で上腕遠位部から MP 関節の手前まで固定する.固定には橈・尺両骨遠位端部が互いに接近するような持続圧迫が必要である.

2 橈骨手根関節脱臼

■発生機序

非常にまれであるが,手関節伸展(背屈)位で手掌を衝いたり,手関節屈曲(掌屈)位で手背を衝くことで発生する.

■症 状

手掌を衝いたときは手部が背側に転位し(背側脱臼),手背を衝いたときには掌側に転位(掌側脱臼)する.それぞれコーレス骨折,スミス骨折と類似の変形を呈するが,注意深く変形の位置を触診し骨折症状の有無により鑑別する.

■整復法

坐位の患者の前腕を固定し,手部を前腕遠位方向に牽引するが,背側脱臼では患肢の手背側から両手で握り,両母指を手根部背側,他四指を前腕遠位端部掌側にあて屈曲(掌屈)する.掌側脱臼では手掌側から握り,両母指を手根部掌側,他四指を前腕遠位端背側にあて伸展(背屈)する.

■固定,後療法

前腕中間位,手関節は良肢位とし,前腕近位端から MP 関節の手前まで副子で固定する.固定期間は 2～3 週とし,手部の拘縮と関節の治癒過程を考慮して,適切な時期に関節可動域訓練を開始する必要がある.

3 月状骨脱臼および月状骨周囲脱臼(図 2-2·15)

20～50 歳の男性に好発する.手関節の過度の伸展(背屈)によって発生し,月状骨が橈骨と正常の位置を維持し,周囲の手根骨が背側,橈側,近位側に転位しているものが月状骨周囲脱臼で,月状骨のみが掌側に脱臼するものが月状骨脱臼である.サファー Saffar はこの二つの脱臼は同一機序で発生するとし,脱臼過程で区分している.

屈筋腱の下にある正中神経を圧迫することが多く,整復が遅延するほど障害を残しやすい.骨折を伴うことが多いが,手部の捻挫と見誤ることもあるので注意が必要である.

■症 状

手根部の前後径は増大し,軽度尺屈位,指は軽度屈曲している.腫脹,疼痛が激しく,正中神経を圧迫するものでは母指球,第 1～3 指掌面に痛みやシビレが放散する.とくに第 2·3 指の末節部掌面は正中神経の固有支配領域であり,この部のシビレ感や感覚の鈍麻は正中神経障害を評価するのに重要である.

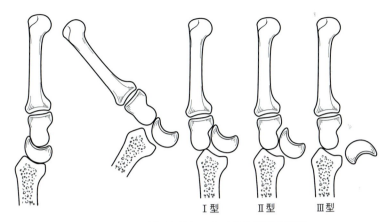

図 2-2・15　月状骨脱臼および月状骨周囲脱臼

Ⅰ型：月状骨は本来の位置に残り，遠位列が背側に脱臼．
Ⅱ型：靱帯が月状骨背側の付着部から剥がれ，遠位列は月状骨を掌側に向かって押す．近位列，遠位列のそれぞれが橈骨遠位端の辺縁に乗った状態になる．
Ⅲ型：有頭骨が月状骨の本来の位置を奪ってしまうため，月状骨は掌側に脱臼し橈骨遠位関節面とはもはや相対しない．

■整復法

1. 月状骨脱臼

坐位の患者の肘関節を 90°に屈曲し，前腕を十分に回外する．助手に前腕部を固定させ，術者は両手で患者の第1指と他四指をそれぞれ把握し，遠位方向へ十分に牽引し，月状骨の入る間隙を作る．多くはこれで整復されるが（屈筋の緊張で月状骨が正しい位置に押し戻される），整復されなければ第1指以外の四指を握った手で牽引を続け，一方の手の母指を月状骨にあて，他四指を手関節背側にあてて母指で月状骨を押し込むようにしながら手関節を屈曲(掌屈)する．整復後は正中神経圧迫症状の消失や単純 X 線像により月状骨の位置を確認する必要がある．受傷後2週までは整復が可能といわれている．

2. 月状骨周囲脱臼

患者坐位で助手に肘関節 90°屈曲位，前腕回内位で前腕部を固定させる．術者は両手で患者の第1指と他四指をそれぞれ握って遠位方向へ牽引する．術者は一方の手で第1指以外の四指を握ったまま牽引を続け，一度第1指を握った手を離して四指を患肢の手根部掌側に，母指を手根部背側にあてて把握しなおし，次いで手背部を掌側に圧迫しながら，牽引している手で手関節を尺屈，屈曲(掌屈)する．

■固定，後療法(図 2-2・16)

月状骨脱臼，月状骨周囲脱臼ともに，手関節 45°屈曲(掌屈)位で前腕近位端から MP 関節を含めて副子固定する．提肘内で肘関節 90°屈曲位，前腕回内位を保持させる．1週後に前腕中間位で再固定し，2～3週後まで前腕中間位を保持するよう指示して固定を続けるが，できるだけ早期に手部や前腕への手技療法，理学療法などを行う．

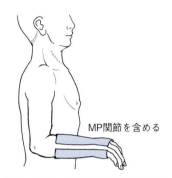

図 2-2·16　月状骨脱臼の固定肢位

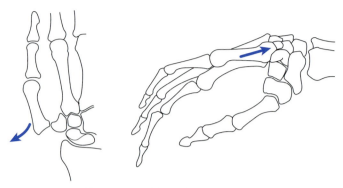

図 2-2·17　手根中手(CM)関節脱臼

E・手根中手関節の脱臼

1　手根中手(CM)関節脱臼(図 2-2·17)

第 1CM 関節，次いで第 5CM 関節の脱臼が多く，脱臼骨折になりやすい．

■発生機序

CM 関節に屈曲や側屈が強制されたときに発生する．

■症　状

1. 第 1CM 関節脱臼

中手骨基部は長母指外転筋により背側近位に突出し，中手骨全体は母指内転筋により内転する．

2. 第 2～5CM 関節脱臼

まれであるが，空手などで発生したものに第 2～5 中手骨すべてが背側に転位，突出するものがある．

3. 第 5CM 関節脱臼

中手骨の屈曲が強く，第 5 中手骨は尺側手根伸筋により背側近位に転位する．関節包の損傷が高度な場合，再脱臼を起こしやすく，固定中に亜脱臼を起こすこともある．

■整復法

第 1CM 関節脱臼では，術者は一方の手で指を把握し(滑り防止に包帯などを使用する)，第 1 中手骨長軸方向に牽引しながら外転すると同時に，他方の手の母指で中手骨基部を遠位方向に押し出すように直圧して整復する．牽引方向は末梢をやや屈曲(掌屈)させる方向に行うのがよく，直圧は末梢方向に突き上げると同時に外方から尺側に押し込むようにするとよい．

第 1 以外の CM 関節脱臼では，術者は一方の手で手関節の遠位部を把握し，前腕遠位方向へ強く牽引しながら伸展(背屈)すると同時に他方の手の母指で中手骨基部を遠位方向に押し出すように直圧して整復する．

■固定法

第 1CM 関節脱臼では，第 1 指を外転位に保持するように前腕中央から第 1IP 関節手前(不安

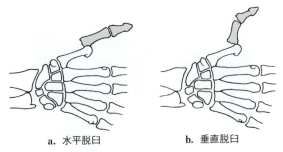

a. 水平脱臼　　b. 垂直脱臼
図 2-2・18　第 1 MP 関節脱臼

定性が強い場合は IP 関節を含め)まで第 1MP 関節をわずかに屈曲させて固定する．第 1 指以外の MP 関節以下は自由に動かせるようにする．

第 1 指以外の CM 関節脱臼では，前腕掌側中央から MP 関節手前まで手関節軽度伸展(背屈)位で固定する．固定期間は 3 週以上を要する．

F・中手指節関節，指節間関節の脱臼

1 第 1 指中手指節(MP)関節脱臼 dislocation of the 1st metacarpophalangeal joint

背側脱臼の発生頻度が高く，掌側脱臼はまれである．水平脱臼(図 2-2・18a)の徒手整復は不可能であり，観血療法の適応となる．垂直脱臼(図 2-2・18b)の徒手整復に失敗し，水平脱臼になるものがあり，種子骨や掌側板の介在が原因と考えられる．掌側脱臼は整復困難なことが多く，徒手整復は失敗に終わることが多い．関節窩縁の小骨折や側副靱帯の断裂を合併するものでは治癒期間が数ヵ月に及ぶものがある．

■分　類

(1) 背側脱臼 ｛垂直脱臼
　　　　　　　水平脱臼
(2) 掌側脱臼

■発生機序

1. 背側脱臼

母指が過伸展(背屈)，外転されて発生する．

2. 掌側脱臼

直達外力により発生する．

■症　状

1. 背側脱臼

側副靱帯の損傷は軽度である．

[垂直脱臼]

中手骨頭上に母指基節骨が直立する Z 字型の変形を示す(図 2-2・18b，2-2・19)．

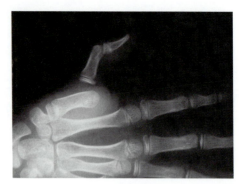

図 2-2·19　第 1 MP 関節背側垂直脱臼(単純 X 線側面像)
[(公社)全国柔道整復学校協会 監：柔道整復学・実技編 改訂第 2 版，p.254，南江堂，2012 より引用]

[水平脱臼]
　基節骨が中手骨と平行になる．
2. 掌側脱臼
　尺側側副靱帯は断裂し，基節骨基部が掌側に転位して，中手骨頭が長・短母指伸筋腱を分けて突出して階段状変形を呈する．
■整復法
　背側脱臼の垂直脱臼は牽引することにより関節面に掌側板が嵌頓して，ロッキング locking を発生してしまうので，基節骨を過伸展し，基節骨基部を中手骨に押しつけた後，陥入した組織を掌側に押し出すように，基節骨基部を遠位方向に滑らせ屈曲し整復する．掌側脱臼は整復困難なことが多い．
■固定法
　手関節，第 1 指を良肢位とし，前腕遠位部から第 1 指 IP 関節を含めた固定を約 2 週行う．

2　第 1 指以外の中手指節(MP)関節脱臼

　比較的まれな脱臼で，第 2・5 指に好発し，ほとんどが背側脱臼である．徒手整復が可能なものもあるが困難なことが多い．中手骨に付着している掌側板 volar plate が膜様部で断裂し，側副靱帯，副靱帯が緊張，掌側板が中手骨骨頭背側に移動し，基節骨基部との間に介在するためである．第 2 指の場合は，指間靱帯，浅横靱帯，橈側の虫様筋，尺側の屈筋腱で形成される井桁状の構造の中に中手骨骨頭がはまり込み，さらに整復を困難にする(図 2-2·20)．
■発生機序
　手関節伸展(背屈)位で手を衝き，指が過伸展されて発生することが多い．
■症　状
　外見上は軽度の背屈変形がみられるが，第 2 指の脱臼では第 3 指側に，第 5 指の脱臼では第 4 指側に若干偏位する．MP 関節は軽度の過伸展位をとり，屈曲は不能となり，PIP・DIP 関節は軽度の屈曲位をとる．掌側に突出した中手骨骨頭を触れ，その遠位に皮膚の陥凹がみられる．単

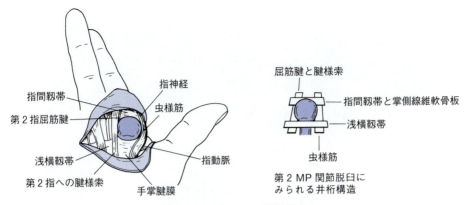

図 2-2・20　第 2 MP 関節脱臼

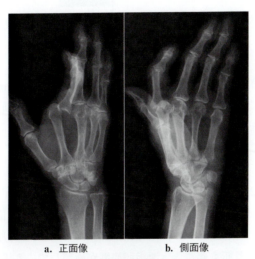

a. 正面像　　　b. 側面像

図 2-2・21　第 2 MP 関節背側脱臼（開放性脱臼）
［米田病院のご厚意による］

純 X 線正面像のみでは脱臼が見落とされやすい（図 2-2・21）．

■整復法

　中手骨を背側に押し上げると同時に，MP 関節を過伸展し，基節骨を中手骨頭に押しつけるように軸圧を加え，基節骨基部を遠位掌側に押し込みながら，MP 関節を屈曲して整復する．整復不能な場合は観血療法の適応である．単なる長軸方向への牽引は，さらにロッキングを強固なものにしてしまう危険性がある．

■固定法

　前腕遠位部から DIP 関節を含め，MP 関節軽度屈曲位で約 2 週固定する．

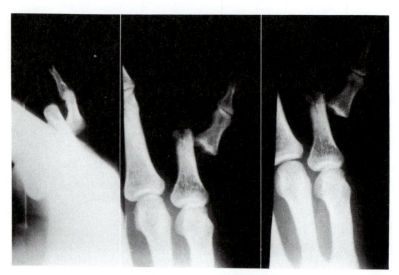

図 2-2・22　指節間関節脱臼（第 5 指 PIP 関節脱臼）

3 近位指節間（PIP）関節脱臼 dislocation of proximal interphalangeal joint（図 2-2・22）

　突き指で発生することが多く，掌側板損傷，側副靱帯損傷，深指屈筋腱損傷，正中索損傷や中節骨基部の裂離骨折を伴うものもあり，注意深い触診，動揺性を確認のうえ治療しなければ機能障害を残すことになる．第 1 指 IP 関節の脱臼はまれである．

■分　類

1．背側脱臼（図 2-2・23a）

　ほとんどは背側脱臼である．中節骨基部が基節骨の背側に水平に位置することが多く，掌側板の損傷を伴い，ときに側副靱帯や正中索の損傷を伴う．掌側の小骨片を正常位置に残し，中節骨が背側に脱臼する脱臼骨折も起こる．深指屈筋腱が断裂している場合は，整復後も DIP 関節を屈曲することができない．

2．掌側脱臼（図 2-2・23b）

　発生頻度は低いが，正中索損傷を伴い，ボタン穴変形をきたす場合がある．ボタン穴変形は受傷後，数週から徐々に発生する．

3．側方脱臼（図 2-2・23c）

　外力が作用した側の側副靱帯が損傷し，側方動揺性がみられる．受傷後，患者自身が整復してしまうことが多い．

■発生機序

1．背側脱臼

　PIP 関節が過伸展され発生する．

2．掌側脱臼

　機械に巻き込まれるなど PIP 関節に捻転が強制されて発生することが多い．

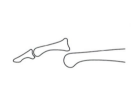  

a. 背側脱臼　　　　b. 掌側脱臼（正中索損傷）　　　　c. 側方脱臼
図 2-2・23　近位指節間（PIP）関節脱臼

3. 側方脱臼
PIP 関節に側屈が強制されて発生する．

■症　状
1. 背側脱臼
基節骨軸と中節骨軸が平行になった脱臼では，PIP 関節の前後径が増大し，階段状の変形がみられる．PIP 関節部で屈曲している脱臼では，基節骨軸に対して背側方向に中節骨軸が一定の角度を持って弾発性固定され，背側の皮膚に深い陥凹がみられる．

2. 掌側脱臼
基節骨軸と中節骨軸が平行になった脱臼では，PIP 関節の前後径が増大し，階段状の変形がみられる．

3. 側方脱臼
基節骨軸と中節骨軸が平行になった脱臼では，PIP 関節の横径が増大し，脱臼方向に応じた階段状の変形がみられる．PIP 関節部で屈曲している脱臼では，基節骨軸に対して橈尺側方向に中節骨軸が一定の角度を持って，弾発性固定される．

■整復法
長軸方向へ牽引する整復は，MP 関節脱臼の整復と同様，二次的な整復障害を助長することになる場合があるので，望ましくない．患指遠位を一方の手で握り（このとき包帯などを利用するとよい），他方の手で基節骨遠位を握る．中節骨を握った手の母指を突出した中節骨基部にあてる．PIP 関節部を過伸展し，中節骨基部を押し出し，次いで屈曲して整復する．

関節の不安定性の強い損傷は，医師と連携のうえ，治療を進めなければならない．

■固定法
患指 DIP，PIP 関節を軽度屈曲位で約 2 週固定する．正中索損傷が疑われる場合は，PIP 関節伸展位で固定し，ボタン穴変形を予防しなければならない．側方脱臼の場合，脱臼した指の隣接指間にパットを挟み，患指と隣接指を絆創膏で固定するだけでもよい．

a. 背側脱臼　　　b. マレットフィンガー(伸筋腱断裂)　　　c. 深指屈筋腱断裂

図 2-2・24　遠位指節間(DIP)関節損傷

4 遠位指節間(DIP)関節脱臼 dislocation of distal interphalangeal joint

■概　説(図 2-2・24)

　突き指として発生することが多く，掌側板損傷や側副靱帯損傷を伴い，マレットフィンガー(ハンマー指)や深指屈筋腱による裂離骨折が起こることもある．ほとんどは背側脱臼で，末節骨基部が中節骨の背側に転位する．掌側脱臼による終止腱断裂のあるものは，末節骨が掌側に転位し，深指屈筋腱の断裂があるものは，DIP 関節を屈曲することができない．PIP 関節脱臼と同様．関節の不安定性が強い場合や深指屈筋腱断裂が疑われるときは，医師と連携のうえ治療を進めなければならない．

■発生機序

1. 背側脱臼

　DIP 関節が過伸展されて発生する．

2. 掌側脱臼

　DIP 関節に屈曲や捻転が強制されて発生する．

■症　状

1. 背側脱臼

　DIP 関節の前後径が増大し，弾発性固定されるが，変形は背側の膨隆程度にとどまり比較的軽微で，脱臼指がボタン穴変形様を呈することもある．

2. 掌側脱臼

　DIP 関節の前後径が増大し，中節骨軸に対して掌側方向に末節骨軸が一定の角度を持って，弾発性固定される(マレットフィンガーⅢ型における掌側脱臼は除く)．

■整復法

　PIP 関節脱臼に準ずる．

■固定法

　骨折などもなく，関節の安定しているものは，PIP 関節は固定せず，DIP 関節軽度屈曲位での背側副子で約2週固定する．

　終止腱による裂離骨折や腱断裂のあるものは，DIP 関節過伸展位で固定する．

■後療法

　手部の後療では整復固定後に患肢をできるだけ高挙し，患部に綿花，スポンジなどをあて，包帯で圧迫する方法が有効である．不必要な関節の固定を避け，固定下での等尺性収縮運動と固定に含まれない関節の自動運動が重要である．

2. 脱　　白　**325**

● 2-3. 下肢の脱臼

A・股関節脱臼 dislocation of the hip joint

■概　説

　若年者のバイク事故，ダッシュボード損傷など，交通事故により発生する．後方脱臼が大半を占め，寛骨臼や大腿骨骨頭などの骨折を合併する．脱臼時に大腿骨頭靱帯は断裂するのが一般的である．整復時期が遅れたものは徒手整復が困難になることが多い．また大腿骨頭は早急に整復されないと阻血に陥る頻度が高く，阻血性大腿骨頭壊死の危険性が高い．そのため早期に整復し，経過を注意深く観察する．

■分　類

　（1）後方脱臼 ⎰腸骨脱臼
　　　　　　　 ⎱坐骨脱臼

　（2）前方脱臼 ⎰恥骨上脱臼
　　　　　　　 ⎱恥骨下脱臼

　（3）中心性脱臼

■合併症

脱臼する方向や程度によって，合併症は様々である．

　（1）骨折（大腿骨骨頭骨折，大腿骨頸部骨折，臼蓋縁骨折，臼蓋底骨折など）

　（2）坐骨神経損傷

■続発症，後遺症

　（1）外傷性股関節炎

　（2）阻血性大腿骨頭壊死

　（3）外傷性骨化性筋炎

⬚1 後方脱臼（図 2-3·1）

■発生機序

　（1）ダッシュボード損傷のように，座った姿勢で大腿骨長軸方向からの外力を受けて受傷することが多い（図 2-3·2）．

　（2）股関節に生理的運動範囲以上の運動が強制され，大腿骨頭部が寛骨臼縁と衝突，槓杆作用が働いて脱臼が起こる．後方脱臼は，股関節に過度の屈曲，内転，内旋が強制されることにより生じる．このとき屈曲，内転の度合いが弱ければ腸骨脱臼（図 2-3·3）となり，強い場合は坐骨脱臼（図 2-3·4）となる．

■症状，所見

腸骨脱臼と坐骨脱臼の症状に大きな差はない．屈曲，内転，内旋は腸骨脱臼では軽度であり

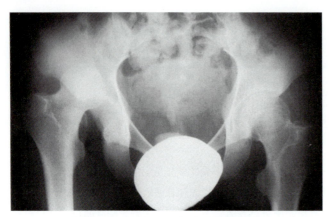

図 2-3・1　右股関節後方脱臼(腸骨脱臼)

図 2-3・2　ダッシュボード損傷

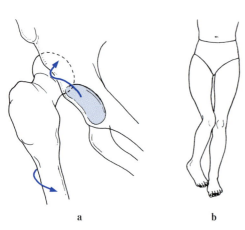

図 2-3・3　腸骨脱臼(De Palma)
大腿骨頭は寛骨臼の後上方に転位

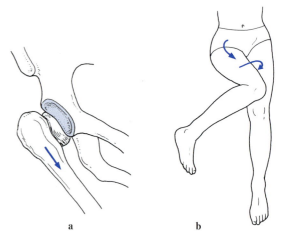

図 2-3・4　坐骨脱臼(De Palma)
大腿骨頭は寛骨臼の下外側で後方に転位

(図 2-3・3),坐骨脱臼では著明である(図 2-3・4).

1. 大転子高位

大転子はローゼル・ネラトン線(☞ p.439 参照)よりも 2〜3 cm 上昇し,下肢は短縮する.

2. 股関節部の変形

腸骨脱臼では殿部の後上方部が膨隆して殿筋の深部に移動した骨頭を触れる.

3. 股関節部の空虚

鼠径靱帯中央部が無抵抗で骨頭を触知できない.

4. 弾発性固定

下肢は屈曲,内転,内旋位で弾発性に固定される.

■整復障害

(1)筋が骨頭と関節窩の間に介在する.

(2)関節包の裂孔が狭小となる(ボタン穴機構).

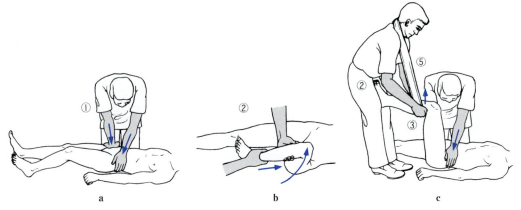

図 2-3・5　牽引整復法

（3）大腿骨頭靱帯とともに剥離した骨頭の一部が関節内に介在する．
（4）関節窩縁の一部の骨片が関節内に介在する．
（5）骨折の合併（大腿骨頸部骨折，骨幹部骨折，骨盤骨骨折など）．

■整復法

1. **牽引法（図 2-3・5）**
   ①患者を床上に背臥位にさせる．第1助手に上前腸骨棘部を把持させ，牽引に対抗できるよう固定させる．
   ②術者は患肢を把持し股関節および，膝関節を直角位にして，下肢が内旋・外旋中間位になるように回旋させ，その位置を保持するように足部を術者の両大腿で挟み固定する．
   ③術者は，把持部を下腿上端部に変えて，大腿を長軸末梢方向へ漸次増強的に牽引し，骨頭を寛骨臼縁まで引き上げたら，牽引したまま徐々に下肢を伸展する．
   ④第2助手は，大腿骨頭が寛骨臼縁まで持ち上がってきたら，臼窩の方向へ圧迫を加えると整復を容易にする．
   ⑤術者の腕力がない場合，図 2-3・5c のように輪状の帯を用いて体幹の力を牽引に応用することもできる．

2. **回転法（コッヘル Kocher 法）（図 2-3・6）**
   ①患者を床上に背臥位にさせる．第1助手に上前腸骨棘部を固定させる．
   ②術者は，一方の手で患肢の下腿近位端部を屈側から，他方の手で下腿遠位端部をそれぞれ握る．
   ③大腿を脱臼肢位の角度のまま末梢方向へ徐々に牽引し，股・膝関節を直角に屈曲していき，さらに大腿を強く内旋していく．
   ④直角（垂直）になっている大腿をその長軸末梢方向へ漸次増強的に十分牽引し，骨頭を臼縁まで導き，牽引を緩めず，その位置から大腿を外旋しながら股・膝関節を伸展させる．
   ⑤大腿骨頭が寛骨臼縁まで持ち上がってきたら，第2助手が，臼窩の方向へ圧迫を加えると整復を助けられる．

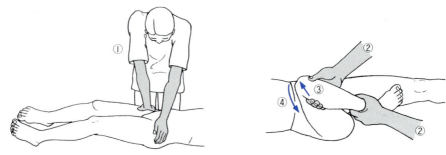

図 2-3・6　回転法(コッヘル法)

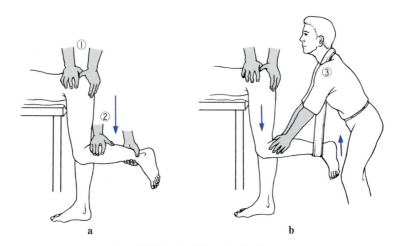

図 2-3・7　スティムソン法

3. スティムソン Stimson 法(図 2-3・7)

①患者を診察ベッドに腹臥位にさせて，患肢をベッドの端より下垂させ，助手に患側殿部を固定させる．

②術者は，患肢の膝関節を屈曲させ，下腿近位端部を持続的に押し下げる．大腿骨頭が寛骨臼窩に復するまで緩徐に押し下げ，続いて患肢を外旋し整復する(この方法は下肢の重さと，重力を利用したもので愛護的な整復法である)．

③図 2-3・7b のように膝関節屈曲位の保持に輪状の帯を使用すると，術者は両手で押し下げ操作ができる．

整復の要点は，持続的に牽引または押し下げ操作を行うことである(一定の牽引力を加えると筋の抵抗が生じる．その牽引力を保持して停止するとその後に筋は弛緩する．この筋弛緩に合わせて牽引力を増強させる)．

2 前方脱臼

■発生機序

大腿骨頭は関節包の前方や，前下方を破って脱臼する．

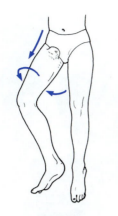

a. 恥骨上脱臼　　　b. 恥骨下脱臼

図 2-3・8　前方脱臼（De Palma）

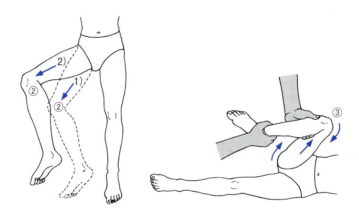

1）恥骨上脱臼
2）恥骨下脱臼

図 2-3・9　前方脱臼の整復法（De Palma）

1. 恥骨上脱臼（図 2-3・8a）
股関節が過伸展時に股関節の外転，外旋が強制されて発生する．

2. 恥骨下脱臼（図 2-3・8b）
股関節が強く外転，外旋，さらに屈曲が強制されて発生する．

■症状，所見

転位した骨頭の隆起を鼠径靱帯の下に触れる．大腿骨を他動的に動かすと骨頭がともに動くのが触知できる．下肢は弾発性固定され殿部の隆起，大転子の突出が触知できない．恥骨上脱臼に比べて，恥骨下脱臼の場合は，強く外転し屈曲，外旋する．

■整復法（回転法，図 2-3・9）

①患者を背臥位にする．第1助手に上前腸骨棘部を固定させる．
②術者は一方の手で下腿遠位端部を，他方の手で下腿近位端部を屈側から握り，脱臼肢位（膝関節を屈曲，股関節を外転，外旋）の角度のまま，大腿を長軸遠位方向へ牽引する．

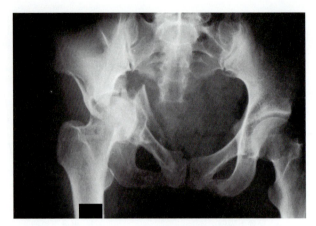
図 2-3・10　中心性脱臼（脱臼骨折）

　③牽引しながら股関節を徐々に直角位にすると，大腿骨頭は寛骨臼の前縁に移動する．さらに牽引を持続しながら下肢の内旋と同時に，膝関節，股関節を伸展位にする．
　④第2助手に大腿骨頭を臼窩の方向へ圧迫させ，下肢を内旋，伸展位にすると整復は容易にできる．

3　中心性脱臼（図 2-3・10）

■概　説

　大転子部を強打したとき（高所から墜落など）大腿骨頭が寛骨臼蓋底を骨折させ，骨盤内へめり込んだ状態で，本来の脱臼と異なり，寛骨臼脱臼骨折と呼称するのが妥当といえる．

■後療法

　整復後は臼蓋と骨頭間の圧力を除き，損傷した軟部組織の修復のために，下腿から介達牽引を行い2〜3週の安静が必要である．整復後の数日後より，股関節の等尺性収縮運動を始める．約3週後には免荷歩行と関節機能を回復するための自動運動を一定のプログラムに従って実施する．約8週は免荷歩行や部分負荷歩行をさせ，全負荷歩行は約12週後に開始する．

B・膝蓋骨脱臼

■概　説

　膝蓋骨は大腿四頭筋の緊張によって常に大腿骨に押し付けられているために脱臼することはまれであるが，跳躍や飛び降りなどで，膝関節が過度に伸展し，同時に捻転が加わると発生する．解剖学的および骨の形態的特徴から側方脱臼（外側脱臼）がほとんどである（図 3-4・27）．まれに垂直，水平，回転脱臼がみられる．また膝の肢位に関係なく常に脱臼している恒久性脱臼といわれるものがあり，先天性と後天性がある．

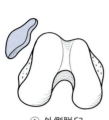 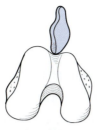 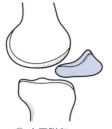 

①外側脱臼　　②垂直脱臼　　③水平脱臼　　④回転脱臼

図 2-3・11　膝蓋骨脱臼

■分　類（図 2-3・11）

(1) 側方脱臼 ｛外側脱臼 / 内側脱臼｝
(2) 垂直脱臼
(3) 水平脱臼
(4) 回転脱臼

1　側方脱臼（外側脱臼）

■発生機序

　外側脱臼が多く，なんらかの先天的素因や発育上の異常を有する場合，膝関節の外転や下腿の外旋を強制する外力が加わり発生する．膝蓋骨，大腿骨遠位端部の形態異常や外反膝，Q 角（☞p. 444 参照）の増大，大腿骨頸部過度前捻，外傷により内側広筋が脆弱化したもの，全身の関節弛緩といった要因が発生を助長する．膝蓋骨外側脱臼は膝を伸展することで容易に整復されてしまうことが多く，治療せずに放置すると脱臼を繰り返し早期に関節症をきたす．

■症状，所見

　脱臼位のまま受診すれば，膝が軽度屈曲位のままで動かすことができず歩行不能である．外側に偏位した膝蓋骨が観察でき，診断は容易である．しかし，ほとんどのものは自然に整復されているため固有症状も乏しく，膝周囲の軟部組織損傷との鑑別が必要である．整復されて受診した場合は，内側膝蓋支帯部の圧痛や膝蓋骨の不安定性を示すことが多い．また膝蓋骨を外方に圧迫すると脱臼しそうになり，患者は不安感 apprehension sign を訴える．膝蓋骨の運動性がとくに過大な場合は他動的に脱臼させることも可能である．

■治療法

　患者坐位，股関節軽度屈曲位とし，軽度屈曲位の膝関節を徐々に伸展しながら膝蓋骨を外側から両母指で圧迫し整復する．この際，膝蓋骨を上方に移動させながら外顆部の隆起を越え，次いで前面へと圧迫整復する．

　膝関節軽度屈曲位で 3〜4 週固定を行い，固定除去後は大腿四頭筋，とくに内側広筋の強化を図るため膝関節軽度屈曲位からの伸展運動を積極的に行う．

C・膝関節脱臼(それに伴う複合靱帯損傷)

■概　説

　膝関節脱臼とそれに伴う複合靱帯損傷の発生頻度は非常に低い．しかし，不全脱臼から自然整復されているものが相当数あることが予想される．通常，高エネルギー損傷で起こり，トリアージに従って重症度の高い損傷，合併する血管損傷や下腿コンパートメント症候群に対する緊急処置が先行する．膝関節脱臼に伴い損傷される靱帯は ACL，PCL，MCL，LCL(PLS)であり，その後に靱帯損傷に対する治療が行われるが，膝蓋靱帯損傷の報告は少ない．治療法を誤ると予後不良となる．

■発生機序

　主に交通事故あるいは高所からの転落による高エネルギー損傷による．その他，スポーツ外傷，高度な肥満者がつまずいたときに膝を捻って発生するという報告もある．

■分　類

　(1)前方脱臼：過伸展損傷が多い(図 2-3・12)．

　(2)後方脱臼：ダッシュボード損傷が多い．

　(3)側方脱臼：内側脱臼，外側脱臼がある．

　(4)回旋脱臼

　前方脱臼がもっとも多く，次いで後方脱臼である．側方脱臼，回旋脱臼の頻度は低いが，ときに関節包の裂孔で脛骨近位端が絞扼され，整復不能になるものがある．

■症　状

1. 前方脱臼

　膝関節部の変形は著明で前後径が増大．膝は伸展位で短縮，前方に脛骨関節面，後方に大腿骨内・外顆が突出，周囲の皮膚は蒼白になる．完全脱臼では関節運動不能となる．

2. 後方脱臼

　膝関節は過伸展位をとり，大腿骨遠位端は前方に，脛骨近位端は後方に膨隆する．膝窩動脈を損傷することがあるので注意を要する．

3. 側方脱臼

　膝関節部の横径が増大する．膝蓋骨は脛骨の転位に随伴する．外側脱臼では下腿の外旋，内側脱臼では下腿の内旋をみる．

■合併症

　膝窩動脈損傷の合併は 30〜40% であり，末梢側の循環障害の確認は必須である(図 2-3・13)．膝窩動脈損傷が 8 時間以上放置された場合の切断率は 85% であると報告されている．足背動脈の触知が可能であっても，必ずしも膝窩動脈損傷を否定できない．前方脱臼では，膝関節 30° 過伸展で後方関節包と PCL の断裂，50° 過伸展で膝窩動脈損傷が起こると報告されている．後方脱臼では脛骨近位端で直接損傷を受ける．神経損傷の合併は 25〜40% であり，総腓骨神経損傷を合併しやすいので当該領域の感覚や運動障害の有無を確認する必要がある．

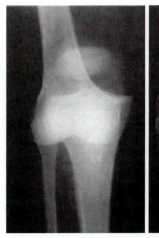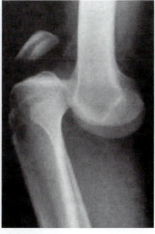

図 2-3・12 膝関節前方脱臼
[佐々木俊二：外傷性膝関節脱臼．別冊整形外科 23：p.152, 1993 より許諾を得て転載]

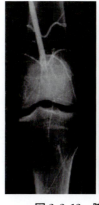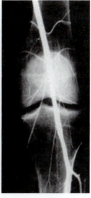

図 2-3・13 膝窩動脈損傷
血管造影像．膝窩動脈部での完全閉塞を認める(左)が，血栓溶解に成功し，血流の再開を認める(右)．
[佐々木俊二：外傷性膝関節脱臼．別冊整形外科 23：p.154, 1993 より許諾を得て転載]

■治療法

急性期の段階で確認できた膝関節脱臼は，ただちに整復し副子固定をする必要がある．血流障害およびコンパートメント症候群の臨床徴候がないものは，副子固定で経過を観察する．明らかな血流の途絶があるものは，創外固定器を装着し，血管再建を行う．阻血が4時間を超えるとコンパートメント症候群が生じるので，処置は緊急を要する．

複合靱帯損傷の治療では機能的に安定し，かつ完全な可動域を持つ膝に回復させることをゴールに設定する．急性期(2週以内)では靱帯修復術，それ以降では靱帯修復術または靱帯再建術の適応がある．後療法としてはできるだけ早期からの可動域訓練を行い，膝関節拘縮に対するアプローチを適切に行う必要がある．

■後遺症

合併損傷が靱帯損傷だけの場合は，治療成績，予後ともに比較的良好で，正座，和式トイレ以外の日常生活に支障がないこともある．合併損傷が多いものは膝関節拘縮や変形性関節症による疼痛や靱帯の機能不全による膝関節動揺性などを残す．さらに膝窩動脈損傷を合併する場合は循環障害により下腿の壊死が起こり切断にいたることもある．

D・足部の脱臼

■概　説

足部に加わる外力の方向によって側方(外側，内側)，前方，後方に脱臼する．足関節脱臼のなかでは外側脱臼がもっとも頻度が高いが，果部骨折や靱帯断裂を合併する．

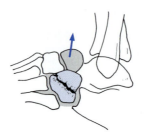

図 2-3・14　ショパール関節の脱臼骨折

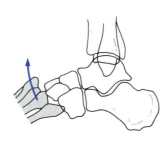 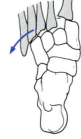

　a．背側脱臼　　　　　　　　b．外側脱臼
図 2-3・15　足根中足関節脱臼

1　横足根関節（ショパール Chopart 関節）損傷

　脱臼は，墜落や轢傷などの高エネルギーな直達外力，前足部に内・外転力が働く介達外力により，足根骨や中足骨骨折を合併した不全脱臼が起こる（図 2-3・14）．完全脱臼はまれで，関節全長にわたって損傷することは少ない．ショパール関節を構成する足根骨に圧痛を認める場合はCT像で骨折を認めることも多い．早期の徒手整復で循環障害のリスクは下がるが，外固定では整復位保持が困難なことが多く，経皮ピンニングなどによる内固定が行われる．アーチ構造の破綻，変形性関節症に起因する荷重痛が残存しやすい．部分損傷は，前述したショパール関節外側に位置する二分靱帯に多い．

2　足根中足関節（リスフラン Lisfranc 関節）損傷

　脱臼は，墜落や轢傷などの直達外力，前足部に回旋や軸圧が働く介達外力で発生し（図 2-3・15），関節全長にわたる損傷と部分損傷があるが発生はまれである．第 2 中足骨基部をはじめ，他の中足骨や足根骨骨折を伴う脱臼骨折が起こる（図 2-3・16）．ショパール関節脱臼と同様に，解剖学的整復位保持を目的に徒手整復後に経皮ピンニングなどの内固定が行われる．
　部分損傷はスポーツ活動でみられ，裸足あるいはスパイクシューズを着用する競技でみられるが，いずれも趾部が接地し固定された状態でMTP関節が過伸展し，足部に軸圧がかかり発生する（図 2-3・17）．内側楔状骨と第 2 中足骨を結ぶリスフラン靱帯に損傷が起こる．第 1・2 中足骨基部間には骨間靱帯が存在しないため，リスフラン靱帯断裂によって第 1・2 中足骨間の離開が起

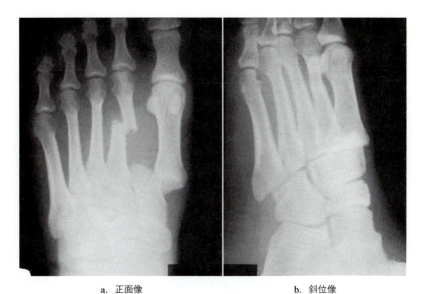

a. 正面像　　　　　　　　b. 斜位像
図 2-3・16　第 2 中足骨骨折を伴う第 1 足根中足関節脱臼

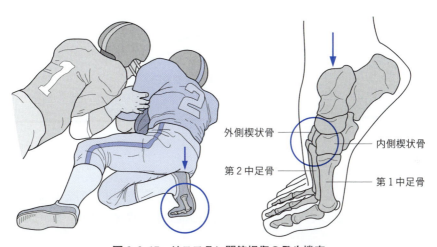

図 2-3・17　リスフラン関節損傷の発生機序

こり（図 2-3・18），足部アーチにも影響を及ぼす．受傷時の疼痛が強いにもかかわらず，単純 X 線像での画像所見が乏しいため初期治療が軽視され，疼痛が残存した陳旧例として診断されることもある．離開が明らかでない場合，5〜6 週の金属副子固定と免荷を行い，固定除去後は足底板を装着し徐々に荷重を開始する．離開例やアーチ低下例は観血療法の適応がある．

3 中足趾節関節，趾節間関節の脱臼
■概　説
　第 1 中足趾節関節の背側脱臼が多い．種子骨や軟部組織の介入により徒手整復困難なものもある．他の中足趾節関節や趾節間関節での発生はまれである．

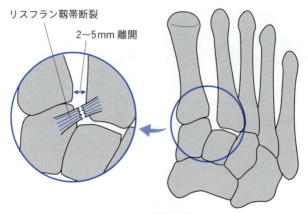

図2-3・18　リスフラン靱帯損傷による中足骨間の離開

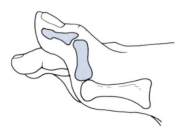

図2-3・19　第1趾背側脱臼

■発生機序

跳躍などの際に第1趾を過度伸展(背屈)して起こる.

■症状, 所見

中足趾節関節は過伸展(背屈), 趾節間関節は屈曲(底屈)位の定型的変形(Z字型変形)を呈し(図2-3・19), 趾は短縮してみえる. 中足骨骨頭が足底側の皮膚を破り, 骨頭が露出する開放性脱臼もある.

■治療法

第1指に包帯を巻いて把持し, 背屈をさらに強制した後, 基節骨基部に直圧を加え末梢方向に圧送し屈曲(底屈)して整復する. 徒手整復不能のものは観血療法を主眼とした治療が必要になると考えられている. 下腿下部から第1指まで副子をあて, 3～4週固定する.

337

3 軟部組織損傷

● 3-1. 頭部，体幹の軟部組織損傷

A・頭部，顔面部の軟部組織損傷

1 頭部，顔面部打撲 contusion of the head and face

スポーツ外傷，転倒，交通事故など直接または，間接的に外力が作用して頭蓋内・外の軟部組織や頭蓋骨，髄膜，脳神経，血管など組織に器質的または，機能的損傷を生じるものである．頭部および顔面部は血行が盛んで小動静脈の損傷による皮下出血量も多く，損傷部を中心とする腫脹も高度に出現する．顔面部の外傷では顔面神経や主要な感覚神経の損傷がみられる．

■分　類

1. 頭部打撲

1)　皮下血腫

頭皮と帽状腱膜間に起こる一般的にこぶといわれ，硬く圧痛を伴う血腫である．

2)　帽状腱膜下血腫

帽状腱膜と骨膜間結合部は粗く，縫合線を越えて血腫が生じて大きくなる特徴がある．

3)　骨膜下血腫

頭蓋骨と骨膜は縫合線で強く結合しているため，血腫は頭蓋骨縫合線を越えることはないが，波動性の腫瘤を認める．

2. 顔面部

顔面部の外傷では顔面神経や主要な感覚神経の損傷がみられるものもある．

■応急処置

頭部および顔面部の打撲では，開放創を合併するものがある．その場合は止血処置を実施して感染症予防および開放創閉鎖の処置を行うために専門医に託す．臨床症状から強大な外力での損傷が想定される場合には，脳神経外科での受診や，受傷部位が眼窩付近である場合には眼科，耳介部や鼻部付近である場合には耳鼻咽喉科を受診するよう指示する．

■治療法

アイスバッグによる冷却や冷湿布の施行により，短期間で軽快するものが一般的である．

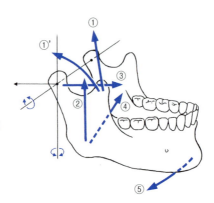

①, ①' 側頭筋
②咬筋
③外側翼突筋
④内側翼突筋
⑤舌骨筋群

図 3-1・1　咀嚼運動と筋

2　顎関節症 temporomandiblar arthrosis

　　顎関節症とは，顎関節自体や咀嚼筋の疼痛，関節雑音，開口障害または，運動異常を主症状とする慢性疾患群の総括的診断名である．病態では咀嚼筋障害，靱帯障害，関節円板障害，変形性関節症などを含むものをいう．日本顎関節学会では，①顎関節や咀嚼筋などの疼痛，②関節雑音，③関節障害または，顎関節の運動異常，の3主要症状のうち，少なくとも一つある場合を顎関節症と定義している．

a．顎関節症Ⅰ型(咀嚼筋障害)

　(1) 咀嚼筋障害を主徴候とする．ストレスからくる歯ぎしり，噛みしめも一因とされている．
　(2) 顎関節運動に伴う咀嚼筋の疼痛(図3-1・1)，咀嚼筋間の調和の乱れ，下顎頭が偏位し筋スパズムや咬合異常があるとされている．
　(3) 診断では咀嚼筋のみに圧痛，顎関節部に圧痛はない．単純X線像では顎関節の形態変化や異常を認めないためMRIやCT撮影，関節造影が有用である．

b．顎関節症Ⅱ型(関節包，靱帯障害)

　　関節包，靱帯，円板後部組織の慢性的外傷性病変を主徴候とするもので，過度の開口，硬いものを噛むなどが原因で起こる靱帯・関節包損傷である．顎関節部の圧痛・咬合・咀嚼・顎運動時痛を認める雑音は伴わないもので，能動開口障害(他動的には可能)円板の偏位や顎の異常所見はないことからⅢ型との鑑別点になる．

c．顎関節症Ⅲ型(顎関節内障) internal derangement of TMJ

　　関節円板の前内方への偏位，円板の変性による穿孔，線維化などがみられる．相反性クリック(Ⅲa型)という円板の前方偏位が復位するものとクローズドロック(Ⅲb型)といわれる前方偏位が復位しないものがある．Ⅲa型では下顎頭が円板の後方肥厚部を通過する時に関節雑音を生じるが，Ⅲb型では開口時，下顎頭が円板の肥厚部を乗り越えられず，開口障害を示し，クリックを認めない．単純X線像撮影，CT像，関節内視鏡などで診断される．主な原因としては，咬合の異常が考えられる．

d. 顎関節症Ⅳ型(変形性顎関節症)

退行性病変を主徴候とする．顎関節の雑音(クレピタス)，開口障害が著しいものがあるが，症状は多様で一定ではない．診断では単純X線像撮影では骨肥厚像，骨硬化像，下顎頭変形，扁平化などがみられる．

e. 顎関節症Ⅴ型(Ⅰ～Ⅳ型に該当しないもの)

上記の顎関節症に該当しない症例や精神心理的要因が主たるものである．病態は顎関節部の違和感で，主症状は咀嚼器官にみられる多様な不定愁訴である．

■**治療法**

保存療法は，温熱療法(超音波)や光線療法が有効であり実施する．一方，心理面からの治療が必要と思われるものもある．

③ 外傷性顎関節損傷(顎関節捻挫)injury of the temporomandiblar joint

外傷性顎関節損傷はスポーツ外傷，転倒，交通事故，暴力行為などを原因とする直達性あるいは下顎部からの介達性に外力が作用した場合に発生しやすい．本症は，「顎関節捻挫」で強力な外力が下顎体部および下顎角付近に作用し，骨折を伴わない顎関節の外側靱帯，関節包，関節円板の損傷を起こすもので，顎関節運動制限，関節円板の偏位を伴うと開口・閉口運動障害がみられる．関節構成組織に著明な損傷所見(関節内視鏡所見などで)を認めない慢性外傷性病変である顎関節症Ⅱ型と鑑別を要する．

■**治療法**

初期には冷湿布，経過に従って後に理学療法を行う．硬いものを食べないなどの安静を指示する．10日程度で軽快することがほとんどである．

■**注意点**

単純X線像での特別な所見はみられないが，重症な場合もあるため，関節円板の挫滅，関節包の破綻，関節腔内出血を考慮する．下顎頭の骨折など合併損傷などが想定されるときには，脳神経外科での受診や口腔外科での観血的治療を主眼とした治療が必要になると考えられている．

B・頸部の軟部組織損傷

頸部は可動域が大きく，その支持組織が相対的に弱いため，軟部組織損傷を起こしやすい．また，軟部組織損傷により頸部をはじめ，肩部，背部あるいは上肢にいたるまで疼痛やシビレ感などを伴うことが少なくないので注意を要する(☞ p.413 参照)．

① 外傷性頸部症候群 traumatic cervical syndrome(むちうち損傷 whiplash injury)

交通事故などにおける頸椎の急激な過伸展，過屈曲による傷害であり，発生機序による俗称から「むちうち損傷」(図 3-1・2)とも呼ばれ，骨折，脱臼を除く頸部の筋，靱帯，神経，血管など様々な損傷が考えられる．

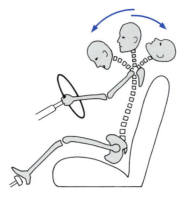

図 3-1・2　むちうち損傷

■**発生機序および分類**

　追突などにより頸部が過伸展，過屈曲して S 字状軌跡を描き発生する．臨床的には頸椎捻挫型，根症状型，頸部交感神経症候群（バレ・リュウー Barré-Liéou 症状）型，混合型（根症状型とバレ・リュウー症状型の混合），脊髄症状型に分類することが多い．

1. 頸椎捻挫型

　外傷性頸部症候群の軽度なもので約 80% を占める．椎間関節の捻挫による疼痛，圧痛，運動時痛や胸鎖乳突筋，前斜角筋，僧帽筋，菱形筋，棘上筋，棘下筋，大胸筋などに筋緊張の亢進がみられ，「寝違え」の症状に類似する．約 3 週で軽快するが，数ヵ月にわたり，愁訴が持続することもある．二次的に発症した前斜角筋症候群の症状として，前腕と手の C_7，C_8 領域に感覚異常や，上肢疲労感や脱力感などの愁訴を持続することがある．

2. 根症状型

　頸椎の急激な過伸展，過屈曲に伴い，椎間孔内外における神経根が過伸長，圧迫されたものである．頭部から上肢まで神経領域放散痛などを訴え，咳，くしゃみ，頸椎の過伸展，側屈回旋により症状が増悪する．他覚的所見で分節性の感覚異常，深部反射の減弱，筋力低下のほか，ジャクソン Jackson テスト，スパーリング Spurling テストなどの徒手検査が陽性になる（☞付録参照）．

3. 頸部交感神経症候群（バレ・リュウー Barré-Liéou 症状）型

　頸椎損傷での筋の異常緊張によって，頸部交感神経の緊張，頸部交感神経節の枝である椎骨動脈神経の緊張に伴う椎骨動脈の攣縮が惹起されて，その分布領域に症状として起こるものと推測されている．他覚所見はほとんどなく，後頭・項部痛，頭重感，めまい，耳鳴，視力障害，顔面・上肢・咽頭喉頭部の感覚異常，夜間に上肢のシビレ感などの不定愁訴を主体とする．

4. 混合型

　根症状型と頸部交感神経症候群型とを混合したものである．

5. 脊髄症状型

　頸椎症，後縦靱帯骨化症 ossification of posterior longitudinal ligament（OPLL）を伴う場合に

3. 軟部組織損傷　341

は，脊髄症状を呈することがある．症状は下肢よりも上肢に著明で，上位頸髄が障害された場合には，横隔神経が損傷され呼吸麻痺により死の転帰をとることもある．

単純X線像所見上，明らかな骨損傷がないにもかかわらず，四肢麻痺などを起こしたものは，中心性頸（脊）髄損傷 central cord syndrome といわれる．これは高齢者に多く，骨損傷を伴わないで発生した外傷の40%前後にみられる．はじめは四肢麻痺を呈するが，下肢の麻痺は軽度で早く回復し，上肢の麻痺が遅れて回復する．上肢を支配する神経線維は脊髄中心部を走行し，下肢を支配する神経線維は外側にあるために，損傷部の血流が回復すると下肢の運動のほうがより早くかつ正常に近く回復する．

■治療法

軽度の頸椎捻挫型の場合は保存療法を原則とする．初期には安静とし，症状に応じ厚紙副子固定や頸椎カラー固定などを行う．軟部組織の修復や炎症症状の消退を待って，約2週以後に可及的早期に外す．湿熱ホットパックによる温熱療法や超音波などが効果的であり，手技療法も穏和なものから始め，経過に従って適切な強度に変える．牽引療法では静荷重による緩徐な牽引は，患部の安静や筋スパズムの軽減鎮静を図る意味からも有用と考えられている．なお，以上の保存療法にもかかわらず，症状の軽快しない症例に対しては，病前性格の評価とともに心理面からのアプローチが必要となる．神経症状を伴うもので，とくに頸椎症や頸椎後縦靱帯骨化症を伴う根症状型や脊髄症状型の場合は専門医に委ねる．

2 胸郭出口症候群（TOS）（☞ p.414 参照）

思春期以降のやせ型でなで肩の女性に多いとされる．

■発生機序および分類

胸郭出口症候群とは鎖骨下動脈や腕神経叢が胸郭上口部，すなわち前斜角筋，中斜角筋，第1肋骨で形成される三角間隙，第1肋骨-鎖骨間間隙，小胸筋-肋骨間間隙の三つの狭い間隙を，腕神経叢と鎖骨下動・静脈が通過部で圧迫刺激を受けて，神経症状や血行障害による症状をもたらすものの総称をいう．原因によって神経性，動脈性，静脈性の3型に分類される．また，圧迫部位によって以下のように分類される．

1. 斜角筋症候群

前・中斜角筋および第1肋骨間で軟部組織の異常（前斜角筋付着異常，斜角筋肥大など）などにより圧迫されるものといわれている．頸部捻挫（むちうち損傷）などの外傷も誘因となって発症する．また，三角間隙間に先天性異常（頸肋，第1肋骨異常など）を認めるものもあり（頸肋症候群），鑑別が必要である．

2. 肋鎖症候群

第1肋骨-鎖骨間間隙に，後天性骨・軟部組織異常（第1肋骨骨折，斜角筋外傷など）によって圧迫され症状が出現するものである．なで肩を改善する目的で僧帽筋などの筋力増強が有効とされる．

3. 過外転症候群（小胸筋症候群）

小胸筋-肋骨間間隙で圧迫され症状が出現する．とくに猫背にみられる菱形筋より小胸筋の筋

力が強い姿勢で起こる肩甲骨の過外転が原因とされる．菱形筋の筋力増強と小胸筋のストレッチが有効とされる．

■症状，所見

肩凝りや上肢への放散痛などの神経症状や，上肢に疼痛やシビレ感，冷感などの血行障害による症状を認めるが，捻挫などの外傷後に発症するものや頸椎症との鑑別が必要である．アドソンテスト，アレンテスト，ライトテスト，ルーステストなど脈管テストやモーリー Morley の圧痛などが陽性になる（☞付録参照）．

3 寝違え

頸部の急性疼痛に伴い，頸椎や肩甲骨の運動性が制限された状態をいう．

■発生機序および分類

大部分は長時間不自然な姿勢をとったり，寒冷にさらされたり，疲労したときなどに不用意に首を捻ったり，肩甲骨を動かしたりしたときに起こる一過性の筋痛であるが，頸椎の退行性変化を基盤として起こる場合や炎症性の疼痛による場合もある．

■症状，所見

頸椎の運動制限はあらゆる方向にみられるが，とくに捻転や側屈が制限されることが多い．疼痛は僧帽筋，菱形筋，胸鎖乳突筋，肩甲上神経部などにみられ，これらの圧痛部に小指頭大のしこりを触れることもある．さらに頸部から両側肩甲間部（通称けんびき）にまで疼痛が放散することも少なくない．単純 X 線側面像では頸椎アーチの逆転またはストレートネックを認めることが多い．

■治療法

圧痛部位を冷やしたり，逆に温熱を加え手技療法，理学療法を行う．また牽引療法や軽い頸部・肩甲帯の運動も有効である．

■予後，鑑別

予後は比較的良好であり，数日から数週で全快するが，数ヵ月疼痛状態が続くこともある．頸椎椎間板ヘルニア，リンパ性斜頸，悪性腫瘍の頸椎転移などとの鑑別が必要である．

C・胸・背部の軟部組織損傷

1 胸肋関節損傷 injury of the sternocostal joint

胸肋関節付近の靱帯群や大胸筋の付着部，また，内外肋間筋や胸横筋などに損傷が起こるものを胸肋関節損傷という．

■発生機序

スポーツ活動などで胸郭の前後あるいは左右方向からの衝撃など直達外力によるもの，ベンチプレスによる筋力トレーニングなどでの過度な負荷，体幹の捻転時の自家筋力などの介達外力により発生するものがある．

3. 軟部組織損傷　　**343**

■**症状，所見**

（1）前胸部の圧痛や腫脹を認め，ときに患部が膨隆してみえることがある．

（2）深呼吸や咳，くしゃみなど上肢帯や体幹運動により疼痛が増強する．

■**治療法**

　胸郭や上肢の運動を抑制し，患部の安静を図る目的で包帯や胸部の固定バンドで固定する．症状の軽減は早く，予後は良好である．

2 　**肋間筋損傷 injury of the intercostal muscle**

　胸部軟部組織損傷のなかでも多く発生するといわれ，内・外肋間筋（☞ p.416 参照），肋下筋などの筋線維や筋膜断裂などの損傷である．疲労骨折との鑑別が困難で的確な判断が必要である．

■**発生機序**

　スポーツ活動や就労などで，体幹捻転動作の反復を繰り返す介達性の負荷によるものが多い．野球でのバットやゴルフでのスイングなど1回の急激な体幹回旋に伴い発生する症例もある．

■**症状，所見**

（1）損傷部局所の圧痛，深呼吸や咳，くしゃみや体動時の疼痛増強がみられる．

（2）外観上皮下出血斑や腫脹はみられないが，エコー観察では，皮下に血腫形成した場合に低エコー像の確認や，筋損傷部の筋線維パターン不整像，筋結合織炎での筋硬結部を高エコー像で確認できる場合がある．

■**治療法**

　軽度なものは包帯や胸部のバンドによる固定を行う．その後，物理療法にて2週程度で治癒にいたるものが多いが，疼痛の強い症例は，肋骨骨折と同様に絆創膏固定や硬性副子固定などが必要となる．

■**予後と経過，注意点**

　一般に急性に発症したものは，数日内に疼痛が軽快するが，1〜2週経過しても強い体動痛などが残存する症例，繰り返しや継続した力で発生した症例は，疲労骨折との鑑別が必要で専門医に委ねる．

3 　**胸・背部打撲傷 contusion of the chest and back**

　胸部や背部の打撲傷は，スポーツでの外傷や高所からの転落など労働災害事故，バイクや車での交通事故，暴力行為などで直接打撃を受けて発生する．青少年期までの骨は弾力性があり，肋骨や胸骨の骨折を伴わずに胸腔内臓器の損傷を起こすことがあり，外観の状態と損傷程度が一致しない場合があるため注意が必要である．また，前胸部への衝撃で起こる心臓震盪があり，心室細動によって心停止となり，死の転帰をたどる場合もあるため，慎重な判断や対応が求められる．

■**発生機序**

　スポーツでの選手間のコンタクトや，相手選手からの攻撃のほか，野球やソフトボールでの打

球やデッドボール，鉄棒や雲梯など遊具からの転落，二輪車での転倒，自動車のハンドルやシートベルト，エアバッグによる損傷は近年増加している．

■症状，所見
(1) 損傷部局所の腫脹を認め，ときに皮下出血斑がみられる．
(2) 損傷部の圧痛および深呼吸，咳やくしゃみで疼痛が増強する．
(3) 体幹の側屈，屈伸，捻転運動に伴い，打撲部局所に疼痛が出現するが，疼痛に伴う可動域制限をみることは少ない．

■治療法
軽度なものは局所に冷湿布を施行する．その後，必要に応じて物理療法を行い，約2週で治癒にいたる．

■予後と経過，注意点
受傷直後に息苦しさを訴えることがあるが，一過性であることが多い．しかし，処置時などに呼吸リズム異常の出現や，顔様の変化，チアノーゼや冷汗，吐き気，呼吸困難などがみられる場合や，外観上の所見に比べて異常に強い疼痛を訴える症例は，胸腔内臓器損傷の合併の可能性が高く，救急医療機関への移送を含め早急に適切な対応が必要となる．

> ●心臓震盪
> 野球やソフトボール，アイスホッケーなどの競技で，硬いボールなどを直接前胸壁部(心臓部)に受け，その衝撃が心臓に伝わって心室細動や房室ブロックを起こすものを心臓震盪といい，心停止や危険な徐脈となることがある．とくに心停止は死にいたることがあり，心肺蘇生法 CPR(cardio pulmonary resuscitation)や自動体外式除細動器 AED (automated external defibrillator)(図3-1・3)による一次救命処置 BLS(basic life support)が重要となる．この心臓震盪は，衝撃の防御，吸収する胸郭構成骨格が未発達であるため起こると考えられ，予防策として，胸部プロテクターやパッドの使用が推奨されている．

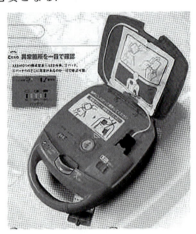

図3-1・3　自動体外式除細動器(AED)

[4] **背部の軟部組織損傷**

背部の軟部組織群の損傷は，様々な外力や蓄積性の負荷が加わり，各組織部位に応じた損傷が起こる．疼痛の発現部や圧痛部位の局在性を明確にすることで，損傷筋群や傷害部位を予測できるが，病歴聴取と触診，徒手検査などは注意深く行う必要がある．ときに原因不明の背部痛もあり，種々の要因や関連痛を考え，内科疾患など他疾患を鑑別し，除外することも重要である．

■発生機序
スポーツ活動中などオーバーアーム動作による上肢帯の運動にかかわる筋群の損傷，転倒や重量物の持ち上げ，体育でのマット運動などで過度の体幹捻転による筋群の過伸長，過伸展，過屈曲による損傷がある．

■症状，所見

　急性では罹患筋部の炎症所見がみられるが，深層部の損傷や陳旧例では必ずしもみられないこともある．動作時痛は強い傾向で筋硬結や圧痛を認める．また，エコー観察により筋内血腫や皮下出血斑の低エコー像，筋損傷部の筋線維パターン不整像や，筋硬結部を高エコー像で確認できる場合がある．

　（1）後頸筋の損傷は，頸部前後屈や回旋時の運動痛や制限があり，体動困難症例もある．
　（2）肩甲周囲筋の損傷では，上肢外転，挙上時の運動痛が主体である．
　（3）脊柱起立筋の損傷は，疼痛から坐位困難となり，体幹の前後屈や回旋時痛を訴える．
　（4）棘上靱帯の損傷は，罹患棘突起部の圧痛や胸腰椎前屈運動で疼痛が強く出現する．

■治療法

　発生機序や疼痛の部位から損傷筋や靱帯を判断し，安静を保つ固定を行い，およそ1〜2週で寛解する場合が多い（肋骨や肋間筋の損傷については他項参照）．後頸筋群の損傷は，頸椎カラーや厚紙副子などを用い，肩甲周囲筋群の損傷は，8字包帯やクラビクルバンドで肩甲骨内転位の固定を行う．脊柱起立筋群や棘上・棘間靱帯の損傷は，さらしやバンドで体幹前屈の制限や腰部軟性コルセットを用いて安静を図る．

　急性期の物理療法では，アイシングや超音波治療などを行い，経過に従って，温熱療法や超音波，電気療法で血腫の消退や血流の改善，筋硬結の寛解，結合組織の粘弾性向上を図る．その後，罹患筋のストレッチ，揉捏法などの手技療法や，体幹および肩甲周囲筋などに等張性収縮運動を積極的に行う．

D・腰部の軟部組織損傷

　腰椎部は可動域が大きく，姿勢保持や運動動作の要となる機能があるが，中腰姿勢での作業や，スポーツ活動中の不良姿勢などの様々な力学的負荷の継続により腸腰筋や脊柱起立筋群の過緊張，寛骨筋群の筋力低下を招く結果，腰椎前彎が増強して骨盤の前傾が強くなり，腰仙角を増大（図3-1·4）させる．その結果，腰椎を前方に滑らせる力が働き，椎間関節や椎体間への軸圧が高まり，関節包や仙腸関節部，多裂筋などに負荷がかかりやすくなり損傷が起こる．また，損傷後に再発を繰り返したり，組織の退行性変性などが多くみられる部であり，運動性や支持性，緩衝機能が低下して椎間孔の狭小化などにより神経根への刺激の原因となることがある．したがって損傷後は，対症的治療で疼痛を軽減させるだけでは不十分で，原因の特定，姿勢（図3-1·5）やマルアライメント，動作そのものに対する対策が重要である．

■分　類

　腰椎（部）捻挫を①関節性，②靱帯性，③筋・筋膜性の三つに大別する．

1　関節性

a．椎間関節性（図3-1·6）

　急性および蓄積性の外力により，椎間関節の関節包に炎症が起こる，いわゆるギックリ腰（腰

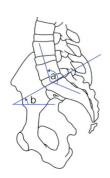

腰仙角には，a. 第5腰椎と仙骨のなす角（Junghanns法　正常約140°）と，b. 水平線に対する仙骨上縁の傾斜角（Ferguson法　正常約40°）がある．この角度には個人差があるが，腰椎の彎曲や骨盤の傾斜，さらに上位脊柱，体幹などにも影響を与える．

不良姿勢の一例：
①腸腰筋の短縮により，
②腰椎前彎や骨盤前傾が強くなり，
③腰仙角を増大させる．
上行性の運動連鎖により，
④胸椎後彎，頸椎前彎が強くなる．

図 3-1・4　脊柱と仙骨

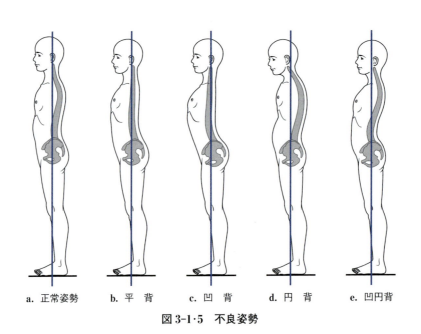

a. 正常姿勢　　b. 平背　　c. 凹背　　d. 円背　　e. 凹円背

図 3-1・5　不良姿勢

部捻挫）で，腰痛発作として現れる（ファセットシンドローム）．激痛が軽減した後では，起床時や長い時間座った後に立ち上がるときなど，動き始めに痛みを強く訴えるが，日中の痛みは軽快する傾向がある．下肢症状は少ないが，後屈動作や捻転動作で疼痛を訴え，仙腸関節部に疼痛を訴えるものがある．

b. 椎体間連結（椎間板性連結）

　　長時間の坐位，朝の洗顔時や掃除，台所仕事の中腰姿勢で発生する．はっきりしない腰部鈍痛が主体で前屈位や中腰の姿勢で痛みを訴え，ときに寛骨筋群への関連痛があるが下肢への神経根

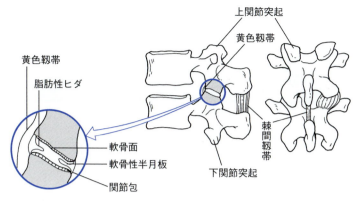

図 3-1・6　椎間関節

障害の所見は少ない．椎間板ヘルニアとの鑑別のためラセーグ Lasègue テストやブラガード Bragard テストが重要である．

2 靱帯性
a. 椎骨部の靱帯（棘上靱帯，黄色靱帯，棘間靱帯）（☞ p. 418 参照）

　　腰部過度前屈位で重量物を運搬する際などに発生する．また，コンタクトスポーツでの外傷では，棘上・棘間靱帯の炎症や損傷が起こりやすい（スプラングバック）．
　　中年以降では，棘上・棘間靱帯や脊柱起立筋群の退行性変性が基盤となり，機能の低下で脊椎後方への蓄積する負荷で起こることがある．症状は損傷靱帯部の棘突起圧痛および，中腰姿勢で腰椎前屈位での運動痛の発現が特徴である．

b. 仙腸関節部の靱帯（前・後仙腸靱帯，骨間仙腸靱帯，仙結節靱帯，仙棘靱帯）（☞ p. 418 参照）

　　スポーツ活動での損傷や日常生活や就労での不良姿勢が基盤となり，仙腸関節部に負荷が蓄積して損傷が起こる．仙腸関節部や下殿部の疼痛，圧痛，体幹前屈や股関節の内・外旋時に疼痛が生じる．ニュートンテストなどの疼痛誘発テストやパトリックテストの逆動作による股関節内旋強制で痛みが出現する．

3 筋・筋膜性
a. 腰　部

　　就労や日常生活などで，急性あるいは，急性からの移行症例や蓄積性の外力で起こる線維性結合組織の無菌性炎症性疼痛である．急性腰痛発作（魔女の一撃）は，急激な体幹の動きなどで仙棘筋の線維性結合組織損傷として発生する．疼痛は，多裂筋や腰腸肋筋などの筋膜の痛みとされ，筋線維が充血，腫脹して筋膜内の自由神経終末の刺激で起こると考えられている．症状は腰が抜ける感じの不安定感や，起居動作による疼痛，歩行困難の訴えがあり，罹患筋のスパズムや圧痛，可動域制限がみられる．再発の繰り返しや，急性から移行した症例は，脊柱起立筋群の筋力や持久力低下が生じ，長時間の歩行後や夕刻からの疼痛を訴える．これらの症状は，局所の循環

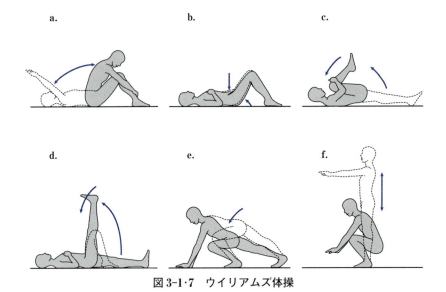

図3-1・7　ウイリアムズ体操

障害から筋内圧の上昇（コンパートメント症候群様症状）による痛みとされる．

損傷部のエコー画像では筋内血腫，皮下出血の貯留による低エコー像や，筋線維パターンの不整像，筋硬結部を高エコー像で確認できる場合がある．

b. 仙骨部，殿部

仙骨部や殿部は，腰部損傷と同様に筋膜や筋自体の微細な損傷がみられる．また深層の梨状筋損傷もあり（☞ p.419参照），殿部打撲や挫傷の後に発症して梨状筋症候群ともいわれる．症状は，一側の腰殿部痛や下肢痛が坐位や下肢内旋，重量物挙上などで出現し，梨状筋部に圧痛がある．ヒップHibbテストなどの疼痛誘発テストやパトリックテストの逆動作による負荷で陽性となる．

c. 尾骨部

尾骨骨折後や打撲などの外傷，また長時間のデスクワークや自動車運転などで尾骨部が圧迫を受けることで出現する．女性では，分娩や月経周期前後に痛みを訴えることがある．尾骨周囲の感覚神経の過敏症状とされ，仙骨部の疼痛や違和感，殿裂部の尾骨に圧痛がある．ときに排尿，排便時のいきむ際に殿部に放散する痛みを訴える場合もある．保存療法で軽快するが，長期に愁訴を訴える症例もある．

■**治療法および固定法**

受傷機序，臨床症状，圧痛部位，既往歴，現病歴を含めて総合的に治療法の適応を判断する．急性期では，患部のアイシングや早期からの超音波治療など消炎鎮痛が重要である．固定は，損傷の部位や程度，既往歴の有無，患者のADLに合わせた固定法を選択する．さらしや弾性包帯，テープによる固定，腰部コルセットや，骨盤にあてるゴムバンドを用いて患部の動きを制限させ，腹圧を高めて安静を図る．

物理療法は疼痛や血流の改善，筋硬結の除去などを目的に行う．温熱・超音波療法や電気療法

では，トリガーポイントとして筋辺縁部や硬結部，バリー Valliex の圧痛点領域を治療点とする．ときに介達牽引療法なども行い，回復期には揉捏法や伸長法などの手技療法も積極的に行う．また，運動療法では，腰椎前彎増強の改善や再発予防を目的にウイリアムズ Williams 体操（図 3-1·7）や，マッケンジー McKenzie 体操などを行う．仙腸関節部の損傷では，股関節伸展筋群の筋力増強も有効とされる．

■**予後と指導管理**

初発の場合は，適切な処置や患部の安静を図れば予後は良好である．再発を繰り返す場合や，急性から移行した症例では難治となることが多い．

椎間板の退行性変性があるものは，椎間孔が狭くなり神経根への刺激を受けやすくなる．その点を含め，損傷についてしっかり患者に説明し，治療に対する理解を得て，再発や慢性化させないことが肝要である．

350 第Ⅲ章 各 論

● 3-2. 上肢の軟部組織損傷

　骨折や脱臼にいたらない上肢の軟部組織損傷には，自覚した外力により発生する捻挫や打撲，肉ばなれ以外に，スポーツ障害，関節の不安定症，変性疾患，末梢神経障害など使いすぎ over-use によるものや持続的な外力によるもの，変性が因子となるものなど，外力を受けたことを自覚していない患者や原因がわからない様々な患者が柔道整復の施術所には来所する．しかし，自覚できなくともそこには何らかの外力が働いたと考えられるものが多く存在する．

A・肩関節部の軟部組織損傷

　受傷機序は転倒，墜落で手や肩を衝き外力が肩関節に作用した場合や，投球，投てき，懸垂，個々の持つ環境(作業環境，生活環境)，姿勢など様々な要因がある．はじめは関節単独の損傷であっても，徐々に他部位に損傷が拡大する．

　上腕部では，直達外力で筋が損傷したり，手や肘に受けた外力により筋が急激に伸長されて断裂したり，損傷部に一致した疼痛，腫脹，ときには陥凹を触知することもある．筋の損傷では，その筋が関与する運動で疼痛が増強する．

1 筋，腱の損傷

a. 腱板断裂(rotator cuff の損傷)

　回旋筋腱板を構成する四つの筋は単独または複数で損傷する．とくに棘上筋は解剖学的に損傷を受けやすく，上肢下垂時にもストレスを受け，さらに長い間の不調和な肩外転運動(労働)では肩峰下，烏口肩峰靱帯などとの摩擦で機械的・無菌的炎症による損傷が起こる(腱板は加齢による退行性変性の進行が速い)．

■分　類(図 3-2・1)

　(1)完全断裂

　(2)不全断裂 ⎧滑液包面断裂
　　　　　　　⎨腱内断裂
　　　　　　　⎩関節面断裂

■発生機序

　腱板断裂は1回の外力で発生するものと，加齢などによる変性に加え，腱板脆弱部に繰り返しの張力がかかり，変性が進行し断裂にいたるものがある．断裂部位は大結節から約1.5 cm 近位部に多く，この部位は血行が乏しい．また投球障害などのスポーツ障害として不安定性や拘縮をきたすものに棘上筋腱と肩甲下筋腱の間隙，いわゆる腱板疎部に損傷をきたすものもある．

　(1)肩部の打撲などによる直達外力で発生する．

　(2)手や肘を衝いて，上腕骨大結節が肩峰に衝突するなどの介達外力で発生する．

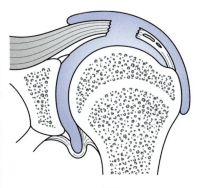
a. 完全断裂

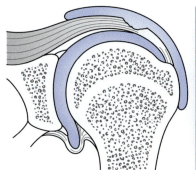
b. 不全断裂　滑液包面断裂

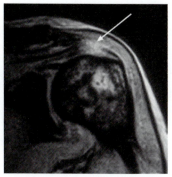
e. MRI像

[（公社）全国柔道整復学校協会 監, 松下隆, 福林徹, 田渕健一 編：整形外科学 改訂第4版, p.180, 南江堂, 2017より引用]

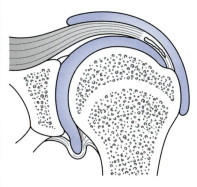
c. 不全断裂　腱内断裂

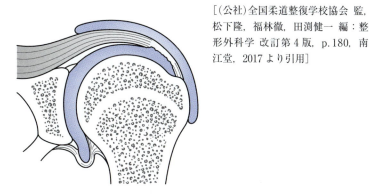
d. 不全断裂　関節面断裂

図 3-2・1　腱板断裂

（3）投球，投てきなどによる使いすぎoveruseで発生する．
（4）中高年では1回の外力でなく，日常の使い方によって擦り切れるような損傷を起こす．
（5）電車の吊り革をもっているときの急停車などによっても発生する．

■症　状
1. 疼　痛
ⓐ　受傷時痛
　受傷時に鋭い疼痛を感じ，数時間で軽快するが，その後，不意の動作に伴う激痛を発するものが多い．
ⓑ　運動時痛
　肩関節外転60〜120°の間に疼痛を生じることが多い．また，90°屈曲位で上腕を内外旋することにより疼痛が生じることもある．
ⓒ　圧　痛
　大結節部に認める．
ⓓ　夜間痛
　就寝中，痛みで目が覚めることが多い．

2. 陥凹触知

完全断裂では圧痛部に一致して陥凹を触知するものがある.

3. 機能障害

屈曲, 外転運動に制限がみられる. また, 肩関節の外転位が保持できない.

4. 筋力低下, 脱力感

小断裂のものでは筋力低下を認めないものもあるが, 筋萎縮の進行に伴い筋力低下も進行する. また, 上肢の脱力感を訴えるものがある.

5. 筋萎縮

陳旧性のものでは筋萎縮(棘上筋, 棘下筋など)がみられる.

■検　査(☞付録参照)

（1）有痛弧徴候 painful arc sign

（2）クレピタス crepitus

（3）インピンジメント徴候 impingement sign

（4）ドロップアームサイン drop arm sign

（5）リフトオフテスト lift off test

■治療法

（1）理想的には, 損傷された腱部にストレスが加わらない位置で固定されるべき(棘上筋腱であれば外転位)である. 軽度の場合, 吊り包帯により安静を図り冷湿布, 以後症状の経過にあわせて適正な理学療法を開始する. 上腕骨骨頭の関節窩への求心性を回復させることが重要であるので, 可動域訓練, 腱板筋力訓練および肩周囲筋の強化訓練が重要となる.

（2）完全断裂の場合は, 外転副子, スリングなどを用いて安静固定を図るが, 陳旧性のものや長期にわたり夜間痛が持続するもの, 筋萎縮や脱力, さらに拘縮などが出現したものは観血療法の適応となる.

b. 上腕二頭筋長頭腱損傷

上腕二頭筋長頭腱は結節間溝内で水平方向から垂直方向へと走向を変える解剖学的特徴から結節間溝で機械的刺激を受け, 摩耗されやすい構造となっていて, 腱炎や腱鞘炎, ときには断裂が発生する. 40歳以上になると加齢的変化による腱の変性が生じるため, とくに発生頻度が高くなる.

上腕横靱帯が断裂すると, 上腕二頭筋長頭腱が小結節を乗り越え脱臼を起こすこともある.

■発生機序

（1）仕事やスポーツ活動で肩関節の外転, 外旋運動を繰り返すことにより小結節との摩擦による変性が進み発生する.

（2）重量物の挙上によって上腕二頭筋が腱の張力を超えて収縮したときに発生する.

（3）緊張した上腕二頭筋に対し突然の強い伸長力が加わったときに発生する.

■分　類

（1）上腕二頭筋長頭腱断裂

[結節間溝部での断裂]

非常に多く, 腱の変性を伴っているものが多い. 腱板損傷に伴うものもある.

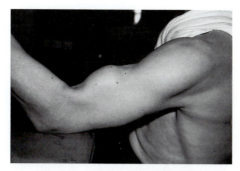

図 3-2・2　上腕二頭筋長頭腱断裂
[(公社)全国柔道整復学校協会　監，教科書委員会編：柔道整復学・実技編　改訂第 2 版，p.264，南江堂，2012 より引用]

　　[筋腱移行部での断裂]
　　若年者で過重な張力が働いて発生する．
（2）上腕二頭筋長頭腱炎
（3）上腕二頭筋長頭腱脱臼

■症　状（図 3-2・2）
断裂部位や断裂の発生機序または完全，部分断裂かによって症状は一定しない．
（1）断裂音とともに激痛を伴い，腫脹と上腕部に皮下出血斑が出現する．
（2）上腕二頭筋の筋腹が遠位に移動し，腫瘤状に膨隆する（両側の力こぶを比較すると患側は筋腹が短縮して小さくなる）．また筋腹の近位に腱性の索状物を触れ，圧痛がある．損傷の初期は，疼痛のため屈曲力，握力が低下し，夜間の疼痛も出現するが，2〜3 週経過すると疼痛は軽減し，筋力低下はある程度回復していることが多い．
（3）腱炎や腱鞘炎の場合，結節間溝部に圧痛を認めることが多いが，著明な可動域制限はなく，投球時に上腕二頭筋に沿って放散痛を認める．

■検　査
上腕二頭筋長頭腱損傷の検査（☞付録参照）
（1）ヤーガソン Yergason テスト
（2）スピード Speed テスト

　　●これらのテストは上腕二頭筋腱が結節間溝部でストレスを受けて疼痛が発現するものであり，完全断裂の場合は陽性とならない．

■治療法
初期は冷罨法，固定，提肘をすることにより運動を制限し，安静を保持する．疼痛軽減後に可動域訓練や筋力強化訓練を行う．症状は時間経過とともに軽減し，機能障害を残すことも少ないが，スポーツ活動や上腕を使用することが多い若年者は観血療法をすすめるべきである．

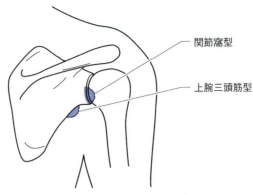

図 3-2・3　ベネット損傷
尾崎らは，上腕三頭筋長頭起始部の関節下結節に出現する上腕三頭筋型と，関節窩後下縁に出現する関節窩型に大別している．

2 スポーツ損傷

　一般的にスポーツ活動中に外力を受け発生したスポーツ外傷と，繰り返しまたは過度の使用により発生したスポーツ障害に区分できるが，明確に区分できないこともある．これらの発生の原因や部位に適した治療を行うことが必要であり，不適切な治療や治療が遅れることにより，スポーツ活動への復帰が遅れ，機能障害を残し，スポーツ選手にとっては致命的となることもある．
　成長期の運動器は発育過程にあり，特徴は，骨端核や骨端軟骨を有することである．この時期のスポーツ選手は学校の部活動や地域のスポーツチームに所属しており，練習の量や内容が指導者によって管理され，指導が誤っている場合には損傷が発生する可能性もある．また，レギュラー争いや過密な試合スケジュールも損傷の要因となる．
　スポーツ損傷の予防策としては，スポーツ活動の前後のストレッチ，アイシング，筋力トレーニングが重要であり，指導者および個々の選手がその意識を持つことが重要である．また，中高年では個々に適した条件で行うことも重要である．
　肩部のスポーツ損傷はオーバーアームパターン over arm pattern によるものが多い．

a．ベネット Bennett 損傷（図 3-2・3）

　野球歴の長い選手，とくに投手に多く，肩関節窩後下方の骨棘（上腕三頭筋長頭起始部付近や関節窩後下縁の骨棘）をさす．これはクアドリラテラルスペースシンドロームにおける腋窩神経の絞扼を助長する一因と考えられている．

■発生機序
　投球動作により上腕三頭筋長頭や後方関節包に繰り返し牽引力が働いて起こる骨膜反応と考えられる．上腕三頭筋長頭や後下方関節包の拘縮を合併することが多い．

■症　状
（1）投球動作のコッキング期，フォロースルー期に肩後方の疼痛や脱力感を訴える．
（2）肩関節後方に圧痛がある．
（3）外転・外旋を強制すると肩の後方に疼痛を生じる．

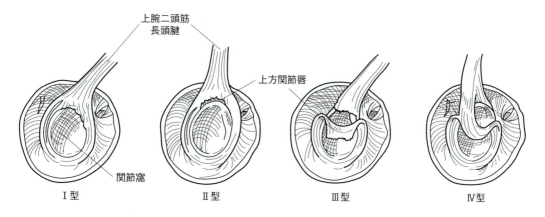

図 3-2・4　SLAP 損傷の分類

[(公社)全国柔道整復学校協会 監，松下隆，福林徹，田渕健一 編：整形外科学，第 4 版，p.187，南江堂，2017 より引用]

（4）肩関節の内旋可動域が減少する．

■治療法

疼痛のあるときは投球を中止させ，冷罨法，固定，提肘をして運動を制限する．疼痛の軽減後，ストレッチ，筋力増強訓練を行う．保存療法により改善がみられないときは，医師に対診を依頼すべきである．

b. SLAP (superior labrum anterior to posterior) 損傷

投球動作による繰り返しの負荷により肩関節の上方の関節唇（上腕二頭筋長頭腱付着部）が剝離，断裂する．

■発生機序

投球動作のコッキング期後期に外転・外旋を強制され，生じやすいとされているが，リリース期やフォロースルー期での痛みの発生報告もあり，また上腕二頭筋腱の牽引による原因も否定できない．外傷では，肘関節伸展，肩関節外転位で手を衝き，上腕骨頭が上方に突かれ損傷した報告，コンタクトスポーツ中に腕を引っ張られ損傷した報告，柔道で袖を掴んでいる状態で技を返され損傷した報告もある．

■分　類 (図 3-2・4)

1. Ⅰ 型

　上方関節唇，上腕二頭筋長頭腱の剝離はないが，上方に擦り減り fraying を認めるもの．

2. Ⅱ 型

　上方関節唇と上腕二頭筋長頭腱が付着部から剝離したもの．

3. Ⅲ 型

　上方関節唇，上腕二頭筋長頭腱の剝離はないが，上方関節唇がバケツ柄様に断裂し，その断裂片が関節裂隙に転位したもの．

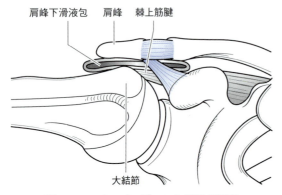

図 3-2・5　インピンジメント徴候の原理
棘上筋腱と肩峰下滑液包とが肩峰（または烏口肩峰靱帯）に押しつけられ，疼痛が発生する．

図 3-2・6　肩峰下インピンジメント症候群の supraspinatus outlet（Neer）

4. Ⅳ 型
　上方関節唇のバケツ柄様の断裂が上腕二頭筋長頭腱へ広がり，断裂片が不安定化したもの．
■ 症　状
　投球動作のコッキング期からリリース期にかけて，上腕の挙上回旋運動時に断裂した関節唇が引っかかり，疼痛や不安定感を呈する．
■ 治療法
　保存療法を 2〜3 ヵ月は行うべきである．投球フォームの改善，保存療法で改善しなければ観血療法を検討する．Ⅱ型以上はこの対象となることが多い．不安定感を主訴とするものは，腱板や肩甲骨周囲筋の筋力増強により症状が軽減することがある．

c. 肩峰下インピンジメント症候群（図 3-2・5, 3-2・6）
■ 概　説
　腱板ならびに肩峰下滑液包が肩の動作中に烏口肩峰アーチに繰り返し衝突することにより生じる．腱板の炎症，変性，肩峰下滑液包炎を生じる病変をさす．腱板に対し過剰な機械的刺激が加わり続けると最終的には断裂にいたる．腱板のなかでも棘上筋腱がもっとも障害されやすい．それは，棘上筋腱が烏口肩峰アーチの直下にあり，肩峰と上腕骨頭あるいは大結節との間で挟まれることが多いからである．
■ 発生機序
　投球動作では，コッキング期の最大外旋位から内旋に向かうときに棘上筋腱が烏口肩峰アーチの下でこすられて発生する．水泳のクロール，バタフライなどでも発生しやすい．また，肩峰の彎曲が強い人や肩峰先端に未癒合の骨化核（肩峰骨，os acromiale）がある人に発生しやすいといわれている．ニア Neer は肩峰下インピンジメントの多くは，supraspinatus outlet（棘上筋出口）の狭小化により起こるとし，その病変を 3 期に分けている．

1. 第 1 期（急性炎症期）
　外傷で棘上筋腱に出血と浮腫が発生し，局所の安静により経過とともに消退する．どの年齢にも起こるが，とくに 25 歳以下に多い．

2. 第2期(亜急性炎症期)

外傷を繰り返すと, 腱および滑液包に線維化が生じ慢性腱炎となる. 一時的には炎症が消退するが, 過度の使用で再発する. 好発年齢は 25〜40 歳である. 保存療法の適応だが軽減しない場合は, 肩峰下滑液包切除, 烏口肩峰靱帯切離の適応がある.

3. 第3期(腱断裂期)

棘上筋腱, 肩峰下滑液包, 烏口肩峰靱帯に不可逆性変性が生じ, 腱板が断裂する. 好発年齢は 40 歳以上であり, 肩峰前下面を切除する肩峰形成術と腱板縫合術の適応がある.

■症　状

肩峰下滑液包炎の症状が主体となる. 徐々に発症する肩関節挙上時の疼痛(とくに, 上肢を肩の高さより上で使用したときの運動痛が特徴で, 肩を使うほど悪化する), 引っかかり感, 筋力低下や夜間痛がある.

■検　査(☞付録参照)

(1)有痛弧徴候 painful arc sign

(2)インピンジメント徴候

テスト法にニア Neer 法, ホーキンス Hawkins 法などがある.

[●ドロップアームサインは, 疼痛が強いときには陽性となるが, 不全断裂では陽性とならないことが多い.]

■治療法

急性期は冷罨法を行い, 疼痛を誘発する動作を禁止する. 症状が改善されないときは, 医師に対診を依頼する.

[●肩峰下 subacromial のインピンジメントのほかに, 同じく関節外で起こる烏口下 subcoracid インピンジメント, さらに関節内で起こる後上方 internal インピンジメントや前上方のインピンジメント pulley lesion などがある.]

d. リトルリーガー肩 little leaguer's shoulder(図 3-2·7)

リトルリーガー肩は, 10〜15 歳の少年野球の投手に多くみられる上腕骨近位の骨端軟骨の炎症ないし成長期の少年に繰り返される投球動作による上腕骨近位骨端線離開(疲労骨折)である. この骨端軟骨損傷の形態はソルター・ハリスのⅠ型と考えられる. 初期は骨端線の拡大, 不整であるが, 進行すると骨端が内・後方に滑り内反変形を残すこともある. 小学校高学年から中学生の野球少年が肩の痛みを訴える場合, 第一に考えるべき損傷である.

■発生機序

フォロースルー期での急激な上腕骨近位骨端軟骨に加わるねじれと張力の過剰なストレスにより発生する.

■症　状

投球動作時の疼痛が主訴であるが, 疼痛を生じる投球相や部位は一定せず, 肩全体に存在することが多い. 圧痛は大結節ではなく骨端軟骨の高さの側方にあり, 腱板障害との鑑別が必要である. 急性期には熱感がある.

■治療法

1日および週の投球数を制限し, トレーニングの前後はストレッチ, ウォーミングアップ, ク

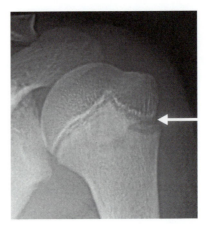

図 3-2·7 リトルリーガー肩 (11歳, 男児)
［(公社)全国柔道整復学校協会 監, 松下隆, 福林徹, 田渕健一 編：整形外科学, 第 4 版, p.188, 南江堂, 2017 より引用］

ールダウンを行わせ, 投球後は冷却することが大切である. 骨端軟骨の炎症程度の場合は, しばらく投球を禁止し, 安静を保持させ, 骨端線離開となったものは, 骨折として治療を行う.

3 不安定症

a. 動揺性肩関節 loose shoulder

外傷性や反復性といったものではなく, また肩関節の構成骨や肩甲帯筋に明らかな異常がないにもかかわらず, 肩関節に動揺性を認める不安定症を動揺性肩関節という. ほとんどは両側性である. 若年者や女性, 投球やスパイクなどのオーバーアームパターンの動作を行うスポーツ選手などにみられるものは病的なものではない.

■発生機序

持ち上げ動作や上腕の牽引動作, スポーツ活動による使いすぎなど軽微な外力により, 疼痛, だるさ, 不安定感を訴えることがある. 原因は, 関節窩の形成不全, コラーゲンの代謝異常などが考えられるが, 明らかな原因は不明であり, 特発性といえる.

■症　状

主な動揺性は下方であるが, 前方, 後方にも動揺性があることが多く, 肩甲骨の外転・外旋力の低下が指摘されている. 無症状のものも多く, 肩がだるい, 肩が重い, 運動時に鈍痛がある, 重いものを持てない, 腕が抜けるような感じがするなど, 訴えはあいまいである. 症状が類似する胸郭出口症候群や麻痺による関節弛緩との鑑別が必要である.

■検　査

［サルカス徴候 sulcus sign (図 3-2·8)］

坐位または立位で, 患者の上腕を下方に引き下げると, 肩峰と上腕との間に間隙ができる.

■治療法

無症状なものはとくに治療を必要としないが, 保存療法としては筋力増強訓練を行う.

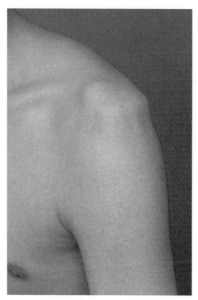

図 3-2·8 サルカス徴候
[東北大学大学院 井樋栄二教授のご厚意による]

4 末梢神経障害

a. 肩甲上神経絞扼障害

　　肩関節の運動に伴い，肩甲上神経が肩甲切痕部で，上肩甲横靱帯に絞扼されるものや，同部にできたガングリオンで圧迫を受けて肩周囲の疼痛の原因となる．また，バレーボール，テニスなど上肢のオーバーアームパターンを反復して行うスポーツ選手にもみられる．肩甲上神経の棘下筋に向かう運動枝が，肩甲棘基部外側縁を骨に接して回るため，この部分での摩擦によって棘下筋の萎縮を起こす．

b. 腋窩神経絞扼障害

　　腋窩神経が肩の後面に向かって走行しクアドリラテラルスペース（☞ p.424 参照）を通るとき，この部での打撲，出血，絞扼で腋窩神経麻痺が起こる．肩外側の感覚障害，三角筋の萎縮および筋力低下がみられる．

5 その他の疾患

a. 五十肩 frozen shoulder（凍結肩）

　　一般に五十肩と呼ばれる疾患は，40歳以後（とくに50～60歳代）に頻発し，加齢や過労による肩関節構成体の変性を基盤にして発生する，原因がはっきりしない肩関節の疼痛と運動制限をきたす疾患をいう．また肩関節周囲炎も同様の疾患をさす．

　　腱板損傷，石灰性腱炎，肩峰下滑液包炎，上腕二頭筋長頭腱炎などを除外した誘因のない肩関節の痛みを伴った運動障害（拘縮）を五十肩といい，狭義には凍結肩が該当する．患者に痛みの契機をよく聞くと，車の運転中に後部座席のものを取ろうとして，上肢を挙上して仕事をしていて

360 第Ⅲ章 各 論

など，肩の水平伸展の動作時の発症がしばしばみられ，前方の関節包の伸展も原因として考えられる．40歳代以後であること，明らかな原因はなく発症していること，疼痛と運動障害があることが五十肩の条件であるが，石灰性腱炎や腱板断裂などとの鑑別が必要であり，原因が明らかでないことから糖尿病や甲状腺疾患，心臓疾患，腫瘍との鑑別も必要となる．

■症 状

症状は発症時に急性に現れるものや徐々に現れるものもあり一定しないが，肩の変形はなく，筋萎縮もないか，または軽度であり，腫脹，局所の熱感もない．日常生活において髪をとかす，帯やエプロンのヒモを結ぶ，洗濯物を干すなどの外旋，内旋，挙上動作や，後方の物を取るなど水平伸展動作が困難になる．

病期をおおむね3期に区分する．

1. 炎症期 freezing phase

2〜12週程度．疼痛がもっとも強い時期で，肩の前方あるいは深部に痛みを感じ，上腕に放散することもある．痛みは昼夜とも持続し，夜間痛のため睡眠が障害される．衣服の着脱など日常生活が困難となる．この時期の運動制限は疼痛による要素が強い．

2. 拘縮期 frozen phase

3〜12ヵ月と長期に及ぶこともある．拘縮が完成する時期で，日常生活で外旋，内旋，挙上，水平伸展などのあらゆる方向への運動制限が生じ，可動域が減少し，可動域内で日常生活をするようになり，洗髪や女性の場合ブラジャーの着脱が不便になる．痛みは炎症期に比べると軽減するが，就寝時の寝返りによる痛みで目が覚めてしまう．温めたり，風呂に入ったりすると症状が軽減することが多い．

3. 解氷期 thawing phase

拘縮が次第に寛解する時期で，日常生活の工夫や保温に努めている間に徐々に肩の動きが改善し，夜間痛も改善されてくる時期である．

■治療法

1. 炎症期

無理に動かさず，運動を制限し，サポーターなどで肩の保温を図る．とくに冬期は夜間，布団から肩が出ないような工夫が必要である．

2. 拘縮期

ホットパック，赤外線などの温熱療法を行い，可動域に応じたストレッチやコッドマン体操などを行う．

3. 解氷期

徐々に自動運動域を増やしながら，ストレッチなどを継続する．

B・上腕部の軟部組織損傷

1 橈骨神経損傷

骨幹部骨折に合併するもの以外に，上腕後方の打撲，睡眠時の不良肢位(saturday night paralysis）, 駆血帯や松葉杖の圧迫などによる外部からの持続的圧迫で発生する. まれに, 上腕部での注射に伴う医原性や上腕骨骨幹部骨折の過剰仮骨形成に伴う二次的な発生もある.

2 尺骨神経損傷

上腕の遠位 1/3 に存在する腱弓 Struthers' arcade による絞扼性神経障害がある. 上腕骨内側上顆から 8 cm ほど近位で筋膜性のトンネルであり, 上腕三頭筋内側頭の浅層筋線維と上腕骨遠位部の深筋膜の肥厚部, 内側上腕筋間中隔などから構成される. 野球, バレーボール, バドミントン選手や愛好家の利き腕, バイオリニストの左側など, 肘関節屈曲・外反の負荷による発生が考えられている.

C・肘関節部の軟部組織損傷

肘部は, 急性によるものより, 繰り返しや継続する力により発生する障害に分類されるものが多い. 前腕部は直達外力による損傷や, 手部に受けた外力により筋が急激に伸長されて損傷をきたす. 損傷部に一致した疼痛, 腫脹, ときに陥凹を触知し, 損傷筋が関与する運動によって疼痛が増強する. 前腕部は 2 本の骨と筋区画の特徴から外傷を契機に発症する障害もある. 軽度の損傷では日常生活上, 肘部以下の安静を保持させることが困難であり, 治療が長期化する.

肘関節のスポーツ障害の総称名として, 内側上顆炎を含む主に肘部内側の障害を野球肘, 外側上顆炎を含む肘部外側の障害をテニス肘と呼んでいるが, 仕事や日常生活上の使いすぎにより発生するものもみられる.

1 靱帯の損傷

a. 側副靱帯損傷

■発生機序

内側側副靱帯損傷は, スポーツ特有の損傷ではないが, スポーツ活動中に生じることが多い. 発生は瞬間に働く力で起こるものと, 繰り返しや継続して働く力によるものとがある. 肘関節が過伸展されると, 生理的外反による外反力も加わり, 前方関節包と内側側副靱帯が損傷する. 投球を繰り返すと外反ストレスにより内側側副靱帯が損傷される（☞野球肘の項を参照）. 外側側副靱帯の単独損傷は肘関節に内転が強制されて発生するが, 肘関節脱臼に合併するものもある.

■症 状

局所の圧痛, 疼痛, 腫脹があり, 痛みにより肘関節を完全に伸展, 屈曲することができない.

野球などのスポーツ活動で発生した場合, 中・高生では徐々に, 長期間投球を行っている者は急に激痛とともに発症することが多い.

■治療法

初期は冷罨法を行い, 安静を保持する. 重症なものは肘関節屈曲位で副子固定を行う.

野球などで発症した場合は, 投球動作を中止させる.

b. 肘関節後外側回旋不安定症 posterolateral rotatory instability (PLRI)

オドリスコル O' Driscoll らによって提唱された肘関節の動揺性の病態であり，外側側副靱帯複合体の機能不全による肘関節の後外側回旋性の不安定症である．外側側副靱帯複合体は外側側副靱帯（橈側側副靱帯 [RCL]），外側尺側側副靱帯（LUCL），輪状靱帯からなる．本症は肘関節に軸圧を加えながら回外，外反する後外側回旋不安定テスト lateral pivot shift test で，橈骨頭が後外側に脱臼あるいは亜脱臼する．とくに外側尺側側副靱帯損傷が関与すると考えられている．

2 野球肘

野球の投球による肘部の障害を野球肘と総称しているが，ゴルフやテニス（フォアハンド）などのスポーツでも発生する肘部の疼痛性運動障害である．また，成長期（少年期）の過剰な投球動作などにより発生する野球肘はリトルリーガー肘 little leaguer's elbow と別称される．

■ 分 類
 (1) 内側型（内側上顆，前腕回内屈筋群，内側側副靱帯，尺骨神経）
 (2) 外側型（上腕骨小頭，橈骨頭）
 (3) 後方型（肘頭）

■ 発生機序（図 3-2・9）

1. 内側型

内側型が大部分で，コッキング期から加速期（アクセラレーション）にかけて肘にかかる強い外反力で前腕回内屈筋群が強く収縮し，また内側側副靱帯により強い引っ張りのストレスがかかり発生する．

2. 外側型

外側型は少ないが，加速期からフォロースルー期にかけて肘に強い外反力がかかり，上腕骨小頭と橈骨頭間に過度の圧迫力が働き発生する．

3. 後方型

フォロースルー期のボールリリース後は，肘関節は過伸展となり，肘頭と上腕骨肘頭窩間にインピンジメントが発生する．

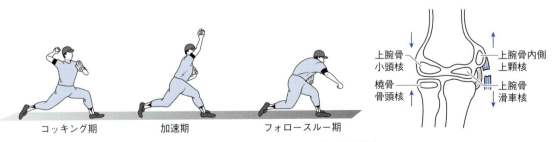

図 3-2・9 野球の投球相と野球肘の発生機序

■症　状

1. 内側型

内側上顆部の疼痛，腫脹，圧痛，軽度の肘伸展障害，投球動作時に疼痛があり，内側上顆炎，内側上顆裂離骨折，前腕回内屈筋群・内側側副靱帯損傷やその牽引による裂離骨折などが考えられる（成長期の場合は，骨端核の肥大，分節化，骨端線離開）．将来的に肘関節の不安定症や遅発性の尺骨神経麻痺（肘部管症候群を含む）の発生もある．

内側上顆炎の場合，日常生活で物を持ち上げたり，力を入れる動作で疼痛の増強を訴える．

2. 外側型

強い圧迫力が加えられた結果，上腕骨小頭の離断性骨軟骨炎を発生する．初期では投球時に外側部の疼痛は軽いが，関節遊離体（関節ねずみ）を生じ，関節内にロックすると突然発症したようにみえる．将来的に変形性関節症にいたるものもある．

3. 後方型

肘頭と上腕骨肘頭窩間でのインピンジメントの結果，成長期では，肘頭部骨端軟骨の成長障害．成人では肘頭の疲労骨折や上腕三頭筋の炎症などが発生する．

■治療法

保存療法が可能であるが，発育期のものは将来性を考えて長期間の治療が必要になる．投球はもちろんバッティングも禁止する．副子固定を行うこともある．最低でも3ヵ月間の保存療法を行い，肘関節の運動再開では，まず自動運動を行わせスポーツ活動への復帰には1年以上を要する．状態によっては観血療法の適応がある．

（1）試合に出場できない，ポジションを失う，などからくる精神的な不安感や焦りに対する指導，助言，管理が必要である．

（2）投球動作を休止させ疼痛消失まで固定する．

（3）痛みの感じる運動は避け，それ以外の運動で患肢の筋萎縮と体力低下を予防させる．

（4）筋の再教育を行う．

■予　防

早期発見と過剰投球にならないように練習量や投球動作の見直しなどの管理が必要である．小学生では1日50球程度，週200球，中学生では1日70球程度，週350球，高校生では1日100球以内，週500球を超えないことが提案されている．

---

3 テニス肘

一般的に，テニスのバックハンドストロークで発生する上腕骨外側上顆炎による外側型の疼痛性運動障害をテニス肘というが，テニスのフォアハンドストロークにより上腕骨内側上顆炎を発生する内側型の障害もある．病因は使いすぎであり，ラケット操作技術の低い初級者やラケットを支える筋力の弱い40〜50歳の女性に好発する．ゴルフやバドミントンなど他のスポーツ障害として，または手をよく使う作業をする者にも発生する．

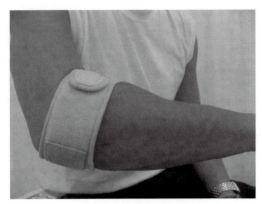

図 3-2・10　テニス肘バンド

a. 上腕骨外側上顆炎(バックハンドテニス肘[外側型])

■発生機序
　　発生頻度が高く，バックハンドストロークで正確にボールをとらえることのできないときに受ける衝撃に，手関節の伸筋，とくに短橈側手根伸筋で対抗しようとして，筋の起始部で変性を起こしたり，前腕浅層伸筋群付着部である外側上顆部の微小断裂，骨膜の炎症を起こしたりする．

■症　状
　　手関節背屈時やラケットのグリップ時に肘から前腕の疼痛や外側上顆付近の圧痛があり，熱感を有する場合もある．日常生活では，回内位で物を持ち上げたり，タオルを絞る動作などの伸筋群が緊張する動作時に痛みを訴える．

■疼痛誘発テスト(☞付録参照)
　　(1) 椅子テスト chair test
　　(2) 手関節伸展テスト Thomsen test
　　(3) 中指伸展テスト middle finger extension test

■治療法
　　保存療法を継続すると数ヵ月で症状の改善がみられる．手の使用を最小限とし，局所の安静のための固定，テニス肘バンド(図 3-2・10)を使用することも有用である．疼痛が軽減すれば，ストレッチ，筋力増強訓練を行い，技術の習得，ラケットの変更など再発予防に努めるべきである．

4　その他の疾患

a. パンナー Panner 病
　　5〜10歳の男子に好発する．利き腕の頻度が高く，上腕骨小頭が壊死に陥る骨端症の一つであり，発生頻度は低い．肘関節部の軽度の疼痛と可動域制限(とくに伸展制限)をきたすが，多くは数ヵ月で自然治癒する．肘関節の安静を保ち保存的に治療を行う．予後は良好で後遺症はほとんどない．

離断性骨軟骨炎と類似するが，パンナー病は骨端の障害，離断性骨軟骨炎は関節軟骨の障害として区別しなければならない．臨床的にはパンナー病はスポーツ（野球）歴や外傷歴がなく発生することで鑑別する．離断性骨軟骨炎の発症は一般に13歳以上である．

b. 変形性肘関節症

骨折などの外傷後，離断性骨軟骨炎の後に二次的に起こるもの，長期に振動工具を使用する職業，長期間肘関節に負担をかけている職業の者にも発生する．単純X線像上，骨棘または骨硬化像，関節裂隙の狭小化が認められる．肘関節の疼痛，腫脹，関節可動域制限，肘関節伸展・屈曲，前腕回内・回外に際し運動痛を伴うのが主症状であり，しばしば肘部管症候群を合併することがある．日常生活に支障をきたすほどの機能障害があれば観血療法の適応もあるが，疼痛の軽減を目的にするのであれば，安静を保持し，温熱療法などの保存療法で効果が得られる．

D・前腕部の軟部組織損傷

1 前腕コンパートメント症候群

前腕部は屈筋群，伸筋群，橈側伸筋群の三つの区画（コンパートメント）に分かれている（図3-2・11）．区画内の内圧が上昇して血行障害や神経障害をきたし，筋の機能不全を起こし，場合によっては壊死にいたるものもある．これをコンパートメント症候群という．前腕での発生は，ほとんどが屈筋群コンパートメントである．

■発生機序

1. 急性型

骨折，打撲，圧挫など外傷による筋内出血，浮腫により発生する．内圧が上昇することで，毛細血管透過性の亢進が起こり，さらに内圧が上昇する．その結果，細動脈の閉塞と組織間液が増量し，さらに内圧を上昇させる悪循環に陥り，筋や神経を不可逆的な変化に移行させる．

2. 慢性型

ウエイトトレーニング，オートバイレース，車椅子レース，剣道などの運動を続けることで発

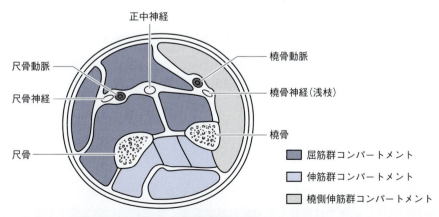

図3-2・11　前腕中央部（横断面）におけるコンパートメント

生する．慢性型は，運動による筋容量の増大に対応して区画が拡大できない結果発生するもので，原因として筋膜の肥厚が考えられる．また，長期間のトレーニングにより筋肥大が区画内の余地をすでに少なくしてしまっている可能性もある．

3. その他

きつい包帯やギプスなどによる圧迫で発生するものなどがある．

■症　状

1. 急性型

症状が急速に進行する．初期症状は，障害されたコンパートメントに一致した圧痛，自発痛，腫脹である．特徴は障害されたコンパートメントの筋を他動的に伸長させると疼痛が増強することである．進行するとコンパートメントは硬く腫脹し，手指は屈曲位をとるようになり，感覚障害や運動麻痺がみられる．水疱を形成するものもある．屈筋群コンパートメントの場合は指の他動伸展で疼痛が増強し，正中・尺骨神経領域の感覚障害を伴う．伸筋群コンパートメントの場合は指の他動屈曲で疼痛が増強するが，感覚障害を伴うことは少ない．橈骨動脈の拍動は必ず消失するわけではない．最終的にフォルクマン Volkmann 拘縮（☞ p. 38，図 1-2・26a 参照）と同様，鷲手変形，手関節屈曲拘縮，前腕回内拘縮をきたし，これらは不可逆的である．

2. 慢性型

可逆性で，運動中に疼痛を生じるものであり，安静時には症状がない．

■治療法

1. 急性型

急速に進行するので，高挙および冷却し，内圧の上昇を極力防ぎ，至急医療機関に搬送しなければならない．包帯，ギプス装着時であれば，すみやかに除去する．

2. 慢性型

冷却，安静を保持し，スポーツ活動を休止して経過を観察する．再発するようであれば，医師に対診を依頼する．

> ●急性外傷に実施する RICE 処置のうち圧迫と挙上は筋への血流減少を助長させる可能性があるため注意を要する．

2 腱交叉症候群 intersection syndrome

短母指伸筋と長母指外転筋の深層を長・短橈側手根伸筋が走行する．これらは手関節から約5 cm 近位で交叉し，この部の機械的炎症を腱交叉症候群と呼ぶ．手の使いすぎで発生するものが多い．交叉部に圧痛，腫脹がみられ，母指運動時に軋音や握雪音が発生し，疼痛が増強する．

症状が類似し，フィンケルスタインテストも擬陽性となるため，ド・ケルバン病との鑑別も必要である．手関節および母指の使用を制限することで症状が軽快するものが多い．

3 末梢神経障害

a. 正中神経障害

正中神経の低位麻痺では神経支配領域の感覚障害，母指球筋の筋力低下や萎縮による扁平化

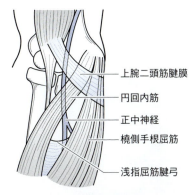

図 3-2・12 回内筋症候群の絞扼部位

上腕二頭筋腱膜
円回内筋
正中神経
橈側手根屈筋
浅指屈筋腱弓

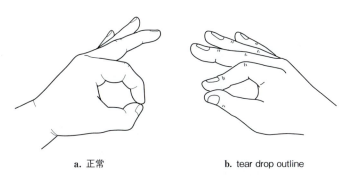

a. 正常　　　　b. tear drop outline

図 3-2・13　前骨間神経麻痺にみられる特徴的なつまみ動作

(猿手変形), チネル Tinel 徴候などがみられる. これらの症状に加えて, 母指, 示指, 中指の屈曲障害(祝祷肢位)や前腕回内運動障害がみられる場合は高位麻痺を疑う.

● a-1. 回内筋症候群

肘関節前面で円回内筋両頭間, あるいは浅指屈筋起始部の腱性アーチなどで正中神経が絞扼され発生する(図 3-2・12).

■発生機序

就業やスポーツ活動などによる前腕の回内・回外や, 肘の屈伸などの使いすぎにより発生する.

■症　状

前腕掌側の鈍痛, 正中神経支配領域のシビレ感, 筋力低下, つまみ動作が不自由になり, 円回内筋中枢縁に圧痛があり, チネル徴候が円回内筋の近位に存在する. 誘発テスト(☞付録参照)はあるが陽性率は低く, 手根管症候群との鑑別も必要になる.

■治療法

原因動作の中止と局部の安静を図り, 症状が改善されない場合は観血療法の適応がある.

● a-2. 前骨間神経麻痺

前骨間神経は正中神経本幹から分枝する運動枝で, 回内筋症候群と同様, 円回内筋, 浅指屈筋起始部腱性アーチなどで絞扼され発生する.

■症　状

前骨間神経は純運動神経であり感覚障害はない. 方形回内筋, 長母指屈筋, 第 2・3 指の深指屈筋を支配し, これらの筋に麻痺が起こる. 第 1 指 IP 関節と第 2 指 DIP 関節の屈曲が不能となる特有のつまみ動作障害 tear drop outline(図 3-2・13)が出現する.

■治療法

回内筋症候群と同様.

b. 橈骨神経麻痺

橈骨神経の損傷高位は肘, 手関節, 手指の伸展運動で判断する. 後骨間神経麻痺では手指 MP 関節の伸展障害(下垂指 drop finger)がみられ, これに手関節の伸展障害(下垂手 drop hand)が

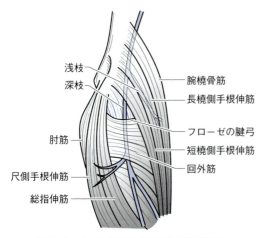

図 3-2・14　後骨間神経麻痺の絞扼部位

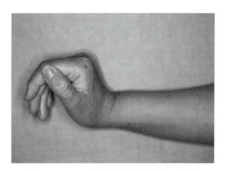

図 3-2・15　後骨間神経麻痺の症状
[(公社)全国柔道整復学校協会 監，松下隆，福林徹，田渕健一 編：整形外科学，第 3 版，p.137，南江堂，2007 より引用]

加われば上腕レベルでの障害である．さらに肘の伸展障害が加われば腋窩部から上腕中央にかけての障害が疑われる．また，腕橈関節前面部から回外筋遠位出口部までの部分を橈骨神経管と呼び，同部位での橈骨神経深枝の圧迫を橈骨神経管症候群と呼ぶ．後骨間神経麻痺との共通点も多いが，橈骨神経管症候群では肘外側部の疼痛を主訴とするため，上腕骨外側上顆炎との鑑別を要する．

b-1. 後骨間神経麻痺

橈骨神経深枝(運動枝)の単独麻痺を一般には後骨間神経麻痺と呼ぶ．深枝は通常，短橈側手根伸筋，ついで回外筋に運動枝を送り，回外筋の腱弓(フローゼ Frohse の腱弓)を通過して前腕背側に向かう．この腱弓部が絞扼部位である(図 3-2・14)．

■発生機序

モンテギア骨折，ハンドル回しなどの前腕の使いすぎやガングリオン，脂肪腫などによる圧迫が原因となる．

■症　状(図 3-2・15)

手関節伸展力は低下するが，長橈側手根伸筋は麻痺を免れるため，橈屈しながらの伸展は可能である．しかし，MP 関節伸展が不能なため下垂指を呈する．通常は感覚障害がない．

■治療法

原因動作の中止と局部の安静を図り，症状が改善されない場合は観血療法の適応がある．

c. 尺骨神経障害

尺骨神経の低位麻痺では小指球筋と骨間筋の萎縮，指の内転・外転障害，神経支配領域の感覚障害，フロマン Froment 徴候などがみられる(図 3-2・16)．また骨間筋と虫様筋の麻痺に伴い，環指と小指の MP 関節が過伸展し，IP 関節が屈曲する鉤爪指変形(鷲手)を呈する．

高位麻痺では低位麻痺の症状に加えて，手関節尺屈力の低下がみられ，環指と小指の深指屈筋

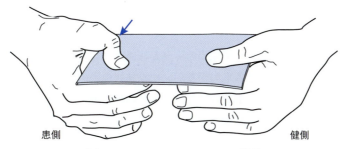

図 3-2・16　フロマン Froment 徴候

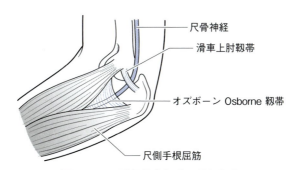

図 3-2・17　肘部管症候群の絞扼部位

麻痺のため，DIP 関節の屈曲が不能となる．また，肘部管症候群と類似の症状を呈する上腕骨遠位部の Struthers' arcade（上腕の遠位 1/3 に存在する腱弓）での絞扼障害も報告されている．

c-1. 肘部管症候群

尺骨神経は，上腕骨内側上顆後面にある尺骨神経溝を通って尺側手根屈筋の二つの起始の間を通り掌側へと向かう．肘部管は滑車上肘靱帯とオズボーン Osborne 靱帯で形成されるトンネルで，絞扼部位はオズボーン靱帯下に多い（図 3-2・17）．

■発生機序

上腕骨外顆骨折後の外反肘，変形性関節症に伴うものが大部分であるが，上腕骨滑車形成不全，内反肘変形，尺骨神経の尺骨神経溝からの逸脱，長時間の肘関節屈曲位保持，ガングリオンによる圧迫などで発生する．

■症　状

手背を含む手指尺側の尺骨神経支配領域のシビレ感と肘内側の疼痛があり，尺側手根屈筋，第 4・5 指深指屈筋，尺骨神経支配の手内在筋が萎縮するためピンチ力が低下し，鷲手変形やフロマン徴候が出現する（図 3-2・16）．ボタンがかけにくい，箸が使いにくいなどの巧緻運動障害を起こし，肘屈曲テストにより手指のシビレ感が増強する．尺骨神経管症候群との鑑別も必要である．

■治療法

原因動作の中止と局部の安静を図り，症状が改善されない場合は観血療法の適応がある．

E・手関節部の軟部組織損傷

患者の訴えは疼痛，感覚障害，形態異常，運動機能障害などが中心になる．多くは圧痛部を中心とした局所の診察で判断できるものが多い．中枢神経由来の運動障害，頸椎や肩甲帯からの放散痛，絞扼性神経障害，骨折変形癒合に伴う遅発性の神経障害などを念頭におき，身体全体の機能，職業，趣味，スポーツ，外傷歴なども考慮した観察が重要である．手の機能障害は生活に支障をきたすので，日常生活での負担を軽減し，仕事あるいはスポーツへ早期復帰できるような治療法の選択が大切である．

1 三角線維軟骨複合体損傷（TFCC 損傷）

■発生機序

転倒などで強く手を衝いた際や，手関節から前腕に強いねじれ外力，とくに回内力が加わった際に発生するものと，手関節の使いすぎや変性がある場合の軽微な外力で発生するものがある．変性の場合は，尺骨突き上げ症候群に合併して生じることが多い．

■症　状

回内・回外運動時に疼痛とクリック感を訴え，尺屈をさせると疼痛は増強する．手関節尺側の尺骨頭と手根骨間に圧痛があり，TFCC ストレステスト（☞付録参照）が陽性になる．尺骨茎状突起骨折などがある場合は，関節の不安定性がみられる．

■治療法

原因となる動作を中止し，患部の安静を図る．症状の改善がみられない場合は，観血療法の適応がある．

2 ド・ケルバン病 de Quervain disease

伸筋支帯の第1区画内を通過する長母指外転筋腱と短母指伸筋腱の狭窄性腱鞘炎である．50歳代と20歳代の女性に好発する．両側の発症は少ないが，利き手に多いとは限らない．検査法にはフィンケルスタイン Finkelstein テスト（☞付録参照）がある．

■発生機序

手関節および母指の過度の使用で発生する．妊娠や出産によるホルモン代謝の変化が関与するとの報告もある．

■症　状

手関節や第1指の運動痛がみられる．第1区画部に腫脹，圧痛，熱感，硬結を認めるものもある．

■治療法

疼痛の強いものは第1指を良肢位にして，前腕中央部から IP 関節まで固定し，1～2週安静を保持する．熱感のあるものは冷罨法を行う．症状が改善されない場合は医師に対診を依頼する．

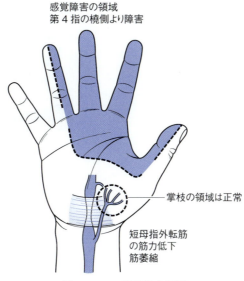

図 3-2・18　手根管症候群

3　末梢神経障害

a. 手根管症候群（図 3-2・18）

絞扼神経障害中、もっとも頻発する。手根管内を屈筋群の腱とともに通過する正中神経が圧迫されて発生する。

■発生機序

骨折や脱臼の合併症としての発症もあるが、多くは原因が特定できない。トンネルの狭小化を招く因子として、変形性関節症、関節リウマチ、ガングリオン、屈筋腱腱鞘炎、脂肪腫、透析によるアミロイド沈着などがある。女性に多く、閉経後に発症することがある。

■症　状

第1指から第4指の掌橈側半分までのシビレ感がある。シビレ感は早朝に強く、手を振ることで軽減する。疼痛は手関節、手指にみられ、母指球は萎縮し筋力低下が起こり、ボタンかけや、つまみ動作が不自由になり、チネル徴候、ファーレン Phalen テストが陽性になる。

■治療法

回内筋症候群と同様（☞ p.367 参照）。

b. 尺骨神経管症候群（ギヨン管症候群）

尺骨神経が尺骨神経管（ギヨン管）で絞扼される（図 3-2・19）。

■発生機序

手根部の打撲やサイクリングによるハンドルでの長時間の圧迫、手を衝くスポーツ、ガングリオンによる圧迫が原因の大部分を占める。

■症　状

第4・5指のシビレ感、疼痛があり、鉤爪指変形（図 3-2・20）やフロマン徴候が出現し、巧緻運

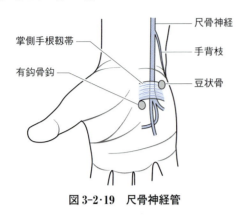

図 3-2・19　尺骨神経管

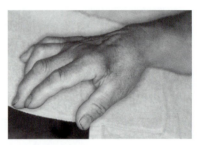

図 3-2・20　鈎爪指変形
[(公社)全国柔道整復学校協会監，松下隆，福林徹，田渕健一 編：整形外科学，第 4 版，p.138，南江堂，2017 より引用]

動障害が現れる．感覚障害は手の掌尺側にみられ手背尺側の障害は免れる．
■治療法
　肘部管症候群の場合に準ずる．

4　キーンベック Kienböck 病
　月状骨阻血性壊死や月状骨軟化症と呼ばれ，なんらかの原因で月状骨への血行が遮断され発生すると考えられている．
■発生機序
　若年者では手関節をよく使うスポーツ活動で発生することが多く，中高年では手関節を酷使する職業に発生しやすい．軽微な外傷をきっかけにした発生もある．
■症　状
　手関節の運動痛，可動域制限，握力低下がみられ，進行例では変形性関節症を伴う．
■単純 X 線像による病期分類
　（1）ステージ 1：異常なし
　（2）ステージ 2：硬化像
　（3）ステージ 3：圧潰像
　（4）ステージ 4：変形性関節症像
■治療法
　保存療法が原則で，安静を目的としてのギプス固定や装具療法を行う．温熱療法，手関節のストレッチを行い，保存療法が無効の場合には観血療法の適応がある．

5　マーデルング変形 Madelung deformity（図 3-2・21）
　橈骨遠位関節面が掌屈側に傾斜し，尺骨遠位端が背側へ突出した手関節の銃剣状変形を呈する．思春期の女性に多くみられ，遺伝性のものは両側罹患が多い．橈骨遠位端掌尺側の骨端線早期閉鎖による成長障害により橈骨遠位関節面が傾斜し，手根骨は全体として逆三角形を呈し，橈

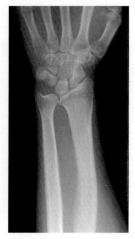

図3-2・21 マーデルング変形
[栗原整形外科のご厚意による]

骨が彎曲する．尺骨はほぼ正常に発育するため背側に脱臼する．骨折や骨髄炎などで類似変形を呈するものがあるので，鑑別が必要である．疼痛，手関節の背屈，回内・回外制限をみることが多いが，生活上の支障はあまり訴えない．

F・手部，指部の軟部組織損傷

手指部は多くの骨，筋，腱，靱帯により構成された複雑な構造があり，巧緻運動を可能にしている．つまみ動作などによる識別感覚の機能もあり，第2の目ともいわれ，機能障害の残存は生活に障害をきたす．診察にあたっては，視診，触診をしっかり行い，利き手，職業，趣味，スポーツ，外傷歴などもしっかり聴取することが大切である．

1 腱，靱帯の損傷

腱が損傷されると伸展，屈曲が障害され，靱帯が損傷されると関節の不安定性が出現し，運動機能の低下をみる．

腱の皮下断裂は終止腱をはじめ伸筋腱での発生頻度が高い．屈筋腱はラガージャージインジャリー，有鈎骨鈎骨折後の二次的断裂が代表的であるが，完全断裂は早期の観血療法が必要となる．指の腱は不全断裂でも6週程度の固定が必要とされている．

a. 指側副靱帯損傷（第1MP関節側副靱帯，第1指以外のPIP関節側副靱帯損傷）

手指側副靱帯損傷の中で，第1MP関節側副靱帯損傷と第1指以外のPIP関節側副靱帯損傷は，スポーツ現場で遭遇する損傷である．

● a-1. 第1MP関節側副靱帯損傷

第1MP関節側副靱帯損傷はスキーの転倒時に受傷することが多く，スキーヤー母指 skier's

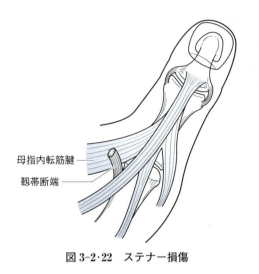

図 3-2・22 ステナー損傷

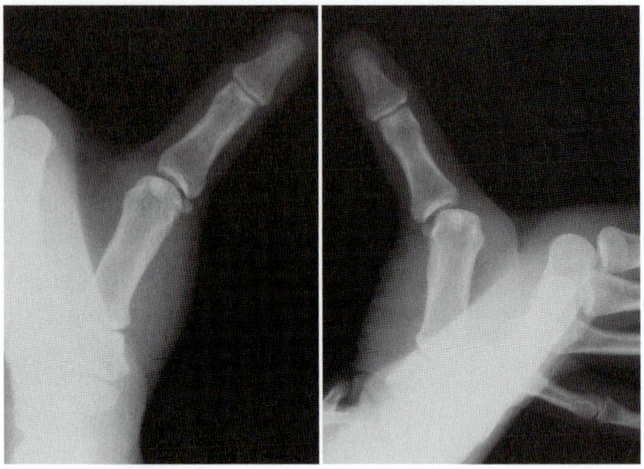

図 3-2・23 ストレス単純 X 線像
［米田病院のご厚意による］
MP(PIP)関節屈曲位でストレスをかけて，単純 X 線撮影を行う．MP 関節で健患差が 30°，PIP 関節で 20° 以上あれば完全断裂を疑う．

thumb といわれる．またキャンベル Campbell は，職業性の障害としてゲームキーパー母指 game keeper's thumb と呼んでいる．第 1MP 関節の安定性はピンチ動作に主要な役割を担っていて，その支持組織が側副靱帯である．ピンチ動作で疼痛や不安定性を残さないように治療することが重要である．

断裂した尺側側副靱帯が近位へ反転し，母指内転筋腱膜の表層に乗り上げたものはステナー損傷 Stener lesion（図 3-2・22）と呼ばれ，靱帯の治癒が望めないため観血療法を適応すべきである．

■発生機序

スキーの転倒時にストックのストラップに引っかかる，バレーボールやバスケットボールなどの球技中に外転が強制されて発生することが多い．発生頻度は尺側が高い．

■症　状（図 3-2・23）

損傷部位に疼痛（圧痛，運動痛），腫脹，皮下出血斑，側方動揺性を認めるが，臨床では，不全断裂か完全断裂かを判断することはむずかしい．完全断裂では腫脹や皮下出血斑が著明で，ストレスを加えると不安定性や疼痛が強く，橈側や尺側に偏位する場合もある．その場合，ステナー損傷を起こしていることが多く，触診で側副靱帯断端を触れるものもある．

不全断裂では，腫脹や皮下出血斑，疼痛も軽度で，ストレスを加えても不安定性はわずかである．関節掌側に圧痛があり，皮下出血斑が掌側に限局している場合は掌側板の断裂が疑われる．

［側方動揺性テスト（図 3-2・24）］

副靱帯や掌側板を弛緩させた MP 関節屈曲位で行うことが重要である．MP 関節伸展位では，副靱帯や掌側板が健全な場合，これらの支持性により側方への動揺が出現しにくい．新鮮例では，愛護的に実施しなければ不全断裂を完全断裂に移行させる可能性がある．

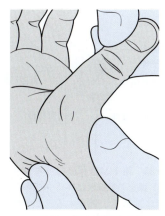

図 3-2・24　側方動揺性テスト

■固定法

　不全断裂は原則，保存療法を行うが，完全断裂，とくにステナー損傷は観血療法を選択すべきである．しかし，完全断裂でも高齢者や手指を使うことの少ない人の場合は，保存療法の選択も可能である．MP 関節側副靭帯の断裂の場合，MP 関節伸展位でアルミ副子などで 3 週程度固定し，PIP 関節側副靭帯損傷の場合は，PIP 関節伸展位で 3 週程度固定を行う．

■後療法

　固定除去後は，可動域訓練を開始する．母指球が萎縮したものは屈曲・伸展・ピンチ力の筋力訓練を行う．スポーツ活動への復帰は 2 ヵ月後以降とする．保存療法の場合，関節の不安定性や変形が残存することもあるので，十分な説明が必要である．

● a-2. 第 1 指以外の PIP 関節側副靭帯損傷

　バレーボール，バスケットボール，コンタクトスポーツ時に発生することが多く，発生頻度は橈側に高い．第 1MP 関節側副靭帯損傷と同様に，損傷部の腫脹や疼痛(圧痛，運動痛)，側方動揺性などの症状が現れる．保存療法ではアルミ副子などを用いて，PIP 関節伸展位で約 3 週固定する．

b. ロッキングフィンガー(第 1MP 関節，第 2〜5MP 関節)

● b-1. 第 1MP 関節ロッキング(図 3-2・25)

　掌側板膜様部が横に断裂して，その断裂部から中手骨頭が突出し，中手骨橈側隆起を乗り越えた掌側板と副靭帯が中手骨頭を絞扼し発生する．

■発生機序

　第 1MP 関節が過伸展されて発生する．

■症　状

　通常，第 1MP 関節が過伸展位をとり，自動，他動を問わず屈曲が不能となる．IP 関節は屈曲している．側方動揺性はみられない．

■整復法(図 3-2・26)

　第 1MP 関節を屈曲し基節骨基部背側に両母指をあて，さらに第 1MP 関節の屈曲を増強し，

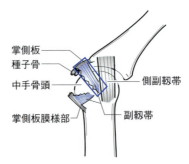

図 3-2・25　第 1 MP 関節ロッキングの病態
第 1 指 MP 関節の掌側板には二つの種子骨があり，その両側に副靱帯が付着する．この構造が第 1 中手骨骨頭に乗り上げ中手骨橈側顆に引っかかり，constriction band（青線で囲まれた部分）になることでロッキングが生じる．

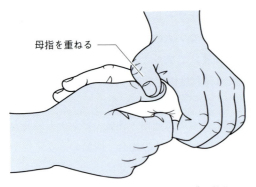

図 3-2・26　第 1 MP 関節ロッキングの整復

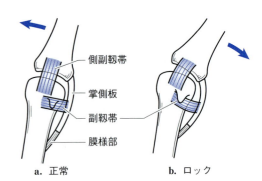

図 3-2・27　第 1 指以外の指 MP 関節ロッキングの機序

軸圧を加えながら，両母指で基節骨基部を背側から強く押し込み掌側板を押し出す．

牽引を加えたり，暴力的な整復操作を行うと整復を困難にし，骨折を起こす可能性があるので，愛護的に行うことが大切である．再発することは少ないので，早期から自動運動を開始する．

● **b-2．第 2〜5MP 関節ロッキング（図 3-2・27）**

中手骨骨頭の掌橈側に骨棘が形成され，骨隆起に副靱帯が引っかかり生じることが多い．日本人では第 2 指，次いで第 3 指に多く，20〜40 歳代の女性の右手に好発する．

■**発生機序**

外傷が直接のきっかけになることはほとんどなく，何らかの拍子に突然に発生することが多い．

■**症　状**

突然に MP 関節の伸展が制限され，軽度屈曲位からの屈曲は可能であるが，伸展はまったくできなくなる．MP 関節の掌橈側に圧痛と軽度の腫脹を認めるが，MP 関節を伸展しなければ，疼痛は軽度である．

■治療法

MP関節軽度屈曲位から，さらに屈曲し，尺屈を強制して整復する．無理な整復は骨折を起こすことがあるので，徒手整復が困難なときは，観血療法が適応と考えられている．軟部組織損傷がなければ副子固定の必要はない．

c. ばね指 snapping finger

弾発指とも呼ばれ，掌側にある靱帯性腱鞘が炎症性変化などにより狭窄され発生することが多い．成人では中年女性に好発し，母指にもっとも多い．初期は運動時の疼痛が主症状であるが，次第に弾発現象が現れる．症状が進行すると関節可動域制限がみられ，自動運動では伸展または屈曲ができなくなる．運動制限はIP関節に起こるが，狭窄部はMP関節部である．治療は手指の運動を制限し，3〜4週安静を保持するが，症状が軽減しないものは観血療法の適応がある．

小児のばね指は1〜2歳頃に発症する．原因は先天的な腱鞘の狭窄あるいは腱の肥厚といわれているが明らかではない．ほとんどは母指に発症し，一般に6〜7歳までに自然治癒する．腱の滑動性が強く制限されたものを強剛母指という．

2 その他の手指部の変性疾患および変形

a. デュプイトラン拘縮 Dupuytren contracture

手掌腱膜の拘縮により生じる指の屈曲拘縮で，多くは，最初に手掌部のやや近位側の手掌腱膜に結節を形成する．次第に遠位に拡大して連珠様の索状物を形成し，最終的には手指の屈曲拘縮（伸展障害）を生じるもので，高齢者の男性に多い．

一般的には両側性であるが，ときに片側に発症することもある．糖尿病などの生活習慣病，微小血栓，過剰な喫煙などが原因とされているが明らかではない．拘縮は環・小指にみられMP関節に次いでPIP関節に徐々に屈曲拘縮を生じ，完全伸展が制限されていくが，DIP関節には屈曲拘縮が出現しない．疼痛はまれである．

b. ヘバーデン結節 Heberden node（図 3-2·28）

DIP関節の変形性関節症である．初期は発赤，熱感，腫脹，疼痛といった炎症症状を伴い，次第にDIP関節背側部に結節，骨性隆起を形成し，屈曲変形，側方偏位といった変形を呈する．変形が完成すると炎症症状は消失する．更年期を過ぎた女性に好発し，ほとんどが両側性で，多発性である．関節リウマチのスワンネック変形と類似するので，鑑別が必要である．PIP関節の変形性関節症はブシャール Bouchard 結節という．

c. ボタン穴変形 button hole deformity（図 3-2·29，3-2·30）

PIP関節屈曲，DIP関節過伸展の変形をいう．橈・尺両側の側索の間からボタンがボタン穴から出ているようにみえるため，この名称がある．外傷による正中索断裂や，関節リウマチの滑膜炎によって起こる正中索の伸長が原因となる．正中索が断裂もしくは弛緩することにより，PIP関節は指屈筋群によって屈曲する．次第に側索は運動軸よりも掌側に移動し，PIP関節をさらに屈曲させるとともに，DIP関節を過伸展させてボタン穴変形を生じる．なお，外傷による正中索断裂では，受傷直後はPIP関節が伸展可能なことから損傷が見落とされ，1〜2週後にボタン穴変形を生じることが多い．

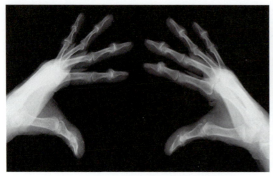
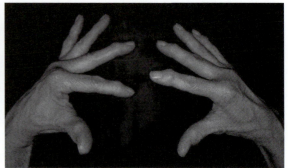

図 3-2・28　ヘバーデン結節
［栗原整形外科のご厚意による］

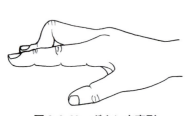

図 3-2・29　ボタン穴変形

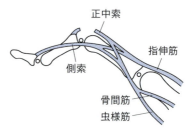

図 3-2・30　正中索断裂によるボタン穴変形

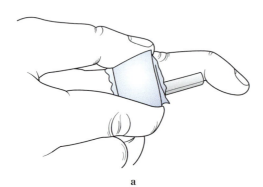
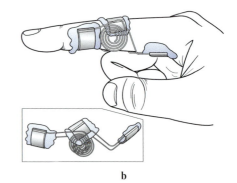

a　　　　　　　　　　　　　　　b

図 3-2・31　ボタン穴変形の固定法

　　PIP 関節伸展位で 4〜8 週固定（図 3-2・31）し，改善されれば保存療法を継続するが，改善が認められないものは観血療法の適応がある．

d. スワンネック変形 swan neck deformity
　　DIP 関節屈曲，PIP 関節過伸展の変形をいう．指が白鳥の首に似た形状となるため，この名称がある（図 3-2・32）．関節リウマチや手の痙性麻痺などによる手内筋の拘縮では MP 関節の屈曲拘縮により，相対的に側索よりも正中索の緊張が高まることで，伸筋と屈筋のバランスが崩れ，スワンネック変形が生じる．

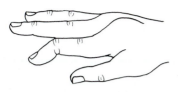

図3-2·32 スワンネック変形

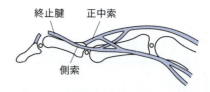

図3-2·33 終止腱断裂によるスワンネック様変形

　浅指屈筋腱断裂や終止腱断裂(マレットフィンガー),掌側板の損傷などを放置すると,PIP関節は過伸展位となり,側索がPIP関節の運動軸より背側に移動し,スワンネック様変形を呈する(図3-2·33).

3-3. 下肢の軟部組織損傷

A・股関節の軟部組織損傷

股関節は鼠径部深部にあり，多くの筋に囲まれているため，直接関節を視診，触診して熱感や腫脹を感じることは困難である．他覚的な所見では可動域制限と運動痛のみのことも多い．股関節損傷の痛みは，しばしば腰痛，殿部痛，坐骨神経痛，大腿部痛，膝関節痛として訴えられ，鑑別がむずかしい．

1 鼠径部痛症候群 groin pain syndrome

スポーツ選手，とくにサッカーやラグビー選手に鼠径部周辺を中心に不定愁訴をみることがある．初期には日常生活に支障がなかった痛みが継続し，進行すると，日常生活動作では起き上がり動作やくしゃみ，スポーツ動作ではダッシュやキックなどで強い痛みが生じるようになる．痛みは症例により様々であるが，鼠径部，内転筋近位部に痛みを訴える例がもっとも多く，下腹部や睾丸後方に訴えるものもある(図3-3・1)．

筋損傷，疲労骨折，初期変形性股関節症，真性鼠径ヘルニア，股関節唇損傷などとの鑑別が必要であり，器質的な疾患の有無を確認することが大切である．

治療はスポーツ活動の中止などの保存療法を行う．観血療法では内転筋腱・腹直筋腱起始部切離術，鼠径管後壁補強修復術などが行われている．

2 股関節唇損傷

スポーツ選手が訴える股関節痛の原因の一つであり，臼蓋形成不全や股関節インピンジメント(FAI)といった臼蓋や大腿骨頸部の形態異常に繰り返す外力が加わって生じる．多くは鼠径部に

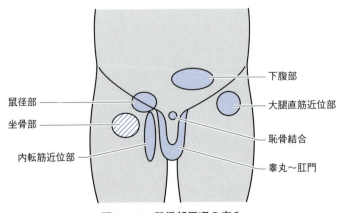

図3-3・1　鼠径部周辺の痛み

3. 軟部組織損傷　**381**

表 3-3·1　弾発股の原因

関節外型
外側型（大転子と腸脛靱帯の滑動障害）
腸脛靱帯や大殿筋前縁の肥厚，索状形成，瘢痕，緊張増加
スポーツによる慢性持続性外傷
外傷痕
注射による医原性（殿筋や大腿四頭筋拘縮）
特発性
大転子の異常
大転子の外側方化（内反股，股関節手術後など）
大転子の変形（骨折後など）
大転子滑液包炎や腫瘍など
内側型（腸腰筋腱と大腿骨頭や腸恥隆起などの滑動障害）
関節内型
関節遊離体
股関節唇断裂
反復性・習慣性・随意性股関節脱臼（亜脱臼）

［糸満盛憲　編：図解股関節の臨床，メジカルビュー社，2004 より引用］

痛みを訴えるが，大転子付近，大腿前面から膝関節にかけて訴えるケースもある．

　関節唇損傷による関節安定性の低下は関節軟骨の負荷が増大して，変形性股関節症の原因にもなる．まずは保存療法を選択するが，改善がみられない場合は観血療法の適応がある．

③ 弾発股（ばね股）snapping hip

　股関節の運動に伴って弾発現象をきたす疾患をいう．他覚的な軋音や異常な腱の滑動が感じられるものから本人が自覚する弾発感までを含んでいる．発生部位により，関節外型と関節内型に分けることができ，軋音を聴取できるものはほとんど関節外型である．発生頻度も関節外型が多く，大転子と腸脛靱帯または大殿筋前縁の間での弾発現象がほとんどであるが，腸腰筋腱が原因となる場合もある．関節内型は関節唇の断裂，関節遊離体（滑膜性骨軟骨腫症など）など，様々な疾患によって起こる（表 3-3·1）．

■症　状

　弾発音の聴取，滑液包炎に伴う疼痛，関節外型の外側型では腸脛靱帯の肥厚を触知することがある．股関節内転位で他動的に屈伸，あるいは内・外旋すると弾発現象が誘発されやすい．弾発現象のみでその他の症状を呈さないものも多い．

■治療法

　疼痛を有する場合はスポーツ活動を中止し安静にさせる．弾発現象を回避する生活指導，ストレッチを行うよう指導する．保存療法が無効な場合には観血療法の適応がある．一般に予後は良好である．

382 第Ⅲ章 各 論

4 梨状筋症候群 piriformis syrdrome

■概 説

坐骨神経は骨盤内から後方殿部に出るときに多くは梨状筋下孔を通る．坐骨神経が梨状筋によって絞扼され発生するものをいう(絞扼性神経障害)．根性痛と同様な痛みを生じる．

■症状，所見

殿部から下腿にかけての痛みがあり，総腓骨神経支配領域に感覚・運動障害がみられる．ヒップテストが陽性になる(☞付録参照)．

5 その他

a. 股関節外転位拘縮

股関節の痛みを軽減するため，軽度外転位をとる．習慣になると外転位拘縮になる．

■症 状

(1)背臥位で患者の両下肢をそろえて平行にして寝かせた場合，患肢が長くみえる．

(2)棘果長を計測すると左右等長である(仮性延長)．

(3)両側の上前腸骨棘部を結ぶ線が体幹正中線に対して直角でなく傾斜し，患側の骨盤が下がっている．

(4)骨盤を正しい位置にすると患側股関節が外転位をとる．

b. 股関節内転位拘縮

股関節の痛みを軽減するため，軽度内転位をとる．習慣になると内転位拘縮になる．

■症 状

(1)両下肢を平行にした場合は患肢が短くみえる．

(2)棘果長を計測すると左右等長である(仮性短縮)．

(3)両側の上前腸骨棘部を結ぶ線が傾斜し，患側の骨盤が上がっている．

(4)骨盤を正しい位置にすると患側股関節が内転位をとる．

c. 股関節屈曲位拘縮

股関節屈筋である腸腰筋，補助筋である大腿直筋，縫工筋などに損傷を起こした場合に，疼痛軽減の意味で股関節の屈曲位を保持する．この状態が継続すると股関節屈曲位拘縮になる．

■症 状

(1)患者立位では両下肢軸と体幹軸を平行にするために骨盤は前方傾斜を増加するので，代償として腰椎の前彎が強くなる(図3-3·2)．

(2)背臥位では骨盤の代償的前傾により一見，屈曲位拘縮に気づかないことがある．健側股関節を他動的に屈曲すると患側の股関節も屈曲してくる(トーマス Thomas テスト)(図3-3·3)．

(3)下肢を外に振り出して歩いたり，殿部を突き出して歩く．

(4)正座が不能であったり，正座ができても両膝がそろわなかったり，腰をそらせ殿部を突き出す．

(5)背臥位で股関節と膝関節を同時に屈曲するときは膝の屈曲制限はない．

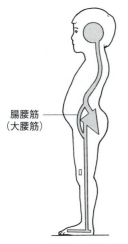

図3-3・2　股関節屈曲位拘縮
腰椎の前彎が増強.

a. 正常

b. かくされた股関節屈曲位拘縮位
（骨盤の代償前傾）

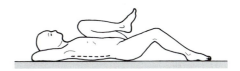

c. トーマステストにより股関節屈曲位拘縮を知る
（☞付録参照）

図3-3・3　股関節屈曲位拘縮

図3-3・4　尻上がり現象

（6）腹臥位で股関節を伸展位のまま，膝関節を他動的に屈曲すると，膝の屈曲制限があり，それ以上に膝を強く曲げようとすると殿部が床面から持ち上がってくる（尻上がり現象）（図3-3・4）．

（7）尻上がり現象は大腿直筋の拘縮の場合にのみみられ，内側・外側・中間広筋の拘縮ではみられない．

■治療法

手技療法のみに頼らず，筋を伸長する方向への抵抗運動，伸長運動を行う．

B・大腿部の軟部組織損傷

1　大腿部打撲

大腿部を強打し，筋が損傷する．大腿部前面の打撲はサッカーやラグビーといったコンタクトスポーツに多くみられる．チャーリーホース Charie horse とも呼ばれる．

384 第Ⅲ章 各 論

■発生機序

大腿四頭筋部の強打，コンタクトスポーツで相手選手の膝，肘，ヘルメット，あるいはキックなどにより打撲を受けることで発生する．

■症状，所見

受傷直後は鈍痛と程度によって運動制限がみられる．症状は時間の経過とともに強くなるが，これは引き続き生じる腫脹によるところが大きい．損傷の程度が高度な場合，筋内の出血で筋内圧が上昇し，皮膚が緊張して光沢を帯びるものがある．翌日には患部の腫脹，圧痛，膝関節の屈曲制限がみられる．まれに，筋内圧が過度に上昇し，急性のコンパートメント症候群を合併するものがある．経過が長くなると，骨化性筋炎や筋組織の拘縮により，膝関節の屈曲制限を残すものがある．

■分 類

1. 軽 度

疼痛，腫脹は軽く，膝関節は90°以上屈曲可能なもの．

2. 中等度

疼痛，腫脹はやや強く，膝関節が90°まで屈曲できないもの．

3. 重 度

疼痛，腫脹は強く，膝関節が45°まで屈曲できないもの．

■治療法

筋打撲の治療は保存療法が原則である．急性期には出血を最小限にとどめるために，ただちにRICE処置を行い，膝関節屈曲制限を考慮してできるだけ損傷筋を伸長させる肢位をとり，血腫形成を抑制する．RICE処置は痛みや大腿周囲径の増大が落ち着くまで続ける．荷重は可能な範囲で行う．重度の損傷では，著明な血腫が前方に発生しやすいので，受傷後，5，6時間以内に痛みが増悪してくる場合は医師の診察を仰ぐ．

急性期を過ぎて，膝関節の屈曲が90°以上可能であれば3週以内の復帰が見込める．3日以降に90°の屈曲が不可能な場合には温熱療法と無負荷の可動域運動を慎重に行う．

```
●スポーツ活動復帰への条件
 ①疼痛や可動域制限がない
 ②筋力や柔軟性が十分に回復している（健側の90％以上）
 ③フィットネス（アジリティー［敏捷性］，有酸素能力など）の改善が十分に得られている
```

2 大腿部の肉ばなれ

a. 大腿四頭筋肉ばなれ

■発生機序

大腿直筋に多く，股関節伸展位，膝関節屈曲位で収縮させたときに発生する．

その他の危険因子として，①筋疲労，②先行する筋損傷の存在，③柔軟性・コンディション低下，④不適切なウォーミングアップなどがあげられる．

■症状，所見

急激な大腿前方の痛みを感じ，重症度に応じて様々な程度の腫脹，皮下出血斑，硬結および膝

関節屈曲制限が生じる．皮下出血斑は 24 時間以内では現れにくい．大腿四頭筋を収縮すると退縮した塊を触知できるが，時間の経過とともに腫脹により触れにくくなるので，24 時間以内に確認する必要がある．

■程度による分類

1. Ⅰ度

一般的に軽度な痛みで筋腱複合体の最小限の損傷．軽度の腫脹および筋機能低下や可動域制限がみられる．

2. Ⅱ度

筋力や可動域が制限される筋腱移行部の損傷．

3. Ⅲ度

非常に大きな負荷による筋腱移行部の断裂．

■徒手検査，計測

1. 関節可動域

膝関節の屈曲角度を腹臥位で計測する踵殿距離 heel buttock distance（HBD）．

軽度：膝は 90° 以上屈曲可能

中等度：90° 未満の屈曲制限

重度：45° 以下の屈曲制限

[● 「尻上がり現象」によるトリックモーションに注意する．]

2. 大腿周囲径

■治療法

重症度により変化する．初期治療は RICE 処理，荷重歩行の制限，圧迫，挙上と冷却は筋内の出血や腫脹の量を軽減させるのに有効である．急性期が過ぎたら関節可動域訓練，温熱療法，ストレッチおよび等尺性・等張性収縮運動など組み合わせて行う．

スポーツ活動復帰の許可条件は大腿部打撲と同様である．

■再発予防

とくに初めての受傷の後では適切な治療を行うことが重要である．疲労した筋は肉ばなれを起こしやすい．ストレッチやウォーミングアップも肉ばなれの予防に有用である．

b. ハムストリングスの肉ばなれ

■発生機序

下腿が振り出されてから接地にいたる際や，接地から蹴りだされる際に起こりやすく，ハムストリングスが収縮しようとしている状態で伸長されたときに発生しやすいといわれている（遠心性収縮）．大腿四頭筋肉ばなれと同様に筋腱移行部で生じやすい．まれに膝関節伸展位で股関節屈曲を強制されたときにみられ，坐骨結節部付近で完全断裂が生じる．受傷時，鋭い，力の抜けるような大腿部後方の痛みや，場合によっては音が聴こえるような，突然の衝撃を感じる．その他の要因では，大腿四頭筋肉ばなれで述べた危険因子に加え，下肢長の不一致，大量の発汗によるミネラルの枯渇，大腿四頭筋との筋力のアンバランスなども考えられている．

386 第Ⅲ章 各 論

■症状, 所見

損傷部位に圧痛があり, 腫脹, 皮下出血斑, 筋の硬結や陥凹などが重症度に応じてみられる. 陥凹は損傷後数時間経過すると触れにくくなり, 経過が長くなると容易に触れることができ, ハムストリングスに力を入れると陥凹が著明になる. 患者を腹臥位とし, 膝関節伸展を試みる. 重度損傷では完全に伸ばせない. 膝関節が十分に伸ばせたら, 背臥位にしてハムストリングスのタイトネステスト(SLR)を行う. 成長期の重度損傷では単純 X 線像で坐骨結節の裂離骨折を認めるものがある. MRI や超音波検査は損傷の程度を確認するのに有用とされている.

■治療法

他の肉ばなれと同様. 重度損傷では観血療法もあるが, それ以外は保存的に十分なアスレチックリハビリテーションを行うことにより回復する.

損傷初期は重症度に関係なく RICE を行い, リハビリテーションは急性期症状が落ち着いたら(受傷後 3〜5 日後)開始する. ストレッチ, 筋力強化, 筋バランス, ハムストリングス機能の回復などのプログラムを徐々に進行していく.

C・膝関節部の軟部組織損傷

膝関節は外傷を受けやすい部位であり, スポーツ活動, 交通事故, 労働災害など, 日常でも多く遭遇する. この部の損傷は正確な損傷組織の判定, 程度の判定, 適切な施術を行う.

1 半月(板)損傷

■発生機序

若年者はスポーツ活動で受傷することが多い. 膝関節の屈伸運動時に下腿の回旋が加わったときに発生する. 内側半月の損傷が多く, 断裂の形態や部位によって症状に変化がみられる(図 3-3・5). 多くは内側側副靱帯や前十字靱帯損傷を合併する.

小児では形態異常(円板状半月), 高齢者では変性を基盤として損傷することがあり, 外傷の機転が明らかでないこともある.

■症状, 所見

損傷側の関節裂隙を中心とした圧痛, 荷重痛, 引っかかり感を伴った運動痛を訴える. 嵌頓症状, クリック, 関節血腫などがみられ, 経過の長い症例では大腿四頭筋の萎縮を認める.

■徒手検査

（1）マックマレー McMurray テスト(☞付録参照)
（2）圧迫アプライ Apley テスト(☞付録参照)

■治療法

急性期には RICE 処置を行う. 疼痛や腫脹が軽減したら物理療法, 大腿四頭筋やハムストリングスを中心とした運動療法を行い, 膝関節機能の回復に努める.

関節水症やロッキングを繰り返すもの, 前十字靱帯などとの複合損傷, 小児の円板状半月に起因するものなどでは観血療法が望ましい.

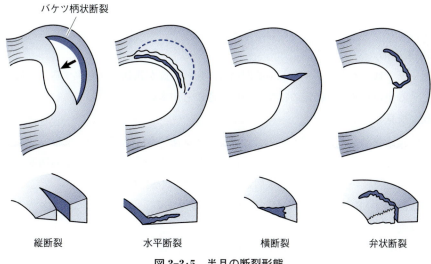

図3-3・5 半月の断裂形態

2 靱帯損傷

a. 側副靱帯損傷

　　内側側副靱帯損傷は発生頻度が高く，前十字靱帯や内側半月など他の損傷を合併することが多い．また，外側側副靱帯損傷は高エネルギーにより複合体損傷として起こることが多く，観血療法の適応がある．

■発生機序

　　内側側副靱帯は膝関節に強い外反力が加わり損傷する．

■症状，所見

　　膝関節に運動痛や腫脹，損傷部に限局した圧痛があり，受傷時に断裂音（pop音）を自覚するものもある．内側側副靱帯損傷では膝関節の外反動揺性が出現する．

■徒手検査

　　（1）側方（外反・内反）動揺性テスト（☞付録参照）
　　（2）牽引アプライテスト（☞付録参照）

■治療法

　　急性期はRICE処置を行う．関節の動揺性を認める場合には，膝関節軽度屈曲位で副子固定を施し，免荷を指示する．疼痛などの症状が軽減すれば副子を除去し，物理療法，大腿四頭筋やハムストリングスを中心とした運動療法を行い，膝関節機能の回復に努める．この際，装具やテーピングなどを施して膝が受傷肢位をとらないように注意する．

b. 十字靱帯損傷

● b-1. 前十字靱帯損傷

■発生機序

1. 非接触型損傷

　　バスケットボールなどでの急激な停止やジャンプの着地，急な方向転換などで発生する．大腿

四頭筋の自家筋力が発生に関与していると考えられている．単独損傷が多く，10歳代の女性に好発する．

2. 接触型損傷

柔道やラグビーのタックルなどで膝関節に外転，回旋が強制され発生する．内側側副靱帯をはじめとする他の関節構成組織の損傷を合併することが多い．

■**症状，所見**

受傷時には膝がずれた感覚や断裂音（pop音）を自覚することが多い．受傷直後から疼痛と膝の不安定感を訴え，スポーツ活動などの続行は困難となる．受傷数時間後から関節血腫による膝の腫脹を認め，腫脹の増大とともに膝関節の屈曲が著しく制限される．

確定診断にはMRI像を用いるが，骨挫傷の併発もある．

■**徒手検査**

（1）前方引き出しテスト anterior drawer test（☞付録参照）

（2）ラックマン Lachman テスト（☞付録参照）

■**治療法**

断裂した前十字靱帯は保存療法では癒合が望めない．したがって，断裂したまま就業，あるいはスポーツ活動を行うと，膝くずれを反復することになる．これにより二次的に関節軟骨や半月板の損傷をきたす．患者の活動性が低く日常生活レベルで不安定感がないものは保存療法の適応となる．治療法は側副靱帯損傷に準じる．運動療法の初期段階の注意点として，屈曲運動からはじめ，完全伸展運動はしばらくの間行わない．スポーツ活動レベルの高い人や不安定感が患者のQOLを障害する場合は観血療法が望ましい．

● b-2. 後十字靱帯損傷

■**発生機序**

交通事故（ダッシュボード損傷，オートバイ事故）やスポーツ活動中の激しい接触により，膝関節屈曲位で脛骨粗面部を強打して発生する．膝関節の過屈曲や過伸展で損傷するものもある．

■**症状，所見**

受傷直後から疼痛と膝の不安定感を訴える．疼痛は運動時や立ち上がり動作時に膝の後面にみられることが多い．

■**徒手検査**

（1）後方引き出しテスト posterior drawer test（☞付録参照）

（2）後方落ち込み徴候 sag sign

■**治療法**

他の靱帯損傷に準ずる．

高度の不安定性を有する活動性の高い患者には観血療法の適応がある．

3 発育期の膝関節障害

新生児から思春期にいたる時期は筋・骨格系の発育障害に伴う膝関節疾患がみられる．

a. 小児の膝変形

親が幼児の膝変形を心配して来院する場合は生理的なものが多いが，骨端軟骨の損傷による骨の部分的成長障害が疑われる場合はその変形が成長とともに進行するので注意する．

1. 反張膝

小児の膝関節伸展可動域は約 20°までが正常範囲と考えられている．成長とともに減少し 0°〜10°程度となる．伸展可動域が 20°を超えたものを一般に反張膝という．

2. 内反膝，外反膝

膝関節を中心として下肢が外側凸に変形したものを内反膝といい，通常左右対称で O 脚と呼ばれる．新生児〜3 歳児くらいまでは生理的内反膝を呈する．病的な内反膝を呈する疾患にはくる病やブラント病がある．一方，膝関節を中心として下肢が内側凸に変形したものを外反膝という．幼児期にみられる両側性のものは生理的で，X 脚とも呼ばれる．左右非対称の場合や一側性の場合はくる病などの代謝性疾患や内分泌疾患，骨端形成異常などが疑われる．

3. ブラント Blount 病

脛骨近位骨端，骨幹端の後内側部の発育障害により，脛骨近位骨幹端を中心に発生する脛骨の内反・内旋変形をきたす骨端症の一つである．出生時にはこの変形はみられず，成長とともに発症し，高度な O 脚となる．明らかな原因は不明である．1〜3 歳までに発症する幼児型とそれ以降に発症する遅発型に分類される．とくに幼児型は生理的 O 脚との鑑別が困難であり，診断にしばしば苦慮する．

4. 大腿四頭筋拘縮症

本症の病因は先天性と後天性に分けられる．後天性では医原性に生じるものが多い．

① 先天性

胎生期に大腿四頭筋が著しく短縮すると，先天性膝関節脱臼または先天性膝蓋骨脱臼が起こる．これらが認められない症例に限り，先天性大腿四頭筋拘縮症と診断される．

② 後天性

医原性や，外傷，炎症の後遺症として起こる．医原性大腿四頭筋拘縮症は，大腿部に注射された薬剤によって筋組織が壊死に陥り，線維化して筋組織の伸長性が減少する．

障害部位によって，大腿直筋が障害される「直筋型」，主として中間広筋が障害される「広筋型」，両者が障害される「混合型」の 3 型に分類される．医原性の 80〜90% は直筋型である．

> ●尻上がり現象による病型の診断
> 直筋型…膝の屈曲とともに尻上がり現象がみられる．
> 広筋型…膝の屈曲障害のみで尻上がり現象はみられない．
> 混合型…尻上がり現象とともに膝の屈曲障害もみられる．

b. オスグッド・シュラッター Osgood-Schlatter 病

10 歳代前半の脛骨粗面部に疼痛と腫脹を生じる骨端症の一つである．スポーツ活動をしている男児に多い．

■発生機序

脛骨粗面の骨化が完成する以前の力学的に弱い時期に，日常生活動作やスポーツ活動で大腿四頭筋の収縮により脛骨粗面が繰り返し牽引されることで発生する．

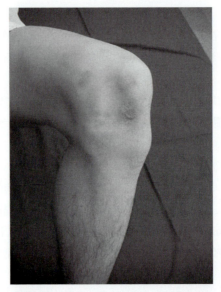

図3-3・6　オスグッド・シュラッター病

■症状，所見

　ランニングや階段の昇降など大腿四頭筋を強く収縮させる動作時に，膝蓋靱帯付着部に限局して疼痛が認められる．症状が進行するにつれて脛骨粗面部の膨隆は著しくなり，骨性に硬くなることもある．

　本症は慢性の経過をたどり，再発を繰り返すが，骨端軟骨が骨化を完了する18歳頃には症状は消失する．脛骨粗面部が膨隆したまま治癒するものもある（図3-3・6）．

■治療法

　局所の安静を中心とした保存療法の適応がある．運動前には十分なウォーミングアップを行わせ，運動後にはアイシングを行って炎症の鎮静を図る．膝蓋靱帯を押さえる装具の使用も有効である．

c. ジャンパー膝 jumper's knee

　ジャンプを頻回に繰り返すスポーツ選手に多くみられる膝伸展機構の障害である．広義には大腿四頭筋腱炎，オスグッド・シュラッター病を含むが，ここでは狭義のジャンパー膝，膝蓋骨下極に生じる膝蓋靱帯炎について述べる．

■発生機序

　急な加速や減速，ジャンプ，着地などのスポーツ動作の繰り返しにより，膝関節伸展機構に過度の張力が加わり発生する典型的なオーバーユースシンドロームである．バレーボール，バスケットボールなどの跳躍を多用するスポーツ種目で多く発生する．

■症状，所見

　膝蓋骨下極部に運動痛，圧痛を認める．他動的に膝を深く屈曲すると疼痛が誘発されやすく，尻上がり現象がみられる症例も多い．

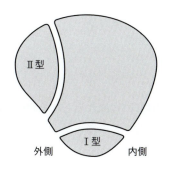 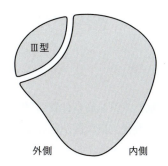

図 3-3・7　分裂膝蓋骨（ソープ Saupe 分類）

■治療法

患部の安静を保ち，大腿四頭筋，ハムストリングスの筋力訓練，ストレッチを行う．

d．（有痛性）分裂膝蓋骨

分裂膝蓋骨は先天的に膝蓋骨が二つ以上に分裂しているもので，その大半は二分膝蓋骨である．多くは膝蓋骨の上外側部に小さな骨片として存在する．分裂膝蓋骨があっても無症状に経過することが多いが，スポーツ活動や打撲などを契機として有痛性となることがある．男子に多く，疼痛発現は 12〜16 歳頃が多い．

■分　類（図 3-3・7）

大腿四頭筋の外側広筋の付着部である膝蓋骨の外上方に分裂を認める例（Ⅲ型）がもっとも多い．次いで外側端に多くみられ（Ⅱ型），遠位端部にみるものもある（Ⅰ型）．

■症状，所見

運動中，あるいは運動後に膝前面部痛を訴える．膝蓋骨の上外側が膨隆し，分裂部に一致した圧痛と叩打痛を認める．安静時痛はない．

■治療法

スポーツ活動を一時中止させ，大腿四頭筋のストレッチを行う．

4　腸脛靱帯炎 runner's knee

■発生機序

腸脛靱帯と大腿骨外側上顆との摩擦により炎症が生じる典型的なオーバーユースシンドロームである．ランニングなど膝関節の屈伸を繰り返す動作，内反膝は発生要因の一つと考えられている．

■症状，所見

膝関節外側上部に圧痛，運動痛を認める．

■徒手検査

グラスピングテスト grasping test：膝関節屈曲位で大腿骨外側上顆部よりやや近位部の腸脛靱帯を圧迫しながら膝関節を伸展させると，炎症部位（大腿骨外側上顆部）に疼痛が誘発される．

392 第Ⅲ章 各 論

■治療法

患部の安静を保ち，物理療法や腸脛靱帯のストレッチを行う．

5 鵞足炎

■発生機序

縫工筋，薄筋，半腱様筋の付着部（脛骨粗面の内側部）に繰り返される牽引や，脛骨内側部と鵞足との間にある鵞足包に摩擦が起こることで発生する．オーバーユースによって起こるが，外反膝も発生要因の一つと考えられている．

■治療法

患部の安静を保ち，鵞足構成筋のストレッチを行う．

6 膝蓋大腿関節障害

a. 膝蓋軟骨軟化症

膝蓋骨の関節軟骨に軟化，膨隆，亀裂などをきたす疾患で，比較的若年者（15〜30歳）に好発する．原因は明らかでないが，何らかの力学的異常が発症に関与するといわれている．

■症状，所見

運動時や階段の昇降時に膝前方の疼痛を訴える．

■徒手検査

膝蓋骨グラインディングテスト patellar grinding test：膝関節軽度屈曲位で膝蓋骨を大腿骨に圧迫しながら上下，左右に動かすとざらざらした感じを触知し，疼痛が誘発される．

■治療法

階段昇降やしゃがみ込みなど，膝蓋大腿関節に負荷がかかる動作を禁じる．膝関節伸展位での大腿四頭筋筋力増強訓練や温熱療法を行う．疼痛が激しく，跛行など日常生活に支障のある場合には観血療法の適応がある．

b. 滑膜ヒダ障害（タナ障害）

胎生期に関節内に存在する滑膜隔壁の遺残したものは滑膜ヒダと呼ばれ，膝関節内には膝蓋上滑膜ヒダ，膝蓋下滑膜ヒダ，膝蓋内側滑膜ヒダ，膝蓋外側滑膜ヒダの四つが存在する．主に臨床的な障害を伴うのは膝蓋内側滑膜ヒダで，膝関節の屈伸で内側膝蓋大腿関節内に挟まれ，疼痛を主とする症状を呈する．若い女性に好発する．

■症状，所見

運動時に膝蓋骨内下縁に疼痛，違和感を訴え，同部に圧痛がある．膝関節屈伸でクリックを触知し，著しいときは雑音を聞くことがある．

■治療法

包帯固定，運動の中止などによる局所の安静が基本となる．保存療法で症状が改善せず，頑固な疼痛，嵌頓症状が残存する場合は関節鏡視下で切除する．

c. 膝蓋大腿関節症

膝蓋大腿関節症は，脛骨大腿関節には変性所見は少なく，主病変と症候が膝蓋大腿関節にある

ものをいう．明らかな原因のない一次性のものと，膝蓋骨骨折や脱臼などの外傷後に発生する二次性のものがある．

■症状，所見

坂道や階段昇降時に膝蓋骨周囲に疼痛を訴える．動作時に軋音を伴い，しゃがみ込みや立ち上がり動作が困難となる．

■徒手検査

膝蓋骨を大腿骨に圧迫しながら膝を屈伸させると，ざらざらした感じを触知し，疼痛が誘発される．

■治療法

階段昇降やしゃがみ込みなど，膝蓋大腿関節に負荷がかかる動作を禁じる．大腿四頭筋強化訓練，大腿周囲筋のストレッチなどの保存療法を行うことで症状は軽快する．難治例で疼痛が強く，日常生活が著明に制限される症例は観血療法の適応がある．

7 膝周囲の関節包，滑液包の異常

膝関節周辺には滑液包が多く存在しており，機械的刺激によりしばしば炎症が生じ，膝関節痛の原因となることがある．臨床上炎症を起こしやすい滑液包を以下に記載する．

a. 膝蓋前皮下包

膝蓋骨の前面で，皮下に存在する．しばしば炎症を起こして膝蓋前方に波動を伴う．

b. 脛骨粗面皮下包

膝蓋靱帯の付着部から脛骨粗面の前方にかけての皮下に存在する滑液包で，ひざまずいた姿勢で仕事をする人にしばしば炎症が起こる．

c. 腓腹筋半膜様筋包

腓腹筋の内側頭と半膜様筋との間に存在し，しばしば膝窩に巨大な腫瘤となる．これを膝窩嚢腫（ベーカー Baker 嚢腫）という．

d. 側副靱帯滑液包

非常に小さな滑液包で，内側側副靱帯や外側側副靱帯の下に存在する．まれに大きくなり，骨内に進入して骨内ガングリオンとなることがある．

8 神経の障害

a. 総腓骨神経麻痺

総腓骨神経が腓骨頭近傍で圧迫されて起こる．原因はギプス固定や牽引療法中の下肢台による外部からの圧迫がもっとも多く，膝関節周囲の外傷やガングリオンなどでも起こる．足関節や趾の背屈筋の筋力低下により下垂足を生じる．また下腿外側から足背の感覚障害，腓骨頭後方部の圧痛，チネル徴候を認める．

外部からの圧迫が明らかな場合はそれを除去する．下垂足に対しては短下肢装具を装着させる．腫瘤など明らかな病変がある場合は観血療法の適応がある．

394　第Ⅲ章　各　　論

b. 伏在神経麻痺(ハンター Hunter 管症候群)

　　伏在神経は，内転筋管の貫通部，縫工筋腱後方で膝蓋下枝，鵞足部周辺で内側下腿皮枝が障害されるなど様々な報告がみられる．主訴の多くは膝内側部の疼痛で，スポーツ活動時，階段昇降や起立動作，しゃがみ込み動作などで疼痛が増強したり，夜間痛を訴えたりすることがある．他覚所見として関節裂隙より 7～12 cm 近位部に圧痛点が，膝蓋下枝の領域に感覚障害をみるものがある．内側半月損傷，滑膜ヒダ障害，膝蓋軟骨軟化症，変形性膝関節症などとの鑑別や合併に注意する．

D・下腿部の軟部組織損傷

1 アキレス腱炎，アキレス腱周囲炎

　　アキレス腱の障害は，腱自体の炎症であるアキレス腱炎とアキレス腱を包むパラテノン(腱傍組織)の炎症であるアキレス腱周囲炎に区別されるが，臨床所見から両者を鑑別するのは困難である．

■発生機序

　　ランニングなどによりアキレス腱部に繰り返し外力が働くことで発生する．踵骨軸の外反，外反扁平足などの足部のアライメント不良，下腿三頭筋の伸長性低下などは発生の要因となる．

■治療法

　　足底板の挿入，下腿三頭筋のストレッチ，運動制限など，原則として保存療法が行われる．

2 アキレス腱断裂

　　スポーツ活動によって発生することが多く，跳躍動作の着地時に好発する．発生には腱の変性が関与するといわれ，中年以降に多くみられる．腱の断裂によって歩容の変化など機能障害をきたす．

■分　類

　　(1)不全断裂

　　(2)完全断裂(多い)

　　[●断裂部位はアキレス腱狭小部がもっとも多く，次いで筋腱移行部の断裂が多い．]

■発生機序

　　跳躍動作の着地時など，アキレス腱に強い張力が加わった際に発生する．

■症状，所見

　　受傷時に断裂音(pop 音)の聴取や，「バットで叩かれたような」「ボールがぶつかったような」といった感覚があったと訴えることが多い．アキレス腱断裂部が陥凹して下腿三頭筋に力が入らない．疼痛は一般に軽微であるが歩行は困難となり，踵から接地してつま先で床を蹴るような通常の歩行は不可能である．足関節(底屈)，趾の屈曲運動は長趾屈筋，長母趾屈筋，後脛骨筋の作用により可能であるが，つま先立ちは不能である．断裂部位の陥凹は出血の有無や経過時間などにより触知がむずかしくなる場合がある．

■徒手検査

トンプソン Thompson テスト(☞付録参照).

■治療法

膝関節軽度屈曲位,足関節最大屈曲位(受傷初期)として大腿中央から足 MP 関節手前まで副子固定を行う.症状の経過にあわせて膝下からの固定に変え,足関節は徐々に自然下垂位,中間位へと移行する.筋萎縮や筋力低下の防止を目的に,受傷後早期から物理療法,手技療法および等尺性収縮運動を行う.腱の癒合状況を見て,自動運動,抵抗運動を開始し,歩行訓練を開始する.6ヵ月間は腱の再断裂に注意する.

アキレス腱はパラテノンを介して直接血行が得られるので,他の腱に比べて修復力が旺盛である.スポーツ選手では観血療法が行われることが多く,保存療法に比べ競技までの復帰は若干早い.

3 下腿三頭筋の肉ばなれ

下腿三頭筋の肉ばなれは二関節筋である腓腹筋の内側頭筋腹からアキレス腱への筋腱移行部に好発し,テニスレッグ tennis leg と呼ばれている.剣道,テニス,バドミントンなど踏み込み,踏ん張りが多い競技に多く,陸上競技では中距離,長距離,マラソンと距離が長くなるにつれて発生頻度が高くなる.また,30 歳を境に年代が高くなるほど発生頻度が高くなる.ゴルフでの損傷が多いのは競技特性よりも加齢の影響が大きいと推測される.

■発生機序

剣道の踏み込み時など,膝関節伸展位での足関節の伸展(背屈)で腓腹筋に遠心性収縮が起こるときに発生する.長距離走などでは筋疲労が基盤となって発生する.

■症　状

下腿中央部内側に腫脹と圧痛を認め,断裂があれば陥凹を認める.受傷翌日以降には皮下出血斑が出現することが多い.足関節の他動的伸展(背屈)強制や,抵抗下での自動的屈曲(底屈)で疼痛が誘発される.

■治療法

他の肉ばなれと同様.重度損傷では観血療法もあるが,それ以外は保存的に十分なアスレチックリハビリテーションを行うことにより回復する.

損傷初期は重症度に関係なく RICE を行い,リハビリテーションは急性期症状が落ち着いたら(受傷後 3〜5 日後)開始する.

■鑑別診断

アキレス腱断裂

4 下腿部のスポーツ障害

a. 過労性脛部痛(脛骨過労性骨膜炎,シンスプリント shin splint)

■発生機序

ランニング,ジャンプ,ターン,ストップなどに伴う反復運動により,下腿後面内側筋群の伸

長性低下が起こり，その筋群の牽引により脛骨骨膜に損傷や炎症をきたす．足部の衝撃吸収能の低下や，回内足や扁平足，膝外反などのアライメント異常は発生要因となる．

■症状，所見

脛骨内側後縁部に沿った疼痛と圧痛，運動痛を主訴として，足関節の伸展時痛，抵抗運動痛もみられる．単純X線像で異常所見がみられないのが特徴で，時間の経過した症例では疲労骨折との鑑別が可能である．

■治療法

急性期は原因となった運動の中止とアイシング，下腿後面内側筋群のストレッチや手技療法を行う．急性期を過ぎたものは，温熱療法を筋のスパズムや腫脹軽減目的で行い，同時に下腿三頭筋のストレッチを行う．足関節周囲筋の筋力増強訓練も疼痛のない範囲で開始する．

回復期には正しい動きの再獲得を目的としたトレーニングを行う．

E・足関節部の軟部組織損傷

1 足関節捻挫

足関節の捻挫は日常的にみられる外傷の一つである．

a. 外側靱帯損傷

足部を内がえしすることで発生する．前距腓靱帯の単独損傷がもっとも多く，踵腓靱帯と後距腓靱帯の合併損傷もある．前距腓靱帯は足関節の内転を制動する機能は少なく，距骨の前方移動や底屈の制動に関与している．足関節の内転は踵腓靱帯で制動し，後距腓靱帯は距骨の後方移動を制動する．

■症状，所見

受傷直後は疼痛のため起立不能になることがあるが，しばらくして歩行可能になるものが多い．足関節外側部に疼痛，腫脹がみられるが，損傷の程度とは必ずしも一致しない．数日後，外果下方に皮下出血斑の出現するものもある．

受傷時の肢位を強制すると疼痛が誘発されるが，屈曲（底屈）位での疼痛増強は前距腓靱帯，中間位での疼痛と不安定性は踵腓靱帯の断裂を疑う．また下腿遠位部を固定して足関節を軽度屈曲（底屈）し，内側靱帯の前脛距部と脛舟部を弛緩させる目的で内転して距骨を前方に引き出すことで不安定性があれば前距腓靱帯断裂（前方引き出しテスト），後方への不安定性は後距腓靱帯断裂が示唆される（後方引き出しテスト）．それぞれの靱帯の状態は「損傷の程度による分類」（☞ p.59参照）で評価するが，複数の靱帯で構成される外側靱帯損傷では，前距腓靱帯単独損傷，前距腓靱帯と踵腓靱帯損傷，前距腓靱帯と踵腓靱帯と後距腓靱帯損傷と分類する考え方もあり，単純X線像での内反動揺検査が指標に用いられている．

■治療法

初期には損傷度の軽重に関係なく，RICE処置の原則に従い冷罨法を行い，外果部に圧迫枕子をあて，包帯固定および高挙とする．損傷程度によってテーピング，厚紙副子，プラスチックシーネ，金属副子などで固定する．2~3週後，固定を除去して腫脹の状況や不安定性を確認する．

部分断裂では約3週の固定後，サポーターやテーピングを使用して後療法を行う．完全断裂では約6週の固定が必要である．

固定除去後も不安定性の強いものや，若年者で活動性の高い患者には，観血的に靱帯修復術が行われる．

■後療法

急性症状が消退すれば物理療法，手技療法を行い，固定中から足関節部の等尺性収縮運動を行わせる．とくに足指部の運動療法は早期から行わなければならない．

固定除去後は関節拘縮防止のため，物理療法，手技療法の後，足関節伸展（背屈），屈曲（底屈）の自動運動を指導し，長・短腓骨筋，第3腓骨筋の強化によって外がえし運動の回復を図る．

スポーツ選手は再発防止のため，受傷後3～6ヵ月，サポーターまたはテーピング固定をしてスポーツを行わせる．

固定の不備や固定期間の不足のため，靱帯の癒合が十分でない場合には足関節は不安定で動揺性を残し外傷性関節症となるので注意を要する．

b. 内側靱帯（三角靱帯）損傷

格闘技や芝生の上で行うコンタクトスポーツで発生することが多い．

受傷機序は，足部外転，外がえし外力によることが多い．外側の靱帯に比べ強靱で，しばしば内果の裂離骨折となる．損傷部は受傷肢位により各線維が様々な程度で損傷を受ける．脛腓靱帯結合部の損傷を合併して脛腓骨間の離開を伴うものは完全断裂している場合が多い．

■症状，所見

内果およびその下方の腫脹と疼痛がみられ，荷重できないことが多い．脛腓靱帯結合部損傷を合併した場合，単純X線像で脛腓骨間の離開，内果関節裂隙の開大がみられる．

■治療法

（1）三角靱帯の部分損傷で脛腓靱帯結合部に損傷がなければ保存療法の適応がある．

（2）三角靱帯の完全断裂で脛腓靱帯結合部に損傷を伴う場合は観血療法の適応がある．

いずれの場合も荷重制限が必要である．

■指導管理

アクシデントとしての要素が強く予防はむずかしいが，足関節の柔軟性の維持や競技場のサーフェイスに合った靴の使用は重要である．

c. 脛腓靱帯結合部損傷

前脛腓靱帯の損傷頻度が高い．受傷機序は主に距骨の外転，外旋，背屈強制で，底屈＋軸圧でも発生する．単独損傷は少なく，果部骨折や内側靱帯損傷に合併するため荷重不能例が多い．前距腓靱帯損傷との合併例や単独損傷では見落とす事例がみられる．

■症状，所見

受傷時に下腿近位部まで痛みが走ったという訴えや，前脛腓靱帯部の圧痛，他動的な足関節の背屈や外旋時の疼痛増強，下腿中央部を内外側から挟み圧迫すると脛腓靱帯結合部に疼痛を訴える（squeeze test 陽性）（図 3-3・8）．

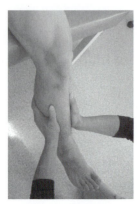

図3-3・8 脛腓靱帯結合部損傷の検査法（squeeze test）

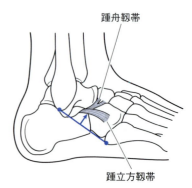

図3-3・9 二分靱帯と踵骨前方突起
二分靱帯や踵骨前方突起の圧痛点の目安として，外果と第5中足骨基部を結ぶ線の中点から2横指前方あたりに存在する．

■治療法

脛腓骨間の離開により距腿関節の不安定性が出現するため，観血療法の適応となるものがみられる．

d．二分靱帯損傷（ショパール関節の外側：踵骨と舟状骨ならびに立方骨を結ぶ靱帯）

踵立方関節の背側には，背側踵立方靱帯および二分靱帯が付着している．受傷機序は足部の内がえし，または前足部内転が強制されることで発生する．前距腓靱帯損傷との合併や，踵骨側（前方突起部）の裂離骨折との鑑別が重要である．損傷部に圧痛があり（図3-3・9），損傷初期には腫脹が限局していることが多いが，経時的に広がる．

治療は RICE の原則に従う．強固な固定を必要とすることは少ない．歩行時や荷重時に足底板やテーピングでアーチを補強するなどして疼痛が出ないよう固定を工夫する．通常は2週程度で疼痛・腫脹ともに消退する．

2 足関節捻挫の類症鑑別

a．距骨滑車の骨軟骨損傷

外傷の有無により骨軟骨骨折と離断性骨軟骨炎に分ける．

（1）骨軟骨骨折は，主に距骨の内転外力により発生する．荷重時の足関節に，屈曲（底屈）と内転が強制されると滑車の内側後方が脛骨関節面と衝突し，伸展（背屈）と内転強制では滑車の外側前方が腓骨の外果内側関節面と衝突し発生する（図3-3・10）．足関節外側靱帯損傷や外果骨折を合併することが多く，急性期にはこれらによる症状が著しいことから，骨軟骨骨折による症状は見落とされやすいので注意する．

単純X線像では診断が困難なことが多い．離断が生じた場合はCT像，軟骨だけの損傷や完全離断にいたっていない場合にはMRI像が有効である．サッカー，バレーボールによる報告があるが種目による特異性は報告されていない．

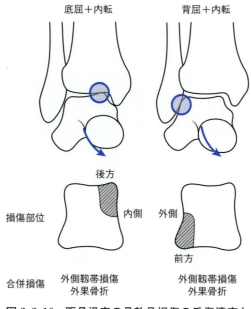

図 3-3・10　距骨滑車の骨軟骨損傷の受傷機序と損傷部

(2) 離断性骨軟骨炎は，明確な外傷の既往がない．病因としては，関節面に加わる反復ストレスや，軟骨下骨層での血行障害による部分的な骨壊死などが考えられるが，いまだ不明な点が多い．

b. 足根洞症候群

多くは足部損傷の既往歴がある．足関節捻挫後，経時的に後足部の倦怠感や不安定感，足根洞の外側開口部の圧痛が残存することがある．不整地での立位や歩行によって疼痛は増強する．足根洞内には固有感覚受容器が豊富に存在することから，距骨下関節の不安定性の関連性が示唆されている．足根洞を中心として足の外側に疼痛があり，同部位に局所麻酔薬（ステロイドを加えることもある）を注射すると劇的に症状が改善することがある．

c. 腓骨筋腱脱臼

■概　説

外果後方を通過する腓骨筋腱が外果を乗り越え前方へ逸脱する．長腓骨筋腱の単独脱臼が多い．

■分　類

(1) 先天性脱臼
(2) 後天性脱臼 ｛外傷性脱臼　非外傷性脱臼

■発生機序

1. 外傷性脱臼

足関節の外がえしに伴い発生するといわれるが，内がえしによって発生するとの説もある．

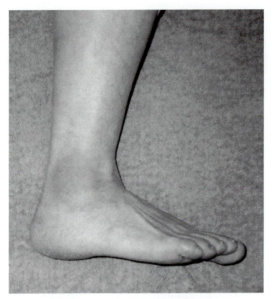

図 3-3・11　外傷性腓骨筋腱脱臼

2. 非外傷性脱臼

　足関節を外がえしすることにより，長腓骨筋腱が外果の前方へ移動する．上腓骨筋支帯の欠損や腓骨筋腱溝形成不全などの素因があるものが多い．

■**症　状**

1. 外傷性脱臼

　上腓骨筋支帯の損傷を合併するため外果部周辺の疼痛，腫脹は著明である（図 3-3・11）．

2. 非外傷性脱臼

　外がえしの肢位を中間位へ戻すと逸脱した腱は外果の後方へ復位する（図 3-3・12）．

■**鑑別診断**

　足関節の外側靱帯損傷，外果骨折と鑑別する．

d. 衝突性外骨腫 impingement exostosis, footballer's ankle

　脛骨と距骨の衝突，いわゆる前方インピンジメントにより形成される骨棘のことで，足関節靱帯損傷後の不安定性に起因し，サッカーやバスケットボールの選手に発症が多い．骨棘は脛骨遠位端前方，距骨滑車と距骨頸部の境界付近に生じるが，骨棘が確認されても疼痛や可動域制限を生じないことも多い．このため骨棘の存在自体が症状の原因ではなく，肥厚，増殖した関節包などの軟部組織が足関節伸展（背屈）時に骨棘に挟み込まれ，足関節前面の疼痛や腫脹，伸展（背屈）制限などを認めると考えられている．骨性隆起を触知することもある．

　足関節の不安定性や最大伸展（背屈）・屈曲（底屈）時に疼痛がある場合は，スポーツ活動を制限し，ストレッチ，テーピングや足底板などで治療する．疼痛が強く可動域制限も大きい場合は観血療法の適応がある．靱帯損傷後の短期間に急速に進行する例もあり，靱帯損傷の治療を確実に行うことが発症の予防となる．

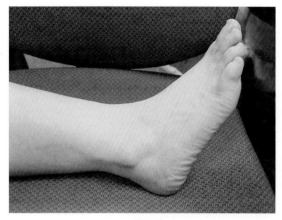 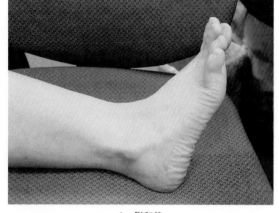

a. 脱臼前　　　　　　　　　　　　　　　b. 脱臼後

図 3-3・12　非外傷性脱臼

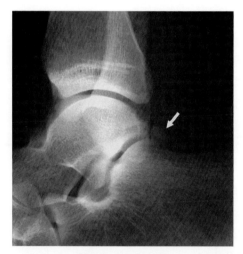

図 3-3・13　三角骨

[((公社)全国柔道整復学校協会 監，松下隆，福林徹，田渕健一 編：整形外科学 改訂第4版，p. 254，南江堂，2017 より引用]

e. 三角骨障害

　距骨後外側の過剰骨である三角骨が，足関節の最大屈曲(底屈)時に脛骨遠位端部後縁と踵骨に挟まれる，いわゆる後方インピンジメントで発症し，バレエダンサー，サッカー選手に好発する．足関節の靱帯損傷後に発症することが多く，既往の有無を聴取することも重要である．足関節後面の疼痛と可動域制限を認める症例には，長母趾屈筋腱の損傷や腱鞘炎もあり鑑別が必要である(図 3-3・13)．

　スポーツ活動の制限，ストレッチ，テーピングなどで底屈を制限するが，疼痛が強く可動域制限も大きい場合には観血療法の適応がある．

402 第Ⅲ章 各 論

f. その他

距骨外側突起骨折，小児期の腓骨遠位骨端軟骨損傷

F・足・趾部の軟部組織損傷

1 中足部から後足部の有痛性疾患

a. セーバー Sever 病

踵骨に発生する骨端症で，10歳前後の男子に多い．運動の制限などにより症状は改善し，予後は一般的に良好である（詳細は『整形外科学』を参照）．

b. アキレス腱滑液包炎

■**発生機序**

長時間の歩行などにより，滑液包がアキレス腱との摩擦あるいは圧迫刺激を受け炎症を起こす．靴との関連性が強く，従来は欧米人に好発していたが，現在ではわが国でも頻繁にみられる疾患の一つである．

■**症状，所見**

（1）アキレス腱付着部の圧痛，歩行痛がある．

（2）革靴など不適合な靴により症状が増悪する．

（3）アキレス腱付着部に母指頭大の腫瘤を触れる場合がある．

■**治療法**

物理療法，局所の安静，靴の指導など，保存療法が原則となる．

c. 有痛性外脛骨

足の舟状骨内側に存在する過剰骨が疼痛の原因となる疾患．外脛骨の出現率は10〜20%といわれる．有痛性外脛骨は10〜15歳の女性に多く，体重増加，運動量の増加などが関係するといわれている．同部位には内側縦アーチの保持に関与する後脛骨筋が付着しており，扁平足のある患者に発生しやすい（図3-3·14）．

■**発生機序**

（1）運動量増加に伴い，徐々に疼痛が出現する．

（2）関節の捻挫などの外傷を契機として出現するものの多くは成人期に発症する．

■**症状，所見**

足部内側に骨性隆起を認め，局所に圧痛，発赤，熱感がみられる．靴を履くと同部位が圧迫されて痛みを訴える．

■**治療法**

保存療法では運動の制限，物理療法，足底板の挿入などが行われる．観血療法では外脛骨の摘出術が行われる．

d. 踵骨棘および足底腱膜炎

踵骨棘とは単純X線側面像で踵骨隆起内側突起に棘状の骨増殖を認める疾患をいう．中年以降に多く性差はみられない．骨棘の存在部位に圧痛が認められる．足底腱膜炎は足底腱膜の損傷

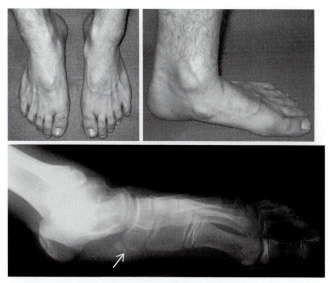

図 3-3・14 有痛性外脛骨
[米田病院のご厚意による]

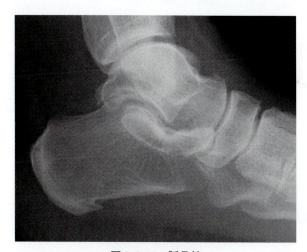

図 3-3・15 踵骨棘
[栗原整形外科のご厚意による]

で，圧痛部位は一般的に内側縦アーチ部に存在する．ランニングなどにより，外力が繰り返し足底腱膜に加わることで発生する．踵骨棘との直接的な関連性はないといわれる（図 3-3・15）．

■治療法

足底腱膜のストレッチや足底板の挿入などが有効である．

e. 第 1 ケーラー Köhler 病

足の舟状骨に発生する骨端症であり，3～7 歳の小児に好発する．単純 X 線像で舟状骨の硬化像と圧潰を認める（図 3-3・16）（詳細は『整形外科学』を参照）．

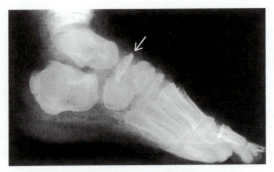
図3-3・16　第1ケーラー病の単純X線像
［中村耕三 監：整形外科クルズス，改訂第4版，南江堂，2003より引用］

f. 足根管症候群
足根管部で脛骨神経の枝が種々の原因により絞扼を受けて発生するものをいう．
■原　因
(1) 外傷（骨片，過剰な仮骨，腫脹，浮腫など）
(2) ガングリオンなどの占拠病変
(3) 足根骨癒合症
(4) 回内足
■症状，所見
足底部への放散痛や感覚異常，足根管部にチネル徴候を認める（☞付録参照）．
■治療法
保存療法が原則であり，回内足によるものは足底板を挿入する．保存療法の無効例や明らかな圧迫病変がある場合は観血療法の適応がある．

2 前足部の有痛性疾患
a. 外反母趾
外反母趾は第1趾がMTP関節で外反する変形である．女性の発生が多く，発生要因には種々の因子が考えられるが，ハイヒールなどつま先の細い靴，扁平足，開張足は大きな要因となる．
■症　状
第1趾MTP関節部に疼痛および外反変形がみられる．中足骨頭の内側突出に伴う滑液包の炎症と肥厚（バニオン＝腱膜瘤）が生じる．変形が強くなると，第1趾が第2趾の底側に入り込み，第2・3趾のMTP関節底側に胼胝を形成する．
■治療法
運動療法，物理療法および足底板の挿入（内側縦アーチの形成），靴の指導などを行う．変形が進行したものは観血療法の適応がある．

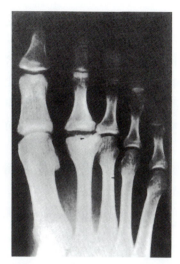

図 3-3・17　第 2 ケーラー病における第 2 中足骨頭の変形

[中村耕三 監:整形外科クルズス, 改訂第 4 版, 南江堂, 2003 より引用]

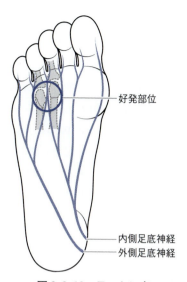

図 3-3・18　モートン病
内側・外側足底神経の枝が第 3・4 中足骨頭間を走行する.

b. 強剛母趾

第 1 趾 MTP 関節の変形性関節症であり, 中年以降の高齢者が多い. 同部位の外傷や形態異常によって発症するが, 痛風が原因となることもある. MTP 関節部の運動痛から始まり, 徐々に関節可動域制限(とくに背屈制限)が出現し, 骨性の隆起や圧痛も認められる.

c. 種子骨障害

第 1 趾には内側種子骨と外側種子骨の二つがあり, 種々の筋, 靱帯が付着している. 疾走や跳躍など繰り返される刺激により, 種子骨が存在する第 1 趾 MTP 関節近位部に, 圧痛, 荷重痛, 運動痛を認めるものを総称して種子骨障害という. 病態には種子骨の外傷性骨折, 疲労骨折, 分裂種子骨障害, 骨軟骨炎, 種子骨周囲炎などがある.

d. 第 2 ケーラー病(フライバーグ Freiberg 病)

第 2 中足骨頭に発生する骨端症であり, 10 歳代の女子に多い(図 3-3・17)(詳細は『整形外科学』を参照).

e. モートン Morton 病

足底神経の枝が中足骨頭間部において肥厚し, 絞扼されて起こる. 第 3・4 中足骨頭間で絞扼されることが多い(図 3-3・18). 中足骨頭間部の疼痛, チネル徴候, 末梢部の感覚障害がみられる.

3 扁平足障害

一般に内側縦アーチが低下したものを扁平足というが, 外反足, 外反扁平足, 横アーチの低下した横軸扁平足(開張足)などを総称することも多い. 足根骨骨折や足部損傷後の外傷性障害で

は，変形性関節症や軟部組織に起因した疼痛が残存するため予防に努める．様々な分類があるが，発生時期による分類(ホフマン Hohmann の分類)を基準にする．小児期扁平足は，基礎疾患を有する例を除き治療対象となることは少ない．思春期扁平足は，学童期以降の体重増加やスポーツ活動の活発化に伴い発症し，足部の倦怠感，ときに疼痛を訴える．また，距骨下に生じた炎症により腓骨筋などの外がえし筋群のスパズムを惹起し，著しい外反扁平足を呈する腓骨筋痙直型扁平足(peroneal spastic flat foot)も存在する．またシンスプリント，有痛性外脛骨，足底腱膜炎，種子骨障害に外反扁平足を合併していることが多い．

成人期以降の扁平足は肥満や加齢による筋力低下，腱，靱帯の脆弱化に起因する．後脛骨筋腱の機能不全が病態の中心と考えられており，同腱に沿った疼痛，腫脹を認める．

保存療法では足底板の挿入や体重管理など患部への負担軽減，足部内在筋や外在筋の運動療法を指導する．

参考文献

(五十音順)

1) 東威ほか編：関節リウマチ診察法，南江堂，東京，1993
2) 東博彦，阿部光俊，長　紹元，都築暢之，二ノ宮節夫：整形外科サブノート・改訂第4版，南江堂，東京，1996
3) 天児民和：整形外科学，金原出版，東京，1971
4) 綾仁冨弥：小整形外科学，金芳堂，京都，1981
5) 生田義和監訳：末梢神経の損傷と修復，廣川書店，東京，1991
6) 猪狩忠ほか：骨折治療の実際，金原出版，東京，1976
7) 池添誠祐：最新柔道整復理論教科書，池添整復学研修出版部，東京，1984
8) 岩本幸英：神中整形外科学・改訂第23版，南山堂，東京，2013
9) 井上一ほか：新　図説臨床整形外科講座　第4巻　胸腰椎，腰椎，仙椎，骨盤，メジカルビュー社，東京，1995
10) 小川和朗編：人体組織学1　概説・運動器，朝倉書店，東京，1988
11) 荻島秀男監訳，嶋田智明訳：カパンディ関節の生理学，医歯薬出版，東京，1986
12) 沖中重雄編：内科書，南山堂，東京，1979
13) 越智淳三訳：解剖学アトラス・第3版，文光堂，東京，2001
14) 越智淳三訳：分冊解剖学アトラスI，文光堂，東京，1995
15) 鬼塚卓彌監修，秦維郎，野崎幹弘編：標準形成外科学・第4版，医学書院，東京，2000
16) 小野村敏信，寺山和雄，渡辺　良編：整形外科外来診察，南江堂，東京，1995
17) 片山良亮：片山整形外科学，中外医学社，東京，1971
18) 金井良太郎：骨折脱臼の無血治療法，医歯薬出版，東京，1962
19) 金子丑之助原著：日本人体解剖学上・下巻，第19版，南山堂，東京，2000
20) 岸清，石塚　寛編：解剖学，医歯薬出版，東京，1995
21) 呉竹学園編：骨折・脱臼整復理論，1973
22) 黒田晃司，市川宣泰：ゴルフ骨折，体力科学26巻，182〜190，1977
23) 腰野富久ほか編：エッセンシャル整形外科・第2版，医歯薬出版，東京，1994
24) 後藤稠ほか編：最新医学大辞典・第2版，医歯薬出版，東京，1996
25) 榊田喜三郎：関節内骨折，金原出版，東京，1978
26) 榊田喜三郎編：骨折外傷シリーズNo.1，関節部骨折その1，南江堂，東京，1986
27) 榊田喜三郎，山本真監修：骨折・外傷シリーズ　脊椎の外傷その1，南江堂，東京，1986
28) 榊田喜三郎，山本真監修：骨折・外傷シリーズ　脊椎の外傷その2，南江堂，東京，1986
29) 桜井　修編：図説整形外科診断治療講座9. 骨盤・股関節の外傷，メジカルビュー社，東京，1990
30) 篠永正道：低髄液圧症候群(脳脊髄液減少症)，救急医学30巻，1825〜1829，2006
31) 島啓吾：骨折脱臼診療の実際，南山堂，東京，1964
32) 島啓吾：骨折脱臼，南山堂，東京，1964
33) 菅原勇勝：柔整後療法，メディカルプレス，東京，1985
34) 菅原勇勝：柔整捻挫，メディカルプレス，東京，1991
35) 菅原勇勝：柔整のための救急法，メディカルプレス，東京，1993
36) 鈴木勝己，渡辺　良編：整形外科外傷ハンドブック・改訂第2版，南江堂，東京，1986
37) 全国柔道整復師養成施設協会編：柔整理論，医歯薬出版，東京，1964
38) 関幸男ほか：胸椎骨折を合併し手術治療を行った胸骨折，日本呼吸器外科学会誌18巻6号，755〜758，2004

39) 高沢晴夫, 中嶋寛之, 秋本　毅：小児のメディカル・ケア・シリーズ, スポーツ障害, 医歯薬出版, 東京, 1983
40) 高橋庄二郎, 園山昇, 河合幹, 高橋宏編：標準口腔外科学・第2版, 医学書院, 東京, 2000
41) 田川宏ほか：リハビリテーション医学全書19, 骨折脱臼末梢神経損傷, 金芳堂, 京都, 1972
42) 田崎義昭, 斉藤佳雄：ベットサイドの神経の診かた・改訂第15版, 南山堂, 東京, 1994
43) 辻陽雄, 高橋栄明編：整形外科診断学, 金原出版, 東京, 1982
44) DePalma著（阿部光俊, 大野藤吾, 原勇監訳）：デパルマ図説　骨折脱臼の管理〔Ⅰ〕〔Ⅱ〕, 廣川書店, 東京, 1984
45) 特集　筋損傷：総合整骨9(3)：1992
46) 特集　腱損傷：総合整骨9(4)：1993
47) 特集　スポーツによる軟部組織の外傷と障害：整形外科, 46(8)：1995
48) 鳥居良夫：整骨学, 日本柔道整復師会, 三京印刷, 東京, 1979
49) 中永士師明ほか：上・中位胸椎脱臼骨折の臨床的検討, 整形外科45, 1757〜1761, 1994
50) 中島寛之：スポーツ外傷と障害, 文光堂, 東京, 1983
51) 中村耕三監修：整形外科クルズス・改訂第4版, 南江堂, 東京, 2003
52) 中村利孝・松野丈夫監修：標準整形外科学・第13版, 医学書院, 東京, 2016
53) 日本柔道整復師学術委員会編：整骨学, 三京印刷, 東京, 1977
54) 日本柔整学校協会編集：柔整臨床各論, 医歯薬出版, 東京, 1979
55) 根本正光：無血整復技法, 根本整骨研究会出版部, 1985
56) 蓮江光男：整形外科神経疾患ハンドブック, 南江堂, 東京, 1983
57) 服部一郎ほか：リハビリテーション技術全書・改訂第2版, 医学書院, 東京, 1984
58) 服部　奨編：頸椎症の臨床, 整形外科MOOK, 金原出版, 東京, 1983
59) 原勇, 山口祐司：図説整骨学, I. 上肢, 南江堂, 東京, 1982
60) 原勇, 山口祐司：図説整骨学, II. 頭部・脊柱・下肢, 南江堂, 東京, 1984
61) 福田宏明：図説臨床整形外科講座4, メジカルビュー社, 東京, 1982
62) Hoppenfeld S（津山直一監訳）：整形外科医のための神経学図説, 南江堂, 東京, 1996
63) 松崎昭夫編：新図説臨床整形外科講座9. 下腿・足, メジカルビュー社, 東京, 1994
64) 松本淳, 寺山和雄：関節疾患ハンドブック, 南江堂, 東京, 1986
65) 三浦隆行, 東　博彦, 酒匂　崇編：整形外科診断のすすめ方, 南江堂, 東京, 1990
66) 三浪明男専門編集, 佐々木秀直編集協力：最新整形外科学大系第22巻, 中山書店, 東京, 2007
67) 武藤輝一, 田邊達三監修, 小柳仁, 松野正紀, 北島正樹編：標準外科学・第8版, 医学書院, 東京, 1999
68) 村地俊二：骨折の臨床, 中外医学社, 東京, 1980
69) 森於菟, 平沢　興, 小川鼎三, 森　優：解剖学I, 金原出版, 東京, 1958
70) 森於菟ほか：分担解剖学, 第1巻, 金原出版, 東京, 1982
71) 森崎直木監修：整形外科・外傷学, 文光堂, 東京, 1982
72) 守屋秀繁編：膝関節靱帯損傷診療マニュアル, 金原出版, 東京, 1991
73) 山浦晶, 田中隆一, 児玉南海男編：標準脳神経外科学・第8版, 医学書院, 東京, 1999
74) 山内裕雄ほか編：今日の整形外科治療指針・第3版, 医学書院, 東京, 1995
75) 山本真, 林浩一郎編：整形外科診察ハンドブック・改訂第2版, 南江堂, 東京, 1987
76) 米田一平：骨折脱臼の整復と治療, 中部柔整専門学校編, 名古屋, 1972
77) Rene Cailliet（萩島秀男訳）：足と関節の痛み, 医歯薬出版, 東京, 1972

付　　録

解剖と機能
注意すべき疾患
関節可動域表示ならびに測定法
臨床徒手検査法
骨端核の発生と閉鎖

解剖と機能

【頭部，顔面部】

頭蓋骨(図1a)は外眼角耳孔線(orbitomeatal line，図1b)を臨床的指標にして脳頭蓋と顔面頭蓋に区分し，脳頭蓋はさらに頭蓋冠(円蓋部)と頭蓋底に分類される．脳頭蓋は後頭骨，蝶形骨，側頭骨，頭頂骨，前頭骨，篩骨で構成され，頭蓋外として外側から表皮，真皮，皮下組織，帽状腱膜，骨膜，頭蓋骨からなり，頭蓋内では，硬膜，硬膜下腔，クモ膜，クモ膜下腔，軟膜と層状に脳を取り囲んでいる(図2)．頭蓋底における孔，間隙と貫通する脳神経・血管を図3に示す．顔面頭蓋は下鼻甲介，涙骨，鼻骨，鋤骨，上顎骨，口蓋骨，頬骨，下顎骨，舌骨で構成され，可動性があるのは下顎骨と舌骨のみである．

顔面頭蓋は薄く腔所(含気部)を有し，脳や眼球などの重要臓器損傷を防ぐとともに，咀嚼力などに対応する支柱(梁)を構成している．頭蓋底，顔面頭蓋のほとんどは鼻腔や口腔などに接しているため，骨折を認めた場合には被覆軟部組織に創がなくても外界に接するという点では開放骨折であると

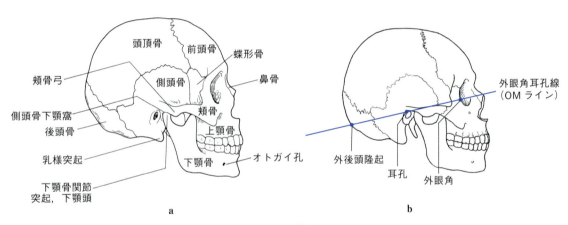

図1 頭蓋骨

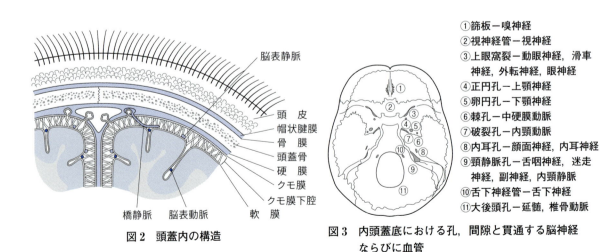

図2 頭蓋内の構造

図3 内頭蓋底における孔，間隙と貫通する脳神経ならびに血管

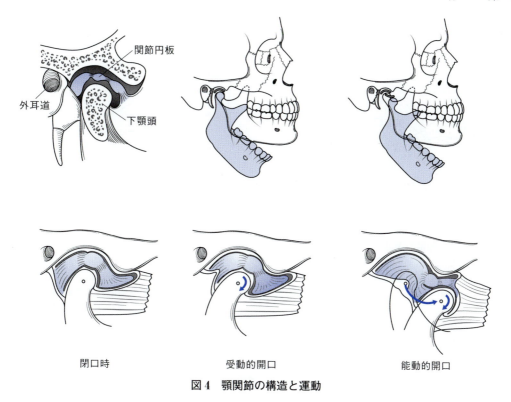

図4 顎関節の構造と運動

も考えられる．頭部の外皮は血行が豊富で，勢いよく出血しやすいのが特徴であるが，十分なドレナージで病原性微生物の排出ができれば粘膜の速い修復力により感染を起こすことは少ないとされている．

顎関節は下顎骨の関節突起の下顎頭と側頭骨の下顎窩で構成される関節で，関節円板を有し，関節包は非常に緩い．関節運動は，両側の関節を結んだ横線を基本軸とする蝶番運動と水平運動および関節突起の長軸を基本軸とした回旋運動が可能である．顎関節には関節窩と関節頭との間に関節円板がある．睡眠中やぼんやりと口を開けた状態での受動的な開口では，関節円板と関節頭との間での骨頭の蝶番運動のみが起こり，関節の基本軸は移動しない．一方，あくびや抜歯などで意識して大きく開口した状態での能動的な開口運動では，関節円板と関節頭との間で起こる骨頭の蝶番運動と，関節窩と関節円板との間で関節円板が前方に滑る運動が同時に起こり，関節の基本軸が前方に移動する（図4）．

【頸　椎】

頸椎は7個の骨からなり通常は緩やかな前方凸の生理的彎曲をしている．解剖学的な特徴から頸椎は C_1，C_2 からなる上位頸椎と C_3〜C_7 からなる中下位頸椎に分けられる．運動は頭部の回旋運動の50％以上，屈曲運動の約40％が C_1〜C_2 間で行われている（図5）．

C_3〜C_7 は形態的に類似しており，胸椎，腰椎と類似した運動性を示し，椎間関節は前後屈方向の動きを制御する（図6）．椎間関節は胸椎や腰椎に比べて可動域が大きいが，退行性変性を生じやすいという弱点も存在する．特徴はルシュカ関節の存在である（図7）．

頸椎は重い頭部を支えるため，安定性には靱帯，頸部筋群の役割が大きく関与する（図8，9）．

また，頸椎の機能には頸髄の保護もある（図10）．頸髄損傷のレベルが高位になるほど障害も重度

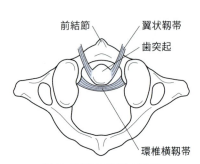

図5 環椎と軸椎の連結
C_1の前方脱臼を防止するような骨性構造はなく，歯突起後方にある環椎横靱帯がその防止機構の主体をなし，翼状靱帯が補強している．

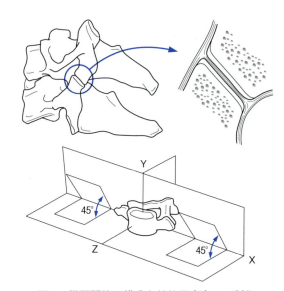

図6 椎間関節の構造と前後屈方向への制御
椎間関節は前後屈方向の動きを制御する．

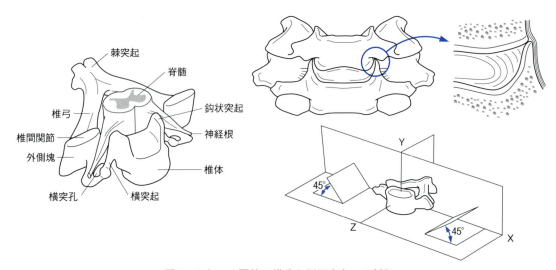

図7 ルシュカ関節の構造と側屈方向への制御
下位椎体上外方寄りにある鉤状突起とこれに面する上位椎体のくぼみからなり，側屈方向への運動と制御を担う．椎間孔の前壁をなし，神経根，椎骨動脈と密接するため臨床上重要な部位である．

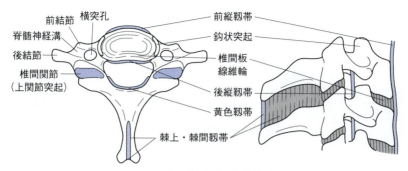

図8 中下位頸椎の靱帯構造
靱帯では前・後縦靱帯，椎間板線維輪，棘間・棘上靱帯，項靱帯が重要な役割を果たしている．

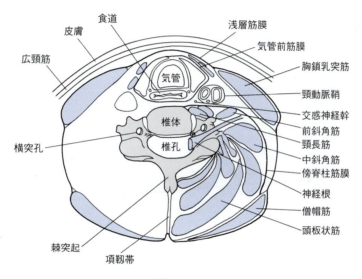

①横断面

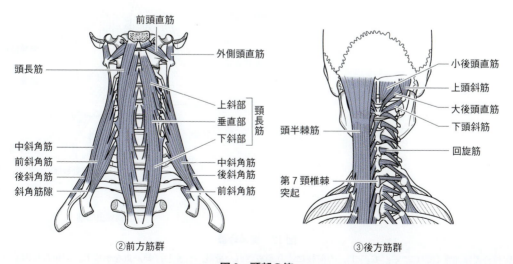

②前方筋群　　　　　　　　　　　③後方筋群

図9 頸部の筋

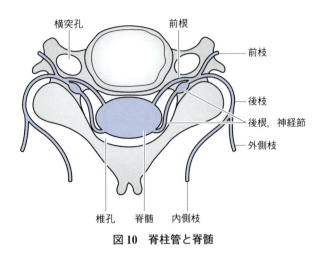

図10 脊柱管と脊髄

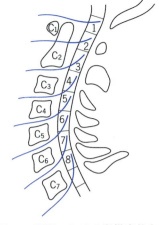

図11 頸椎における脊椎高位と脊髄節高位との関係

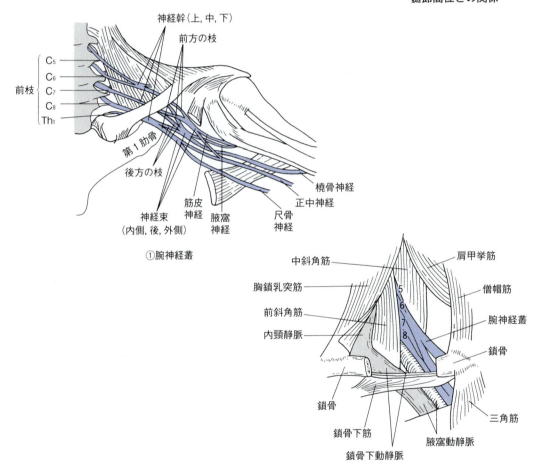

図12 腕神経叢

腕神経叢は通常 C_5, C_6, C_7, C_8, Th_1 の前枝により形成され, 分岐, 合流し, 幹, 束を形成し, 肩甲帯周囲筋へ運動枝を分枝して各末梢神経に分かれる.

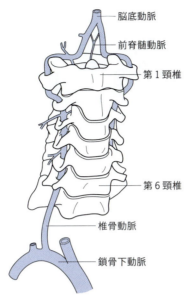

図13　椎骨動脈

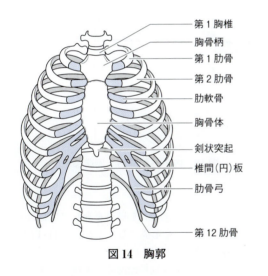

図14　胸郭

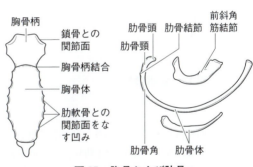

図15　胸骨および肋骨

となる．頸髄神経は8髄節存在する(図11)．また$C_1 \sim C_4$は頸神経叢を，$C_5 \sim T_1$は腕神経叢(図12)を形成する．各頸椎の横突起には横突孔があり，$C_1 \sim C_6$までの横突孔には椎骨動静脈を通している(図13)．

【胸・背部】

胸部には前面中央に胸骨，後面中央に胸椎があり，これに左右の肋骨が連結し，胸郭を構成(図14)して胸腔内臓器を保護している．

胸骨は扁平な骨で，胸骨柄，胸骨体，剣状突起からなり，胸骨柄結合(胸骨柄と胸骨体)と胸骨剣結合(胸骨体と剣状突起)で連結している．

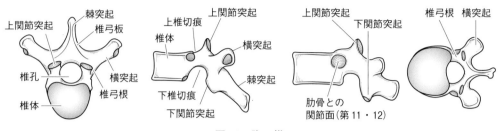

図16　胸　椎

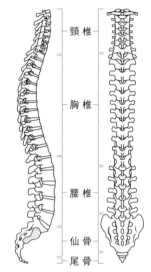

a. 脊柱の右側面　b. 脊柱の背面

図17　生理的彎曲

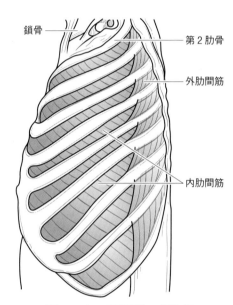

図18　内・外肋間筋　側胸部

　肋骨は左右に12対あり，肋硬骨と肋軟骨に分けられる．第1〜7肋骨は肋軟骨を介して胸肋関節で胸骨と連結し，第8〜10肋骨では肋軟骨が互いに結合して肋骨弓を形成する．また，第11・12肋骨は，肋軟骨に連結せず遊離しているため浮遊肋骨(浮肋骨)と呼ばれる(図15)．

　胸椎(図16)は12個あり，後彎していて可動性は少ない．上下胸椎は椎間関節で連結し，身体の支柱として生理的彎曲(図17)の一端を担う．また，肋骨と連結して肋椎関節をつくり胸郭の構成にも関与する．

　胸骨と肋骨で構成する胸肋関節には放射状胸肋靱帯や関節内胸肋靱帯などがあり，静的安定性を司る．また，浅胸筋の大小胸筋は，鎖骨や胸骨，肋骨から起こり，上肢運動時の動的な安定性や呼吸補助筋として作用しており，内・外肋間筋(図18)などの深胸筋は，呼吸筋として機能している．

　背部の軟部組織群の浅背筋群は，上肢帯と連動した運動を行い，固有背筋群の板状筋は，頭頸部の支持と運動を行う．体幹腰部とまたがり付着する深背筋(第2層)の脊柱起立筋は，脊柱全体の動的安定と運動を司り(図19)，胸腰椎の棘突起間に張った棘間靱帯や棘上靱帯などは静的支持と安定に働いている．

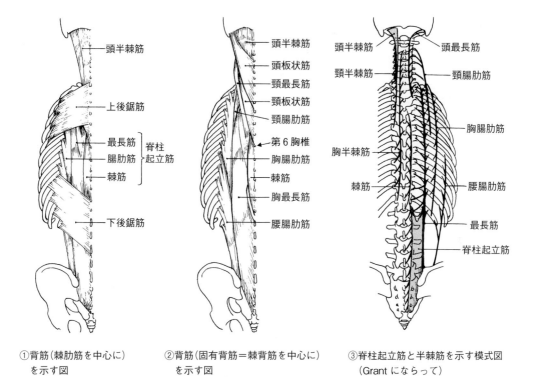

①背筋(棘肋筋を中心に)を示す図　②背筋(固有背筋=棘背筋を中心に)を示す図　③脊柱起立筋と半棘筋を示す模式図(Grantにならって)

図19　背部筋群

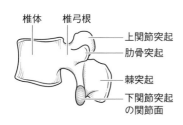 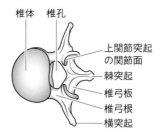

図20　腰椎

【腰部・仙骨部】

　腰椎(図20)は，5個あり頸椎および胸椎よりも大きい．

　上下の椎体間には椎間板があり，髄核，線維輪，軟骨終板の3部からなる．椎間板は弾力性に富み，脊柱の運動性と安定性に働き，負荷などの緩衝装置として作用する．椎孔には，脊髄および馬尾神経があり保護する．肋骨突起は，頸椎，胸椎にある横突起とは異なり，肋骨の遺残物であるが，臨床では横突起と称されることもある．肋骨突起は，下位腰椎で大きく発達し，第3腰椎が最長である．筋や靱帯が付着し，腰部の動的安定性や運動性に寄与している．棘上靱帯，黄色靱帯，棘間靱帯(図21)などの椎間靱帯群は，椎弓部の静的支持や安定性に働く．また，椎体の高さや棘突起列の体

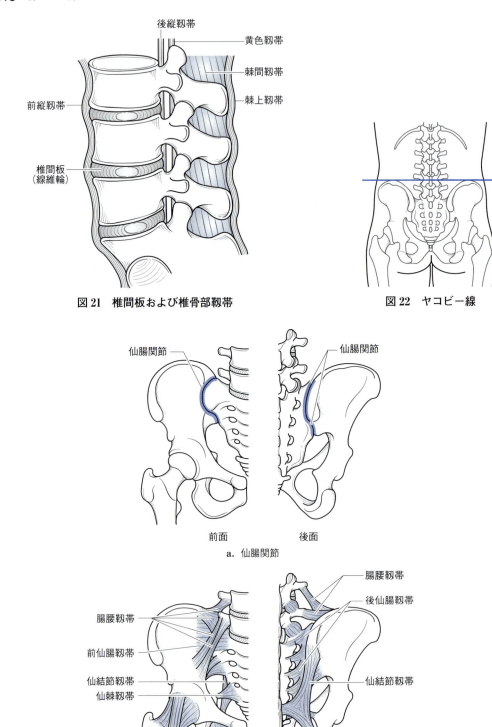

図21 椎間板および椎骨部靱帯

図22 ヤコビー線

a. 仙腸関節

b. 仙腸関節の靱帯

図23 仙腸関節および靱帯

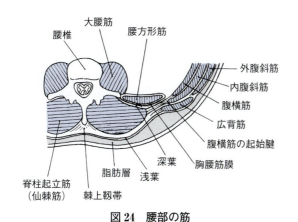

図 24　腰部の筋

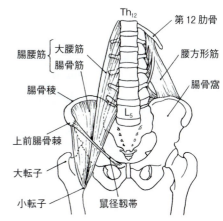

図 25　腸腰筋と腰方形筋

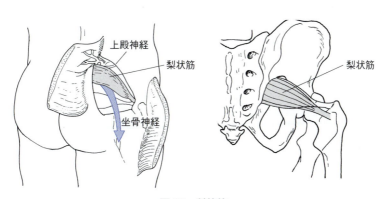

図 26　梨状筋

表指標として用いるヤコビーJacoby線(図22)がある．

　仙骨は，5個の仙椎の癒合骨で，第5腰椎と仙骨底で連結し，仙骨尖部は尾骨と連結する．仙骨の前後面には，4対の孔があり神経を通している．仙骨背側の正中仙骨稜は筋や靱帯の付着部となる．仙骨側面には仙骨耳状面があり，腸骨の耳状面と仙腸関節(図23)をつくる．この関節は，強靱な関節包と前仙腸靱帯，骨間仙腸靱帯，後仙腸靱帯などの靱帯群によって補強されている．

　一方，腰仙椎の安定性，運動性に働く脊柱起立筋群(図24)や，内・外寛骨筋群の大腰筋，腰方形筋は，腰椎部や仙腸部に付着している．これらの筋群は，中・小殿筋や大腿筋膜張筋とともに骨盤の前傾や，水平保持など動的安定に働いていて，骨盤と連動した運動(腰椎骨盤リズム)で，体幹と下肢機能の連携を司る．このうち腰方形筋は，腸骨稜から起こり，第12肋骨および第1～4腰椎の肋骨突起に停止する．大腰筋は，浅頭が第12胸椎から第4腰椎の椎体および肋骨突起から，深頭がすべての腰椎肋骨突起から起こり，大腿骨の小転子に付着している(図25)．また，深層にある梨状筋(図26)は，中・小殿筋，上双子筋，大腿方形筋などとともに大腿を外旋させる作用がある．

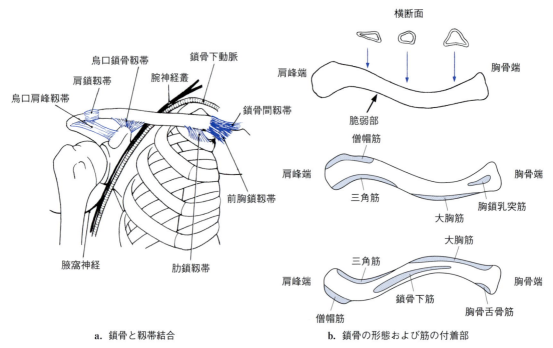

a. 鎖骨と靱帯結合　　b. 鎖骨の形態および筋の付着部

図27　鎖骨部の構造

【鎖骨部】
　鎖骨は長さ12〜15 cmのS字に彎曲した扁平な骨で両端に関節面を持ち，体表から全体を視診や触診ができる．肩関節運動に両端の胸鎖関節，肩鎖関節が連動する（図27，28）．鎖骨下には鎖骨下動脈，鎖骨下静脈，腕神経叢があり，第1肋骨とそれに付着する前・中斜角筋が構成する斜角筋隙を鎖骨下動脈と腕神経叢が走行する．

【肩関節部】
　肩関節は，解剖学的関節である肩甲上腕関節，肩鎖関節，胸鎖関節と機能的関節である肩峰下関節と肩甲胸郭関節が関与し広範な可動域を持つが，その反面不安定性を招きやすい（図29）．肩部の安定性は関節窩縁にある線維性軟骨の関節唇や腱板を主体とする肩部の筋群などによって保たれている（図30，31）．
　腱板（図32）は回旋筋腱板ともいわれ，前方から肩甲下筋，棘上筋，棘下筋，小円筋の四筋の腱からなり，各々の腱が一体になり上腕骨頭をおおっている．肩関節の運動は三角筋や大胸筋などで行われるが，その際に腱板が上腕骨頭を関節窩に引きつけることで肩関節の運動が円滑に行われる．
　上腕二頭筋は，烏口突起に起始する短頭と関節上結節に起始する長頭があり，橈骨粗面に停止する．上腕二頭筋長頭腱は，肩関節腔内を骨頭上部に沿って走り結節間溝に向かい，その中を通る．上腕横靱帯は小結節に付着する肩甲下筋腱の表層と線維を交え大結節につく．
　また，腋窩神経と後上腕回旋動脈はクアドリラテラルスペース（図33）の間を前方から後方へ抜ける．

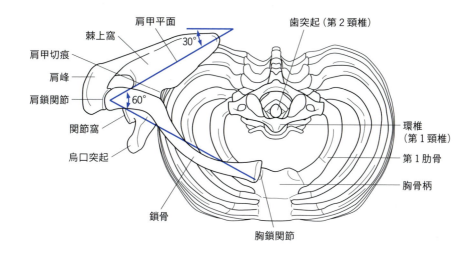

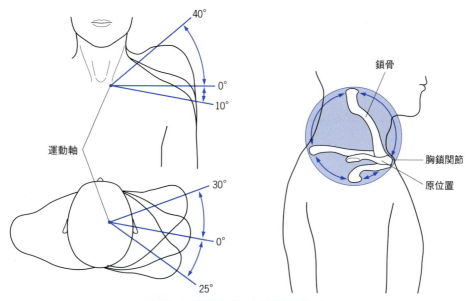

図28 肩甲帯の構成と鎖骨部の運動

【上腕部】

上腕骨頸部の頸体角は約135°で，上腕骨頭は肘関節に対して約30°後捻（後捻角）している（図34）．大腿骨の頸体角や前捻角と比べ臨床的な意義は低い．

上腕部には上肢帯や胸背部から様々な筋が付着しているため，骨折の際に損傷する部位によって転位の方向は，筋の作用に影響を受けることが多い（図35）．

主要な神経は上腕動脈ならびにその分枝と伴行する．正中神経は肘部にいたるまで上腕動脈の主幹と伴行する．外側腋窩隙から後方に出た腋窩神経は後上腕回旋動脈と，大円筋下縁から後方に出た橈骨神経は上腕深動脈と伴行しながら外側上腕筋間中隔を貫き屈側へ移動する．尺骨神経は上尺側側副動脈と伴行しながら内側上腕筋間中隔を貫き伸側へ移動する（図36）．

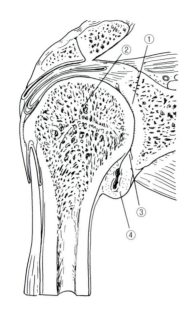

①関節窩
②骨頭
③関節唇
④関節包

▐▐▐▐▐ = 肋骨内側面
░░░░ = 肋軟骨

①肋骨頭関節, 肋横突関節(肋骨と脊柱との関節)
②胸鎖関節
③胸肋関節
④肋骨と肩甲骨間の機能的関節(肩甲胸郭関節)
⑤肩関節(肩甲上腕関節)
⑥肩関節上方の機能的関節(肩峰下関節)
⑦肩鎖関節

図 29 肩関節

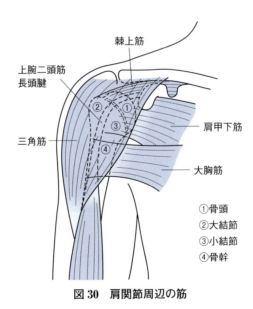

棘上筋
上腕二頭筋長頭腱
三角筋
肩甲下筋
大胸筋

①骨頭
②大結節
③小結節
④骨幹

図 30 肩関節周辺の筋

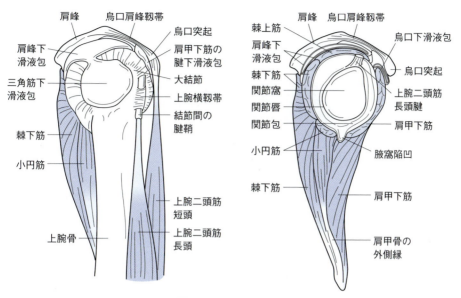

図 31　肩関節の構造

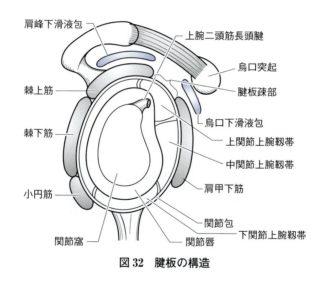

図 32　腱板の構造

【肘関節部】
　肘関節は上腕骨遠位端と橈骨，尺骨の近位端の間で形成される複関節で，三つの関節が一つの関節包に包まれている．屈伸運動とともに，尺骨を軸として橈骨が回転する前腕の回旋運動の近位端の支点となっている．関節包の前後面は柔軟で両側は強靭である．内側上顆と外側上顆は関節包外に位置する(図 37)．関節の安定性は骨の適合性に加え靭帯によるところが大きい(図 38)．
　肘関節は生理的外反を呈する．男性では約 5°，女性では 10〜15°で，小児や女性は大きい(図 39)．また，小児や女性の肘関節は過伸展することが多い．小児骨折の診断，整復の評価は，単純 X 線像

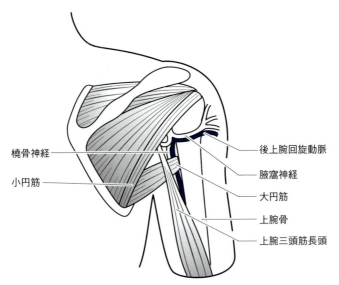

図33 クアドリラテラルスペース（後方四角腔または外側腋窩隙）
小円筋，上腕三頭筋長頭，大円筋，上腕骨内縁で囲まれたスペースを腋窩神経は前方から後方へ後上腕回旋動脈とともに抜ける．

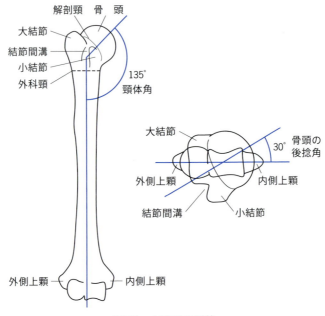

図34 上腕骨の形状

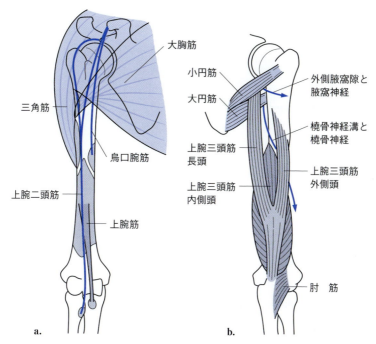

図35 上腕部の筋

a. 上腕屈側の筋
　三角筋と烏口腕筋の停止部下限はほぼ同じ高さになる．両筋停止部より遠位に上腕筋の起始部がある．

b. 上腕伸側の筋と神経
　小円筋の下縁を腋窩神経が後方に走る．
　上腕三頭筋は内側頭を土台に，長頭と外側頭が付いている．橈骨神経は大円筋の下縁を後方に走る．橈骨神経溝は内側頭と外側頭の筋付着部間にある．

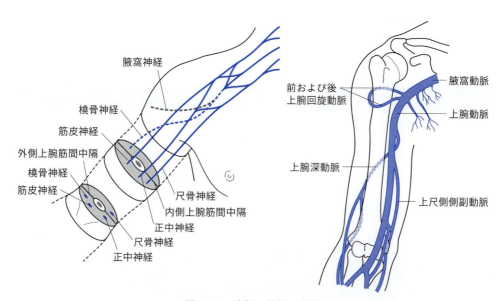

図36 上腕部の神経と動脈

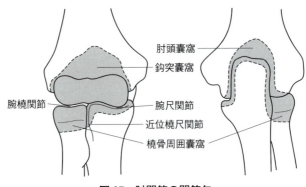

図37 肘関節の関節包

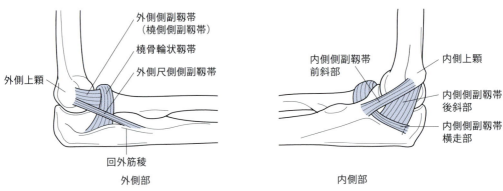

図38 肘関節部の靱帯

外側部：外側側副靱帯は主に輪状靱帯に付着していることから，二つの靱帯は共同して機能していると推測される．外側尺側側副靱帯は上腕骨と尺骨間に直接張ることから肘の内転と前腕過度回外を主に制動すると考えられているが，個体差が大きいという見解もある．

内側部：内側側副靱帯は前斜部，後斜部，横走部からなる．前斜部は内側の安定機構の中でももっとも重要で全可動域でいずれかの線維が緊張し外転を制動する．後斜部は外転制動の補助的な役割であるが，短縮すると肘関節屈曲を制限する．横走部は両部の尺骨付着部をつなぎ補強する役割と考えられる．

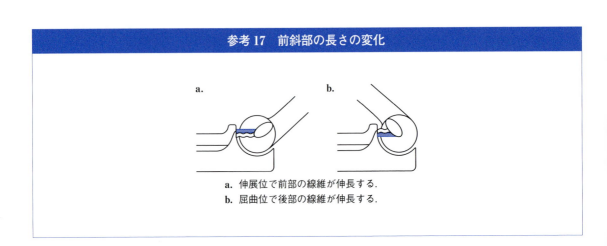

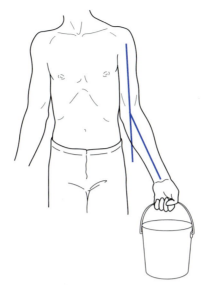

図 39　肘外反角
・上肢を解剖学的肢位にしたとき，上腕と前腕の軸は外反（＝生理的外反肘）を呈する．
・物を運搬するときにみられるため"運搬角（carrying angle）"とも呼ばれる．

による正確な診断が必要になる（図40）．
　肘関節が正常であるかを判断する基準として骨のランドマークを用いたヒューター線（図41），ヒューター三角（図42）がある．
　肘関節を通過する神経や血管は外傷，障害を受ける頻度が高い．上腕遠位内側部で上腕動脈と伴走する正中神経，内側上顆後方部で尺骨神経が触知可能である．神経の詳細は前腕部を参照（☞ p. 430 参照）．

【前腕部】
　前腕骨は橈骨と尺骨からなり，橈骨は転倒などで手部に受けた外力を主に受けるため，介達外力による骨折の頻度が高い．また付着筋も多く，筋による再転位にも注意を要する．尺骨は直達外力による損傷が多い．
　橈骨の骨幹部は彎曲しており，近位（上）・遠位（下）橈尺関節が共同して機能し，尺骨の周りを回旋する．両骨間にある前腕骨間膜には様々な機能がある（図43）．
　上腕動脈は肘窩を通過した後，橈骨動脈と尺骨動脈に分岐する．橈骨動脈は前腕橈側を下行して手根部にいたり，尺骨動脈は総骨間動脈を分枝したあと手根部にいたる（図44）．橈骨神経は通常，上腕遠位で腕橈骨筋，長橈側手根伸筋に運動枝を出したあと，肘関節前外方付近で浅枝と深枝に分かれる．深枝は回外筋の腱弓（フローゼFrohseの腱弓）を通過して後骨間神経となり，前腕背側で指伸筋，小指伸筋，尺側手根伸筋，長母指外転筋，短母指伸筋，長母指伸筋，示指伸筋を支配する．浅枝は手背部橈側の感覚を担当する．正中神経は上腕動脈とともに肘関節前面の上腕二頭筋腱膜下を走行する．その後，前腕近位部の円回内筋二頭間，浅指屈筋腱弓下を走行し，手根管に向かって下行する．この間，運動枝の前骨間神経を分枝し長母指屈筋，示指と中指の深指屈筋，方形回内筋を支配し，前腕遠位部で掌枝を分枝する．尺骨神経は，滑車上肘靱帯およびオズボーンOsborne靱帯で形

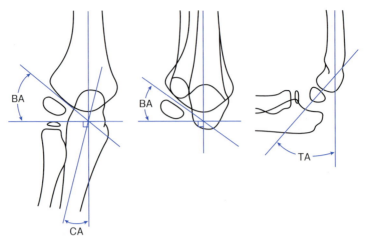

図40 肘の評価に用いられる単純X線像上の角

CA：carrying angle（上腕骨長軸に対する前腕骨長軸のなす角），運搬角（5〜10°）

BA：Baumann's angle（上腕骨長軸に垂直な線と外顆部骨端線に平行な線のなす角），約20°（10〜20°）

TA：tilting angle（上腕骨遠位端部の前方傾斜角），約45°

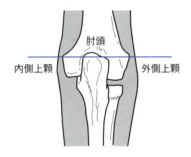

図41 ヒューター線
肘関節伸展位で後方から観察
内側上顆と外側上顆を結ぶ線をいう．
正常な場合，線上に肘頭が位置する．

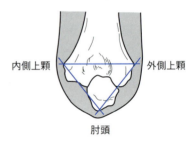

図42 ヒューター三角
肘関節屈曲位で後方から観察
内側上顆と外側上顆，肘頭を結ぶ三角をいう．正常の場合，肘頭を頂点とした下向きの二等辺三角形を形成する．

成される肘部管を通過し，尺骨動脈とともにギヨン管に向かう．この間，尺側手根屈筋，環指と小指の深指屈筋への筋枝ならびに手背枝などの感覚枝を分枝する（図45）．

単純X線側面像で橈骨頭の中心長軸と上腕骨小頭の中心が一致しない場合は腕橈関節の脱臼を疑う．尺骨の肘頭背側縁と遠位骨幹端縁を結ぶ線上に骨幹部全体が一致しない場合は，急性塑性変形による尺骨骨幹部の彎曲を疑い，その垂直最大距離をMUB（maximal ulnar bow）と表す（図46）．MUBの正常値は0 mmとされているが，健側と比較することが重要である．

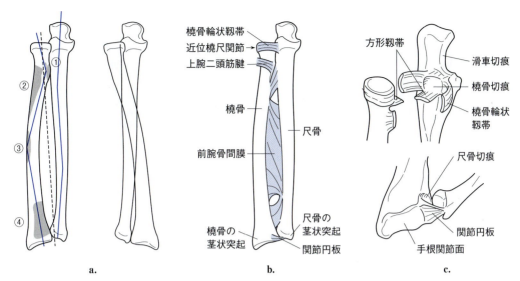

図43 前腕の機能と回内・回外

a．前腕両骨の形状は回内・回外を可能にする．とくに橈骨の形状は大きな意義を持つ．さらに，①上腕二頭筋，②回外筋，③円回内筋，④方形回内筋がその運動に有利な部位に付着する．破線は運動軸を示している．橈骨頭関節面は，回外位ではほぼ水平であるが，回内位では外方へ傾斜する．

b．骨間膜の機能として，橈尺骨間の支持性を中心に，伸筋群と屈筋群間の筋間中隔的な役割，筋の起始部，軸圧の分散・伝達，遠位方向への牽引力に抵抗するなどが推測される．

c．近・遠位橈尺関節：正常では回内・回外ともに約90°の可動域を持つが，両関節の連動により機能するため，一方が障害を受けると回旋運動が妨げられる．

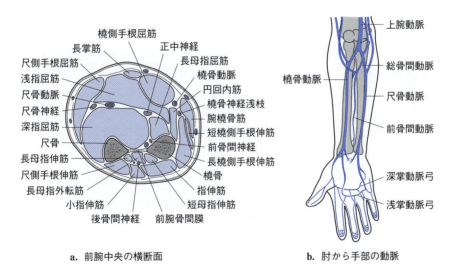

a．前腕中央の横断面　　　　b．肘から手部の動脈

図44 前腕の動脈と神経

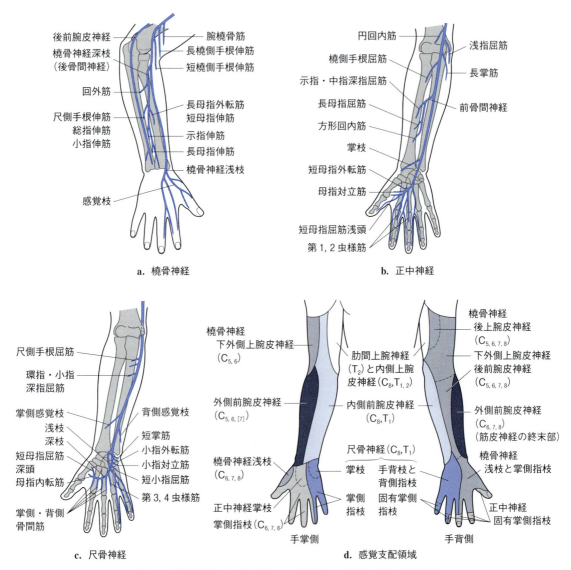

図45 橈骨神経，正中神経，尺骨神経の走行と感覚支配領域

【手関節部】

　手関節付近には遠位橈尺関節，橈骨手根関節，手根間関節などがある．橈骨遠位端には尺側への傾斜角と掌側傾斜角がある．橈骨遠位端の尺側縁と尺骨遠位端の橈側縁はほぼ同じ高さにあり，橈骨の長さに対する尺骨の長さの変異を尺骨バリアンスという．これらは，骨折などによる転位や整復位の評価に用いる(図47)．尺骨は手根骨とは直接関節せず三角線維軟骨を挟む(図48)．三角線維軟骨複合体(TFCC, triangular fibrocartilage complex)は手関節尺側の衝撃を吸収するクッションの役割と遠位橈尺骨間の動きを制御する役割を持つ．

　背側の伸筋支帯は六つの管に区画されて腱を通す．掌側には凹状の手根管と尺骨神経管(ギヨン管)があり，腱，血管，神経などが走行する(図49)．

　手の感覚領域は皮神経とともにデルマトームを理解しておく必要がある(図50)．

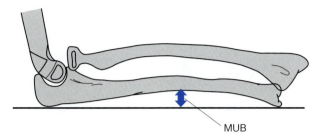

図 46　腕橈関節，尺骨の急性塑性変形の評価（小児の尺骨塑性変形と橈骨頭脱臼図）

1）腕橈関節の評価：正常では橈骨頭中心延長上に上腕骨小頭中心がある．上図は橈骨頭の前方転位が確認できる．
2）尺骨塑性変形の評価：MUB（maximal ulnar bow）
肘頭背側と尺骨遠位骨幹端の背側縁を結ぶ線を引き，この線と尺骨骨幹部背側縁との間の垂直最大距離で表したもので，正常は 0 mm．上図は塑性変形が確認できる．

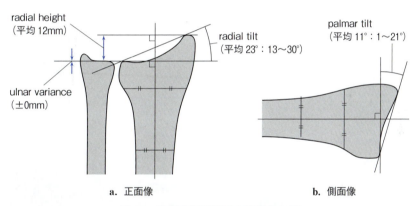

a．正面像　　　　b．側面像

図 47　橈骨手根関節面の傾斜角など

・radial tilt（radial inclination）：平均 23°（13〜30°）
・palmar tilt（volar tilt）：平均 11°（1〜21°）
・radial height（radial length）：平均 12 mm
・ulnar valiance：±0 mm

　骨や腱などのランドマークとして，橈・尺骨茎状突起，リスター結節，尺骨頭，背側を走行する伸筋腱，手根骨（スナッフボックス内の舟状骨，月状骨，有頭骨など），掌側に触知できる四つの手根骨（舟状骨結節，大菱形骨結節，豆状骨，有鈎骨鈎）と屈筋腱などがある．
　舟状骨骨折は骨癒合に難渋することもあり，血管分布を理解しておく必要がある（図 51）．

【手部・指部】
　手および指はわずかな機能障害であっても巧緻性を損ない ADL の低下に直結する．変形が残存すると手のアーチが崩れ，美容上の問題ばかりでなく，物を把持した際に疼痛を起こす原因となり，機能的かつ解剖学的な回復が求められる．とくに母指は他の四指と関節の構造や運動範囲も異なり，対

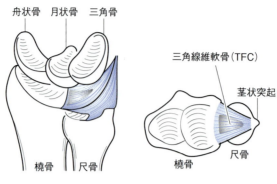

図48 三角線維軟骨(関節円板)とTFCC
三角線維軟骨(関節円板),掌側と背側の橈尺靱帯などを含む尺側支持機構を三角線維軟骨複合体(TFCC)という.

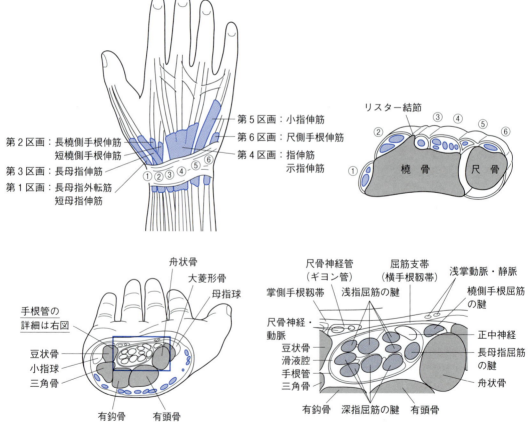

図49 手背部と手掌部を走行する腱,神経,血管

付　　録　**433**

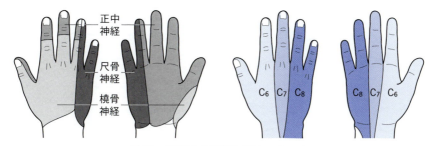

図50　手部の皮神経とデルマトーム

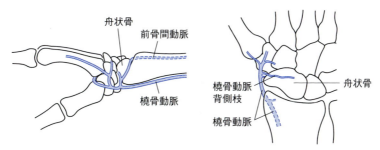

図51　舟状骨への血行
橈骨動脈から分岐した背側枝と浅掌枝が舟状骨を栄養する．舟状骨近位部の70〜80%が背側枝に，舟状骨遠位部は浅掌枝から栄養を受ける．

立運動の要となるため，治療にあたっては機能障害を残さないように細心の注意が必要である．
　第1CM関節は，典型的な鞍関節で可動域が広く，掌側内・外転，橈・尺側の内・外転が可能で，母指運動の要である．第2〜5CM関節は鞍関節が変化した半関節状で第2・3CM関節の可動域はわずかであるが，第5CM関節は比較的大きく，母指との対立運動を可能にする．
　MP関節の関節面は球状を呈するが，側副靱帯により回旋運動が制限され，屈伸と内・外転運動が可能である．母指には中手骨頭掌側に種子骨がある．母指MP関節の内・外転可動域はわずかで，伸展可動域の個人差は大きい．第2〜5MP関節は他動的に約45°の過伸展が可能である．索状の側副靱帯は屈曲位で緊張し，伸展位で弛緩するため伸展位拘縮を起こしやすい．扇状の副靱帯は掌側板に付着して側副靱帯を補強する．線維軟骨性の掌側板には副靱帯とともに深横中手靱帯(2〜5指)，線維性腱鞘が付着してMP関節の剛性を高めている(図52)．
　PIP・DIP関節は蝶番関節で，屈伸運動を行う．側副靱帯，副靱帯，掌側板が存在するが，PIP関節では掌側板近位端に手綱靱帯が付着して過伸展を制御する．MP関節と異なり屈曲位拘縮を起こしやすい(図53)．DIP関節に手綱靱帯はないが，両関節ともに伸展は通常0°である．男女差や個人差が大きく，第4・5DIP関節は過伸展することが多い．
　第2〜5MP関節の背側には，指伸筋，骨間筋，虫様筋から形成される指背腱膜があり，伸展機構として機能する(図54)．
　全指の屈側には，索状の屈筋腱が縦走し，腱を通す腱鞘がトンネルを形成して，腱の滑動性を高めるとともに血管を導いている(図55)．第2〜5MP関節には同じ腱鞘内を深指屈筋腱と浅指屈筋腱が走行するノーマンズランドがあり，癒着を起こしやすい．
　手には把持動作に適した掌側凹のアーチがある．骨折の変形癒合，筋萎縮，不適切な固定などによ

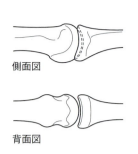
a. 骨形状
球関節を呈する．

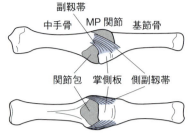
b. 関節構造
・側副靱帯は中手骨頸部と基節骨基部を結ぶ．
・副靱帯は中手骨頸部と掌側板を結ぶ．
・掌側板は基節骨底と強く結合し，中手骨では関節包に付着している．

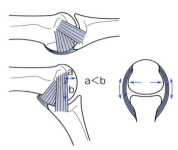
c. 屈伸と側副靱帯
側副靱帯は伸展位で弛緩し，屈曲位で緊張する．これはaよりbが長いことや，中手骨頭の背側よりも掌側が幅広いためと考えられる．

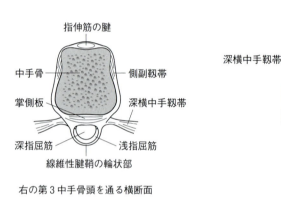
d. 深横中手靱帯，線維性腱鞘

図52 MP関節形態，側副靱帯，掌側板など

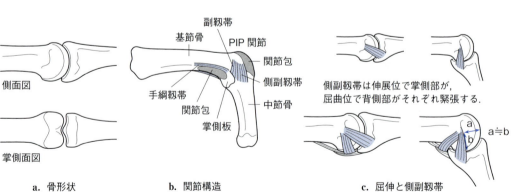

a. 骨形状
蝶番関節を呈する．

b. 関節構造
・側副靱帯は基節骨頸部と中節骨基部を結ぶ．
・副靱帯は基節骨頸部と掌側板を結ぶ．
・掌側板は中節骨底と強く結合し，基節骨では手綱靱帯に付着している．

c. 屈伸と側副靱帯
側副靱帯の緊張は背側と掌側の線維で異なるが，全体としては伸展と屈曲でほぼ同じ長さである．（10〜15°屈曲位で基節骨頭の広がった部分に押し上げられもっとも緊張するという報告もある）．副靱帯，掌側板，手綱靱帯は伸展位で緊張し，屈曲位で弛緩する．

図53 PIP関節形態，側副靱帯

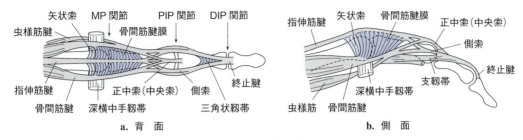

図54　指背腱膜

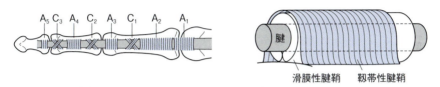

腱鞘は滑液鞘(滑膜性腱鞘)と線維鞘(靱帯性腱鞘)からなる．滑液鞘は2層構造で，その間に滑液を入れ腱の活動性を良好にするとともに，栄養にも関与する．線維鞘は滑液鞘を取り巻く部位で，手指の掌側には5ヵ所の輪状部(A_1〜A_5)と，3ヵ所の十字部(C_1〜C_3)が存在する．

図55　指屈筋腱鞘

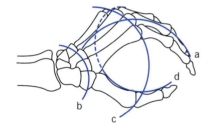

a. 縦方向のアーチ：手根骨，中手骨，指骨で形成
b. 横方向の手根骨アーチ：不動性の遠位手根骨列で形成
c. 横方向の中手骨アーチ：可動性の中手骨頭で形成
d. 斜方向のアーチ：母指と他四指で形成

図56　手のアーチ

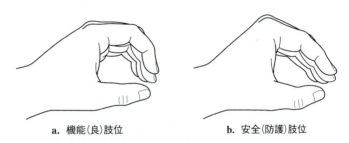

a. 機能(良)肢位　　　　　　b. 安全(防護)肢位

a. 手関節軽度背屈・軽度尺屈位，母指屈曲・掌側外転位，第2〜5指軽度屈曲位にすることで，仮に拘縮を起こした場合でも，手の機能を最大限に活用できる肢位である．
b. 機能肢位に対しMP関節屈曲が強く，IP関節屈曲が軽度の肢位．主に側副靱帯，副靱帯が緊張し関節拘縮が起こり難い肢位とされている．

図57　手の機能肢位と安全肢位

りこのアーチが崩れると，手の機能は低下する(図56)．
　手部の機能肢位(良肢位)，安全肢位を基本に，各組織損傷に適した固定肢位を選択することが重要になる(図57)．

【骨盤部】
　骨盤は左右の寛骨(腸骨，恥骨，坐骨が癒合したもの)と仙骨，尾骨からなる．前方は恥骨結合によ

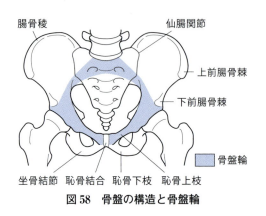

図58 骨盤の構造と骨盤輪

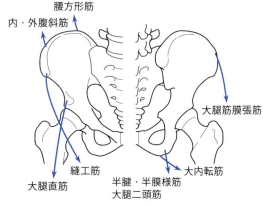

図59 骨盤に付着する筋(左:前面,右:後面)

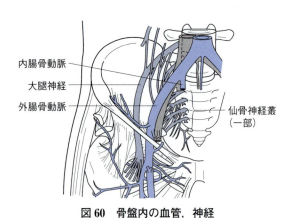

図60 骨盤内の血管,神経

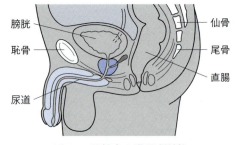

図61 骨盤内の臓器(男性)

って,後方は仙腸関節によって連結し,骨盤輪が形成される(図58).この構造により脊椎から股関節を介して下肢へと荷重を伝達し,安定性を維持することが可能になる.さらに体幹や下肢の筋の付着部であるので,体幹や股関節,膝関節の運動にも関与している(図59).

骨盤内部は主要な血管や神経が走行する(図60).分界線によって大骨盤と小骨盤に分かれ,前者は腹部内臓器,後者は骨盤内臓器(膀胱,直腸,子宮など)を入れる(図61).

[股関節部]

股関節は寛骨臼と大腿骨頭によってつくられる臼状関節である.寛骨臼は大腿骨頭が2/3程度おさまる関節窩であるが,周囲は関節唇が深さを補っている(図62).これにより骨性の安定性を獲得し,自由度の高い三次元的な運動も可能となる.大腿骨頭は主に内・外側大腿回旋動脈の枝によって栄養され(図63),鼠径靱帯,縫工筋,長内転筋によって囲まれるスカルパScarpa三角(大腿三角)で触知できる(図64).股関節周囲は腸骨大腿靱帯などで補強された関節包によっておおわれている(図65).

大腿骨頭に続くくびれた部分が大腿骨頸部である.大腿骨頸部軸と大腿骨骨幹軸のなす角度を頸体角といい,通常成人で約130°である.大腿骨頸部軸は上方からみると約14°前方にねじれており,これを前捻角という.これらの角度は小児では大きく,高齢者では減少する(図66).

付　　録　437

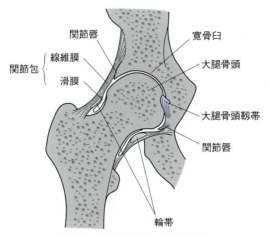

図 62　股関節（右，前頭断面）

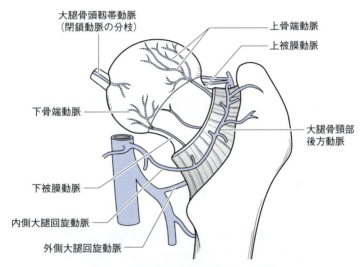

図 63　大腿骨頭の血管支配（右，後面）
上・下骨端動脈は大腿骨頭内を走行しているので，イラストのようにはみえない．

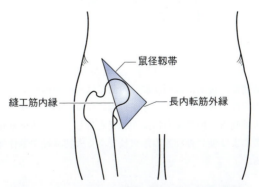

図 64　スカルパ三角（大腿三角）と骨頭の位置関係

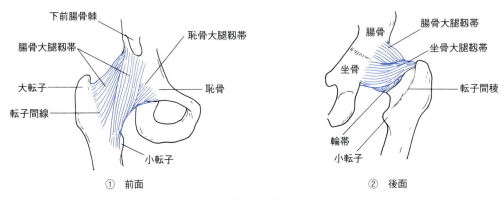

図65　股関節の靱帯（右）

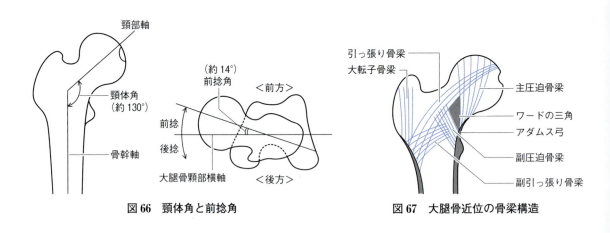

図66　頸体角と前捻角　　　　図67　大腿骨近位の骨梁構造

　頸体角は荷重の際に力学的弱点となるが，引っ張りや圧縮に耐えうる合理的な骨梁構造によって補っている．大腿骨頸部内側にはアダムス Adams 弓と呼ばれる厚い緻密質があり，力学的強度を保っている（図67）．

　股関節外側では体表から大転子の隆起を触れることができ，正常な位置を確認する指標としてローゼル・ネラトン Roser-Nélaton 線がある．これは上前腸骨棘と坐骨結節を結ぶ線をいい，正常では股関節45°屈曲位で，その線上に大転子の先端が位置する（図68）．

　股関節周囲の筋については【大腿部】を参照．

【大腿部】

　大腿部（股関節部を含む）には腰椎や寛骨内側面から起こる腸腰筋，外側面から起こる殿筋群がある．大腿前面には伸筋群，後面には屈筋群，内側には内転筋群がある．これらが協調して働くことにより，静的・動的安定性やスムーズな動きが可能になる（図69, 70）．

　鼠径靱帯の下を大腿動脈が内側後方に向かって走行し，骨や筋を栄養しながら腱裂孔を経て膝窩部にいたる．腰神経叢および仙骨神経叢の最大枝である大腿神経や坐骨神経は特定の皮膚領域や下肢の主要な筋を支配する．

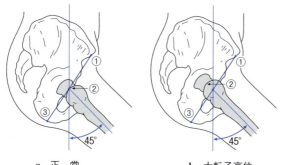

① 上前腸骨棘
② 大転子先端
③ 坐骨結節

a. 正常　　　　　　b. 大転子高位

図68　ローゼル・ネラトン線

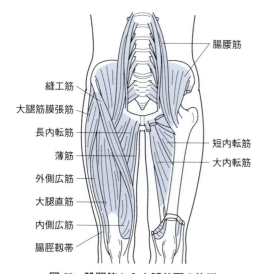

図69　股関節から大腿前面の筋群
左側は内転筋群の一部と大腿前面の筋は除いてある．

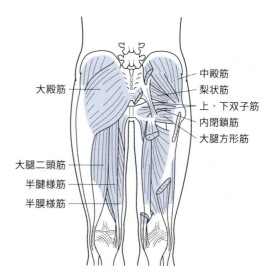

図70　股関節から大腿後面の筋群
右側はハムストリングスと大殿筋は除いてある．

【膝関節部】

　膝関節は大腿骨と脛骨と膝蓋骨で構成される．大腿脛骨関節には線維軟骨性の関節半月(半月板)がある．これにより関節の適合性が高まり，衝撃も緩衝される(図71)．膝蓋大腿関節は浅くくぼんだ大腿骨膝蓋面を膝蓋骨が膝関節の屈伸運動に伴い滑走する(図72)．

　関節外には内側側副靱帯と外側側副靱帯が，関節内には前十字靱帯と後十字靱帯があり，静的な安定性だけでなく運動の制御もする．さらに膝蓋靱帯や腸脛靱帯，鵞足などが関節周囲を補強しており(図73)，関節の安定性を関節半月や靱帯，筋などの軟部組織に依存している．

　膝関節の関節包は前方では膝蓋上包を形成し，後方では大腿骨顆部を包むように延びている．膝蓋骨の下方には膝蓋下脂肪体があり，膝蓋上包に向かう滑膜ヒダが存在する(図74)．

　大腿動脈から続く膝窩動脈は，様々な動脈が分枝して膝関節動脈網を形成し，膝関節周囲の軟部組織などを栄養する(図75)．

　神経は，大腿骨の後面を下行する坐骨神経が膝窩上方で脛骨神経と総腓骨神経に分岐し，大腿神経

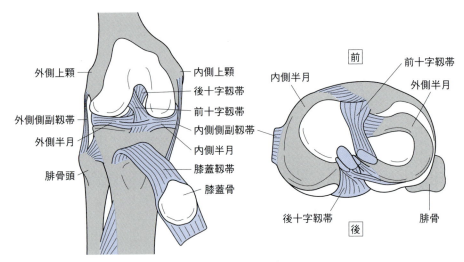

図71　膝関節の解剖

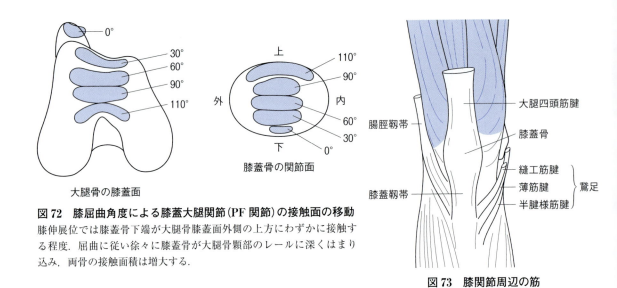

図72　膝屈曲角度による膝蓋大腿関節(PF関節)の接触面の移動
膝伸展位では膝蓋骨下端が大腿骨膝蓋面外側の上方にわずかに接触する程度．屈曲に従い徐々に膝蓋骨が大腿骨顆部のレールに深くはまり込み，両骨の接触面積は増大する．

図73　膝関節周辺の筋

の枝である伏在神経は膝関節の前内側部を下行する(図76)．
　膝関節の屈伸運動は大腿骨顆部の脛骨顆部上における滑りと転がりの複合運動によって行われる(図77)．また最終伸展域では脛骨が外旋する screw home movement がみられる(図78)．
　下肢のアライメントを評価する指標に大腿脛骨角 femorotibial angle(FTA)や，大腿骨頭中心から足関節中心を通る下肢機能軸(別名：ミクリッツ Mikulicz 線)がある(図79)．体表からは Q 角(Q-angle)で評価する(図80)．

参考18 膝関節の運動に伴う半月の動き

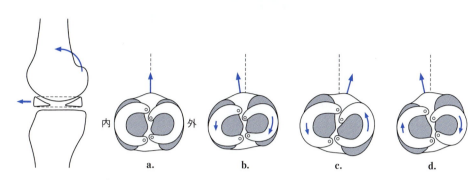

a. 伸展時
b. 屈曲時に後退するが，内側よりも外側半月の移動距離が大きい．
c. 下腿の外旋時，内側半月は後退，外側半月は前進する．
d. 下腿の内旋時，内側半月は前進，外側半月は後退する．

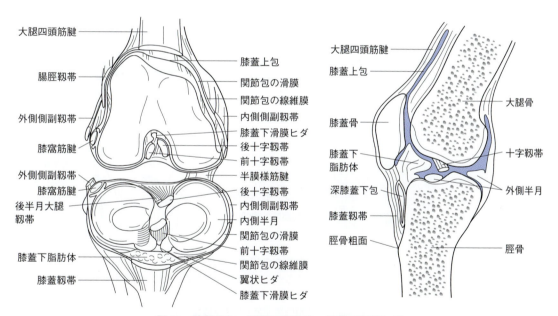

図74 膝関節包，膝蓋下脂肪体，膝蓋下滑膜ヒダ

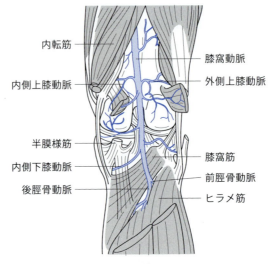

図75　膝関節の動脈

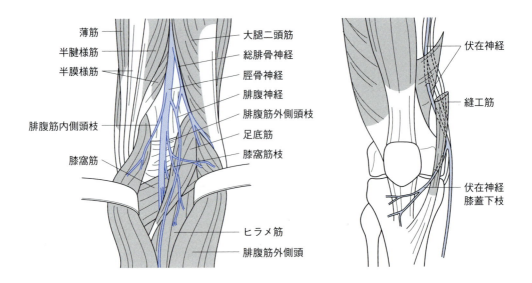

図76　膝関節を走行する神経
a．脛骨神経は後脛骨動脈とともに下腿を下行するが，総腓骨神経は外側に向かい腓骨頭の後方を回って感覚枝を送った後，下腿の伸筋群に入る．
b．大腿神経の分枝である伏在神経は膝関節の前内側部を下行する感覚枝で，大腿部で大腿動・静脈とともに内転筋管を走行するが，膝部で膝蓋下枝を分枝した後，下腿内側に分布する．

【下腿部】
　下腿部の骨性支持は脛骨と腓骨によってえており，脛骨は体重の約5/6，腓骨は約1/6を担っている．両者は近位端で可動性の少ない脛腓関節により結合しており，それ以下では各々の骨間縁に張る骨間膜によって強く結合している（図82）．遠位端は非滑膜性の脛腓靱帯結合である（図82）．
　総腓骨神経と脛骨神経が下腿の筋を支配する（図83，84）．とくに総腓骨神経は腓骨頭後方で圧迫

付　録　443

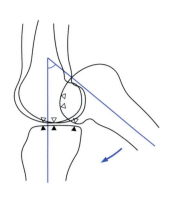
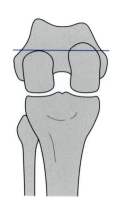
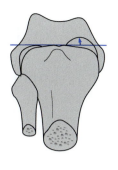
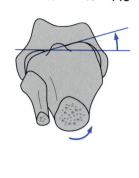

図 77　転がりと滑り
完全伸展位からの屈曲初期は「転がり」だけ，屈曲が強くなると徐々に「滑り」が加わり，屈曲の最終段階には「滑り」だけになる．

図 78　Screw home movement
大腿骨の内顆と外顆の滑り運動の出現時期の違いによって最終伸展域での約 10°の脛骨外旋が生じる．

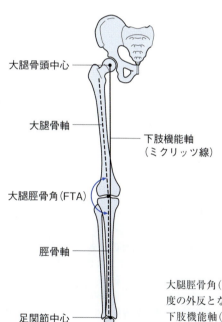

図 79　FTA とミクリッツ線
大腿脛骨角(FTA)は，大腿骨軸と脛骨軸のなす角度をいい，正常な膝では約 176°で軽度の外反となる．
下肢機能軸(ミクリッツ線)は立位時の下肢の荷重線を表し，正常では膝のほぼ中央を通るが，内反膝では中央より内側を通る．

を受けやすく，臨床上重要な絞扼部位となっている．筋群は筋間中隔によって四つの区画に分けられている(図 85)．アキレス腱は手指の腱とは異なり腱鞘がなくパラテノン(腱傍組織)によっておおわれている(図 86)．
　下腿部の皮神経やデルマトームを示す(図 87, 88)．

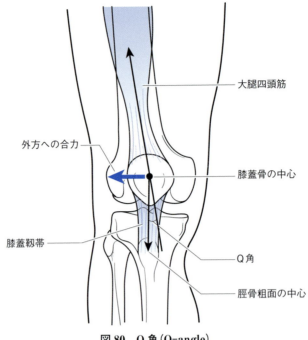

図80 Q角（Q-angle）
立位，膝伸展位で膝蓋骨中心から脛骨粗面を結んだ線と上前腸骨棘から膝蓋骨中心を結ぶ線のなす角をQ角という．これは膝蓋骨の外方不安定性の指標になり，正常では約15°である．

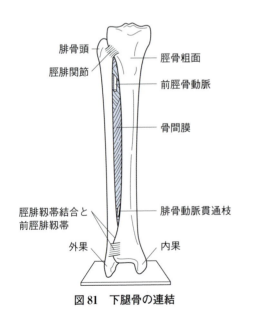

図81 下腿骨の連結

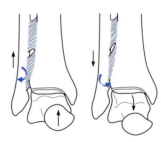

図82 底背屈運動に伴う腓骨の動き
足関節背屈時，腓骨はわずかに外旋し上方に移動する．
逆に底屈時，腓骨は内旋し下方に移動する．
この腓骨の動きは底背屈運動の際に距骨滑車の前後幅の差異によって生じる距腿関節の遊びを適合させている．

付　録　**445**

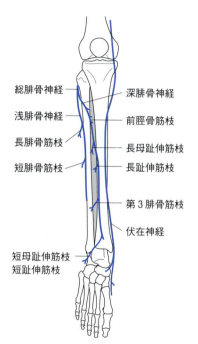

図 83　下腿部の神経（前面）
総腓骨神経から分枝する浅腓骨神経は長腓骨筋を貫通して下降する．深腓骨神経は長腓骨筋，前下腿筋間中隔，長趾伸筋を貫通する．

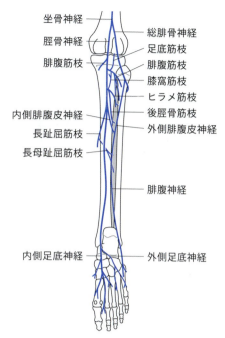

図 84　下腿部の神経（後面）
脛骨神経は膝窩動脈と一緒にヒラメ筋腱弓下を走行し下腿後方深部の区画にいたる．

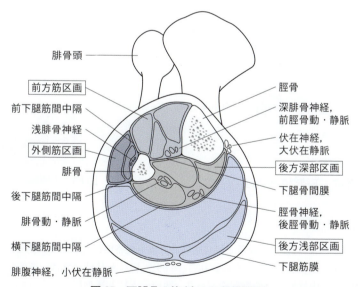

図 85　下腿骨の筋（中 1/3 部横断面）
筋群は筋間中隔によって四つの区画に分けられ，前方には前脛骨筋，長母趾伸筋，長趾伸筋が入り，深腓骨神経が前脛骨動静脈と伴行し，その遠位部では長趾伸筋より起始した第 3 腓骨筋が認められることがある．外側では長・短腓骨筋と浅腓骨神経が入る．後方は浅層と深層に分けられ，浅層は腓腹筋，ヒラメ筋，足底筋が入る．深層には後脛骨筋，長母趾屈筋，長趾屈筋，各筋を支配する脛骨神経が入る．

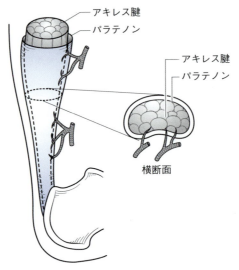

図 86　アキレス腱の構造

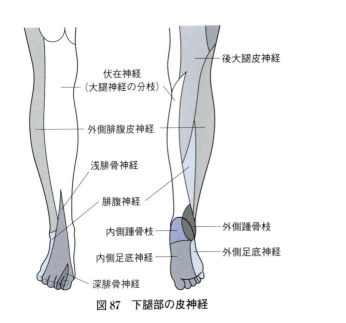

図 87　下腿部の皮神経

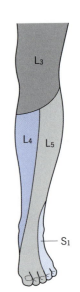

図 88　下腿部のデルマトーム

【足関節部】

　足関節(距腿関節)は脛骨と腓骨と距骨で構成される蝶番関節であるが，溝と隆起の方向が運動軸に垂直ではないため，螺旋関節ともいわれる(図 89)．脛腓靱帯結合部は，関節腔を持たない靱帯結合である(図 90)．内外側には側副靱帯があり，関節の支持と運動制御を担っている．内側の靱帯は三角靱帯とも呼ばれ，強力に足関節を支持している．外側靱帯の中で前距腓靱帯は"捻挫の靱帯"と呼ばれるほど損傷頻度が高く，遭遇する機会も多い損傷の一つである(図 91)．これらの靱帯は関節包(図 92)を補強する．

　本項では足関節を構成する距骨に加え，後足部を構成する踵骨を含めて記載した．距骨と踵骨の間

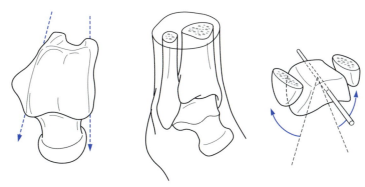

図89 距腿関節の骨構造

距骨滑車は前方が後部より幅が広いため，屈曲位ではわずかに内転と外転が可能となる．一方，伸展位では関節窩が関節頭を固く挟み込むため，内転や外転はできない．この構造により足関節は"ほぞ"と"ほぞ穴"に例えられる．

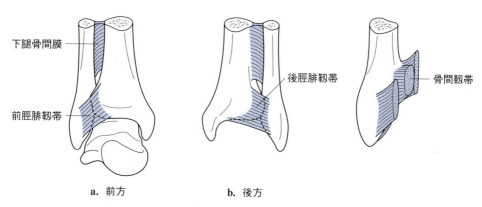

a. 前方　　b. 後方

図90 脛腓靱帯結合

脛腓靱帯結合部の靱帯は前脛腓靱帯，後脛腓靱帯，骨間靱帯の三つで構成される．脛骨および腓骨でほぞ穴を形成し安定性が高い．距骨が過度に外旋または外方に偏位することを抑制する．

は三つの関節面で構成される(図93)．

　膝窩動脈から分枝した後脛骨動脈は屈筋支帯下の内果後方を通過して足底へと向かい，一方の前脛骨動脈は足根の下伸筋支帯下を通って足背動脈となる．両動脈とも拍動触知が可能で，循環障害の確認に有用である．

　足関節部を走行する伸筋と屈筋の一部は腱部が表層を走行するため触診しやすい．

　骨性ランドマークとして足関節部では内・外果が皮下に突出し，脛骨は前縁から遠位端部の関節裂隙部まで触知可能である．後方はアキレス腱が突出しているため，距骨と踵骨以外の骨性構造物を触知することは困難である．

　感覚には脛骨神経と深・浅腓骨神経，伏在神経，腓腹神経が関与する(☞【足部・趾部】参照)．

【足部・趾部】

　足部を大きく分けると後足部，中足部，前足部に分けられる．機能的な区分として後足部と中足部

448　付　　録

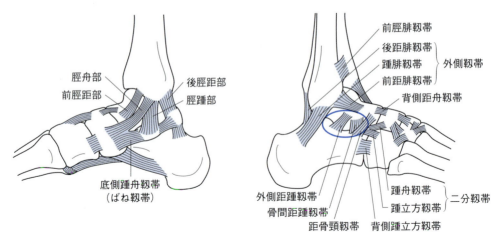

図91　内側と外側の靱帯

内側の三角靱帯は足関節0°で全体が緊張し，屈曲位では前部が，伸展位では後部が緊張する．脛踵部や脛舟部は距骨下の安定性にも寄与する．
外側の靱帯は，前距腓靱帯が屈曲位で，踵腓靱帯と後距腓靱帯は伸展位で緊張する．踵腓靱帯は距骨下の安定性にも寄与する(楕円線は足根洞部)．

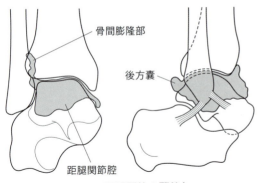

図92　距腿関節の関節包

関節包は距骨滑車，脛骨・腓骨遠位端の関節面を被覆する．関節包の内側は三角靱帯，前外側は前距腓靱帯と前脛腓靱帯，後外側は後距腓靱帯と後脛腓靱帯がそれぞれ補強する．

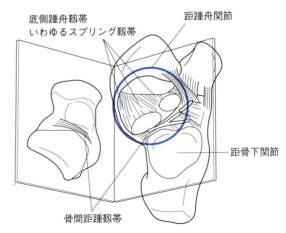

図93　距骨と踵骨の関節面

三つの関節面を持つが，後部と中部の間は骨間靱帯により隔たりがあるため，解剖学的には距骨下関節と距踵舟関節に分かれる(参考19)．両骨の外側には足根洞があり，その中の骨間靱帯により両骨は安定している．また，三角靱帯の脛踵部と踵腓靱帯は両骨を安定させる靱帯としても働く．両骨は距骨を中心として，踵骨(ならびに舟状骨)が回内・外運動を司っている．

とを分ける関節を横足根関節(ショパール Chopart 関節)，中足部と前足部を分ける関節を足根中足関節(リスフラン Lisfranc 関節)と呼ぶ(図94)．靱帯の部位，名称については【足関節部】を参照のこと(☞ p.446参照)．

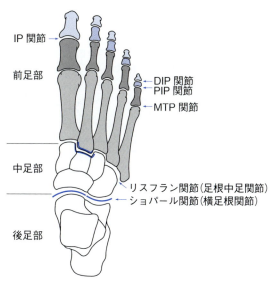

図 94 足部の機能的な区分

ショパール関節：距踵舟関節と踵立方関節からなり，足のアーチを支える重要な関節である．屈伸，内・外転，回内・外などわずかな可動性がある．
リスフラン関節：主に屈伸の可動性を持ち，横アーチを形成する．第2中足骨は楔状骨間にほぞ状にはまり込んでいるため可動域はわずかである．
中足趾節関節：主に屈伸運動の可動性を持ち，わずかな内・外転も行う．手と異なり，伸展の可動域が屈曲よりも大きい．

　足部には骨性アーチ構造があり，体重支持の際にスプリングの役割を持つ．弦の役割を担うのが足底腱膜である(図 95)．
　骨や関節裂隙の正確な把握は診察上重要になる．骨の突出部には滑液包が存在しやすいこと，外脛骨(舟状骨)や三角骨(距骨)などの過剰骨が存在することなど診察の一助となる．
　図 96 に前脛骨動脈と後脛骨動脈の分枝を示す．図 97 に足部の皮神経とデルマトームを示す．

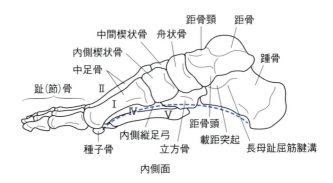

内側面

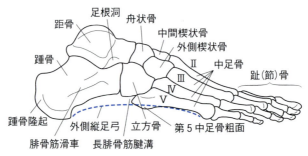

外側面

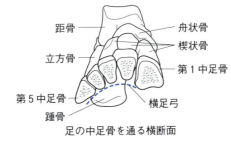

足の中足骨を通る横断面

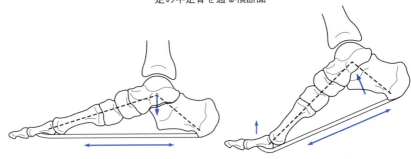

トラス機構：荷重によりアーチが下がり，足底腱膜が伸長されることにより衝撃を吸収する．

ウィンドラス機構：足趾伸展により足底腱膜が緊張し，アーチが上昇する．このときアーチに戻ろうとする力が加わり推進力を生み出す．

図95 足部のアーチ構造

付　録　451

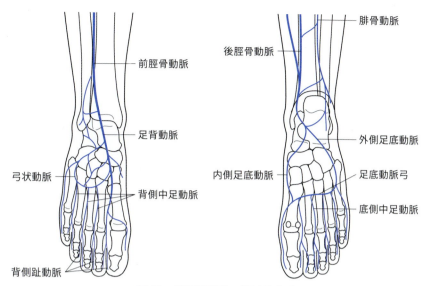

図 96　前脛骨動脈，後脛骨動脈

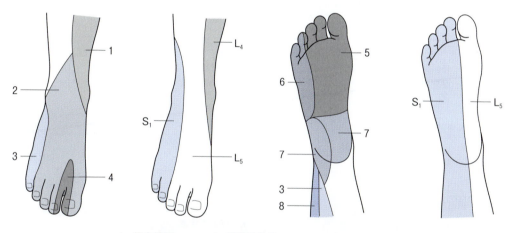

1. 伏在神経
2. 浅腓骨神経
3. 腓腹神経
4. 深腓骨神経
5. 内側足底神経
6. 外側足底神経
7. 内・外側踵骨枝
8. 外側腓腹皮神経

図 97　足部の皮神経とデルマトーム

**参考 19　距踵舟関節と底側踵舟靱帯
（スプリング靱帯）**

　距踵舟関節は，距骨の頭と頸の下面にかけての舟状骨関節面，前・中踵骨関節面がはまり込む大きな複関節である．
　底側踵舟靱帯は線維軟骨化し距踵舟関節関節窩の一部を形成する．また，踵骨前縁からはみ出した距骨頭の下内側部を下から支え，足部縦アーチ内側部の頂点を保持する．

452　付　　録

注意すべき疾患

詳細は『整形外科学』・『一般臨床医学』などを参照.

頸部周辺

1	斜頸	7	分娩麻痺
2	頸椎椎間板ヘルニア	8	副神経麻痺
3	頸椎症	9	長胸神経麻痺
4	後縦靱帯骨化症（OPLL）	10	頸髄損傷
5	頸椎の炎症性病変	11	先天性奇形
6	外傷性腕神経叢麻痺		

腰背部周辺

1	後彎症（ショイエルマン病）	4	脊椎腫瘍
2	キュンメル病	5	脊髄腫瘍
3	循環器疾患		

腰部周辺

1	骨粗鬆症による圧迫骨折	3	脊髄腫瘍
2	腹部大動脈瘤	4	原発性骨腫瘍

鎖骨部周辺

1	インピンジメント症候群	3	変形性関節症
2	胸肋鎖骨肥厚症	4	関節リウマチ

肩部周辺

1	石灰沈着性腱炎	6	感染性疾患
2	変形性肩関節症	7	腫瘍
3	変形性肩鎖関節症	8	心疾患
4	頸肩腕症候群	9	脊椎疾患
5	関節リウマチ		

上腕部周辺

1	頸椎症	4	五十肩
2	椎間板ヘルニア	5	パンコースト症候群
3	頸肩腕症候群	6	帯状疱疹

肘部周辺

1	関節リウマチ	3	痛風
2	血友病		

手部周辺

1	関節リウマチ	4	尺骨突き上げ症候群
2	変形性関節症	5	手根骨不安定症
3	ガングリオン	6	手根骨特発性壊死

指部周辺

1	関節リウマチ	4	グロムス腫瘍
2	循環障害	5	痛風
3	ひょう疽		

骨盤部周辺

1	婦人科疾患	3	鼠径部リンパ節炎
2	悪性腫瘍（ユーイング Ewing 肉腫など）		

股部周辺

1	発育性股関節形成不全	4	大腿骨頭滑り症
2	化膿性股関節炎	5	大腿骨頭壊死症
3	ペルテス Perthes 病	6	変形性股関節症

大腿部周辺

1	大腿部骨化性筋炎

膝部周辺

1	悪性骨腫瘍（骨肉腫）	4	偽性痛風
2	離断性骨軟骨炎	5	大腿骨顆部骨壊死
3	関節リウマチ	6	変形性膝関節症

下腿部周辺

1	コンパートメント compartment 症候群	3	下腿骨腫瘍（骨肉腫，孤立性骨嚢腫など）
2	下腿感染症（蜂窩織炎）	4	下肢血管障害（静脈瘤など）

足部周辺

1	変形性足関節症	2	外果や内果部の過剰骨

趾部周辺

1	痛風発作	4	レイノー Raynaud 病
2	糖尿病性障害	5	閉塞性血栓性血管炎
3	関節リウマチ	6	閉塞性動脈硬化症

454　付　　　録

関節可動域表示ならびに測定法（平成7〔1995〕年2月改訂）
（日本整形外科学会，日本リハビリテーション医学会制定）

　これまで使用されてきた関節可動域表示ならびに測定法は，昭和49(1974)年に日本整形外科学会と日本リハビリテーション医学会との協議により，それ以前のものを改訂したものである．

　今回の改訂の骨子は，関節可動域の測定を原則的に他動可動域にしたこと，軸心を削除したこと，股関節と胸腰椎部に特に検討を加えたことである．正常可動域を参考可動域と改め，一部に角度の訂正も行った．基本軸，移動軸，測定肢位では，平易で誤解のない記述に改め，参考図のイラストにも手を加え，わかりやすいものに改めた．

　この改訂された関節可動域表示ならびに測定法が，今後，臨床的に，かつ各種診断書や証明書等の公文書記載に，広く活用されることが望まれる．

I.　関節可動域表示ならびに測定法の原則

1.　関節可動域表示ならびに測定法の目的

　日本整形外科学会と日本リハビリテーション医学会が制定する関節可動域表示ならびに測定法は，整形外科医，リハビリテーション医ばかりでなく，医療，福祉，行政その他の関連職種の人々をも含めて，関節可動域を共通の基盤で理解するためのものである．従って，実用的で分かりやすいことが重要であり，高い精度が要求される計測，特殊な臨床評価，詳細な研究のためにはそれぞれの目的に応じた測定方法を検討する必要がある．

2.　基本肢位

　Neutral Zero Method を採用しているので，Neutral Zero Starting Position が基本肢位であり，概ね解剖学的肢位と一致する．ただし，肩関節水平屈曲・伸展については肩関節外転90°の肢位，肩関節外旋・内旋については肩関節外転0°で肘関節90°屈曲位，前腕の回外・回内については手掌面が矢状面にある肢位，股関節外旋・内旋については股関節屈曲90°で膝関節屈曲90°の肢位をそれぞれ基本肢位とする．

3.　関節の運動

　1）関節の運動は直交する3平面，すなわち前額面，矢状面，水平面を基本面とする運動である．ただし，肩関節の外旋・内旋，前腕の回外・回内，股関節の外旋・内旋，頸部と胸腰部の回旋は，基本肢位の軸を中心とした回旋運動である．また，足部の内がえし・外がえし，母指の対立は複合した運動である．

　2）関節可動域測定とその表示で使用する関節運動とその名称を以下に示す．なお，下記の基本的名称以外によく用いられている用語があれば（　）内に併記する．

（1）屈曲と伸展

　　多くは矢状面の運動で，基本肢位にある隣接する二つの部位が近づく動きが屈曲，遠ざかる動きが伸展である．ただし，肩関節，頸部，体幹に関しては，前方への動きが屈曲，後方への動きが伸展である．また，手関節，手指，足関節，足指に関しては，手掌または足底への動きが屈曲，手背または足背への動きが伸展である．

（2）外転と内転

　　多くは前額面の運動で，体幹や手指の軸から遠ざかる動きが外転，近づく動きが内転である．

(3)外旋と内旋

　肩関節および股関節に関しては，上腕軸または大腿軸を中心として外方へ回旋する動きが外旋，内方へ回旋する動きが内旋である．

(4)回外と回内

　前腕に関しては，前腕軸を中心にして外方に回旋する動き（手掌が上を向く動き）が回外，内方に回旋する動き（手掌が下を向く動き）が回内である．

(5)水平屈曲と水平伸展

　水平面の運動で，肩関節を 90°外転して前方への動きが水平屈曲，後方への動きが水平伸展である．

(6)挙上と引き下げ（下制）

　肩甲帯の前額面の運動で，上方への動きが挙上，下方への動きが引き下げ（下制）である．

(7)右側屈・左側屈

　頸部，体幹の前額面の運動で，右方向への動きが右側屈，左方向への動きが左側屈である．

(8)右回旋と左回旋

　頸部と胸腰部に関しては右方に回旋する動きが右回旋，左方に回旋する動きが左回旋である．

(9)橈屈と尺屈

　手関節の手掌面の運動，橈側への動きが橈屈，尺側への動きが尺屈である．

(10)母指の橈側外転と尺側内転

　母指の手掌面の運動で，母指の基本軸から遠ざかる動き（橈側への動き）が橈側外転，母指の基本軸に近づく動き（尺側への動き）が尺側内転である．

(11)掌側外転と掌側内転

　母指の手掌面に垂直な平面の運動で，母指の基本軸から遠ざかる動き（手掌方向への動き）が掌側外転，基本軸に近づく動き（背側方向への動き）が掌側内転である．

(12)対立

　母指の対立は，外転，屈曲，回旋の 3 要素が複合した運動であり，母指で小指の先端または基部を触れる動きである．

(13)中指の橈側外転と尺側外転

　中指の手掌面の運動で，中指の基本軸から橈側へ遠ざかる動きが橈側外転，尺側へ遠ざかる動きが尺側外転である．

(14)外がえしと内がえし

　足部の運動で，足底が外方を向く動き（足部の回内，外転，背屈の複合した運動）が外がえし，足底が内方を向く動き（足部の回外，内転，底屈の複合した運動）が内がえしである．

　足部長軸を中心とする回旋運動は回外，回内と呼ぶべきであるが，実際は，単独の回旋運動は生じ得ないので複合した運動として外がえし，内がえしとした．また，外反，内反という用語も用いるが，これらは足部の変形を意味しており，関節可動域測定時に関節運動の名称としては使用しない．

4. 関節可動域の測定方法

　1）関節可動域は，他動運動でも自動運動でも測定できるが，原則として他動運動による測定値を表記する．自動運動による測定値を用いる場合は，その旨明記する〔5 の 2）の(1)参照〕．

　2）角度計は十分な長さの柄がついているものを使用し，通常は 5°刻みで測定する．

　3）基本軸，移動軸は，四肢や体幹において外見上分かりやすい部位を選んで設定されており，運動学上のものとは必ずしも一致しない．また，手指および足指では角度計のあてやすさを考慮して，原則として背側に角度計をあてる．

456 付　録

　　4)　基本軸と移動軸の交点を角度計の中心に合わせる．また，関節の運動に応じて，角度計の中心を移動させてもよい．必要に応じて移動軸を平行移動させてもよい．

　　5)　多関節が関与する場合，原則としてその影響を除いた肢位で測定する．例えば，股関節屈曲の測定では，膝関節を屈曲しハムストリングをゆるめた肢位で行う．

　　6)　肢位は「測定肢位および注意点」の記載に従うが，記載のないものは肢位を限定しない．変形，拘縮などで所定の肢位がとれない場合は，測定肢位が分かるように明記すれば異なる肢位を用いてもよい〔5の2)の(2)参照〕．

　　7)　筋や腱の短縮を評価する目的で多関節筋を緊張させた肢位で関節可動域を測定する場合は，測定方法が分かるように明記すれば多関節筋を緊張させた肢位を用いてもよい〔5の2)の(3)参照〕．

5.　測定値の表示

　　1)　関節可動域の測定値は，基本肢位を 0° として表示する．例えば，股関節の可動域が屈曲 20° から 70° であるならば，その表現は以下の 2 通りとなる．

　　(1)股関節の関節可動域は屈曲 20° から 70°（または屈曲 20°〜70°）

　　(2)股関節の関節可動域は屈曲は 70°，伸展は −20°

　　2)　関節可動域の測定に際し，症例によって異なる測定法を用いる場合や，その他関節可動域に影響を与える特記すべき事項がある場合は，測定値とともにその旨併記する．

　　(1)自動運動を用いて測定する場合は，その測定値を（　）で囲んで表示するか，「自動」または「active」などと明記する．

　　(2)異なる肢位を用いて測定する場合は，「背臥位」「坐位」などと具体的に肢位を明記する．

　　(3)多関節筋を緊張させた肢位を用いて測定する場合は，その測定値を〈　〉で囲んで表示するが，「膝伸展位」などと具体的に明記する．

　　(4)疼痛などが測定値に影響を与える場合は，「痛み」「pain」などと明記する．

6.　参考可動域

　　関節可動域は年齢，性，肢位，個体による変動が大きいので，正常値は定めず参考可動域として記載した．関節可動域の異常を判定する場合は，健側上下肢の関節可動域，参考可動域，（附）関節可動域の参考値一覧表，年齢，性，測定肢位，測定方法などを十分考慮して判定する必要がある．

付　　録　**457**

上肢測定

部位名	運動方向	参考可動域角度	基本軸	移動軸	測定肢位および注意点	参考図
肩甲帯 shoulder girdle	屈曲 flexion	20	両側の肩峰を結ぶ線	頭頂と肩峰を結ぶ線		
	伸展 extension	20				
	挙上 elevation	20	両側の肩峰を結ぶ線	肩峰と胸骨上縁を結ぶ線	背面から測定する.	
	引き下げ（下制）depression	10				
肩 shoulder（肩甲帯の動きを含む）	屈曲（前方挙上）forward flexion	180	肩峰を通る床への垂直線（立位または坐位）	上腕骨	前腕は中間位とする. 体幹が動かないように固定する. 脊柱が前後屈しないように注意する.	
	伸展（後方挙上）backward extension	50				
	外転（側方挙上）abduction	180	肩峰を通る床への垂直線（立位または坐位）	上腕骨	体幹の側屈が起こらないように90°以上になったら前腕を回外することを原則とする.	
	内転 adduction	0				
	外旋 external rotation	60	肘を通る前額面への垂直線	尺骨	上腕を体幹に接して，肘関節を前方90°に屈曲した肢位で行う. 前腕は中間位とする.	
	内旋 internal rotation	80				
	水平屈曲 horizontal flexion（horizontal adduction）	135	肩峰を通る矢状面への垂直線	上腕骨	肩関節を90°外転位とする.	
	水平伸展 horizontal extension（horizontal abduction）	30				
肘 elbow	屈曲 flexion	145	上腕骨	橈骨	前腕は回外位とする.	
	伸展 extension	5				
前腕 forearm	回内 pronation	90	上腕骨	手指を伸展した手掌面	肩の回旋が入らないように肘を90°に屈曲する.	
	回外 supination	90				
手 wrist	屈曲（掌屈）flexion（palmarflexion）	90	橈骨	第2中手骨	前腕は中間位とする.	
	伸展（背屈）extension（dorsiflexion）	70				

458 付　　録

部位名	運動方向	参考可動域角度	基本軸	移動軸	測定肢位および注意点	参考図
手 wrist	橈屈 radial deviation	25	前腕の中央線	第3中手骨	前腕を回内位で行う.	
	尺屈 ulnar deviation	55				

手指計測

部位名	運動方向	参考可動域角度	基本軸	移動軸	測定肢位および注意点	参考図
母指 thumb	橈側外転 radial abduction	60	示指 (橈骨の延長上)	母指	運動方向は手掌面とする. 以下の手指の運動は, 原則として手指の背側に角度計をあてる.	
	尺側内転 ulnar adduction	0				
	掌側外転 palmar abduction	90			運動は手掌面に直角な面とする.	
	掌側内転 palmar adduction	0				
	屈曲 (MCP) flexion	60	第1中手骨	第1基節骨		
	伸展 (MCP) extension	10				
	屈曲 (IP) flexion	80	第1基節骨	第1末節骨		
	伸展 (IP) extension	10				
指 fingers	屈曲 (MCP) flexion	90	第2-5中手骨	第2-5基節骨		
	伸展 (MCP) extension	45				
	屈曲 (PIP) flexion	100	第2-5基節骨	第2-5中節骨		
	伸展 (PIP) extension	0				
	屈曲 (DIP) flexion	80	第2-5中節骨	第2-5末節骨		
	伸展 (DIP) extension	0			DIPは10°の過伸展をとりうる.	
	外転 abduction		第3中手骨延長線	第2, 4, 5指軸	中指の運動は橈側外転, 尺側外転とする.	
	内転 adduction					

付　　録　**459**

下肢計測

部位名	運動方向	参考可動域角度	基本軸	移動軸	測定肢位および注意点	参考図
股 hip	屈曲 flexion	125	体幹と平行な線	大腿骨（大転子と大腿骨外顆の中心を結ぶ線）	骨盤と脊柱を十分に固定する。屈曲は背臥位，膝屈曲位で行う。伸展は腹臥位，膝伸展位で行う。	
	伸展 extension	15				
	外転 abduction	45	両側の上前腸骨棘を結ぶ線への垂直線	大腿中央線（上前腸骨棘より膝蓋骨中心を結ぶ線）	背臥位で骨盤を固定する。下肢は外旋しないようにする。内転の場合は，反対側の下肢を屈曲挙上してその下を通して内転させる。	
	内転 adduction	20				
	外旋 external rotation	45	膝蓋骨より下ろした垂直線	下腿中央線（膝蓋骨中心より足関節内外果中央を結ぶ線）	背臥位で，股関節と膝関節を90°屈曲位にして行う。骨盤の代償を少なくする。	
	内旋 internal rotation	45				
膝 knee	屈曲 flexion	130	大腿骨	腓骨（腓骨頭と外果を結ぶ線）	屈曲は股関節を屈曲位で行う。	
	伸展 extension	0				
足 ankle	屈曲（底屈）flexion (plantar flexion)	45	腓骨への垂直線	第5中足骨	膝関節を屈曲位で行う。	
	伸展（背屈）extension (dorsiflexion)	20				
足部 foot	外がえし eversion	20	下腿軸への垂直線	足底面	膝関節を屈曲位で行う。	
	内がえし inversion	30				
	外転 abduction	10	第1，第2中足骨の間の中央線	同左	足底で足の外縁または内縁で行うこともある。	
	内転 adduction	20				
母指（趾）great toe	屈曲（MTP）flexion	35	第1中足骨	第1基節骨		
	伸展（MTP）extension	60				
	屈曲（IP）flexion	60	第1基節骨	第1末節骨		
	伸展（IP）extension	0				

部位名	運動方向	参考可動域角度	基本軸	移動軸	測定肢位および注意点	参考図
足指 toes	屈曲（MTP） flexion	35	第2-5中足骨	第2-5基節骨		
	伸展（MTP） extention	40				
	屈曲（PIP） flexion	35	第2-5基節骨	第2-5中節骨		
	伸展（PIP） extension	0				
	屈曲（DIP） flexion	50	第2-5中節骨	第2-5末節骨		
	伸展（DIP） extension	0				

体幹計測および顎関節計測

部位名	運動方向		参考可動域角度	基本軸	移動軸	測定肢位および注意点	参考図
頸部 cervical spines	屈曲（前屈） flexion		60	肩峰を通る床への垂直線	外耳孔と頭頂を結ぶ線	頭部体幹の側面で行う. 原則として腰かけ坐位とする.	
	伸展（後屈） extension		50				
	回旋 rotation	左回旋	60	両側の肩峰を結ぶ線への垂直線	鼻梁と後頭結節を結ぶ線	腰かけ坐位で行う.	
		右回旋	60				
	側屈 lateral bending	左側屈	50	第7頸椎棘突起と第1仙椎の棘突起を結ぶ線	頭頂と第7頸椎棘突起を結ぶ線	体幹の背面で行う. 腰かけ坐位とする.	
		右側屈	50				
胸腰部 thoracic and lumbar spines	屈曲（前屈） flexion		45	仙骨後面	第1胸椎棘突起と第5腰椎棘突起を結ぶ線	体幹側面より行う. 立位, 腰かけ坐位または側臥位で行う. 股関節の運動が入らないように行う.	
	伸展（後屈） extension		30				
	回旋 rotation	左回旋	40	両側の後上腸骨棘を結ぶ線	両側の肩峰を結ぶ線	坐位で骨盤を固定して行う.	
		右回旋	40				
	側屈 lateral bending	左側屈	50	ヤコビー（Jacoby）線の中点にたてた垂直線	第1胸椎棘突起と第5腰椎棘突起を結ぶ線	体幹の背面で行う. 腰かけ坐位または立位で行う.	
		右側屈	50				
顎関節 temporomandibular joint	開口位で上顎の正中線で上歯と下歯の先端との間の距離（cm）で表示する. 左右偏位(lateral deviation)は上顎の正中線を軸として下歯列の動きの距離を左右とも cm で表示する. 参考値は上下第1切歯列対向縁線間の距離 5.0 cm, 左右偏位は 1.0 cm である.						

（附）関節可動域参考値一覧表

関節可動域は，年齢，性，肢位，個体による個人差も大きい．また，測定肢位などにより変化があるので，ここに参考値の一覧表を付した．

部位名および運動方向	注1	注2	注3	注4	注5
肩					
屈　曲	130	150	170	180	173
伸　展	80	40	30	60	72
外　転	180	150	170	180	184
内　転	45	30		75	0
外　旋	40	90	80	60	
肩外転90°				90	103
内　旋	90	40	60	80	
肩外転90°				70	81
肘					
屈　曲	150	150	135	150	146
伸　展	0	0	0	0	4
前腕					
回　内	50	80	75	80	87
回　外	90	80	85	80	93
手					
屈　曲		70	70	80	86
伸　展	90	60	65	70	80
尺　屈	30	30	40	30	
橈　屈	15	20	20	20	
母指					
外　転（橈側）	50		55	70	
屈　曲					
CM				15	
MCP	50	60	50	50	
IP	90	80	75	80	
伸　展					
CM				20	
MCP	10		5	0	
IP	10		20	20	
指					
屈　曲					
MCP		90	90	90	
PIP		100	100	100	
DIP	90	70	70	90	
伸　展					
MCP	45			45	
PIP				0	
DIP				0	

部位名および運動方向	注1	注2	注3	注4	注5
股					
屈　曲	120	100	110	120	132
伸　展	20	30	30	30	15
外　転	55	0	50	45	46
内　転	45	20	30	30	23
外　旋				45	46
内　旋				45	38
膝					
屈　曲	145	120	135	135	154
伸　展	10			10	0
足					
屈　曲(底屈)	50	40	50	50	57
伸　展(背屈)	15	20	15	20	26
母指(趾)					
屈　曲					
MTP		30	35	45	
IP		30		90	
伸　展					
MTP	50	70	70		
IP		0		0	
足指					
屈　曲					
MTP		30		40	
PIP		40		35	
DIP		50		60	
伸　展					
MTP					
PIP					
DIP					
頸部					
屈　曲		30		45	
伸　展		30		45	
回　旋		30		60	
側　屈		40		45	
胸腰部					
屈　曲		90		80	
伸　展		30		20-30	
回　旋		30		45	
側　屈		20		35	

注：1. A System of Joint Measurements, William A. Clark, Mayo Clinic, 1920.
2. The Committee on Medical Rating of Physical Impairment, Journal of American Medical Association, 1958.
3. The Committee of the California Medical Association and Industrial Accident Commission of the State of California, 1960.
4. The Committee on Joint Motion, American Academy of Orthopaedic Surgeons, 1965.
5. 渡辺英夫・他：健康日本人における四肢関節可動域について，年齢による変化，日整会誌　53：275-291, 1979.
なお，5の渡辺らによる日本人の可動域は，10歳以上80歳未満の平均値をとったものである．

全身関節弛緩テスト（中島寛之らを改変）

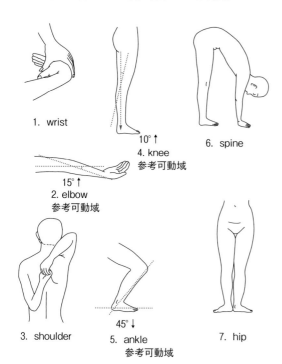

	Rt	Lt
1. wrist	(＋・－)	(＋・－)
2. elbow	(＋・－)	(＋・－)
3. shoulder	(＋・－)	(＋・－)
4. knee	(＋・－)	(＋・－)
5. ankle	(＋・－)	(＋・－)
6. spine	(＋・－)	
7. hip	(＋・－)	
total： /7		

464 付　　録

臨床徒手検査法

　業務範囲の是非を判断するうえでの重要な臨床徒手検査法である．安静時に疼痛を訴えている患者や麻痺のある患者は手技によって症状悪化の危険があるため慎重かつ，愛護的に行うことが重要である．

脊 柱 部

各　種　検　査　名	参　考　図
1．ジャクソン Jackson テスト 　目　的　頸椎部神経根刺激症状有無の鑑別 **a．　Jackson head compression テスト** 　意　義　Spurling テストと同様な椎間孔圧迫試験である． 　実施法　検者は坐位の患者の背後に立ち，患者の頸部を後屈させて前頭・頭頂部から脊柱長軸，垂直方向に圧迫を加える． 　陽性所見　神経根刺激症状が存在する患者は，上肢帯に放散痛が誘発されたり，疼痛が増強する．健常者には疼痛が誘発されない． **b．　Jackson shoulder depression テスト** 　意　義　Eaton テストや腰椎部の SLR テストなどと同様の神経伸長 nerve stretch テストである． 　実施法　検者は Jackson head compression テストと同様な位置で，一方の手で頸椎を健側に側屈させ，他方の手を患側肩部の上におき，その肩を引き下げる． 　陽性所見　神経根刺激症状が存在する患者では，上肢帯への放散痛の誘発や疼痛が増強する．	
2．スパーリング Spurling テスト（椎間孔圧迫検査） 　目　的　頸椎部神経根圧迫症状有無の鑑別 　意　義　頸椎の椎間孔圧迫試験で，腰椎の Kemp テストと同様の手技である． 　実施法　患者を椅子に坐らせ，頸部を後屈し，患側に側屈させ，検者は前頭・頭頂部に両手をおき脊柱長軸，垂直方向に圧迫を加える． 　陽性所見　神経根の刺激がある場合は患側上肢帯に疼痛が誘発，増強またはシビレ感が放散する．頸椎部に神経根圧迫が存在しない場合は疼痛は誘発されない．	
3．FNS（femoral nerve stretch）テスト（大腿神経伸長検査） 　目　的　上位腰椎椎間板ヘルニアの鑑別 　意　義　上位腰神経根の nerve stretch テストで上位腰椎椎間板ヘルニアで陽性となるが，腸腰筋，大腿直筋に障害があっても陽性となるため，他の神経学的所見や脊柱所見にも留意する． 　実施法　患者は腹臥位で，患側膝関節 90° 屈曲し，検者は一方の手で屈曲した下肢を握り，他方の手を殿部にあてて股関節の伸展強制を容易にする． 　陽性所見　一方の手で下腿の末梢方向に患肢を引き上げて股関節を過伸展すると，大腿前面に疼痛が誘発される．	
4．SLR（straight leg raising）テスト　下肢伸展挙上検査（坐骨神経伸長検査） 　目　的　腰部椎間板ヘルニアの鑑別 　意　義　腰仙部神経根に対する代表的な nerve stretch テストで，腰部椎間板ヘルニアに対するもっとも重要な疼痛誘発試験である． 　実施法　患者背臥位，患肢の股関節内・外転および内・外旋中間位にして踵骨部を一方の手で支え，膝関節伸展位を保持するために他方の手を膝蓋骨の上におき，矢状面上にゆっくり挙上する． 　陽性所見　健常者は 70～90° まで疼痛を伴わず挙上可能であるが，神経根刺激症状が存在する患者では，挙上途中で坐骨神経に沿った痛みや放散痛を訴える場合には，陽性と判断し，そのときの角度，疼痛などの発生部位，性状などを記録する．	

付　録　**465**

脊 柱 部

各 種 検 査 名	参 考 図
5.　WLR(well leg raising)テスト(坐骨神経伸長検査) [目 的]　腰部椎間板ヘルニアの鑑別 [意 義]　患側の SLR テストが陽性であり，健側下肢に行った下肢挙上検査 WLR テストで陽性所見を認めた際は，腰部椎間板ヘルニアが存在している可能性はきわめて高い. [実施法]　健側下肢に対し SLR テスト同様に下肢伸展挙上を行う. [陽性所見]　患側の腰殿部・下肢帯に疼痛が誘発される.	
6.　ブラガード Bragard テスト(坐骨神経伸長検査) [目 的]　神経根緊張症状有無の鑑別 [意 義]　仙腸関節，腰仙部や梨状筋に動きを起こさせないため，SLRテストが陽性または擬陽性で，nerve stretch テスト陽性と判定してよいかどうか疑問のある場合に有効なテストである. SLR テストと Bragard テストが陽性であれば神経根緊張症状の存在を証明することができる. [実施法]　SLR テストで疼痛が誘発された挙上角度を少し減じて，足関節の伸展(背屈)を強制する. [陽性所見]　強制動作で神経が伸長されると痛みや放散痛が誘発される. 根性疼痛が著しい例では下肢の挙上を行わず，足関節の伸展(背屈)のみで陽性所見が出現する.	
7.　ボウストリング Bow string テスト(坐骨神経伸長検査) [目 的]　神経根緊張状態有無の鑑別 [意 義]　nerve stretch テストの一種で，SLR テストの擬陽性を除外する手段として Bragard テストなどとともに重要である. [実施法]　SLR テストを行い，下肢に疼痛が誘発した角度において膝関節を約 20° 屈曲させて，足部を検者の肩に載せたまま下肢痛が発生するまで肢位を挙上する. 再度疼痛が出現したら，やや角度を減少し，膝窩部に圧迫を加える. [陽性所見]　神経根の緊張状態が存在する患者は，膝窩部圧迫と同時に大腿後面から殿部にかけて疼痛が発生する.	
8.　ケンプ Kemp テスト(坐骨神経圧迫検査) [目 的]　椎間孔圧迫試験 [意 義]　腰椎部での椎間孔圧迫試験の一つで，椎間板ヘルニアに対する疼痛誘発手技である. [実施法]　検者は患者に立位を指示し，その背後に立ち，患者に膝関節伸展位を保持させつつ体幹を回旋したまま伸展させる. [陽性所見]　坐骨神経の走行に一致した疼痛や放散痛が誘発される.	

脊 柱 部

各 種 検 査 名	参 考 図
9. ニュートン Newton テスト [目 的] 仙腸関節疼痛誘発試験 [意 義] 仙腸関節部への圧迫や動揺などの負荷をかけて疼痛を発現させる手技である. [実施法] ①第1法：患者背臥位，検者は両手を患者の上前腸骨棘にかけて前内方へ圧を加える. ②第2法：患者背臥位，検者は両手の母指を上前腸骨棘，他の四指と手掌を腸骨翼にあて両側から後内側に圧を加える. ③第3法：患者腹臥位，検者は両手を重ねて仙骨部を後面より圧迫する．徐々に力を加えて最終的に全体重をかける. [陽性所見] 上記3法のうち2法に陽性が出れば仙腸関節の病変を疑う.	
10. ヒップ Hibb テスト [目 的] 梨状筋緊張状態有無，根性坐骨神経症状との鑑別 [意 義] 梨状筋の伸長状態で梨状筋下の坐骨神経の絞扼状態を確認する. [実施法] 患者を腹臥位として患肢膝関節90°屈曲位としたまま，股関節を他動的に内旋する（股関節内旋の強制）. [陽性所見] 梨状筋の緊張状態が存在する患者は，梨状筋下口部の局所痛や大腿後面から下腿後面部にかけて放散痛の出現を陽性と判断する.	
11. パイル Payer 徴候 [目 的] 腰椎肋骨突起（横突起）骨折の有無 [意 義] 大腰筋・腰方形筋の牽引による体動時痛の再現 [実施法] 患者を立位としたまま，体幹を健側に側屈する（体幹側屈の強制）. [陽性所見] 体幹を健側に側屈すると筋の緊張が存在する患者は患側（骨折側）の牽引痛の出現を陽性と判断する.	

付　録　**467**

胸郭・上肢部

各　種　検　査　名	参　考　図
12.　モーリー Morley テスト [目　的]　胸郭出口症候群の鑑別 [意　義]　第1肋骨と前・中斜角筋でつくる斜角筋三角部の斜角筋群が緊張状態にある患者に対し，局所の疼痛と末梢への放散痛の有無を調べる． [実施法]　胸鎖乳突筋鎖骨頭の外縁から1横指半から2横指分，外方にある前斜角筋を鎖骨上縁部で圧迫する． [陽性所見]　健常者は不快感程度であるが，斜角筋群が緊張状態にある患者では圧痛，放散痛を訴える．	
13.　アドソン Adson テスト [目　的]　胸郭出口症候群の鑑別 [意　義]　頸椎を後屈して患側へ回旋すると，前斜角筋は引き伸ばされて第1肋骨と前・中斜角筋でつくる斜角筋三角が狭くなり，その中を通る鎖骨下動脈や腕神経叢が圧迫されやすくなる．この状態で深吸息を加えると，胸郭は上昇して肋鎖間隙も狭くなるために，神経，血管はさらに圧迫されやすくなる． [実施法]　患者を椅子に腰掛けさせ，両手を膝の上におくように指示する．検者は患者の両側の橈骨動脈を触知し，患者に頸椎を後屈し，右または左へ回旋して深吸息させて息を止める様指示する． [陽性所見]　患側の橈骨動脈の拍動の消失，減弱をみる．	
14.　アレン Allen テスト [目　的]　胸郭出口症候群の鑑別 [意　義]　本テストは胸郭出口症候群の大部分を占める神経症状に対する直接的なテストではなく，胸郭上口部で鎖骨下動静脈を圧迫し，末梢部への血流障害の状態をみるものである．胸郭出口症候群の患者の陽性率は高いが，健常者の陽性率も40%近いとの報告が多い．したがって，陰性の場合には胸郭出口症候群でない可能性が高いといえる． [実施法]　患者に坐位で一側の肩関節90°外転・外旋位，肘関節90°屈曲位をとらせ，橈骨脈の拍動を触れる．続いて頸部を反対方向に回旋させ拍動の変化をみる． [陽性所見]　橈骨動脈の拍動が減弱または消失したものを陽性とする（斜角筋群による鎖骨下動脈の圧迫を疑う）．	
15.　ライト Wright テスト [目　的]　胸郭出口症候群の鑑別 [意　義]　上肢を過外転していくと鎖骨は後方へ回転し，肩甲帯は後方に引かれて第1肋骨と鎖骨の間隙および烏口突起下で小胸筋と胸壁の間が狭くなり，腕神経叢や鎖骨下動脈が圧迫されやすくなる． [実施法]　患者坐位で両肩関節90°外転，90°外旋，肘90°屈曲位で検者はの両側の橈骨動脈を触知する． [陽性所見]　患側の橈骨動脈の拍動の消失，減弱は過外転症候群陽性を意味する．	

胸郭・上肢部

各種検査名	参考図
16. ルース Roos テスト（3 分間挙上負荷テスト） ［目　的］　胸郭出口症候群の鑑別 ［意　義］　胸郭出口症候群の症状の大部分は腕神経叢の圧迫や牽引による神経症状であり，このテストは肋鎖間隙を狭くした肢位を保持させ，腕神経叢および鎖骨下動静脈の圧迫に伴う症状を再現させる唯一のテストであるとルースは述べている．患者の陽性率は 70% 以上との報告が多く，健常者での陽性率は 1% 未満といわれている．その意味では信頼性の高いテストといえる． ［実施法］　患者坐位でライトテスト同様に両肩関節 90°外転・外旋位，肘 90°屈曲位の肢位をとらせ，手指の屈伸運動を 3 分間継続させる． ［陽性所見］　患側の上肢の疲労感，冷感，疼痛，手掌血色の変化などが誘発され，運動が継続できないものを陽性とする（肋鎖間隙での腕神経叢，鎖骨下動静脈の圧迫を疑う）．	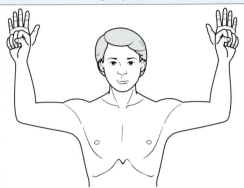
17. エデン Eden テスト（気を付け姿勢テスト） ［目　的］　胸郭出口症候群の鑑別 ［意　義］　鎖骨下動脈が鎖骨と第 1 肋骨あるいは頸肋との間隙で圧迫を受け，末梢の血行障害の有無を検査する．患側上肢を後下方に引き下げることで，間隙を狭くして橈骨動脈の拍動の変化がみられれば，胸郭出口症候群中の肋鎖症候群あるいは頸肋症候群の存在を示す．本テストの陽性率は 30% 程度との報告があり陽性であれば胸郭出口症候群の可能性が高い． ［実施法］　患者を坐位で胸を張り肩を後方に引いた姿勢をとらせ，橈骨動脈の拍動の変化をみる． ［陽性所見］　橈骨動脈の拍動の減弱あるいは消失がみられ症状の誘発または増悪を陽性とする．	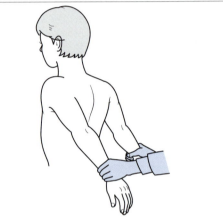
18. ドロップアームサイン Drop arm sign（テスト） ［目　的］　肩腱板断裂の有無の鑑別 ［意　義］　新鮮な腱板断裂の際に認められ，棘上筋機能である水平外転保持，肩甲骨関節窩への骨頭求心作用をみる．ただし，肩峰下滑液包炎や麻痺性の肩の際にも出現する． ［実施法］　検者は坐位の患者の後側方に立って患肢手関節部を持って他動的に肩甲骨の平面上（前額面より約 30°水平屈曲した面上）に 90°外転させる． ［陽性所見］　検者はその肢位で支えた手の力を緩めると患者はその肢位を保持できずに落下すると陽性と判断する．	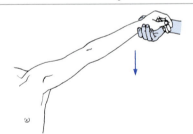
19. 有痛弧徴候 Painful arc sign ［目　的］　肩腱板断裂の鑑別 ［意　義］　棘上筋や棘下筋の機能である肩甲骨関節窩への骨頭求心作用．肩関節外転 60～120°の間で疼痛が出現する徴候を painful arc，有痛弧という． ［実施法］　片手を患者の肩峰部前縁にあて，他手で手関節部を持って他動的に肩甲骨の平面上に外転させていく． ［陽性所見］　肩関節外転 60～120°の間で疼痛出現や肩峰前縁部で音（crepitus）を聴取することができる．	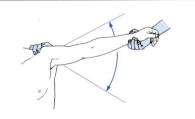
20. インピンジメント徴候 Impingement sign（ニア Neer） ［目　的］　肩腱板断裂の鑑別 ［意　義］　棘上筋や棘下筋の機能である肩甲骨関節窩への骨頭求心作用や肩甲上腕リズムを把握し，肩峰下での衝突の可否をみる． ［実施法］　検者は一手を患者の肩峰部にあて，他手で上腕遠位（肘関節部）を把持する．上腕遠位を把持した手で上腕長軸方向に軸圧を加え，患側上肢を軽度内旋しながら挙上する． ［陽性所見］　肩峰下に疼痛や crepitus が誘発されるものを陽性とする．	

胸郭・上肢部

各 種 検 査 名	参 考 図
21. リフトオフテスト Lift off test （目的）肩甲下筋機能不全の有無の鑑別 （意義）肩関節内旋位から，さらに自動運動で内旋を強制するよう指示する．この動作が不能もしくは不十分な場合は，肩関節内旋作用を有する肩甲下筋の損傷や機能不全が疑われる． （実施法）患者に患肢の手の甲を背中に接した位置から，手を背中から離すように指示する．その際に，背中から手を離すことできない場合を陽性とする．	
22. スピード Speed テスト （目的）上腕二頭筋長頭腱炎症の鑑別 （意義）上腕二頭筋腱に対し伸長性収縮の負荷をかけることにより，結節間溝内で腱の疼痛誘発または増強させる． （実施法）肘関節伸展・前腕回外位で肩関節45°屈曲位で患肢を前に差し出させ，肩関節の屈曲運動をさせる．検者は，肩部と前腕部に手をあて，屈曲運動に対し抵抗を加える． （陽性所見）結節間溝部に疼痛が出現するか否かをみる．	
23. ヤーガソン Yergason テスト （目的）上腕二頭筋長頭腱炎症の鑑別 （意義）肘関節90°屈曲位での前腕回外運動に対する抵抗によって，上腕二頭筋に強い短縮性収縮が起こることによって結節間溝部に限局性の疼痛が出現するかをみる． （実施法）患者の肘関節90°屈曲，前腕を回内させ，検者は患者の手をしっかりつかんで抵抗下に前腕の回外運動を試みさせる． （陽性所見）腱炎や腱鞘炎などが存在する場合には結節間溝部に疼痛が誘発または増強する．	
24. 回内筋症候群の誘発テスト （目的）回内筋症候群の鑑別 （意義）各検査動作での解剖学的構造，正中神経の絞扼部の形態変化による疼痛の状態を把握する． （実施法） **a.** 前腕回内，手関節屈曲の抵抗運動で円回内筋の緊張を高める． **b.** 前腕回外，肘関節屈曲の抵抗運動で上腕二頭筋を短縮性収縮させる． **c.** 中指屈曲の抵抗運動で，浅指屈筋を短縮性収縮させる． （陽性所見）**a.** の動作で円回内筋の緊張が高まり，疼痛が誘発されるとき，正中神経の円回内筋部での圧迫を疑う． **b.** の動作で疼痛が誘発されるとき，正中神経の上腕二頭筋線維腱膜部（lacertus fibrosus）での圧迫を疑う． **c.** の動作で疼痛が誘発されるとき，正中神経の浅指屈筋腱弓部での圧迫を疑う．	 a b c
25. 椅子 Chair テスト （目的）上腕骨外側上顆部損傷の有無の鑑別 （意義）上腕骨外側上顆に起始する橈側手根伸筋に物をつまみ上げたり，つかみ上げたりの動作，伸長性の筋収縮で疼痛が誘発されるかどうかをみる． （実施法）患者に肘関節伸展，前腕回内位（腕を伸ばし手掌を床面に向けて）で椅子を持ち上げさせる． （陽性所見）橈側手根伸筋に強い牽引力が働き，引き伸ばされ，外側上顆に疼痛が誘発されるものをテニス肘（上腕骨外側上顆炎）と判断する．	

胸郭・上肢部

各 種 検 査 名	参 考 図
26. トムゼン Thomsen テスト [目 的] 上腕骨外側上顆部損傷の有無の鑑別 [意 義] Chair テスト，中指伸展 middle finger extension テスト同様の，上腕骨外側上顆に起始部を持つ伸筋に対しての伸長性収縮負荷の疼痛誘発テストである． [実施法] 患者に拳をつくらせ，肘関節伸展位，前腕回内位，手関節背屈を指示する．検者は手関節に対して掌屈方向に抵抗を加え，筋付着部に対して牽引ストレスをかけて上腕骨外側上顆部の疼痛を誘発させる． [陽性所見] 上腕骨外側上顆に疼痛が誘発されれば陽性と判断し，上腕骨外側上顆炎が示唆される．	
27. 中指伸展 middle finger extension テスト [目 的] 上腕骨外側上顆部損傷の有無の鑑別 [意 義] Chair テスト，トムゼン Thomsen テスト同様，上腕骨外側上顆に起始部を持つ総指伸筋に対しての疼痛誘発テストである．このテストは，筋付着部に対して牽引ストレスをかけて上腕骨外側上顆部の疼痛を誘発させる． [実施法] 患者に前腕回内位で，肘関節，手関節，中指をそれぞれ伸展位とするように指示する．検者は患者の中指に対して掌側方向に抵抗を加える． [陽性所見] 上腕骨外側上顆に疼痛が誘発されれば陽性と判断し，上腕骨外側上顆炎が示唆される．	
28. 逆トムゼン Thomsen テスト [目 的] 上腕骨内側上顆部損傷の有無の鑑別 [意 義] 上腕骨内側上顆部に起始部を持つ円回内筋，橈側手根屈筋，尺側手根屈筋など前腕屈筋群腱の付着部障害のゴルフ肘，内側型テニス肘，野球肘内側型などに対する疼痛誘発テストである． [実施法] 患者に拳をつくらせて，肘関節伸展位，前腕回内位，手関節掌屈位とさせる．検者は手関節に対して背屈方向に抵抗を加える．抵抗を加え，上腕骨内側上顆に疼痛を誘発させる（Thomsen テストと反対の肢位の強制による疼痛誘発テスト）． [陽性所見] この動作にて上腕骨内側上顆に疼痛が誘発され陽性と判断し，上腕骨内側上顆部の損傷が示唆される．	
29. TFCC ストレステスト（Ulnocarpal stress test Grip sign） [目 的] 三角線維骨軟骨複合体損傷の有無の鑑別 [意 義] TFCC 損傷には，外傷性断裂と，非外傷性の変性断裂の二つがあるがこれらの損傷の有無を鑑別するのに用いられる． [実施法] **a.** 患者に肘関節屈曲位，前腕中間位にさせる．検者は一方の手で患側上肢前腕を把持し，他方の手で患者の手を保持して手関節を尺屈強制させながら前腕を回内・回外させる． **b.** 患者に肘関節屈曲位にさせる．検者は一方の手で患側上肢前腕を把持し，他方の手で患者の手を保持して前腕を回内または回外し，手関節の尺屈強制をする． [陽性所見] **a. b.** の動作にて，手関節尺側部に疼痛またはクリックが誘発されれば陽性と判断し，損傷が疑われる．	a b

胸郭・上肢部

各 種 検 査 名	参 考 図
30. フィンケルスタイン Finkelstein テスト［アイヒホッフ Eichhoff テスト］ ［目 的］ 手関節第1区画損傷の鑑別 ［意 義］ 手関節第1区画内を通る短母指伸筋腱や長母指外転筋腱を緊張させて疼痛誘発を試みる手関節第1区画の腱鞘炎（ド・ケルバン de Quervain 病）の試験である. ［実施法］ 患者の第1指を握るか，第1指を手掌側に内転させて手をつかみ，手関節をすばやく尺屈させ，橈骨茎状突起部に疼痛が発現するか否かをみる. ［陽性所見］ 筋腱の緊張が増して橈骨茎状突起部に疼痛が発現するものを陽性とする	
31. ファーレン Phalen テスト ［目 的］ 手根管症候群の鑑別 ［意 義］ 手根管症候群の患者では正中神経が屈筋支帯の近位線で圧迫されるため，両手関節を最大に屈曲させて負荷を掛け，シビレの誘発あるいは症状が増悪するか否かをみる. ［実施法］ 両手背を合わせて両手関節を屈曲〔掌屈〕させていった図の肢位で，手関節最大屈曲位のところで，停止させたポジションを1分間維持させる. ［陽性所見］ 健常者でも長時間にわたり負荷させると，正中神経支配領域にシビレが生じるが，1分以内に発症することはない. シビレが誘発されるか，増強する場合は陽性と判断する.	

股関節・下肢部

各 種 検 査 名	参 考 図
32. パトリック Patrick テスト（Fabere 徴候） ［目 的］ 股関節疾患と坐骨神経痛との鑑別 ［意 義］ パトリックテストは Fabere 徴候とも呼ばれる．語源は Flexion 屈曲，Abduction 外転，External Rotation 外旋，Extension 伸展の頭文字を合わせたもので，坐骨神経痛と股関節疾患（変形性股関節症，大腿骨頭壊死，関節リウマチ，強直性脊椎炎，化膿性股関節炎，股関節結核など）との鑑別上重要な検査法である． ［実施法］ 背臥位にさせた患者の患側下肢を健側の膝の上に載せて，患側の股関節を屈曲，外転，外旋位とする． ［陽性所見］ 患側股関節前面部に患肢の重量で伸展力が働き，それにより鼠径部の靱帯が緊張して疼痛が出現する場合を陽性とする．	
33. トーマス Thomas テスト ［目 的］ 股関節屈曲位拘縮有無の鑑別 ［意 義］ 股関節の屈曲位拘縮をチェックする方法であり，屈曲範囲〔ROM〕を正しく把握することも可能である． ［実施法］ **a.** の患者背臥位で健側の膝や下腿を握り股関節を最大に屈曲したときに，患側の大腿部と診察台の間に隙間ができれば，股関節の伸展が十分できないことを意味している． **b.** 上前腸骨棘を体幹と直角にする．腰椎の下に検者の手を挿入し，股関節を最大屈曲して体幹に近づけると，患者の腰部が検者の手につくようになる（試験前にあった腰椎の前彎すなわち代償性の骨盤前傾が矯正されたことを意味する）．その後に両股関節を最大限に屈曲させて，患側下肢を伸展していく． ［陽性所見］ **a.** の動作では，患側の大腿部が浮いてきて，膝の下に隙間②ができ，膝が屈曲してくるため股関節の屈曲拘縮と判断する． **b.** の動作で股関節が完全に伸展しないときは股関節の屈曲拘縮の存在を意味する．	
34. マックマレー McMurray テスト ［目 的］ 膝半月損傷の有無と部位の鑑別 ［意 義］ 膝半月の後方断裂の診断に有用といわれる．膝関節最大屈曲位から 90°の間でクリックや疼痛を認めれば外（内）側半月後節部，90〜0°間で外（内）側半月中節の損傷断裂を推定することもできる． ［実施法］ 患者背臥位で，踵を殿部に接する程度まで股関節を屈曲し，膝関節最大屈曲位とする．一方の手指で膝関節の内外側関節裂隙にあて，他方の手で足部をつかみ，下腿に内・外旋を加えながら，下腿内旋位と下腿外旋位で膝関節を伸展していく． ［陽性所見］ 膝関節内外側関節裂隙部のクリックや疼痛，引っかかりなどの出現は陽性と判断する．	
35. ラックマン Lachman テスト ［目 的］ 前十字靱帯損傷有無の鑑別 ［意 義］ 前方への不安定性であり，Drawer sign と同様であるが，後十字靱帯の鑑別は不能である． ［実施法］ 患者背臥位，患肢膝関節を軽度屈曲（10〜30°）位で，検者は一方の手で大腿遠位端部を外側から握り，他方の手で下腿近位端部を内側から握る．大腿遠位端部は固定したまま下腿近位端部を把握している一方の手を瞬時に下腿前方へ引き，愛護的に引き出し操作を行う． ［陽性所見］ 健側に比べて軟らかな抵抗感とともに前方引き出しが証明されるものを陽性と判断する．	

股関節・下肢部

各　種　検　査　名	参　考　図
36. 膝蓋骨跳動検査 [目　的]　膝関節内貯留液の有無の鑑別 [意　義]　膝関節の腫脹が強い際に滲出液の関節内貯留を確認する. [実施法]　患者の膝関節伸展位で，膝蓋上包にたまった関節液を一方の手で，その膝蓋上包を下腿方向に圧迫し，他方の手の母指で膝蓋骨を圧迫する. [陽性所見]　関節液が貯留していれば膝蓋骨の跳動を感じる.	 膝蓋上包
37. Drawer sign（引き出し徴候） [目　的]　膝十字靱帯損傷の有無と部位の鑑別 [意　義]　十字靱帯断裂の有無を確認する手技で膝関節の動揺性を確認する. [実施法]　患者背臥位，股関節 45°，膝関節 90°屈曲位として足関節内・外転，内・外がえし中間位とする. 検者は，患者の前足部に殿部を載せ脚を固定する. 次に脛骨中枢近位端を両手で把持し，関節裂隙部に両母指をあてる. 前十字靱帯を診る場合は脛骨を前方に引き，後十字靱帯の場合は後方に押し込み動作を愛護的に行う. [陽性所見]　前方に動揺性のあるものを前方引き出し陽性と判断し，後方に動揺性のあるものを後方引き出し陽性と判断する. 前者は前十字靱帯断裂を，後者は後十字靱帯断裂を示唆する.	
38. Lateral instability テスト（側方動揺性テスト） [目　的]　膝側副靱帯損傷の有無と部位の鑑別 [意　義]　内・外側側副靱帯損傷の有無，動揺性を検査する手段であり，膝関節 0°（伸展位）と 30°屈曲位の二方法で行う. [実施法]　**a. Abduction stress テスト（外転動揺テスト）** 患者背臥位，患側股関節軽度外転位で，膝関節 30°屈曲位とする. 検者は一方の手で膝の外方にあて，他方の手で足部を保持し，膝関節を静かに外転する. なお，股関節を軽度屈曲すると操作しやすい. 健側と比較しつつ，緩やかに繰り返して行い，徐々に外転度を増して検査する. **b. Adduction stress テスト（内転動揺テスト）** 同様に，検者は一方の手で膝の内方にあて，他方の手で足部を持って内転する. [陽性所見]　外転手技で陽性は内側側副靱帯損傷を，内転手技で陽性は外側側副靱帯損傷を示唆する.	

474 付　　録

股関節・下肢部

各　種　検　査　名	参　考　図
39.　アプライ Apley テスト 目　的　膝半月と側副靱帯損傷合併の有無の鑑別 意　義　靱帯損傷との鑑別に用いる．牽引で半月への圧が減少されて半月損傷のみであれば疼痛は発生しない． 実施法　**a.**　Compression テスト（Grinding テスト） 患者を腹臥位，膝関節 90° 屈曲させ，検者は両手で足底部を持ち，患肢後面に検者の膝を載せて固定し，患者の足底部から大腿骨顆に向けて下腿長軸方向に圧迫し，下腿の内・外旋を加える． **b.**　Distraction テスト（Rotating テスト） 同様の肢位で脛骨関節面を大腿骨顆より牽引して内・外旋を行い，疼痛の有無をみる． 陽性所見　**a.**　Compression テストで内側裂隙部に疼痛があれば内側半月，外側裂隙部に疼痛が出現すれば外側半月の損傷陽性を示唆する． **b.**　Distraction テストで膝内側の大腿内側上顆部に疼痛が出現すれば内側側副靱帯の損傷，外側上顆部ならば外側側副靱帯の損傷陽性を示唆する．	a　　　　　b
40.　トンプソン Thompson テスト［シモンズ Simonds テスト］ 目　的　アキレス腱断裂の鑑別 意　義　腓腹筋の把握検査（squeeze テスト） 実施法　患者腹臥位とし患肢をベッドの外に出した状態で，検者は患者の患肢腓腹筋中央部を把握する． 陽性所見　断裂のない陰性の場合は他動的足関節の屈曲（底屈）が生じるが，アキレス腱に損傷（完全断裂）がある場合は，足関節は屈曲（底屈）しないため陽性と判断する．	

神経・血管

各　種　検　査　名	参　考　図
41.　アレン Allen テスト 目　的　橈・尺骨動脈および交通枝の状況の鑑別 意　義　患肢の橈骨動脈，尺骨動脈の圧迫を行い，圧迫解除後の全指への血行再開（反応性充血）の時間をみる橈・尺骨動脈領域の動脈および交通枝の循環不全の検査に用いる．橈・尺骨動脈間には交通枝があり，開存していれば全指に赤味がさし，血流の再開が察知され，一方が閉塞していれば手指には阻血状態が起こる． 実施法　患者に手を強く握りしめるように指示し，手掌部内の血液を中枢部へ送り出し駆血した後，検者が橈骨動脈と尺骨動脈を両母指で強く圧迫する． ①患者は手を強く握って検者は指で橈・尺骨動脈を圧迫する． ②③圧迫した検者の指1本を開放する． 陽性所見　②のように検者の指1本を開放して反応性充血が遅れる際は，その動脈あるいは交通枝の循環不全と判断し，③のように全指に赤味が戻る際は開放した動脈および交通枝は正常と判断する．	①　　　②　　　③
42.　チネル Tinel テスト（叩打テスト） 目　的　末梢神経損傷部の鑑別 意　義　損傷の部位の診断と神経回復の把握のための叩打テストである．神経修復に際しては，髄鞘より先に軸索が再生されるため，むき出しの軸索が叩打によって刺激を受けることになり，放散痛を生じる． 実施法　患肢の神経の緊張をできるだけ除去した肢位で行う．検者は中指指尖で，患者の患肢障害神経の走行に沿って，末梢側から障害部位まで神経直上を中枢に向かって軽く叩いていく． 陽性所見　患者は検者の叩打によって障害部位で鋭い痛みを感じ，障害神経の支配領域に放散痛やシビレ感が誘発されると陽性と判断する．すなわち，叩打痛を認める部位まで再生軸索が伸びてきて神経が回復していることを示唆している．	

神経・血管

各　種　検　査　名	参　考　図
43. ブランチ Blanch テスト・爪床圧迫テスト (capillary refill time (CRT)) [目　的]　毛細血管再充満時間 (capillary refill time) の実施で末梢循環不全や低体温などの確認をする. [意　義]　爪床を圧迫すると圧迫箇所周辺は白くなるが，その圧迫を解除することで，爪床の赤味が回復する．5 秒間圧迫し，圧迫解除後に赤味が回復する時間が 2 秒以上の場合，末梢循環不全や低体温を疑う．災害時など爪床が圧迫困難な場合は「手背部」「足底部」や「前額部」も使用する. [実施法]　患者の両側の手指または足趾の爪を 5 秒間圧迫し，圧迫を解除した後の爪床の赤みの回復するまでの時間をみる [陽性所見]　赤みの回復が 2 秒以上なら緊急の処置が必要となり，2 秒未満であれば，循環に関しては問題ないとされる.	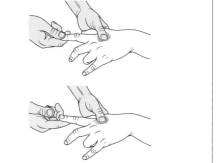

476 付　録

骨端核の発生と閉鎖

部 位 名	名 称	出 現	融 合
肩関節	①上腕骨骨頭核	生下時～3ヵ月	相互融合 4～6 歳
	②上腕骨大結節核	男 6ヵ月～2 歳	骨幹との融合
	③上腕骨小結節核	女 3ヵ月～1 歳 6ヵ月	男 19～21 歳
		3～5 歳	女 18～20 歳
	④鎖骨内側端	17 歳	25 歳
	⑤肩峰核	15 歳	18 歳
	⑥烏口突起	生下時～1 歳	16 歳
	⑦肩甲骨下角	15 歳	20 歳
肘関節	①上腕骨外側上顆核	男 12 歳，女 11 歳（11～14 歳）	男 17 歳，女 14 歳
	②上腕骨小頭核	男 5ヵ月（6 週～8ヵ月）女 4ヵ月（1～6ヵ月）	男 17 歳，女 14 歳
	③上腕骨滑車核	男 9 歳（8～10 歳）女 8 歳（7～9 歳）	男 17 歳，女 14 歳
	④上腕骨内側上顆核	男 7 歳（5～7 歳）女 5 歳（3～6 歳）	男 18 歳，女 15 歳
	⑤尺骨肘頭核	男 10 歳，女 8 歳	男 15～17 歳女 14～15 歳
	⑥橈骨骨頭核	男 5 歳，女 4 歳（3～6 歳）	男 15～17 歳女 14～15 歳
手・手首	①第 1 指末節骨端核	男 1 歳 6ヵ月，女 1 歳	14～21 歳
	②第 1 指基節骨端核	男 3 歳，女 2 歳	14～21 歳
	③第 2～5 指節骨端核	5ヵ月～2 歳 6ヵ月	14～21 歳
	④第 1 指中手骨端核	男 2 歳 6ヵ月，女 1 歳 8ヵ月	14～21 歳
	⑤第 2～5 指中手骨端核	10ヵ月～2 歳	14～21 歳
	⑥有鈎骨	6ヵ月（出生時～1 歳 6ヵ月）	
	⑦有頭骨	6ヵ月（出生時～1 歳）	
	⑧大菱形骨	男 5 歳，女 4 歳（1 歳 6ヵ月～10 歳）	
	⑨小菱形骨	男 6 歳，女 4 歳（2 歳 6ヵ月～9 歳）	
	⑩舟状骨	男 5 歳 6ヵ月，女 4 歳 6ヵ月（2 歳 6ヵ月～9 歳）	
	⑪月状骨	4 歳（6ヵ月～9 歳 6ヵ月）	
	⑫豆状骨	男 11 歳，女 9 歳（6 歳 6ヵ月～16 歳 6ヵ月）	
	⑬三角骨	男 2 歳 3ヵ月，女 1 歳 9ヵ月（6ヵ月～4 歳）	
	⑭橈骨遠位骨端核	1 歳（3ヵ月～1 歳 6ヵ月）	男 19 歳，女 17 歳
	⑮尺骨遠位骨端核	男 6 歳，女 5 歳（4～9 歳）	男 19 歳，女 17 歳
	⑯種子骨	男 12 歳，女 10 歳	

部 位 名	名 称	出 現	融 合
股関節	①大腿骨頭核	男2〜8ヵ月 女6週〜6ヵ月	男17〜18歳 女16〜17歳
	②大腿骨大転子核	男2歳3ヵ月〜4歳6ヵ月 女1歳6ヵ月〜3歳	16〜17歳
	③大腿骨小転子核	男10〜13歳，女9〜12歳	16〜17歳
	④臼蓋外側縁骨端核	16歳	25歳
膝関節	①膝蓋骨	男4〜5歳，女3歳	
	②大腿骨遠位骨端核	胎生6〜10ヵ月	男18〜19歳 女17歳
	③脛骨近位骨端核	胎生8ヵ月〜1ヵ月	男18〜19歳 女16〜17歳
	④腓骨近位骨端核	男4歳，女3歳（2歳〜5歳6ヵ月）	男18〜20歳 女16〜18歳
	⑤脛骨粗面核	7〜15歳	19歳
足関節	①末節骨端核	2〜4歳	11〜22歳
	②中節骨端核	9ヵ月〜3歳	11〜22歳
	③基節骨端核	6ヵ月〜2歳6ヵ月	11〜22歳
	④中足骨端核	2歳（6ヵ月〜4歳）	14〜21歳
	⑤内側楔状骨	男2歳，女1歳6ヵ月（9ヵ月〜4歳）	
	⑥中間楔状骨	男2歳6ヵ月，女2歳（9ヵ月〜5歳）	
	⑦外側楔状骨	3〜6ヵ月（生下時〜3歳6ヵ月）	
	⑧舟状骨	男3歳，女2歳（3ヵ月〜5歳）	
	⑨立方骨	生下時〜1歳	
	⑩距骨	胎生26〜28週	
	⑪踵骨	胎生24〜26週	
	⑫踵骨骨端核	5〜12歳	12〜22歳
	⑬腓骨遠位骨端核	男1歳，女9ヵ月（6ヵ月〜2歳）	男18歳，女16歳
	⑭脛骨遠位骨端核	6ヵ月（3ヵ月〜1歳6ヵ月）	18歳

［Mackay RH：Skeletal Maturation, Eastman Kodak Co, 1961；Girdany BR, Golden R：AJR 68：922, 1952；古寺研一，平松京一：画像診断のための知っておきたい計測値，医学書院，1982］

索　引

【和文索引】

［あ］

アイスパック　126
アイソトニック収縮　106
アイソメトリック収縮　105
アイヒホッフテスト　471
アキレス腱　72
アキレス腱炎　394
アキレス腱滑液包炎　402
アキレス腱周囲炎　287,394
アキレス腱断裂　394
悪性腫瘍の頸椎転移　342
亜脱臼　53
アダムス弓　438
圧潰骨折　28
厚紙副子　97
圧迫アプライテスト　386
圧迫骨折　28,62
圧迫痛　31
圧迫法　103
軋轢音　32
アドソンテスト　467
アプライテスト　474
アルミスプリント　97
アルミ副子　97
アレンテスト　467,474
安静時の体位　132
安全提案活動　142
安全当番活動　142
アンダーソン分類　155
鞍鼻型鼻骨骨折　151
罨法　118
按摩術営業取締規則　2
あん摩，はり，きゅう，柔道整復等営
　業法　3

［い］

異常運動　32
異常可動性　32
椅子テスト　364,469
医制　2
医接連携　83
痛みの評価　18
一次性求心性ニューロン　17
一次性転位　33
衣服の指導管理　134
インピンジメント　362
インピンジメント徴候　352,357,468

――の原理　356
インフォームド・コンセント　131

［う］

ウイリアムズ体操　349
烏口下滑液包　423
烏口肩峰アーチ　356
烏口鎖骨靫帯　301
烏口突起骨折　181,302
腕相撲骨折　27,188
運動機能向上　137
運動神経障害　80
運動療法　18,104,107
――の種類　107
運搬角　196,428

［え］

栄養状態　139
腋窩神経絞扼障害　359
腋窩神経麻痺　305
腋窩動脈損傷　305
エコノミークラス症候群　36
エデンテスト　468
遠位指節間関節脱臼　324
遠位端部骨折(下端部骨折)　29
遠位橈尺関節脱臼　209,315
円回内筋付着部より遠位での骨折
　208
円回内筋付着部より近位での骨折
　208
円蓋部　410
炎症期　43
遠心性収縮　106
延長転位　33
円板状半月　386

［お］

横骨折　25,29
鴨嘴状骨折　285,286
黄色靫帯　347
横足根関節損傷　334
オーバーアーム動作　167
オーバーアームパターン　354,359
――の動作　358
オーバーユースシンドローム　390,
　391
オーバーラッピングフィンガー　232
オスグッド・シュラッター病　270,

　389
オズボーン靫帯　427
オドリスコル　362
温熱療法　18,109,114

［か］

カーテン徴候　149
ガーデン分類　252
外眼角耳孔線　410
外脛骨　288
下位頸椎脱臼　297
――骨折　297
介在層板　22
外耳道前壁の骨折　296
外傷性顎関節損傷　339
外傷性関節損傷　51
外傷性気胸　169
外傷性筋損傷　67
外傷性頸椎捻挫型　340
外傷性頸部症候群　339
外傷性腱損傷　74
外傷性股関節炎　325
外傷性骨化性筋炎　311
外傷性骨折　23
外傷性根症状型　340
外傷性神経損傷　78
外傷性脊髄症状型　340
外傷性脱臼　53
外傷性皮下気腫　35,149
外傷性扁平足　287,289
外傷予防　137
――啓発　141
――パンフレット　142
――プログラム　142
回旋筋腱板　350
外側脱臼　55
介達外力　15,167
介達性骨折　27
介達性脱臼　55
介達痛　31
回転転位　33
外転動揺テスト　473
回転法　327
回内筋症候群　367
――誘発テスト　469
外反膝　389
外反肘　199,201,369
外反母趾　404
解剖学的整復　92
開放性運動連鎖　106,107

480 索　引

開放性関節損傷　51
開放性筋損傷　70
開放性骨折　26,29
開放性神経損傷　80
開放性脱臼　55
海綿質　21,22
下位腰椎椎体圧迫骨折　164
過外転症候群　341
下顎骨骨折　153,296
各務文献　2
鉤爪指変形　368,371
顎間固定　153
顎関節　411
　──計測　460
　──雑音　339
　──の運動　411
顎関節症　338
　──Ⅰ型(咀嚼筋障害)　338
　──Ⅱ型(関節包,靱帯障害)　338
　──Ⅲ型(顎関節内障)　338
　──Ⅳ型(変形性顎関節症)　339
　──Ⅴ型(Ⅰ～Ⅳ型に該当しないも
　の)　339
顎関節脱臼　293
顎関節捻挫　339
拡張性脱臼　53
家具の指導管理　135
仮骨形成期　45
仮骨硬化期　45
仮骨軟化(骨損傷の続発性)　36
下肢計測　459
下肢保持材料　133
荷重不均衡状態　12
過剰仮骨形成　36
過剰骨　402
臥床時の体位　132
下垂指　367,368
下垂手　367
下前腸骨棘裂離骨折　246
鷲足　439
鷲足炎　392
家族歴　139
下腿骨遠位端部骨折　278
下腿骨果上骨折　275
　──絆創膏牽引療法　276
下腿骨近位端部骨折　265
下腿骨骨幹部骨折　271
下腿骨骨折　265
下腿骨疲労骨折　277
下腿三頭筋の肉ばなれ　395
下腿部　442
　──のデルマトーム　446
下腿部スポーツ障害　395
下腿部軟部組織損傷　394
肩関節周囲炎　359
肩関節脱臼　303
　──烏口下脱臼　304

　──烏口突起上脱臼　310
　──腋窩脱臼　309
　──下方脱臼　309
　──関節窩下脱臼　309
　──棘下脱臼　308
　──肩峰下脱臼　308
　──後方脱臼　307
　──鎖骨下脱臼　304
　──上方脱臼　310
　──前方脱臼　303
肩関節部　420
滑液　48
滑液包　50,64
滑車上肘靱帯　427
滑膜ヒダ障害　392
化膿性腱鞘炎　74
果部骨折　278
　──軸圧型　283
下方脱臼　55
ガレアジ骨折　210
過労性脛部痛　395
陥凹骨折　24,62
感覚神経障害　80
眼窩底破裂骨折　152
眼窩底吹き抜け骨折　152
ガングリオン　368,369,371,393
間欠的圧迫法　109,130
観血的整復法　90
寛骨　435
環軸関節脱臼　296
　──骨折　296
巻軸帯　97
患肢保持　99
　──の指導管理　132
干渉波療法　114
関節　46
関節運動障害　38
関節円板　49,63
関節可動域　140
　──訓練　108
　──参考値　461
　──表示　454
関節強直　38
関節唇　63
関節血腫　32,57
関節拘縮　38
関節唇　50
関節損傷　51
関節内胸肋靱帯　416
関節軟骨　47
　──構造　49
　──損傷　59,63
関節ねずみ　363
関節半月　49,63
関節包　47
　──損傷　59
関節遊離体　363

関節リウマチ　74,371,378
関節ロッキング　375
完全骨折　24
完全脱臼　53
環椎破裂型骨折　154,155
陥没骨折　24,28,29,62
顔面頭蓋　410
　──骨折　151
顔面部　410
　──打撲　337
寒冷療法　18,109,124

[き]

キーンベック病　372
既往歴　139
気化冷却法　127
偽関節　37
危険予知活動　142
騎乗(短縮転位)　196
基節骨骨折　237
基礎体力　139
機能障害(骨折時の)　32
ギプス　97
基本動作訓練　108
逆コーレス骨折　221
逆トムゼンテスト　470
逆ベネット骨折　235
逆モンテギア骨折　210
キャンバス牽引法　248
キャンベル　374
臼蓋形成不全　380
吸収熱　34
求心性収縮　106
急性硬膜外血腫　149
急性硬膜下血腫　149
急性塑性変形　24,212,431
急性疼痛　16
休養　143
教育活動　137
胸郭外方凸の変形　167
胸郭出口症候群　341,358,467
胸郭内方凸の変形　167
強剛母指　377
強剛母趾　405
頬骨弓部単独骨折　152
胸骨剣結合　415
胸骨骨折　172
頬骨骨折　152
胸骨体　415
頬骨体部骨折　152
胸骨柄　415
　──結合　415
胸鎖関節脱臼　300
　──前方脱臼　300
狭窄性腱鞘炎　370
強擦法　103

索　引　**481**

胸鎖乳突筋　300
強直　38
強直性脊椎炎　129
胸椎骨折　159
胸椎脱臼　298
胸椎椎体圧迫骨折　160
胸椎部脱臼骨折　298
胸・背部打撲傷　343
胸部　415
胸壁動揺　169
胸膜損傷　174
業務範囲　7
胸腰椎移行部脱臼骨折　298
胸腰椎移行部椎体圧迫骨折　161
胸肋関節損傷　342
棘下筋　179
棘間靱帯　347
棘上筋　179
棘上靱帯　347
局所浴療法　109,117
棘突起骨折　156
距骨骨折　283
距踵舟関節　448,451
ギヨン管　430
　──症候群　371
起立・歩行機能　140
亀裂骨折　24
気を付け姿勢テスト　468
近位指節間関節脱臼　322
近位端部骨折(上端部骨折)　29
筋滑車　72
筋間損傷　68
緊急時対応の指導管理　135
筋構造　64
筋支帯　66,72
近赤外線療法　122
筋線維　66
金属副子　97
筋損傷　64,66
筋打撲　66
筋頭　64
筋内損傷　69
筋尾　65
筋皮神経麻痺　305
筋膜　65
筋力増強訓練　108

[く]

クアドリラテラルスペース　359,424
　──シンドローム　354
クーパー法(槓杆法)　306
区画症候群　36
屈曲骨折　28
屈曲整復法　91
屈曲転位　33
屈筋群コンパートメント(前腕)　365

クラーメル副子　97
グラインディングテスト　392
グラスピングテスト　391
クラッシュシンドローム　36,94
グリソン係蹄牽引　128
クリック　338
グリップエンド骨折　228
クリティカルパス　85
グルトの骨癒合　42
クレピタス　339,352
クローズドロック(Ⅲb型)　338

[け]

脛骨顆間隆起骨折　268
脛骨顆部骨折　266
脛骨過労性骨膜炎　395
脛骨骨端線離開　276
脛骨粗面骨折　269
脛骨粗面皮下包　393
脛骨単独骨折　271
軽擦法　103
傾斜角　428
計測　84
頸体角　421,438
頸椎　411
頸椎介達牽引　128
頸椎棘突起骨折　158
頸椎骨折　153
頸椎症性神経根症　129
頸椎脱臼　296
頸椎椎間板ヘルニア　342
頸椎部神経根圧迫症状　464
頸椎部神経根刺激症状　464
脛腓靱帯結合部損傷　397
経皮的末梢神経電気刺激療法　112
脛腓両骨骨折　271
頸部交感神経症候群型　340
頸部損傷　339
頸肋症候群　341
ゲームキーパー母指　374
結核性化膿性腱鞘炎　74
血管損傷　35
血胸　170
楔合骨折　29
楔状骨骨折　289
月状骨骨折　230
月状骨脱臼　220,316,317
　──周囲脱臼　316,317
腱　71
牽引アプライテスト　387
牽引直圧整復法　91
牽引痛　31
牽引療法　109,128,273
腱弓　72
限局性圧痛　31
肩腱板断裂　468

肩甲下筋　423
肩甲骨下角骨折　179
肩甲骨骨折　179
　──烏口突起骨折　181
　──関節窩骨折　180
　──頸部骨折　180
　──肩峰骨折　180
肩甲骨骨体部　179
肩甲骨上角骨折　179
腱交叉症候群　366
肩甲上神経絞扼障害　359
肩鎖関節脱臼　300
　──上方脱臼　301
肩鎖靱帯　301
腱鞘　72
剣状突起　173,415
腱損傷　71
腱脱臼　75
腱板筋群攣縮　179
腱板損傷　305,359
腱板断裂　350
現病歴　139
ケンプテスト　465
肩部不安定症　358
肩部末梢神経障害　359
肩峰下インピンジメント症候群　356
肩峰下滑液包　357,423
　──炎　357,359

[こ]

口蓋垂の健側偏位　149
口外法　294
後角　17
恒久性膝蓋骨脱臼　330
行軍骨折　290,292
噛合骨折　28
咬合骨折　28
後骨間神経　427
　──麻痺　368
後十字靱帯損傷　388
後縦靱帯骨化症　340,341
拘縮　38
後上腕回旋動脈　424
硬性材料　97
合成樹脂副子　97
硬性フレームコルセット　162
後仙腸靱帯　347
光線療法　109,122
叩打痛　31
叩打法　103
巧緻運動障害　369
後天性脱臼　56
後頭蓋底(窩)骨折　149
口内法　294
後捻角　421
後方インピンジメント　401

482 索　　引

後方落ち込み徴候　388
後方脱臼　55
後方引き出しテスト　388,396
後療法　101
高齢者骨折　41
後彎角　162
コーレス骨折　38,217,316
股関節インピンジメント　380
股関節外転位拘縮　382
股関節屈曲位拘縮　382
股関節唇損傷　380
股関節脱臼　325
　　——後方脱臼　325
　　——坐骨脱臼　325
　　——前方脱臼　328
　　——恥骨下脱臼　329
　　——恥骨上脱臼　329
　　——中心性脱臼　330
　　——腸骨脱臼　325
股関節内転位拘縮　382
股関節軟部組織損傷　380
股関節の靱帯　438
股関節部　436
極超短波療法　109,119
五十肩　306,359
骨　20
　　——の血管　22
骨萎縮　37
骨壊死　38
骨格筋損傷の治癒過程　71
骨化性筋炎　38,199
骨幹　30
骨間仙腸靱帯　347
骨幹端　21,30
骨幹部骨折　29
骨棘　376
骨挫傷　25
骨髄　22
骨性バンカート損傷　304
骨折合併症　34
骨折時ショック　34
骨折整復法　90
骨折遷延癒合　36
骨折全身症状　34
骨折続発症　35
骨折治癒経過　43
骨折の分類　23,26
骨折予後　45
骨粗鬆症　160
骨損傷　22
骨端　30
骨端核　30
骨端骨化核　30
骨端症　389,403
骨端線　30
骨端軟骨　39,40
　　——損傷　39,40

骨端部骨折　29
コッドマン体操　306,360
コットン骨折　279
骨軟骨骨折　62
骨盤骨折　245
骨盤部　435
骨盤輪　436
　　——骨折　247
コッヘル法　305,327
骨片骨折　26,28
骨膜　22
骨膜下血腫　337
骨膜下骨折　25
骨モデリング　20,39
骨癒合因子　46
骨癒合日数(グルトの)　42
骨リモデリング　20
固定具　99
固定による二次的愁訴　101
固定法　95
コラーゲン線維　49
ゴルフの肋骨骨折　27
コンパートメント症候群　36,94,209,
　　213,365,384
　　——様症状　348

[さ]

再骨折　36
坐位整復法　176
鎖骨下動脈損傷　174,175
坐骨結節裂離骨折　246
鎖骨骨折　174
坐骨神経伸長検査　464
坐骨神経痛　472
鎖骨整復台　175
坐骨単独骨折　246
鎖骨部　420
サファー　316
サポーター　97
サルカス徴候　358
猿手変形　367
サルミエント　192
三角巾　97,99
三角筋胸筋三角　304
三角筋付着部より遠位骨折　189,190
三角筋付着部より近位骨折　189,190
三角骨骨折　227
三角骨障害　401
三角靱帯損傷　397
三角線維軟骨複合体　430
　　——損傷　370,470
三次性求心性ニューロン　17
サンダーランドの分類　78
3分間挙上負荷テスト　468

[し]

ジアテルミー　119
シートベルト損傷　172
肢位の指導管理　133
ジェファーソン骨折　154,155
ジェフリー型損傷　207
自家矯正能　21
視覚的アナログスケール　18
持久力訓練　108
軸圧骨折　28
軸圧痛　31
軸椎関節突起間骨折　154,155
軸椎歯突起骨折　155
指屈筋腱鞘　435
指骨骨折　237
趾骨骨折　292
四肢の形態　139
思春期扁平足　406
視診　84
姿勢　139
姿勢位の指導管理　133
趾節間関節の脱臼　335
持続的他動運動　105
指側副靱帯損傷　373
膝蓋下脂肪体　439
膝蓋骨グラインディングテスト　392
膝蓋骨骨折　264
膝蓋骨脱臼　330
膝蓋骨跳動検査　473
膝蓋上包　439
膝蓋靱帯　439
膝蓋靱帯炎　390
膝蓋前皮下包　393
膝蓋大腿関節症　392
膝蓋大腿関節障害　392
膝蓋軟骨軟化症　392
膝窩動脈損傷　332
膝窩嚢腫　393
膝関節脱臼　332
膝関節内貯留液　473
膝関節部　439
　　——軟部組織損傷　386
　　——の損傷　386
膝十字靱帯損傷　473
膝側副靱帯損傷　473
膝半月損傷　394,472
自動運動　105
自動介助運動　105
指導管理　131
自動体外式除細動器　344
自動抵抗運動　105
歯突起骨折　154
指背腱膜　435
自発痛　31
指部　431
趾部　447

――の損傷　402
脂肪腫　371
脂肪塞栓症　248
脂肪塞栓症候群（骨損傷の続発症）　35
シモンズテスト　474
シャーピー線維　22
斜角筋症候群　341
ジャクソンテスト　340,464
斜骨折　25,28
尺骨茎状突起骨折　219
尺骨鈎状突起　311
尺骨骨幹部骨折　210
尺骨神経管　369
尺骨神経管症候群　371
尺骨神経障害　368
尺骨神経麻痺　203,207,221
尺骨バリアンス　430
斜鼻型鼻骨骨折　151
ジャンパー膝　390
就学環境の指導管理　136
習慣性脱臼　56
銃剣状変形　219,372
縦骨折　25
終止腱断裂　379
十字靱帯損傷　473
舟状骨骨折　219,225,288
住宅環境に対する指導管理　135
柔道整復師法　3
柔道整復師倫理綱領　10
柔道接骨術公認期成会　2
揉捏法　103
就労環境の指導管理　136
手関節腱損傷　373
手関節靱帯損傷　373
手関節伸展テスト　364
手関節第1区画損傷　471
手関節部　430
　――脱臼　315
　――軟部組織損傷　370
手技療法　19,102
祝祷肢位　367
踵骨棘　402
踵骨骨折　285
手根管症候群　371
手根骨部の骨折　224
手根中手（CM）関節脱臼　318
手指計測　458
種子骨　72
手指深指屈筋腱断裂　324
手術療法　19
腫脹　32
手部　431
　――高挙　100
上位頸椎骨折　154
小円筋　179
上顎骨骨折　152
小胸筋症候群　341

小結節単独骨折（上腕骨骨折）　187
上肢測定　457
硝子軟骨　47
上肢保持材料　133
上前腸骨棘裂離骨折　246
掌側傾斜角　430
掌側バートン骨折　223
掌側板　433
　――付着部裂離骨折　240
　――膜様部　320,375
衝突性外骨腫　400
小児期扁平足　406
小児骨折　39
小児の膝変形　389
ショウファー骨折　223
上方関節唇バケツ柄様断裂　356
上方脱臼　55
上腕骨遠位端部骨折　193,204
上腕骨外顆骨折　200,201
　――偽関節　200,201
上腕骨外側上顆炎　364
上腕骨顆上骨折　194
　――屈曲型骨折　194,195
　――伸展型骨折　194,198
上腕骨近位骨端線離開　187,357
上腕骨近位部骨折　181
　――解剖頸骨折　182
　――骨頭骨折　181
　――小結節単独骨折　187
　――大結節単独骨折　186,187
上腕骨外科頸骨折　183
　――外転型骨折　183
　――内転型骨折　183
上腕骨骨幹部骨折　188,189
上腕骨小頭　363
上腕骨内側上顆炎　363
上腕骨内側上顆骨折　201
上腕三頭筋腱　311
上腕二頭筋損傷　352
上腕二頭筋長頭腱　355,423
　――炎（症）　353,359,469
　――損傷　352
　――脱臼　353
　――断裂　352
上腕部　421
　――軟部組織損傷　360
ジョーンズ骨折　290,292
食事動作の指導管理　134
触診　84
褥瘡　254
ショック　247
　――の5P　34
ショパール関節　448
　――損傷　334
　――脱臼　334
尻上がり現象　383,385
自律神経障害　80

心因性疼痛　16
侵害受容性疼痛　16
伸筋群コンパートメント　366
寝具の指導管理　135
神経　76
神経因性疼痛　16
神経運動器協調訓練　108
神経学的評価　85
神経線維　77,80
神経損傷　78
神経ブロック療法　19
心原性ショック　173
心挫傷　173
診察手順の概説　83
診察の時期による分類　85
診察の注意点　83
シンスプリント　395
新鮮脱臼　56
振戦法　103
心臓震盪　344
靱帯　49
身体診察　84
靱帯性腱鞘　377
靱帯損傷　60
心タンポナーデ　173
伸長法　104
心肺蘇生法　344
深部静脈血栓症　36,254

[す]

随意性脱臼　56
髄腔　30
垂直重複骨折　247
睡眠時の体位　132
睡眠障害の対応　143
睡眠状態　139
数値的評価スケール　18
スカルパ三角　437
スキーヤー母指　373
鋤状変形　221
スコップ作業者病骨折　158,159
スティムソン法　306,328
ズデック骨萎縮　38,221,287
ステナー損傷　374
ストレスへの対応　143
ストレッチの指導管理　135
スナッフボックス　225
スパーリングテスト　340,464
スピードテスト　353,469
スピードトラック　273
スプリング靱帯　448,451
スポーツ活動の指導管理　136
スポーツ損傷　354
スミス骨折　221,316
スライス骨折　298
スワンネック変形　378

[せ]

清潔保持の指導管理　134
整骨新書　2
正骨範　2,295
正骨要訣　2
脆弱性骨折　24
成人期扁平足　406
生体の警告系　17
正中索　435
　　——損傷　322
正中神経障害　366
正中神経麻痺　221
整復法　88
セイヤー絆創膏固定法　177
静力学的荷重　12
静力学的機能不全　13
静力学的能動力　12
静力学的負荷変形　13
生理の内反膝　389
生理的彎曲　416
セーバー病　402
セカンドインパクト症候群　149
赤外線療法　109,118
脊椎カリエス　129,130
施術　6
　　——制限　7
　　——録　86
石灰性腱炎　359
接触型損傷　388
舌の患側偏位　149
セドンの分類　78
線維性の連結(関節)　46
線維軟骨　47
全荷重　101
仙棘靱帯　347
仙結節靱帯　347
前骨間神経麻痺　367
仙骨単独骨折　246
仙骨部　417
浅指屈筋腱断裂　379
線状骨折　148
全身関節弛緩テスト　463
全身調整運動　108
前仙腸靱帯　347
剪断骨折　29
先天性脱臼　56
　　——股関節脱臼　56
前頭蓋底(窩)骨折　149
前捻角　438
前方インピンジメント　400
前方脱臼　55
前方引き出しテスト　388,396
前腕回外制限　203
前腕回内・回外運動障害　216,221
前腕回内制限　203
前腕骨骨折　203

　　——遠位端部骨折　217
　　——近位部骨折　203
　　——骨幹部骨折　208
前腕コンパートメント症候群　365
前腕部　427
前腕両骨脱臼　310
　　——外側脱臼　313
　　——後方脱臼　310
　　——前方脱臼　312
　　——側方脱臼　313
　　——内側脱臼　313
　　——分散(開排)脱臼　313

[そ]

早期治療　145
早期発見　145
装具　97
爪床圧迫テスト　475
相反性クリック　338
足関節捻挫　396
足関節部　446
　　——損傷　396
足根管症候群　404
足根中足関節損傷　334
足根洞症候群　399
側索　435
足底腱膜炎　402
足底板　394,402,403,404
足部　447
側副靱帯滑液包　393
側副靱帯損傷　361,387,473
足部軟部組織損傷　402
側方(外反・内反)動揺性テスト　374,387,473
側方脱臼　55
側方転位　33
鼠径部痛症候群　380
阻血性拘縮　35,196,199
阻血性骨壊死　38
阻血性大腿骨頭壊死　254,325
阻血の5P　36
足根骨骨折　283
ソルター・ハリス型骨端線離開　224
ソルター・ハリス分類　39
損傷　14

[た]

第1CM関節脱臼　318
第1MP関節側副靱帯損傷　373
第1MP関節ロッキング　375
第1ケーラー病　403
第1指以外の中手指節関節脱臼　320
第1指中手指節関節脱臼　319
第1中手骨基部骨折　234
第2～5CM関節脱臼　318

第2ケーラー病　405
第5CM関節脱臼　318
第5中手骨基部骨折　235
第5中足骨基部骨折　290
体位　139
体格　139
体幹計測　460
体型　139
大結節単独骨折(上腕骨骨折)　186
体操など指導管理　135
体組成　139
大腿脛骨角　443
大腿骨遠位1/3部での骨折　258
大腿骨遠位骨端線離開　261
大腿骨遠位端部骨折　258
大腿骨顆上骨折　258
大腿骨顆部骨折　262
大腿骨近位部骨折　249
大腿骨頸部骨折　250
大腿骨骨幹部骨折　256
大腿骨骨折　249
大腿骨骨頭部骨折　249
大腿骨小転子単独骨折　255
大腿骨大転子単独骨折　255
大腿骨中央1/3部での骨折　257
大腿骨転子下骨折　255
大腿骨転子部骨折　254
大腿骨頭壊死　325
大腿四頭筋腱炎　390
大腿四頭筋拘縮症　389
大腿四頭筋肉ばなれ　384
大腿神経伸長検査　464
大腿部　438
　　——打撲　383
　　——損傷　383
大転子高位　326
対流冷却法　127
大菱形骨骨折　230
脱臼　50,52
脱臼骨折　57
　　——整復障害　58
ダッシュボード損傷　249,325,332,388
手綱靱帯　433
他動運動　105
タナ障害　392
多発脱臼　55
短縮転位　33
探珠子法　295
探珠法　295
探珠母法　295
単数脱臼　55
弾性軟骨　47
短橈側手根伸筋　364
弾発現象　377
弾発股(ばね股)　381
弾発指(ばね指)　377

索　引　**485**

弾発性固定　57,326
弾発性抵抗　57
単発脱臼　55
短母指伸筋腱　370

［ち］

竹節状骨折　24
恥骨単独骨折　246
チネル徴候　81,367,371
チネルテスト　474
遅発性尺骨神経麻痺　200,201,363
緻密質　22
チャーリーホース　383
チャンス骨折　164
中央索　435
中・下位頸椎骨折　156
肘関節屈伸障害　199,202
肘関節後外側回旋不安定症　362
肘関節の脱臼　310
肘関節部　423
肘屈曲テスト　369
中指伸展テスト　364,470
中周波電流療法　109,113
中手骨骨折　230
　　──頸部骨折　230
　　──骨幹部骨折　232
　　──骨頭部骨折　230
中心性頸(脊)髄損傷　341
中心性脱臼　55
中節骨骨折　239
　　──頸部骨折　239
　　──骨幹部骨折　240
中足骨骨折　290
　　──骨幹部疲労骨折　292
中足趾節関節の脱臼　335
中頭蓋底(窩)骨折　149
肘頭骨折　205,206
肘内障　314
肘部管　369
　　──症候群　365,369
肘部内側側副靱帯損傷　361
肘部末梢神経障害　366
超音波療法　109,120
腸管損傷　247
腸脛靱帯　439
　　──炎　391
腸骨翼単独骨折　246
腸骨稜裂離骨折　246
超短波療法　109,119
長橈側手根伸筋　368
長母指外転筋　318
　　──腱　370
直達性　15
　　──局所圧痛　31
　　──骨折　27
　　──脱臼　55

治療計画　86
治療体操　108
チロー骨折　279
沈下性肺炎　254
陳旧性骨折　31
陳旧性脱臼　56

［つ］

椎間孔圧迫試験　464
椎間板ヘルニア　347
椎体楔状圧迫骨折　156
椎体破裂骨折　156,157
つまみ動作障害　367

［て］

ティアドロップ骨折　156,157
低周波電気刺激療法　112
低周波電流療法　109
底側踵舟靱帯　448,451
低反応レベルレーザー療法　123
テープ　97
デゾー包帯固定法　176
デニスの3支柱理論　159
テニス肘　363
　　──バンド　364
テニスレッグ　395
手のアーチ　435
手の機能肢位と安全肢位　435
デパルマ法　308
デュプイトラン拘縮　377
デュプイトラン骨折　278
デュベルニー骨折　246
転位　32
電気刺激　18
電気療法　109,110
伝導熱療法　109,114
伝導冷却法　126

［と］

トイレの指導管理　134
トイレ様式の指導管理　135
頭蓋冠　410
頭蓋冠骨折　148,152
　　──陥凹骨折　148
　　──陥没骨折　148
　　──亀裂骨折　148
　　──縫合離開　148
頭蓋骨　410
　　──骨折　148
頭蓋底　410
　　──骨折　149,296
頭蓋内出血　149
頭蓋内の構造　410
投球

　　──骨折　27,188
　　──加速期　362
　　──コッキング期　354,356,362
　　──フォロースルー期　354,355,362
　　──リリース期　355
凍結肩　359
橈骨遠位骨端線離開　224
橈骨遠位端部骨折　217
　　──屈曲型骨折　221
　　──伸展型骨折　217
橈骨近位端部骨折　203
橈骨近位部損傷　207
橈骨骨幹部骨折　208
　　──若木骨折　208
橈骨手根関節脱臼　316
橈骨神経損傷　213
橈骨神経麻痺　188,189,221,367
橈骨頭単独脱臼　313
橈尺関節離開　315
等尺性収縮　105
橈・尺両骨骨幹部骨折　214
豆状骨骨折　229
等速性収縮　106
橈側側副靱帯　362
等張性収縮　106
疼痛　31
動的な診察　85
頭部　410
　　──打撲　337
動揺性肩関節　358
動揺痛　32
トーマステスト　382,383,472
特異的予防　144
ド・ケルバン病　72,370
徒手検査　85
徒手整復施行時の配慮　88
トッシー分類　301
ドナヒュー法(吊り下げ法)　306
トムゼンテスト　470
ドロップアームサイン　352,468
ドロップフィンガー　242
トンプソンテスト　395,474

［な］

内臓損傷　170
内側膝側副靱帯損傷　387
内側靱帯損傷　397
内側側副靱帯(膝)　439
　　──付着部裂離骨折　263
内側脱臼　55
内転型骨折　183
内転動揺テスト　473
内反膝　389
内反肘　199,201,369
内反変形　357

486 索　引

内方脱臼　55
ナウマン徴候　285
生木骨折　24
軟骨組織　47
軟骨内骨化　30
軟性材料　97

[に]

ニア　468
　——の分類　181,356
ニア法　357
肉ばなれ　66
二次性求心性ニューロン　17
二次性転位　33
二重脱臼　55
日常生活活動機能　140
二宮彦可　2
二分靱帯損傷　398
ニュートンテスト　466
入浴の指導管理　134
尿道損傷　247
尿路感染　254
認知症　254

[ね]

寝違え　67,342
捻挫　50
捻転骨折　29
捻転転位　33
年齢　138

[の]

脳圧迫症　149
脳挫傷　149,152,153
脳振盪　148,152,153
脳頭蓋　410
ノーマンズランド　433

[は]

バースト骨折　156,157
バートン骨折　222
背臥位吊り上げ整復法　164
肺尖損傷　174
背側バートン骨折　223
バイタルサイン　139
背部　415
　——損傷　344
バイル徴候　466
パウエル分類　251,252
バウマン角　428
破壊性脱臼　53
白鳥の首変形　378
剝離骨折　27

バスの分類　68
8字帯固定法　176
発育期膝関節障害　388
発育性股関節形成不全　56
バックハンドテニス肘　364
抜歯　411
発熱　34
波動マッサージ法　131
パトリックテスト　472
バトル徴候　149
バニオン　404
ばね股(弾発股)　381
ばね指(弾発指)　377
ハバース管　22
　——系　21
ハバース層板　22
ハムストリングスの肉ばなれ　385
パラテノン　394
パラフィン浴療法　109,116
バランス機能　140
破裂骨折　28,29
バレ・リュウー症状　340
バンカート損傷　307
ハンギングキャスト　186
ハングマン骨折　154,155
半月　440
半月(板)損傷　386,472
反射性交感神経性ジストロフィー
　221
絆創膏　97,273
　——牽引療法　276
ハンター管症候群　394
パンチ骨折　230
反張膝　389
反跳症状　302
反張背臥位整復法　164
バンド固定法　177
ハンドル損傷　172
バンナー病　364
バンピング法　131
反復性肩関節脱臼　307
反復性脱臼　56
ハンマー指　242,324

[ひ]

ピアノキー症状　302
皮下血腫　337
皮下骨折　26
皮下出血斑　32,174,179
非観血的整復法　90,92
引き出し徴候　473
引き違い骨折　29
腓骨筋腱腱鞘炎　287
腓骨筋腱脱臼　399
腓骨骨幹部骨折　276
鼻骨骨折　151

腓骨神経麻痺　275
尾骨単独骨折　246
腓骨頭単独骨折　270
肘引っ張り症候群　314
ヒップテスト　466
鼻軟骨骨折　151
腓腹筋半膜様筋包　393
ヒポクラテス法　294,305
ヒヤリ・ハット活動　142
ヒューター三角　311,427,428
ヒューター線　427,428
病的の骨折　23
病的脱臼　53
病歴聴取　84
氷裂骨折　24
ヒル・サックス損傷　305,307
疲労骨折　23
疲労性筋損傷　67

[ふ]

ファーレ徴候　371
ファーレンテスト　471
ファットパッドサイン　197,198
ファンクショナルブレース　192
フィンケルスタインテスト　370,471
フェイススケール　18
フォーク状変形　219
フォルクマン管　22
フォルクマン拘縮　35,38,199,366
複合骨折　26
伏在神経麻痺　394
副子　97
輻射熱療法　118
副神経　410
副靱帯　433
複数脱臼　55
副木　97
不顕性骨折　25
ブシャール結節　377
不全骨折　24
不全脱臼　53
物理療法　18,109,110
部分荷重　101
フライバーグ病　405
ブラウン架台　273
ブラガードテスト　465
ブラックアイ　149
ブランチテスト　475
ブラント病　389
不良姿勢　345
フローズンショルダー　306
フローゼの腱弓　368,427
フロマン徴候　369,371
粉砕骨折　26,29
分裂膝蓋骨　264

索　引　**487**

[へ]

閉鎖性運動連鎖　106,107
閉鎖性関節損傷　51
閉鎖性筋損傷　70
閉鎖性骨折　26
閉鎖性神経損傷　80
閉鎖性脱臼　55
ベーカー囊腫　393
ベースボールフィンガー　242
ベーラー角　286
ベーラー体操　162
ベーラー反張位ギプス固定法　161
ベーラー反張整復法　161
ベネット骨折　226,230,234,235
ベネット損傷　354
ヘバーデン結節　117,377
変換熱療法　109,119
変形　32
変形性股関節症　381
変形性肘関節症　365
変形癒合　37
胼胝　404
扁平足　289
　　——障害　405

[ほ]

膀胱損傷　247
放射状胸肋靱帯　416
帽状腱膜下血腫　337
ボウストリングテスト　465
ホーキンス法　357
ボクサー骨折　230
歩行機能　140
歩行訓練　108
歩行の指導管理　134
母指内転筋腱膜　374
保清の指導管理　134
ボタン穴変形　323,377
ポット骨折　278
ホットパック療法　109,114
ポピュレーションアプローチ　137
ボルカース法　294

[ま]

マーデルング変形　372
マイクロ波療法　119
マックマレーテスト　386,472
マッケンジー体操　349
末梢神経障害　371
末梢神経損傷　76
末節骨骨折　241
マニピュレーション　104
麻痺性脱臼　53
マルゲーニュ骨折　247

　　——痛　31
マルゲーニュの圧痛点　31
マレットフィンガー　242,324,379
慢性疼痛　17

[み・む]

ミクリッツ線　440,443
水治療法　109,117
ミッデルドルフ三角副子　186
ミルヒ法(挙上法)　306

むちうち損傷　339,340
無腐性骨壊死　38

[め・も]

免荷　101
綿花　97
メンタルヘルス　137,143

モーテ法(挙上法)　306
モートン病　405
モーリーテスト　467
モーレンハイム窩　304
問題指向型診療録　86
問題指向型方式　86
モンテギア骨折　212,310,313,368

[や・ゆ]

ヤーガソンテスト　353,469
野球肘　362
薬物療法　19
ヤコビー線　419

有鈎骨骨折　228
　　——鈎骨折　228
　　——体部骨折　229
有頭骨骨折　230
有痛弧徴候　352,357,468
有痛性外脛骨　402
有痛性分裂膝蓋骨　391
有頭骨骨折　230

[よ]

腰椎介達牽引　129
腰椎骨折　164
腰椎脱臼　299
腰椎椎間板ヘルニア　464
腰椎椎体破裂骨折　165
腰椎捻挫　345
腰椎肋骨突起(横突起)骨折　166
腰部　417
　　——損傷　345
腰部椎間板ヘルニア　464
腰部鈍痛　346

腰部捻挫　345
浴室の指導管理　135
吉原元棟　2

[ら]

ライトテスト　467
ラウゲ・ハンセンの分類　280
ラガージャージインジャリー　373
螺旋状骨折　25,29
ラックマンテスト　388,472

[り]

梨状筋症候群　382
リスフラン関節　448,449
　　——損傷　334
離断性骨軟骨炎　363,365
立方骨骨折　289
リトルリーガー肩　357
リトルリーガー肘　362
リフトオフテスト　352,469
リモデリング期　45
隆起骨折　24
緑樹骨折　24
リラクセーション　107
リング固定法　177
輪状靱帯　314

[る・れ]

ルーステスト　468
ルシュカ関節　411,412
ルドロフ徴候　255

冷罨法　118
レーザー光線療法　109,122
裂離骨折　27,62

[ろ]

ローゼル・ネラトン線　326,439
ローランド骨折　234,235
肋硬骨部骨折　167
肋鎖症候群　341
肋軟骨骨折　167
肋軟骨部骨折　167
肋間筋損傷　343
ロッキング　321
ロッキングフィンガー　375
肋骨骨折　167

[わ]

ワードの三角　438
ワーラー変性　79
若木骨折　24

鷲手 368
　——変形 366
ワトソン・ジョーンズ分類 269
腕神経叢損傷 175,302
腕神経叢麻痺 78
腕橈関節 431

【欧文索引】

[A]

abduction stress テスト 473
abnormal mobility 32
absorption fever 34
acquired dislocation 56
active assistive exercise 105
active exercise 105
acute pain 16
acute plastic bowing 24
adduction stress テスト 473
Adson テスト 467
AED (automated external defibrillator) 344
Allen テスト 467,474
Anderson 分類 155
anterior apprehension test 307
anterior dislocation 55
anterior drawer test 388
Apley テスト 386,474
apophysis 30
apprehension sign 331
avulsion fracture 27

[B]

BA (Baumann's angle) 428
bamboo fracture 24
Bankart 損傷 304
Barré-Liéou 症状 340
basal (basilar) skull fracture 149
baseball finger 242
Bass の分類 68
Battle's sign 149
bending fracture 28
Bennett 骨折 226,234
Bennett 損傷 354
black eye 149
blanch テスト 99,475
blood vessel of bone 22
Blount 病 389
blow-out fracture 152
Böhler 角 286,287
Böhler 反張位ギプス固定法 161
bone bruise 25
bone marrow 22
Borchers 法 294
Bouchard 結節 377

Bow string テスト 465
boxer 骨折 230
Bragard テスト 465
burst fracture 165
burst 骨折 156
button hole deformity 377

[C]

CA (carrying angle) 196,428
Campbell 374
capillary refill time (CRT) 475
central cord syndrome 341
central dislocation 55
central slip 損傷 322
chair テスト 364,469
Chance fracture 164
Chopart 関節 448
　——損傷 334
chronic pain 17
CKC (closed kinetic chain) 106,107
claw finger 368
claw hand 366
clay-shoveler's fracture 158
cleavage fracture 29
closed dislocation 55
closed fracture 26
Codman 体操 307,360
Colles 骨折 38,217
comminuted fracture 26
compartment 症候群 36,365
complete dislocation 53
complete fracture 24
complex fracture 26
complex regional pain syndrometype (CRPS) 38
compression fracture 28
compression テスト 474
congenital dislocation 56
congenital dislocation of the hip (CDH) 56
continuous passive motion (CPM) 105
contusion 66
contusion of the chest and back 343
contusion of the head and face 337
Cooper 法 (槙杆法) 306
cortical bone 22
Cotton 骨折 279
CPR (cardio pulmomary resuscitation) 344
crepitation 32
crepitus 352
crush syndrome 36

[D]

De Palma 法 308
de Quervain 病 72,370
deformity 32
Denis の 3 支柱理論 159
depression fracture 24,29
Desault 包帯固定法 176
developmental dysplasia of the hip (DDH) 56
diaphysis 30
DIP 関節脱臼 324
direct dislocation 55
direct fracture 27
dislocation 50,52
dislocation of distal interphalangeal joint 324
dislocation of proximal interphalangeal joint 322
dislocation of temporomandibular joint 293
dislocation of the 1st metacarpophalangeal joint 319
dislocation of the cervical spine 296
dislocation of the elbow joint 310
dislocation of the hip joint 325
dislocation of the shoulder joint 303
displacement 32
distraction テスト 474
Donaghue 法 (吊り下げ法) 306
double dislocation 55
drawer sign 473
drop arm sign 352,468
drop finger 242,367
drop hand 367
Dupuytren 拘縮 377
Dupuytren 骨折 278
Duverney 骨折 246
DYJOC トレーニング 108
dynamic joint control training 108

[E]

Eden テスト 468
Eichhoff テスト 471
enchondral ossification 30
epiphyseal-line 30
epiphyseal ossification nuclei or center 30
epiphysis 30

[F]

Fabere sign 472
fat pad sign 197
fatigue fraeture 23
femoroacetabular inpingement (FAI)

索　引　489

380
femorotibial angle(FTA)　440,443
Finkelstein テスト　370,471
fissured fracture　24
flail chest　169
flake fracture　27
flexion teardrop 型骨折　158
FNS(femoral nerve stretch)テスト　464
footballer's ankle　400
fracture of calvaria　148
fracture of face cranium　151
fracture of femur diaphysis　256
fracture of humeral medial epicondyle　201
fracture of humeral outside condyle　200
fracture of humeral supracondylar　194
fracture of metatarsal　290
fracture of proximal phalanx　237
fracture of radius diaphysis　208
fracture of scaphoid　225
fracture of skull　148
fracture of the cervical spinme　153
fracture of the clavicle　174
fracture of the mandible　153
fracture of the maxilla　152
fracture of the nasal bone　151
fracture of the patella　264
fracture the pelvis　245
fracture of the rib　167
fracture of the scapula　179
fracture of the sternum　172
fracture of the zygomatic bone　152
fracture of tibial condyle　266
fracture of triquetrum　227
fracture of ulnar diaphysis　210
Freiberg 病　405
Frohse の腱弓　368,427
Froment 徴候　369
frozen shoulder　359
functional disturbance　32
FWB(full weight bearing)　101

[G]

Galeazzi 骨折　210
game keeper's thumb　374
ganglion　368
Garden 分類　252
Glisson 係蹄牽引　128
grasping test　391
greenstick fracture　24
Grinding テスト　474
groin pain syndrome　380
Gurlt の骨癒合　42

[H]

habitual dislocation　56
hamulus(hook)of hamate fracture　228
hangman 骨折　154,155
Havers 管系　21
Hawkins 法　357
Heberden 結節　117,377
heel buttock distance(HBD)　385
hemarthrosis　57
Hibb テスト　466
Hill-Sachs 損傷　305
Hippocrates 法　294,305
Hüter 三角　311

[I]

impingement exostosis　400
impingement sign　352,468
incomplete dislocation　53
incomplete fracture　24
indirect dislocation　55
indirect fracture　27
inferior dislocation　55
injury of the intercostal muscle　343
injury of the sternocostal joint　342
injury of the temporomandiblar joint　339
insufficiency fracture　24
internal derangement of TMJ　338
intersection syndrome　366

[J]

Jackson head compression テスト　464
Jackson shoulder depression テスト　464
Jackson テスト　340,464
Jacoby 線　419
Jefferson 骨折　154,155
Jeffery 型損傷　207
Jones 骨折　290,292
jumper's knee　390

[K]

Kemp テスト　465
Kienböck 病　372
Kocher 法　305,327
Köhler 病　403

[L]

Lachman テスト　388,472
lateral instability テスト　473

lateral dislocation　55
Lauge-Hansen の分類　280
lift off test　352,469
Lisfranc 関節　448
　　──損傷　334
little leaguer's elbow　362
little leaguer's shoulder　357
longitudinal fracture　25
loose shoulder　358
Ludloff 徴候　255

[M]

Madelung deformity　372
Malgaigne 骨折　247
Malgaigne の圧痛点　31
Mallet finger　242
McKenzie 体操　349
McMurray テスト　386,472
medullary cavity　30
metaphysis　30
Middeldorpf 三角副子　186
middle finger extension テスト　364,470
Mikulicz 線　440,443
Milch 法(挙上法)　306
Mohrenheim 窩　304
Monteggia 骨折　210,212,310,368
Morley テスト　467
Morton 病　405
Mothe 法(挙上法)　306
MP 関節　434
　　──脱臼　319,320
MUB(maximal ulnar bow)　431
multiple dislocation　55

[N]

Naumann 徴候　285
Neer　356,468
　　──の分類　181
　　──法　357
neurogenic pain　16
Neutral Zero Starting Position　454
Newton テスト　466
nociceptive pain　16
noman's land　433
numerical rating scale(NRS)　18
NWB(non weight bearing)　101

[O]

O' Driscoll　362
oblique fracture　25
occult fracture　25
OKC(open kinetic chain)　106,107
open dislocation　55

490 索　引

open fracture　26
orbitomeatal line　410
Osborne 靱帯　427
Osgood-Schlatter 病　270,389
ossification of posterior longitudinal
　ligament(OPLL)　340
over arm pattern　354
overlapping finger　232
overuse　277,351
overuse syndrome　390

[P]

pain　31
painful arc sign　352,357,468
palmar tilt(volar tilt)　431
Panner 病　364
passive exercise　105
patellar grinding test　392
pathologic dislocation　53
pathologic fracture　23
Patrick テスト　472
Pauwels 分類　251
Payer 徴候　466
periosteum　22
Phalen 徴候　371
Phalen テスト　471
pilon　283
PIP 関節　434
　──側副靱帯損傷　373
　──脱臼　322,323
piriformis syrdrome　382
plafond 骨折　283
POMR(problem oriented medical re-
　cord)　86
POS(problem oriented system)　86
posterior dislocation　55
posterior drawer test　388
posterolateral rotatory instability
　(PLRI)　362
Pott 骨折　278
psychogenic pain　16
pulled elbow syndrome　314
punch 骨折　230
PWB(partial weight bearing)　101

[Q・R]

Q 角(Q-angle)　440,444
QOL　18,96
quadrilateralspace　354

radial collateral ligament(RCL)　362
radial height(radial length)　431
radial tilt(radial inclination)　431
radioulnar fracture　214

recurrent dislocation　56
resistive active exercise　105
RICE の基本原則　93
Roland 骨折　234,235
Roser-Nélaton 線　326,439
Rotating テスト　474
rotator cuff の損傷　350
runner's knee　391
rupture fracture　29

[S]

Saffar　316
sag sign　388
Salter-Harris 型骨端線離開　224,357
Salter-Harris 分類　39
Sarmient　192
Sayre 絆創膏固定法　177
screw home movement　440,443
seat belt injury(syndrome)　172
Seddon の分類　78
Sever 病　402
Sharpey 線維　22
shin splint　395
shock　34
Simonds テスト　474
single dislocation　55
skier's thumb　373
SLAP(superior labrum anterior to
　posterior)損傷　355
slice 骨折　298
SLR(straight leg raising)テスト　464
snapping finger　377
snapping hip　381
snuff box　225
SOMI 装具　156,157
Speed テスト　353,469
spiral fracture　25
splintered fracture　26
spongy bone　22
sprain　50
springy fixation　57
Spurling テスト　340,464
squeeze テスト　474
steering wheel injury　172
Stener lesion　374
Stimson 法　306,328
strain　66
stress fracture　23
Struthers' arcade　361,369
subperiosteal fracture　25
Sudeck 骨萎縮　38
sulcus sign　358
Sunderland の分類　78
superior dislocation　55

supraspinatus outlet　356
swan neck deformity　378
swelling　32

[T]

T 字状骨折　26
T 字状木製板固定法　177
TA(tilting angle)　428
tear drop outline　367
teardrop 骨折　156,157
temporomandiblar arthrosis　338
tennis leg　395
TENS　112
TFCC(triangular fibrocartilage com-
　plex)　430
　──ストレステスト　370,470
　──損傷　370
Thomas テスト　382,472
Thompson テスト　395,474
Thomsen テスト　364,470
Tillaux 骨折　279
Tinel 徴候　81,367
Tinel テスト　474
torsion fracture　29
Tossy の分類　301
transverse fracture　25
traumatic cervical syndrome　339
traumatic dislocation　53
traumatic fracture　23
tripod fracture　153

[U・V]

ulnar variance　431

V 字状骨折　26
visual analog scale(VAS)　18
Volkmann 管　22
Volkmann 拘縮　38,196,199,366
voluntary dislocation　56

[W・Y・Z]

Waller 変性　79
Watson-Jones 分類　269
whiplash injury　339
Williams 体操　349
WLR(well leg raising)テスト　465
Wright テスト　467

Y 字状骨折　26
Yergason テスト　353,469

Z 字型変形(第 1 指中手指節(MP)関節
　脱臼)　319

柔道整復学—理論編（改訂第 7 版）

1988 年 4 月 20 日　第 1 版第 1 刷発行	編集者　公益社団法人　全国柔道整復学校協
2009 年 4 月 10 日　第 5 版第 1 刷発行	会・教育支援委員会教科書部会
2018 年 3 月 30 日　第 6 版第 1 刷発行	発行者　小立健太
2020 年 6 月 30 日　第 6 版第 4 刷発行	発行所　株式会社　南 江 堂
2022 年 3 月 15 日　第 7 版第 1 刷発行	☎113-8410　東京都文京区本郷三丁目42番 6 号
2025 年 1 月 20 日　第 7 版第 4 刷発行	☎（出版）03-3811-7236　（営業）03-3811-7239

ホームページ https://www.nankodo.co.jp/
印刷　三美印刷／製本　ブックアート

Judo Therapy, Method Book
© Zenkoku Judoseifuku Gakko Kyokai, 2022

定価はカバーに表示してあります.
落丁・乱丁の場合はお取り替えいたします.
ご意見・お問い合わせはホームページまでお寄せください.

Printed and Bound in Japan
ISBN978-4-524-23318-2

本書の無断複製を禁じます.

JCOPY 〈出版者著作権管理機構 委託出版物〉

本書の無断複製は，著作権法上での例外を除き禁じられています．複製される場合は，そのつど事前に，
出版者著作権管理機構（TEL 03-5244-5088, FAX 03-5244-5089, e-mail: info@jcopy.or.jp）の許諾
を得てください.

本書の複製（複写，スキャン，デジタルデータ化等）を無許諾で行う行為は，著作権法上での限られ
た例外（「私的使用のための複製」等）を除き禁じられています．大学，病院，企業等の内部において，
業務上使用する目的で上記の行為を行うことは私的使用には該当せず違法です．また私的使用であって
も，代行業者等の第三者に依頼して上記の行為を行うことは違法です.